DEUTSCHE KULTUR ZWISCHEN 1871 UND 1918

VON

HANS KRAMER

Mit 189 Abbildungen und einer Farbtafel

AKADEMISCHE VERLAGSGESELLSCHAFT ATHENAION
FRANKFURT AM MAIN

Dem Andenken meiner lieben Mutter, Frau Anna Kramer (gestorben im Jahre 1969)

© 1971 by Akademische Verlagsgesellschaft ATHENAION, Frankfurt am Main
Alle Rechte vorbehalten
Satz und Druck: Hermann Hagedorn, Berlin, und Franz Spiller, Berlin
Klischees: Union-Klischee, Wiesbaden
Einband: Klemme & Bleimund, Bielefeld
Printed in Germany 1971
ISBN 3-7997-0034-X (Gesamtausgabe)
ISBN 3-7997-0087-0

VORWORT

Einer Übersicht zur Kulturgeschichte des Deutschen Reiches von 1871 bis 1918 muß ein erklärendes Wort vorausgeschickt werden. Weite Kreise sind sich in der kritischen Beurteilung der Politik Deutschlands vor 1914 und im Jahre 1914 einig, was durch die Interpretation Fritz Fischers (die nicht jeder ganz unterschreiben kann oder will) mehr oder minder bewirkt worden ist. Ich selbst hatte hier die deutsche Außenpolitik und ihre Ambitionen nicht zu behandeln, doch mußten immerhin einige prägende Persönlichkeiten skizziert und insbesondere die Eigenarten sowie die Wirkung Wilhelms II. beschrieben werden – und zwar durchaus kritisch.

Für einen guten Teil des deutschen Volkes jedoch waren diese Jahrzehnte eine glänzende Zeit, eine »belle epoque«, um diesen Ausdruck auf Deutschland zu übertragen, wie es Willy Haas in seinem Buch 1967 getan hat. Deutschland erlebte zweifellos in relativ kurzer Zeit kulturell, wirtschaftlich, in Industrie und Handel, in Forschung und Wissenschaft einen beträchtlichen Aufschwung. Das alles schuf das Volk, und die politisch führenden Männer hatten oft wenig Anteil daran.

Wenn ich mich also in der Beurteilung der Politik Deutschlands wohl dem Großteil der heute maßgebenden deutschen Historiker – in bescheidenem Abstand – anschließen darf, so ist es etwas anderes bei der Beurteilung der kulturellen Leistungen jener Zeit. Man ist heute nur zu rasch geneigt, alle Produkte dieser Jahrzehnte als Kitsch, als Geschmacklosigkeiten, als »Schinken« usw. zu verurteilen. Allerdings hat sich gerade in den letzten Jahren eine gewisse gegenläufige Tendenz bemerkbar gemacht: Auch ich kann nicht alles in den alten Richtungen verwerfen, wenn ich auch zugebe, daß es schlimme Kitschverirrungen, z. B. im Wohn- und Baustil nach 1871 oder etwa bei der Ausartung des Jugendstils in Manieriertheit gegeben hat; Verirrungen nicht nur auf diesen Gebieten. Karl Buchheim schreibt in seiner »Deutschen Kultur zwischen 1830 und 1870« (1966) mit vollem Recht: »Es geht freilich nicht an, alles, was dem heutigen Geschmack zuwider ist, für Kitsch zu erklären, und es geht ebensowenig an, die Beurteilung des Volksgeschmacks ganz allein nach Maßstäben des Bildungsstolzes vorzunehmen. Was einem Menschen ernstlich zur Verschönerung oder Erleichterung seines Lebens dient, ist kein Kitsch. Manches wurde erst zum Kitsch, als seit den fünfziger Jahren [des 19. Jahrhunderts] immer mehr die Fabrikware den alten Hausrat zu verdrängen begann.«

Als Österreicher, geboren 1906, habe ich noch einige Jahre der hier zu behandelnden Epoche bewußt miterlebt. Ich habe bei mehreren Besuchen in Deutschland, besonders in München, sowie auch als Soldat der Deutschen Wehrmacht 1940–45 viele – wie man in Österreich sagt – »Reichsdeutsche« kennengelernt und nicht zuletzt auch die Schattenseiten des preußisch-deutschen Militarismus, auf die ich im folgenden des öfteren eingehe, selbst beobachten können. Zugleich aber verbanden mich zahlreiche freundliche Kontakte zu Deutschen aller Stände.

Diese Überblicksdarstellung wird der Kritik ausgesetzt sein; ich bin auf sie gefaßt. Manchen wird die »Tendenz« wenig behagen, andere werden sogleich feststellen, daß dieses oder jenes fehlt, was man bei einem Abriß der Kulturgeschichte zwischen 1871 und 1918 nicht vermissen könne. Indessen konnte auf beschränktem Raum und angesichts einiger Kürzungswünsche des Verlages Vollständigkeit nicht angestrebt werden.

Ich danke dem Herausgeber des »Handbuchs der Kulturgeschichte«, meinem Freund Universitätsprofessor Dr. Eugen Thurnher, und dem Verlag herzlich für Unterstützung und Entgegenkommen.

Innsbruck, im Mai 1971   Hans Kramer

INHALTSVERZEICHNIS

1. Euphorie des Sieges, der die Reichsgründung ermöglichte: das festlich illuminierte Brandenburger Tor in Berlin bei der Sedanfeier am 2. September 1870

ALLGEMEINES

Drei siegreiche Kriege (1864, 1866 und 1871), an deren Ende die Einigung Deutschlands stand, hatten in weiten Kreisen des neugegründeten Reiches die Überzeugung aufkommen lassen, daß alles Erdenkbare erreicht sei und man nunmehr am Beginn eines Goldenen Zeitalters stehe. Der Goldstrom der 5 Milliarden Francs Kriegsentschädigung aus Frankreich erwies sich jedoch in manchem als Unsegen. Schon damals haben Warner, darunter Jacob Burckhardt, gesagt, daß der Krieg der Seele und dem Charakter der Deutschen nicht guttun werde. Von allen großen Völkern Europas hatten die Deutschen als letzte den Weg zur einheitlichen Staatsform gefunden, aber sie bildeten jetzt die stärkste Großmacht des kontinentalen Europa.

Der Stolz der ebenfalls spät geeinten Italiener war durch manche Niederlage während des Risorgimento gedämpft worden: Die Einsicht, noch immer die schwächste Großmacht zu sein, bewahrte Italien vor hemmungslosen Ambitionen.

Gewiß, das deutsche Volk bewahrte viele seiner guten Eigenschaften; es behielt selbstverständlich seine Intelligenz, seine Erfindungsgabe, seinen Fleiß (der sich mitunter geradezu in Arbeitssucht äußerte), seine Unternehmungslust, seine Pflichttreue, seine Disziplin, auch im zivilen Bereich, seine Organisationsgabe, seine Exaktheit und das, was man »militärisch wertvolle« Eigenschaften nannte; ja, manche dieser Eigenschaften hatten jetzt erst Entfaltungsmöglichkeiten und verhalfen zum künftigen Aufstieg. Die Deutschen waren ein »ehrliches« Volk, es herrschte Ordnung, es gab im allgemeinen keine Korruption. Es wurde wahrhaft viel gearbeitet und auch erreicht. Deutschland war ein kraftstrotzender Staat, und die Deutschen – diese Ansicht mag auf Kritik stoßen – hätten sich von 1871 bis 1914 so etwas wie ein »augusteisches Zeitalter« schaffen können.

Das Ausland wußte von diesen Eigenschaften; die Deutschen waren deswegen – manchmal ohne Sympathie – angesehen, wurden allerdings auch beneidet. Sie galten als Emporkömmlinge: Zunächst noch verdeckt, weil Wilhelm I. und Friedrich III. und manche anderen Bundesfürsten aus der älteren Generation stammten, keineswegs parvenühaft auftraten und man diesen Vorwurf ebensowenig der Politik Bismarcks machen konnte. Wilhelm II. aber erschien dann mehr und mehr als der erste richtige Parvenü. Manche schlechte Eigenschaft der Deutschen entstammte allerdings schon der Zeit vor 1888. Gewiß war der deutsche Nationalismus durch die Siege bis 1871 stark angefacht worden. Es war – meistens ohne Bismarcks Anteil – zu viel von Macht- und Realpolitik die Rede, wobei man unter »Real« teils das Recht zum Auftrumpfen, teils zum Machiavellismus verstand – obwohl zu letzterem der Deutsche kein Geschick besaß. Unter Wilhelm II. war man mit dem Rang einer Großmacht nicht mehr zufrieden, man wollte – trotz unbedeutender Kolonien – eine Weltmacht sein und Weltpolitik treiben – man hat aber höchstens einen Welthandel erreicht. Diese Bestrebungen wurden obendrein zu offen proklamiert. Das Wort »Welt« hat viel Unheil angerichtet. Der Sprung vom Nationalstaat, der Deutschland noch nicht war, zur Großmacht und zur angeblichen Weltmacht, zu erwünschter Expansion, sollte in zu kurzer Zeit getan werden. Die Deutschen glaubten, voller Stolz auftreten zu können, und aus dem Stolz wurden Geltungsdrang, Prahlerei, »Angabe« und nicht selten Taktlosigkeit – besonders vor Ausländern, z. B. auf Reisen.

Es fehlte den Deutschen das Weltmännische, die Selbstsicherheit, wie sie etwa den Engländern eigen war. So kam es, daß »der Deutsche« nicht nur respektiert, sondern auch geschnitten, gefürchtet oder manchmal hinter seinem Rücken belächelt wurde. Zeitgenossen und Historiker, die vor 1914 oder bald nach 1918 über die selbst miterlebte deutsche Geschichte nach 1871 schrieben, hoben die durch den raschen Aufstieg des Reiches sich entwickelnden schlechten Eigenschaften der Deutschen fast zu stark hervor.

Es ist einleuchtend, daß spätere Historiker und Literaten viele Entwicklungen im Reich nach 1871 scharf kritisierten, weil ihnen die Außenpolitik, die Erstarrung der ungenügenden Reichsverfassung und des preußischen Wahlrechts, die soziale Schichtung des Volkes als geradezu paradox erschienen im Vergleich mit dem jähen materiellen Aufstieg. Die Zeit Wilhelms II. bot natürlich besonders viele Angriffspunkte. Vieles wurde dem deutschen Volk, wie es sich nach 1871 darbot, vorgeworfen: Es kamen kleine Erben großer Taten, Epigonen im engeren Sinn des Wortes. Die Deutschen seien selbstgerecht, dünkelhaft, in Wirklichkeit mehr oder minder glaubenslos, nur äußerlich moralisch, oberflächlich, zu geschäftig, hastig und wichtigtuerisch, nach oben servil, nach unten den Befehls- und Anschnauzton bevorzugend, nach Titeln, Orden und Ehrungen begierig, geschmacklos theatralisch, prunksüchtig usw.

Wie den Deutschen kann man natürlich allen Völkern gute und schlechte Seiten attestieren, und es muß nicht aufgezählt werden, was allein den anderen europäischen Völkern unbedacht generalisierend an Mängeln vorgeworfen worden ist. Indessen stimmt es, daß die Deutschen fast bis zur Einigung im Biedermeier verharrten und daß sie hierauf unvermittelt den Aufstieg zu einer modernen Großmacht bewältigen mußten. Es war ein Sprung von einem in vielem idealistischen und humanistischen Zeitalter in eines des Rationalismus und des Materialismus. Theodor Schieder spricht vom Übergangs- und Durchgangszeitalter, vom Zeitalter der Antinomien, vom Nebeneinander großer politischer Bewegungen, von einem Jahrhundert mangelnder Stileinheit und von der Diskrepanz zwischen äußerer Ruhe und Sicherheit und innerer untergründiger Spannung.

Da gab es den Gegensatz zwischen Norden und Süden und das heikle Kapitel der Verpreußung des Reiches. Das Leben in Süddeutschland galt noch als »natürlicher«, die Klassentrennung und die ambitionierte Haltung eines Teiles des Bürgertums wurden weniger herausgestrichen. Die Norddeutschen warfen den Süddeutschen vor, daß sie weniger intelligent und arbeitsfreudig seien, was freilich erst zu beweisen war (man denke z. B. an die Industrie in Württemberg usw.); die Preußen nannten die Süddeutschen leichtfertig, bequem, sentimental, »demokratisch« und »liberal«, was beileibe kein Lob sein sollte. Sicherlich waren die Süddeutschen der Kunst, der Musik, der Dichtung und, vor allem, einer wachsenden Demokratisierung stärker aufgeschlossen. Denken wir nur an die spezifische Rolle der Sozialdemokraten in Süddeutschland.

»Der Norddeutsche« hingegen bewies mehr Arbeitsgeist und -kraft, mehr Initiative in der Gründung von Unternehmungen. In Süddeutschland nannte man die (norddeutschen) Preußen arrogant, man kritisierte ihre schlechten Manieren, schalt sie Maulhelden und Eisenfresser, reaktionär, und hielt sie für kalte Geschäftemacher. Den preußischen Herrenanspruch wollte man nicht hinnehmen.

Dem Reich stellte sich das Problem Preußen, das innerlich keineswegs einheitlich war (Ost- und Westelbien), aber 75 % des Reichsgebietes umfaßte; von 65 Millionen Staatsbürgern waren allein 40 Millionen preußisch. Der Reichskanzler war fast immer auch preußischer Ministerpräsident. Der preußische Kriegsminister »regierte« im gesamten Reich (von Bayern, Württemberg und Sachsen abgesehen). In den Augen der Süd-, auch der Westdeutschen war Urpreußen vor allem östlich der Elbe mit ausgeprägtem Caesarismus, Berliner Zentralismus, mit Säbelherrschaft, mit militaristischem und bürokratischem Geist, mit politischer Rückständigkeit gleichzusetzen. Preußen – so empfand man – wurde nach 1871 den anderen Ländern mehr oder minder aufgepfropft. Die Urpreußen selbst schätzten das neue Reich gar nicht (es »bekomme Preußen nicht«), aber sie wollten doch das Reich mit ihren Offizieren und Beamten durchsetzen. Nur »der Preuße« und nicht »der Deutsche« im allgemeinen sei im Ausland so unbeliebt – fand man außerhalb Preußens. Die Fortschrittlichen erklärten, daß nur das anachronistische Dreiklassenwahlrecht, die alte preußische Wahlkreiseinteilung, das nicht mehr zeitgemäße preußische Herrenhaus und die preußische konservative Partei alle Reformen verhinderten und verdürben. Die rückständigen, provinziellen Urpreußen seien zu allerletzt befähigt, das Reich in die Weltpolitik einzuführen; in anachronistischer Weise herrsche dort noch eine feudalistische, junkerliche, agrarische, auf die Mentalität des preußischen Offiziers eingestellte Kaste, die – vor allem was die Steuern betreffe – weniger leiste als andere Volksschichten und Gebiete, aber dennoch mehr Anteil an der Beherrschung des Staates fordere. Ostelbien nütze den reichen deutschen Westen nur aus, der weit mehr Steuern zahle.

Nun muß eingeräumt werden, daß die preußischen Beamten, die auch in andere Gegenden des Reichs versetzt wurden, voll Pflichttreue, fleißig und rationell arbeiteten. Eine gewisse Schroffheit konnten sie selten ablegen, und es war offenkundig, daß den meisten psychologisches Einfühlungsvermögen in die Mentalität anderer deutscher Stämme fehlte – von anderen Nationalitäten (wie Franzosen in Lothringen, Polen) nicht zu reden. Preußische Offiziere brachten ihre Art in »fremde«

Regimenter und dürften kaum jemals daran gedacht haben, auch die Neigung ihrer Rekruten zu gewinnen. Obwohl die Preußen oft keineswegs willentlich bei anderen Deutschen aneckten, wirkte ihr Auftreten doch verletzender, als sie selbst vermuteten.

Das zweite Problem des Reiches, von dem noch ausführlich zu sprechen sein wird, war die Erstarrung der Reichs- und der preußischen Verfassung. Wohl konnte das allgemeine, gleiche und geheime Wahlrecht (für Männer) für den Reichstag als fortschrittlich gelten, und eine Reihe von Landtagen übernahm es auch. Indessen war Kaiser Wilhelm I. für eine innere Reformpolitik, die notwendig gewesen wäre, zu alt. Vielleicht hätte Kaiser Friedrich III. nach englischem Muster eine umfassendere Parlamentarisierung durchgesetzt, wenn er länger gelebt hätte. Kaiser Wilhelm II. jedoch interessierten die Paragraphen der Verfassung nicht. Schon der bisher durchgesetzte Parlamentarismus ging ihm zu weit; er war ein Feind weiterer Demokratisierung und Parlamentarisierung.

Der Kaiser konnte ohne Rücksicht auf den Reichstag und seine Parteien den Reichskanzler, die Minister und die Staatssekretäre ernennen. Ein von einer regierenden Parteienkoalition vorgeschlagenes Ministerium gab es nicht. Der Reichstag blieb in wichtigen Belangen ohne Informationen und ohne Einfluß. Die demokratischen Kräfte erstarkten vor 1914 sichtlich, aber sie kamen dennoch nicht eigentlich zum Zug. Man verdarb manches, indem man die ständig wachsende Partei der Sozialdemokraten, die zu »Reichsfeinden« gestempelt wurden, von jeder Mitwirkung ausschloß – im Gegensatz übrigens zu einigen süddeutschen Landtagen. Die Parteipolitik wurde auf Parteitagen und in etlichen Kommissionen gemacht, während die Plenarsitzungen des Reichstages sich oft als eingelerntes Theater darboten; Reden wurden gleichsam zum Fenster hinaus gesprochen. So war es verständlich, daß sich geistig befähigte Kreise des deutschen Volkes vor einer Beteiligung am politischen Leben scheuten und sich besonders der Wirtschaft, der Technik, dem Handel, den Künsten, der Wissenschaft usw. widmeten. Zu wenige hatten den Ehrgeiz, parlamentarische Aufgaben zu übernehmen.

Manche Rechtsparteien, besonders die preußischen Konservativen, fielen dem Reichstag und dem preußischen Abgeordnetenhaus selbst in den Rücken, indem sie eine weitere Demokratisierung verhinderten. Für maßgebende Kreise blieb »Demokratie«, wie im späteren Verlauf der Revolution von 1848/49, noch immer etwas Verächtliches oder Hassenswertes; sie wurde als ein Übel empfunden, das man leider nicht mehr völlig abschaffen könne.

Das preußische Herrenhaus, die veraltete preußische Wahlkreiseinteilung, die dem Aufstieg der Großstädte, der Industriezentren usw. nicht Rechnung trug, das preußische Dreiklassenwahlrecht aus dem Jahre 1849 hätten reformiert oder aufgehoben werden müssen, denn das preußische Abgeordnetenhaus war keine gültige Vertretung des Volkes: So wurden das Reich und Preußen weitgehend unter Mißachtung breiter Kreise des Volkes regiert.

An dieser Entwicklung wurde schon Bismarck viel Schuld gegeben, von späteren Staatsmännern nicht zu reden. Er habe Deutschland groß, aber die Deutschen, die er nicht zur Mitwirkung an seiner »Regierung« heranführte, klein gemacht. Für ihn war die Entwicklung mit der Gründung des Reiches und der Einsetzung des Reichstages von 1871 abgeschlossen, er dachte nicht an eine stufenweise Modernisierung der Reichs- und der preußischen Verfassung und des Parlaments. Er stand letztlich keiner Partei nahe, sondern behandelte die Parteien wie fremde Staaten, mit denen man sich zeitweilig aus Staatsräson verbündete oder mit denen man wieder einen Konflikt riskierte.

Bismarck vermied es, sich mit politisch gleichwertigen oder zumindest fähigen Männern zu umgeben; einen Nachfolger, der einmal seine mächtige Stellung hätte einnehmen können, bildete er nicht heran. Dem Volk blieb wahre parlamentarische Schulung vorenthalten.

Trotz dieser Mängel bewahrte das deutsche Volk bis etwa 1900 im wesentlichen seinen Fortschrittsglauben, seine Zufriedenheit mit sich selbst, seinen Optimismus. Die erreichten großen, besonders wirtschaftlichen, Erfolge mußten jedoch auch bezahlt werden. Klagen wurden laut, daß der immer weiter um sich greifende Materialismus eine Entseelung, eine innere Leere, eine Verödung, eine Herzenshärte und -kälte mit sich bringe. Skepsis breitete sich aus: die Deutschen seien kulturmüde, überreizt, die Nerven seien von der Hast aufgerieben; schon damals sprach man von Erscheinungen, die man heute Managertum und Managerkrankheit nennt. Deutschland sei überorganisiert und überbürokratisiert, der »Moloch Staat« sei zu groß geworden; man fühlte die »malaise« des »fin de siècle«, man sah eine gewisse »décadence« und einen Verlust des Schöpferischen. Man stellte in so manchen Kreisen Weltschmerz, ein »taedium vitae« fest. Eine Gärung, ein Brodeln im Volk war zweifellos vorhanden, Unruhe, Unsicherheit gingen durch das Volk. Dies zeigten auch die neuen Richtungen in der Literatur und in der bildenden Kunst, die viel umstritten waren. Werner Sombart sagte im Jahre 1913, daß die Ideale der Großväter und Väter verblaßt, daß die nationale Idee verbraucht, daß jeder neue Nationalismus nur ein schaler zweiter Aufguß sei. Eine Reichsverdrossenheit griff um sich. Die monarchistische Gesinnung breiter Volkskreise ließ mehr und mehr nach. Man blieb zwar monarchistisch, weil man sich eine Republik gar nicht vorstellen konnte und weil man hoffte, daß die Hohenzollern später stärkere Monarchen hervorbringen würden. Der Glaube an das Gottesgnadentum der Fürsten war jedoch erschüttert. Sie galten immer mehr als Beschützer einer noch weitgehend feudalen Sozialstruktur.

Viele Deutsche empfanden auch, daß sich die ewigen Sedanfeiern (seit dem 1. 9. 1870), der ständige Hinweis besonders auf die Siege von 1870/71, das Herbeten aller heroischen Einzelheiten längst überlebt hatten. Einem beträchtlichen Teil des Volkes, vor allem den Sozialdemokraten und den Anhängern von »Freisinn und Fortschritt« (Linksliberalen), war die gesamte altpatriotische Vorstellungswelt, die noch immer auf den Einigungskriegen beruhte, völlig fremd geworden. Eine gewisse Vermassung, ein Zug zum Kollektivismus hatte begonnen, verbunden mit dem Drang nach Nivellierung, nach dem Trivialen, nach der Simplifizierung.

Es gab freilich Kreise, die nach 1900 eine andere Richtung einschlugen. Man akzentuierte den Individualismus, die irrationalen Kräfte, die christliche Religion und andere Konfessionen oder auch etwas verschwommene irrationale Weltanschauungen. Man wandte sich wieder der Welt des »Herzens« und des »Gemüts« zu. Entgegen den Tendenzen zur Landflucht und zur Internationalisierung der Großstadt besann man sich wieder auf den Wert der Heimat, des Bodenständigen, des Lebens in der freien Natur. Landhäuser, Villensiedlungen und Ferienerholungsheime wurden erbaut. Nicht nur die »Sommerfrische«, auch der Besuch eines Hotels im Winter mit Sportgelegenheit wurde beliebt. Im Gegensatz zu den vorangegangenen Jahren, in denen man schonungslos niederriß, sollten jetzt der Natur- und Heimatschutz gepflegt werden. Alte Städtebilder, von denen Deutschland noch so viele besaß, und Oasen der Natur mit schönen Wäldern und Seen sollten erhalten und nicht verbaut werden. Diese neue Richtung war zugleich eine Flucht. Das Gefühl der Sicherheit, die Meinung, daß man es »herrlich weit gebracht«, daß alles zum besten stehe, geriet ins Wanken. Manche Kreise begannen mindestens einen Rückschlag zu fürchten, der kommen mußte, oder gar eine künftige Katastrophe. Man »gehe nur mehr auf einer dünnen Eisdecke«. Deswegen griff eine Versicherungsmanie um sich, die allerdings nur einen Sinn haben konnte, wenn die Währung stabil blieb. Schließlich wurde sogar der Krieg 1914 von vielen begrüßt, weil man glaubte, daß ein neuer Sieg die verfahrene Situation retten und alle Probleme lösen könne.

Von den Elementen des Reichsbaus, die immer mehr veraltet erschienen, von den immer stärkeren Spannungen zwischen Tradition und modernem Wesen, von der immer fragwürdiger werdenden Gesellschafts- (und z. T. auch Wirtschafts-)Struktur wird noch in späteren Kapiteln zu reden sein. Generell gilt, daß die Aristokratie noch zu viel Einfluß und Macht hatte, um eine Demokratisierung der Verfassung zuzulassen.

Es gab zahlreiche, wenn auch unterschiedlich argumentierende Kritiker und Warner, von denen ich nur einzelne herausgreifen kann: Am Hof selbst gehörten zu ihnen die Kaiserin Augusta, die Gemahlin Wilhelms I., und die Kronprinzessin Viktoria, bis zu einem gewissen Grade auch der Kronprinz Friedrich Wilhelm. Unter den Politikern sind vor allem Konstantin Frantz, der Gegner Bismarcks, und Edmund Jörg, der bayerische Föderalist, zu nennen, ferner der Zentrumsführer Ludwig Windthorst und der Linksliberale Eugen Richter. Ich sehe von sämtlichen bürgerlichen Abgeordneten zwischen 1871 bis 1914 ab, die im Rahmen verschiedener Parteien im Reichstag ihre warnende Stimme erhoben; alle diese Männer waren Kritiker, die die Sozialstruktur bessern wollten: Einerseits die (selbst bürgerlichen) Kathedersozialisten, unter ihnen zum guten Teil Universitätsprofessoren, anderseits die Propheten (Karl Marx, Friedrich Engels usw.) und die Führer der Sozialdemokraten, besonders August Bebel und Wilhelm Liebknecht, sowie die Reformisten (Eduard Bernstein usw.), schließlich die Männer, die vom christlichen oder sozialen Standpunkt aus die soziale Frage anpacken wollten (der Bischof von Mainz, Wilhelm Emanuel von Ketteler, Adolf Stöcker, Friedrich Naumann u. a.). Zahlreiche Männer der Wirtschaft – vom Standpunkt der Landwirtschaft aus Max Eyth, auch als Dichter bekannt – und ausgesprochen national gesinnte Männer wie Paul de Lagarde, Julius Langbehn, Paul Rohrbach sprachen ihre Bedenken aus. Viele Gelehrte, darunter gerade Historiker (besonders Jacob Burckhardt, selbst Heinrich v. Treitschke, Theodor Mommsen, sowie Hans Delbrück, Hermann Baumgarten), hegten bereits Befürchtungen. Neben dem großen Unheilspropheten Friedrich Nietzsche erwähne ich den damaligen Modephilosophen Eduard v. Hartmann und den später so gängigen Oswald Spengler.

Auch der völlig arrivierte Richard Wagner äußerte sich in seinen letzten Lebensjahren sehr düster. Und besonders treffend hat der alte Theodor Fontane in seinen Briefen und letzten Romanen vor Fehlentwicklungen gewarnt. Sein Pendant in Österreich war der Dichter Ferdinand v. Saar. Daß schließlich die Dichtungen des jungen Gerhart Hauptmann, des heute fast vergessenen Hermann Sudermann, natürlich auch die Arbeiten Heinrich Manns vielfältig Kritik übten, braucht nicht lange erklärt zu werden. Thomas Mann hat die Decadence des Bürgertums treffend zu schildern gewußt, während eine ausgesprochen links gerichtete, unbürgerliche Dichtung natürlich noch schärfer attackierte. Manches soll in einzelnen späteren Kapiteln noch klarer hervortreten.

Über Bismarck

Das große Kapitel »Bismarck« kann hier nicht näher behandelt werden; wir beschränken uns auf einige Bemerkungen in kulturgeschichtlichem Zusammenhang. Die Deutschen gewöhnten sich daran,

alles dem großen Reichskanzler zu überlassen und sich von ihm lenken zu lassen. Er war im Grunde doch in vielem ein altväterlicher Junker, der das Leben als Grundbesitzer auf dem Lande liebte und die neue Entwicklung, besonders in den rapide wachsenden Städten und Häfen, nicht mehr völlig verstehen konnte; ja, er fürchtete diese Entwicklung. Es nützte nichts, daß er als Reichskanzler im Ruhestand in seinen Gesprächen mit den »Wallfahrern«, die ihn aufsuchten, demokratische und oppositionelle Töne anschlug; die Breitenwirkung seiner späten Obstruktion war zu gering, er hatte keinen Einfluß mehr. Es würde hier zu weit führen, ausführlich zu erklären, wie sehr zwei innenpolitische Fehler Bismarcks auf lange Zeit hinaus geschadet haben; zum einen der Kulturkampf, der noch viel Mißtrauen hinterließ, und zum anderen – trotz der sehr frühen und fortschrittlichen sozialen Fürsorgegesetze – die Behandlung der Sozialisten, die sie erst recht zusammenschweißte und stärkte. Allerdings meinte der Sozialist Eduard Bernstein nach 1890, daß ein Hohenzollernabsolutismus (Wilhelm II.) schlechter sei als ein Kanzlerabsolutismus, wobei er an Bismarck dachte.

Es ist bezeichnend, daß Bismarck nur in ein Ressort nicht hineinreden konnte, in das des Heeres, in dem sich Wilhelm I. alle Macht vorbehielt. Man kann nicht sagen, daß der Reichskanzler das ganze deutsche Volk geprägt hat; immerhin fand seine Art in einem großen Teil der Nation Resonanz. Worte, die er hier und da hingeworfen hat und die gefährlicher werden konnten, als er meinte, wurden im Volk eine Art Dogma, das sich nicht selten negativ auswirkte (»Blut und Eisen« usw.). Karl Buchheim glaubt, daß Bismarck schon früher hätte gehen müssen, bevor er seine einstige Sicherheit verlor. Der 75jährige Mann hätte der Natur seinen Tribut zollen müssen. Wie dem auch sei – die Art, in der Wilhelm II. den Reichskanzler abrupt stürzte, war höchst taktlos und zugleich bezeichnend. Sie warf ein grelles Licht auf den neuen Kaiser.

Bismarcks kulturelle Interessen waren wenig entwickelt. Sein Wohnstil z. B. war bieder, seine Wohnungen vielleicht gemütlich, aber wenig geschmackvoll, schon gar nicht vornehm oder elegant eingerichtet, obwohl er über bedeutende Mittel verfügte. Er schätzte volkstümliche Literatur und soll Wilhelm Busch und Viktor v. Scheffel sehr gern gelesen haben. Er förderte den Historienmaler Anton von Werner, dessen Werke dem Kunsthistoriker nicht mehr viel zu sagen haben, die indessen als historische Quelle, gewissermaßen als überhöhte Fotografien von geschichtlichen Ereignissen, heute noch aufschlußreich sind. Später hat Franz von Lenbach als Porträtist sich Bismarcks sozusagen bemächtigt und versucht, die genialen Züge des Kanzlers herauszuarbeiten.

2. Gründer des Reiches und sein erster Kanzler:
Fürst Otto von Bismarck. *Gemälde von Franz von Lenbach*

Berlin, 30. Dezember 1900. Sylvesternummer. IX. Jahrgang. Nr. 52.

Berliner Illustrirte Zeitung

Abonnement: 1.80 Mark vierteljährlich, 45 Pfg. monatlich bei jeder Postanstalt (Postliste 1062) und im Buchhandel sowie direkt durch die Expedition fre in's Haus.

Redaktion und Expedition: Berlin SW. 12, Charlottenstraße 9. Fernspr.: Amt IV. Nr. 13. — Telegr.-Adr.: Illustrirdruck.

Einzelnummern: 10 Pfennig bei allen Zeitungs-Verkaufsstellen. — Anzeigen: Eine Mark die 5 gespaltene Nonpareille-Zeile

Die deutschen Bundesfürsten im Jahre 1901.

Prinzregent Luitpold von Bayern

König Albert von Sachsen.

König Wilhelm II. von Württemberg.

Grossherzog Friedrich von Baden

Grossherzog Ernst Ludwig von Hessen.

Grossh. Friedrich Franz IV. v. Mecklenburg-Schwerin.

Grossh. Friedrich Wilhelm von Mecklenburg-Strelitz.

Grossherzog August von Oldenburg.

Wilhelm II.
Deutscher Kaiser, König von Preußen.

Grossherzog Karl Alexander von Sachsen-Weimar.

Herzog Georg II. von Sachsen Meiningen.

Prinz Albrecht. Regent von Braunschweig.

Herzog Karl Eduard von Sachsen-Coburg-Gotha.

Fürst Friedrich   von Waldeck.

Herzog Ernst von Sachsen-Altenburg.

Herzog Friedrich v. Anhalt.

Fürst Heinrich XXII. von Reuss ä. Linie.

Fürst Heinrich XIV. von Reuss j. Linie.

Fürst Georg von Schaumburg-Lippe.

Graf-Regent Ernst v. Lippe-Detmold.

Fürst Günther von Schwarzburg-Rudolstadt.

Fürst Karl Günther von Schwarzb.-Sondershausen.

DIE KAISER UND FÜRSTEN DES REICHES

Die monarchistische Gesinnung der Deutschen

Die Mehrzahl der Deutschen, der Adel, der weitaus größte Teil des Bürgertums, wohl selbst ein Teil der Sozialdemokraten, besonders solche, die gern an ihre Militärzeit zurückdachten, waren monarchistisch gesinnt. Viele hielten die Monarchie noch immer für die zweckmäßigste, ja die in Deutschland einzig mögliche Regierungsform. Wilhelm I. und sein Sohn Friedrich Wilhelm genossen in weiten Volkskreisen große Popularität.

Bismarck hat bei der Reichsgründung keine Wiederbelebung mittelalterlicher Überlieferungen beabsichtigt. Der König von Preußen hieß nur »Deutscher Kaiser«, er sollte allein der »primus inter pares«, eine Garantie und ein Symbol für die Einheit des Reiches sein. Wilhelm I. hielt sich gerade in der Betonung seiner neuen Kaiserwürde sehr zurück. Es kann vermutet werden, daß Kaiser Friedrich III. mehr als sein Vater seine Stellung als Kaiser akzentuiert hätte, wenn er länger gelebt hätte. Wilhelm II. schließlich hat seine Würde als Kaiser zu sehr und zu taktlos herausgestrichen und dabei viele deutsche Bundesfürsten sowie andere Kreise des Volkes verletzt. Die streng denkenden deutschen Katholiken haben die neue Kaiserwürde nie völlig gebilligt. Eine parlamentarisch gefärbte Monarchie wie in England, die besonders viele Linksliberale, auch Zentrumswähler und Sozialdemokraten gewünscht hätten, konnte nie verwirklicht werden. So wuchs die Neigung zur Kritik an Auswüchsen der Monarchie, an der Person des Herrschers ständig, besonders unter Wilhelm II. Der Glaube an das Gottesgnadentum des Souveräns, das Wilhelm II. oft im Munde führte, schwand immer rascher dahin.

Wilhelm I. und Friedrich III.   Ihre Gemahlinnen

Die Erlangung der Kaiserwürde war ein tiefer Einschnitt in der Geschichte der Hohenzollern. Sie machte bekanntlich Wilhelm I. wenig Freude; er hat sich im Grunde stets nur als preußischen König gesehen. Dennoch hat er – unbewußt – als Kaiser weit besser zu repräsentieren verstanden als sein Enkel Wilhelm II. Wilhelm I. war ein nüchterner Denker mit geradem Sinn und trat stets selbstsicher, aber schlicht auf. Nervosität und Hast waren ihm fremd. Das Wissen um alles, was er erlebt und erwirkt hatte, und sein Greisenalter machten ihn weiten Kreisen des Volkes ehrwürdig. Jeder glaubte, sich auf sein Wort verlassen zu können. Er war ein fleißiger Arbeiter. Nichts

3. Deutschlands Fürsten, vereint auf dem Titelblatt
der »Berliner Illustrirten Zeitung« (Sylvesterausgabe 1900)

4. und 5. Deutscher Kaiser, aber vor allem König
von Preußen: Wilhelm I. als Privatmann . . .

. . . und als Wilhelm »der Große«, zu dem ihn die
offizielle Hofgeschichte der Hohenzollern
machen wollte. *Gemälde »Apotheose Kaiser
Wilhelms I.« von Ferdinand Keller*

lag ihm ferner, als nach Popularität zu haschen oder auf Wirkung auszugehen, Großmannssucht
war ihm völlig fremd. Wilhelm I. hat auch die deutschen Bundesfürsten stets sehr taktvoll behandelt
und so zum Zusammenwachsen des Reiches beigetragen. Er war in vielem das Gegenteil seines
Enkels Wilhelm II.

Allerdings muß daran erinnert werden, daß »der Prinz von Preußen« (Wilhelm I.) um 1848/49
keineswegs populär gewesen ist und daß er sich Volkstümlichkeit erst relativ spät erwerben
konnte. Karl Buchheim wirft freilich Wilhelm I. vor, daß sich seine Regierungsmethode, fast alles
dem Reichskanzler (Bismarck) zu überlassen, in der Folgezeit auch schädlich ausgewirkt hat. Das
richtige Gleichgewicht zwischen dem Einfluß des Herrschers und dem des Kanzlers konnte später nie
mehr wiederhergestellt werden.

In kultureller Hinsicht verdankt Deutschland Wilhelm I. jedoch so gut wie nichts. Er übte ein
gewisses Mäzenatentum aus und wollte noch in hohem Alter über moderne Strömungen in der Kunst
unterrichtet werden. Im allgemeinen zeigte er jedoch keine ausgeprägten geistigen Interessen. Der
Hohenfriedberger Marsch – so wird berichtet – sei ihm die liebste Musik gewesen. Kriegsgemälde,
etwa die Anton von Werners, fesselten ihn am meisten. Auf diesen Bildern sowie auf Porträts,
die ihn und seine Generale und Offiziere darstellten, mußten die Uniformen und Orden ge-
nauestens, penibel nach der Vorschrift, wiedergegeben werden. Als er im August des Jahres 1876

halb gezwungen wurde, der Eröffnung der Festspiele Richard Wagners in Bayreuth beizuwohnen, hätte er – eher verstört als beeindruckt – die Stadt beinahe fluchtartig verlassen.

Seine Gemahlin Augusta aus Weimar war intelligent und oft vorurteilslos, sie hatte sehr vielseitige Interessen, aber sie war launenhaft, nervös, fahrig, ohne seelisches Gleichgewicht. Kaiser Wilhelm II., der Enkel, war gerade ihr und nicht seinem Großvater in manchem ähnlich. Augusta hat sich betont als Mäzenin betätigt und bedeutende Gelehrte und Künstler in ihren Salon gezogen. Eine eigentliche anregende Wirkung auf die deutsche Kultur hat aber auch sie nicht ausgeübt.

Friedrich III. war stolz auf die von den Hohenzollern erlangte Kaiserwürde. Er hatte Sinn für die verklärte Vergangenheit der deutschen Kaiser des Mittelalters, gleichzeitig aber auch eine Vorliebe für dynastisch-preußische Interessen. Er schwankte zwischen den Möglichkeiten, sich als Nachfolger Friedrichs II. von Hohenstaufen oder als Nachfolger des Königs Friedrich II. von Preußen zu betrachten; im »Anschluß« an diese beiden bedeutenden historischen Gestalten konnte er sich Friedrich III. nennen.

Er dachte auch daran, sich entweder in Aachen, der Krönungsstadt der alten deutschen Könige, oder in Königsberg, der Krönungsstadt der preußischen Könige, eigens krönen zu lassen. Seine

schwere Krankheit machte jedoch solche Pläne zunichte. Friedrich III. stand – trotz aller gemeinsamen Erlebnisse im Krieg von 1870/71 – den liberalen Süddeutschen und den Katholiken mit
Mißtrauen gegenüber. Liberalismus sollte nur in engen Grenzen gepflegt werden. Er beabsichtigte,
aus dem Reich nachträglich viel deutlicher einen Einheitsstaat zu machen und die Bundesfürsten zu
so etwas wie Oberhausmitgliedern zu degradieren. Es muß offen bleiben, ob Friedrich sich endgültig
entschlossen hätte, die parlamentarische Monarchie einzuführen und etwa das Dreiklassenwahlrecht
in Preußen aufzuheben. Der alte Fontane z. B. war selbst gegenüber Friedrich noch mißtrauisch.
Friedrichs früher Tod und die zu rasche Thronbesteigung seines Sohnes können jedoch sicherlich als
nationales Unglück bezeichnet werden. Friedrich Wilhelm, wie er als Kronprinz hieß, wurde im
deutschen Volk, auch in breiten Kreisen Süddeutschlands, verehrt und geliebt. Obwohl er als
»berühmter Feldherr« gefeiert wurde und oft in Uniform auftreten mußte, hatte er eine Neigung
zum Schlichten und Bürgerlichen. Der alte Kaiser schob ihm zwar die meisten Repräsentations-
pflichten zu, ließ den Kronprinzen faktisch jedoch ohne Einfluß auf die Regierungsgeschäfte. Sein
Interesse für Wissenschaft und Kunst war gewiß nicht oberflächlich. Hierin überragte er seinen Vater
wie auch seinen Sohn, und so kann von einer bestimmten Wirkung Friedrich Wilhelms auf die
intellektuellen Kreise Deutschlands gesprochen werden. Er war Protektor aller preußischen Museen.
Von ihm gingen die Gründungen des Kunstgewerbemuseums und der Kunstgewerbeschule, des Ho-
henzollern-, des Völkerkundemuseums, der physikalisch-technischen Reichsanstalt (alle in Berlin) und
der Sonnenwarte in Potsdam aus. Er suchte eine tiefe und breite Bildung zu erlangen, und er las
die berühmtesten Werke seiner Zeit. Friedrich Wilhelm förderte die Ausgrabungen in Olympia.
Er selbst arbeitete als Forscher im Hohenzollerischen Hausarchiv. Er hat eine große Reihe von
berühmten Gelehrten aller Fächer, darunter Ranke, Mommsen, Droysen, Treitschke, Virchow und
Helmholtz, in seinen Salon gezogen. Künstler und Musiker kamen ebenfalls in sein Haus; im
Bereich der bildenden Kunst förderte er die alte Schule, und er liebte die Werke dieser Richtung, besonders Historienbilder (Piloty, Menzel, Lenbach, Angeli, Schwind, Friedrich August von Kaulbach
usw.) – darin ganz Kind seiner Zeit. Die Historien- und Schlachtenmaler Anton von Werner und
Georg Bleibtreu, Genossen des Krieges von 1870/71, standen ihm am nächsten; zu seinen Lieblingsmalern gehörten ferner der Orientmaler Wilhelm Gentz, der Landschaftsmaler Ascan Lutteroth
und der Niederländer Ary Scheffer, heute gänzlich vergessene Gestalten.

Dieser Prinz sah und urteilte schärfer als sein greiser Vater, von dem man dies nicht mehr verlangen konnte, aber auch als sein Sohn Wilhelm. Er zweifelte, ob das Volk in Zukunft den Fürsten
seine Anhänglichkeit bewahren werde, und erkannte die Gefahren, die das zunehmend materielle
Denken mit sich brachte. Er wußte aber auch von den sozialen Aufgaben eines Herrschers. Incognito
besuchte er die Arbeiterviertel von Berlin. Man kann nicht sagen, welche Impulse er als Kaiser der
Gesetzgebung gegeben hätte. Vorderhand konnte er nur in der sozialen und karitativen Fürsorge
wirken. Er wünschte den Bau von Fortbildungsschulen, Sparkassen für den 4. Stand, Volksküchen,
Arbeiterwohnungen, Ferienkolonien, Kinderheilstätten und billigen Spitälern. Der Prinz übernahm
selbst das Protektorat über vieles, und seine Gemahlin Viktoria brachte große Geldsummen für
karitative Zwecke zusammen.

Es war freilich noch immer eine Hilfe im Sinne des Schenkens, eine freiwillige Fürsorge von oben,
die die sozialdemokratischen Führer so sehr verwarfen: Man wolle keine Almosen, man fordere
sein Recht. Die Verdienste des Kronprinzenpaares aber wurden deswegen nicht kleiner.

6. Kaiser für 99 Tage: Friedrich III.

Der Erzieher Wilhelms II., Hinzpeter, war bemerkenswert sozial gesinnt, ohne in dieser Hinsicht viel Einfluß auf seinen Schüler auszuüben. Friedrich III. aber wäre vermutlich ein sozial denkender Herrscher geworden. Nichts lag ihm ferner als jene Art lauter und ungeschickter Äußerungen gegenüber Arbeitern, wie Wilhelm II. sie oft in seine Reden einstreute. Friedrich III. hätte – möglicherweise – entweder den Führern der Sozialdemokraten viel Wind aus den Segeln genommen, oder auch direkten Kontakt mit ihnen gesucht – wie so manche süddeutsche Fürsten jener Zeit. Friedrich Wilhelm war ein Gegner des Antisemitismus und ein Förderer der modernen Frauenbewegung.

Seine Gattin Viktoria, eine englische Prinzessin, war ihrem Gatten an geistiger Regsamkeit, Willensstärke und Ehrgeiz noch überlegen. Sie hat ihn beeinflußt, ja oft wohl beherrscht. Die Ehe war trotzdem sehr glücklich. Viktoria dachte liberaler als ihr Gatte, der doch den preußischen Prinzen nicht verleugnen konnte. Sie hat nicht nur als Gattin, sondern auch in ihrem politischen Ehrgeiz schwer daran getragen, daß Friedrich Wilhelm so früh sterben mußte und daß sein Kaisertum so kurz dauerte. In kultureller Beziehung, als Mäzenin von Gelehrten und Künstlern, sowie in sozialer Hinsicht wollte sie möglichst viel Gutes wirken. Soweit es überhaupt nötig war, gingen viele Impulse in diesen Belangen von ihr auf ihren Gemahl aus. Kaiser Friedrich III. und Viktoria fanden bei alledem keinen geistigen Anschluß an die neue Dichtung und an die neue bildende Kunst.

Wilhelm II.

Es war das Unglück Deutschlands, daß im Jahre 1888 die Herrschaft von einem Greis auf einen – trotz seiner 29 Jahre – noch unreifen Enkel überging, der immer etwas von Unreife behielt. Der verkrüppelte linke Arm hat bei Wilhelm einen Minderwertigkeitskomplex bewirkt, doch darf dies nicht überbewertet werden. Der Kaiser konnte bei seiner Thronbesteigung im Gegensatz zu seinem Großvater und Vater auf keine Leistung verweisen. Seine Aufgabe wäre eine fleißige, fähige, moderne Regierungstätigkeit gewesen. Dazu aber war er zu nervös, zu faul und – in Verfassungs- und Verwaltungsfragen – zu uninteressiert und zu ungebildet. Er blieb Zeit seines Lebens in fast allen Bereichen ein Dilettant, weil er nie die Geduld aufbrachte, sich in ein Gebiet mühsam lernend zu versenken. So mußten ein forciertes Selbstbewußtsein, lautes Wesen, trotz aller Friedensliebe das Rasseln mit dem Säbel, parvenühafte Art und hohler Prunk als Kompensation dienen. Es war – unter anderem – bezeichnend, daß der Kaiser bis zum 1. Weltkrieg am liebsten Gardehusarenuniform trug, die einem jungen Leutnant anstand, der auf Mädchen Eindruck machen wollte. In seinem Bedürfnis, überall eine hervorragende Rolle zu spielen und es den anderen »zu zeigen«, war er fast psychopathisch.

Hinter dem oft theatralischen Auftreten des Kaisers verbarg sich eine unausgesprochene innere Unsicherheit. Sein Onkel Eduard VII. von England (der ihn allerdings nicht leiden konnte) nannte ihn schon vor 1910 »den glänzendsten Mißerfolg des Jahrhunderts«. Auf die fahrige Außenpolitik Wilhelms II., der bald England, bald Rußland Komplimente machte und schließlich beide abstieß, soll hier nicht näher eingegangen werden.

Sein Großvater Wilhelm I. wollte nichts anderes als ein preußischer König sein. Wilhelm II. stieg als erster in die neue und ungewohnte Rolle eines deutschen Kaisers ein, und aus dem neuen

Schauspiel wurde ein schlechtes Stück. Man witzelte, Wilhelm I. sei der weise Kaiser, Friedrich III. der leise Kaiser (Kehlkopfkrebs), Wilhelm II. der Reisekaiser. (In der Tat war er z. B. im Jahre 1894 200 Tage auf Reisen.) Wilhelm II. hat auf seine Weise Deutschland von 1888 bis 1918, also durch 30 Jahre, geprägt. Deutschland blühte äußerlich, aber daran hatte der Kaiser wenig Verdienst.

Was tat er alles? Er war, wie erwähnt, sehr viel auf Reisen, bald im Inland, öfter im Ausland. Er machte viel zu viele Staatsbesuche bei fremden Fürsten, denen er lästig fiel. Der Kaiser mußte sich von seiner geringen Regierungtätigkeit auf Nordlandfahrten oder im Mittelmeer oder auf der Jagd im fernen Rominten erholen. Er war überall im Reich dabei: bei Denkmalsenthüllungen, bei zahllosen Banketten, bei Geburtstagsfeiern, Hochzeiten und Beerdigungen bekannter Personen, bei Sedanfeiern, bei Taufen von Kriegsschiffen, Rekrutenvereidigungen, der Nagelung von neuen Fahnen, Truppenbesichtigungen, Paraden, bei Empfängen in einer Stadt, in der er einige Zeit nicht mehr gewesen war, bei der Eröffnung neuer Häfen und Kanäle, bei der Einweihung von neuen Hoch- und anderen Schulen, von Rathäusern und anderen öffentlichen Gebäuden, von neu gebauten oder renovierten Burgen, von Kasernen usw. Er empfing zahllose Abordnungen in Audienz. Er hielt dabei fast stets eine Rede – auf seiner Yacht »Hohenzollern« hat er selbst Predigten gehalten –, und er faßte seine Ansprachen nahezu als seine wichtigste Regierungtätigkeit auf. Der Kaiser sprach bis zur Daily-Telegraph-Affäre von 1908 stets frei, sein Temperament riß ihn mit, und so hat er – improvisierend – üble und später berüchtigte Sätze geprägt, die durch Jahre in anderen Staaten oder in der deutschen oppositionellen Presse anklagend wiederholt wurden. Der Historiker Ludwig Quidde hatte nicht völlig Unrecht, als er schon im Jahre 1894 eine Studie über den römischen Kaiser Caligula herausgab, in der er eine ausgesprochene Ähnlichkeit mit Wilhelm II. betonte.

Am Hof entwickelte sich ein Byzantinismus, wie er früher vor weit fähigeren Herrschern nie bestanden hatte. Wilhelm Raabe sagte: »Nach Canossa gehen wir nicht, aber nach Byzanz alle Tage.« Generale küßten dem Kaiser die Hand, der Chef des Militärkabinetts, General v. Hülsen-Häseler, trat gelegentlich vor dem Kaiser als »Ballettänzerin« auf, um den Monarchen zu erheitern. Derbe und taktlose Späße des Kaisers wurden durch immer dicker aufgetragene Schmeicheleien honoriert, der Kaiser vertrug immer mehr Komplimente, und er wollte immer weniger unangenehme Wahrheiten hören: »Schwarzseher dulde ich nicht.« Wilhelm II. hat gern mit Männern verschiedener höherer Berufe und Stände aus dem deutschen Volk und aus anderen Nationen verkehrt, besonders mit Mitgliedern der Geistes- und Geldaristokratie, vom Geburtsadel zu schweigen. Er tat es teils aus Interesse, teils um auf sie Eindruck zu machen. Der Kaiser hat wesentlich zur übergroßen Geltung des Militarismus beigetragen, indem er überall den Offizier – und erst recht, wenn er adelig war – über den Zivilisten stellte. Er hat z. B. die Militär- und Marine-Attachés für fähiger und wichtiger gehalten als die zivilen Diplomaten in deutschen Botschaften.

So kam es, daß der Hof und seine Gesellschaft, zu der nur wenige Bürgerliche zugelassen waren, als steif und förmlich galten. Das Hofzeremoniell war veraltet. Der Hof schloß sich damit von der übrigen Welt aus, und selbst die »gute« Berliner Gesellschaft bildete einen anderen Kreis. Der Kaiser verbot z. B. den Offizieren, Berliner Familien oder Tanzveranstaltungen zu besuchen, wo Tango oder andere fremde Tänze getanzt wurden. Wilhelm II. polemisierte oft gegen den

»modernen Geist des Materialismus«, aber in seiner Prunksucht, in seinem Hang zum Wohlleben ohne viel wahre Arbeit widersprach er sich selbst. Er hat den Reichstag und die Volksvertreter teils verachtet, teils gehaßt, seine Aussprüche kamen herum, und manche Vorlagen wurden vom Reichstag z.T. aus Trotz abgelehnt, weil viele Abgeordnete sich verletzt fühlten. Er, der stets modern sein wollte, war im Grunde völlig unmodern; am liebsten wäre er ein absoluter Herrscher im Stil des 18. Jahrhunderts gewesen. Unter Wilhelm II. regierten – nach Bismarcks Entlassung – mehr die Kabinette (Zivil-, Militär-, Marinekabinett) als die Minister und nicht selten einflußreicher als der Reichskanzler.

Nach einer vorübergehenden Aufwallung in seiner frühen Regierungszeit, in der er eine soziale Gesinnung bekundete, stellte er sich schroff gegen die Sozialdemokraten und im Grunde auch gegen die Anhänger der SPD in der Arbeiterschaft. Er nannte sie »vaterlandslose Gesellen, nicht wert, den Namen Deutsche zu tragen«. Gardesoldaten sollten bei einem Aufstand, wenn nötig, auch auf ihre eigenen Väter, Mütter und Brüder schießen – eine unmenschlich klingende Forderung, die zudem auch taktisch sehr unklug war. Der Herrscher hat dadurch selbst zu den großen Wahlsiegen der Sozialdemokraten beigetragen.

Wilhelm II. schätzte sehr die moderne Technik und die praktischen Wissenschaften, die auch auf den Mittelschulen mehr gelehrt werden sollten, und er hat sich – diesmal sicher nicht zu Unrecht – gegen die früher übliche übermäßige Pflege der Antike und der klassischen Sprachen in den Mittelschulen gewandt. Ansonsten – so predigte er immer wieder – sollten die Schüler im patriotischen und nationalen, aber auch im militärischen Geist erzogen werden. Wilhelm II. war in vieler Beziehung ein Förderer der Wissenschaften und trieb die Errichtung der neuen technischen Hochschulen voran. Er war u. a. ein Protektor des Grafen Ferdinand Zeppelin, der lenkbare Starrluftschiffe baute. Er verfügte über einige Kenntnisse in der Archäologie und hat auf diesem Gebiet sogar eine wissenschaftliche Abhandlung veröffentlicht. Der Kaiser wünschte, daß möglichst viele Forschungsinstitute eingerichtet würden, und er war maßgeblich an der Gründung der Kaiser-Wilhelm-Gesellschaft zur Förderung der Wissenschaften (1911) beteiligt. In diesen Bereichen hat er Positives geleistet.

In der bildenden Kunst, in der Dichtung und Musik hielt der Kaiser durch sein ganzes Leben am Hergebrachten fest. Er konnte sich von den Eindrücken seiner Jugend nicht mehr lösen und beharrte bei seinen alten Auffassungen auch in der Zeit der modernen Entwicklungen. Auch hier hat er durch übereilte Worte seinem Prestige geschadet, so wenn er im Zusammenhang mit dem aufkommenden Naturalismus von der »Fabrikarbeit der Kunst« und der »Rinnsteinkunst« sprach, wenn er den Impressionisten oder Freilichtmalern unter ihm ein hartes Leben prophezeite: er werde sie unter seiner Rute halten (wozu es aber doch nicht kam); oder wenn er sich zum obersten Kunstrichter aufwarf mit den Worten: »Die Kunst, die sich über die von Mir bezeichneten Gesetze und Schranken hinwegsetzt, ist keine Kunst mehr.«

Die Einstellung des Kaisers zur Musik war etwas primitiv. Richard Wagner, so fand er, sei eigentlich nur »ein ganz gemeiner Kapellmeister«, und Richard Strauss, der nach Berlin berufen wurde, war ihm viel zu modern. Mit ihm habe er sich »eine schöne Schlange an seinem Busen genährt« (worauf die Freunde Strauss die »Hofbusenschlange« nannten). Wilhelm II. liebte die Vorführungen von Militärmusikkapellen (selbst in Sälen des Schlosses, wobei die Eingeladenen fast taub wurden und ihr eigenes Wort nicht verstanden) und von Männergesangvereinen. Sein

Freund, Philipp Graf Eulenburg, dichtete und komponierte den »Sang an Ägir« und die »Rosen-lieder«, die er dem Kaiser am Hof vorspielte. Diese romantisch gefärbten, etwas schwärmerischen Stücke machten auf Wilhelm II. einen großen Eindruck.

Als im Deutschen Theater in Berlin die Aufführung von Gerhart Hauptmanns »Webern« statt-gefunden hatte, ließ Wilhelm seine Loge dort abbestellen. Er verbot die Verleihung des Schiller-preises an Gerhart Hauptmann, und der Preis wurde auf seinen Befehl zum zweitenmal an Ernst von Wildenbruch gegeben, dessen historische Dramen ihm besonders gefielen (Wildenbruch war ein illegitimer Hohenzollernsproß).

Es soll nicht ungerecht geurteilt werden. Der Herrscher hat mitunter Dichter und bildende Künstler der alten Schule gefördert, deren Werke in der Literatur- und Kunstgeschichte ihren Platz haben. Bei seinem Eintreten für bestimmte Bühnenwerke hatte er jedoch eine weniger glückliche Hand, wenn man etwa an die Theaterstücke von Ernst v. Wildenbruch, Paul Heyse oder gar Joseph Lauff denkt, den er im Jahre 1913 adelte und der heute völlig vergessen ist. Der Kaiser liebte patriotische historische Dramen, und seine Vorliebe galt ferner dem Heimatschriftsteller Ludwig Ganghofer. Ein anderer Lieblingsautor, Georg Ebers, wird heute nicht mehr gelesen. Wilhelm liebte es, Aufführungen in den Berliner Hoftheatern zu bestellen, darunter sehr teure Ballette und Opern – z. B. einen »Roland von Berlin« nach Alexis mit der Musik von Leoncavallo. Diese Werke hatten meistens keinen dauerhaften Erfolg.

Besonders geehrt hat er den Maler Adolf von Menzel, in dem er aber vor allem den Verherr-licher der Zeit König Friedrichs II. von Preußen sah. Wilhelm bevorzugte historische Darstellungen, besonders Schlachtengemälde, so etwa die Werke des sonst polnisch-nationalistischen Schlachten-malers Adalbert von Kossak. In der bildenden Kunst schätzte der Kaiser unter den Architekten die Eklektiker (seinen Lieblingsarchitekten Ernst von Ihne) und unter den Plastikern die Neu-barocken (vor allem Reinhold Begas und seine Schüler). Zahlreiche Plastiker wirkten in Berlin, die an den Denkmalaufträgen gut verdienten. Bei der Liebe des Herrschers zum Meer und zur Kriegs-flotte stand ihm natürlich der Marinemaler Willy Stoewer besonders nahe.

Vom Kaiser ging die Initiative zur Anlegung der später fast berüchtigten »Siegesallee« (»Pup-penallee«) in Berlin aus, in der 32 Marmorstandbilder brandenburgischer und preußischer Herrscher – im Geiste einer hohenzollernschen Staatsideologie – aufgestellt wurden. Größtenteils Künstler zweiten und dritten Ranges haben hierzu Aufträge erhalten. Es war fast lächerlich, wenn der Kaiser beim Festmahl nach der Enthüllung der letzten Gruppe von Statuen (1901) erklärte, daß die Berliner Bildhauerschule auf einer solchen Höhe stehe, »wie sie wohl kaum je in der Renaissance-zeit schöner hätte sein können«.

Eine Reihe von Künstlern, die der Kaiser ablehnte, ist später weltberühmt geworden. Er hat den Architekten beim Bau von öffentlichen Gebäuden (z. B. Paul Wallot: Berliner Reichstagsgebäude) arg hineingeredet, und es war z. B. bezeichnend, daß Bildhauer auf seinen Wunsch selbst sitzende Adler mit ausgebreiteten Flügeln darstellen mußten – so wie es sich für einen preußischen Adler gehörte.

Der Kaiser hat Schlösser und Burgen restaurieren oder neu erbauen lassen (Schloß in Posen/1910, Hochkönigsburg in den Vogesen usw.); sie erinnerten oft an »Steinbaukästen«. Der »Burgen-renovierungsrat« (auch »Ruinenrenovierungsrat« genannt) Bodo Ebhardt stand dem Kaiser besonders nahe; er hat ferner die Saalburg, die Marksburg und die Coburg restauriert. Der an-

7. Wilhelm II. in seiner Lieblingsrolle als Schöpfer der deutschen Kriegsflotte.
Gemälde von Willy Stoewer (1912)

maßende Versuch Wilhelms II., oberster Schieds- und Sittenrichter in Fragen der Dichtung, der Musik und bildenden Kunst zu sein, fand natürlich wegen seiner Stellung Resonanz, hat aber selten zu vernünftigen Maßnahmen und Entscheidungen geführt. Solche Dinge ließen sich eben nicht mit einer imperialen Geste regeln.

Der Kaiser führte ein »vorbildliches« Familienleben, floh aber vor der Langeweile im Familienkreis auf viele Reisen. Kaiserin Auguste Viktoria hatte auf ihren Gemahl keinen Einfluß; sie verfügte auch nicht über soviel Format, um seinen Geschmack zu kultivieren oder selbst ein geschmackvolles Mäzenatentum auszuüben.

Selbstverständlich war der Kaiser sehr oft die Zielscheibe des Spottes. Prozesse wegen Majestätsbeleidigung waren nach 1888 zahlreich, die verhängten Strafen für die damalige Zeit jedoch relativ gering. Erst die Änderung des Gesetzes über Majestätsbeleidigung (1908) brachte ein Abschwellen der Prozeßflut. Man muß staunen, was in Zeichnungen und Texten an Spott über den Kaiser möglich war. Der »Kladderadatsch« in Berlin, mehr noch der »Simplizissimus« in München taten sich hierin besonders hervor. Die Satiren von Ludwig Thoma und Frank Wedekind sind heute noch ergötzlich zu lesen. Alfred Kerr in Berlin schrieb z. B.:

>»Was man klar an ihm erkannt,
>war der Mangel an Verstand.
>Sonst besaß er alle Kräfte
>für die Leitung der Geschäfte.«

Die Bücher, die vor 1914 offen gegen den Kaiser Front machten, sind sehr zahlreich. Selbst das dreibändige große Jubiläumswerk (1913/14: »Deutschland unter Kaiser Wilhelm II.«) enthielt, wenn auch etwas verhüllt, manche Kritik und manche Anklage. Das Entscheidende ist aber wohl darin zu suchen: Der Kaiser fand trotz aller Schattenseiten seines Wesens und seines Auftretens, die ja bekannt waren, beim deutschen Volk, besonders in Preußen, in Nord- und Mitteldeutschland, und in vielen Ständen breiten Anklang. Er war in weiten Kreisen doch populär. Selbst seine oft so verunglückten Reden haben den Gefühlen vieler Deutscher den entsprechenden Ausdruck gegeben. Zahlreiche Menschen haben den damaligen großen Aufschwung Deutschlands in der Wirtschaft und im Lebensstandard weit über Gebühr als Verdienst des Kaisers verstanden. Sein Haschen nach Popularität hatte manchen Erfolg. Nur intellektuelle Schichten sowie die Sozialdemokraten und weite Kreise der Arbeiterschaft lehnten ihn in wachsendem Ausmaß ab; der Ausspruch: »Der Kaiser ist unser aller Unglück« wurde dort mehr und mehr zum geflügelten Wort. Immerhin haben sich auch kritisierende Kreise mit seinem Dasein abgefunden. Von einer Revolution oder einem Zwang zur Abdankung – von Erwägungen während der Daily-Telegraph-Affäre 1908 einmal abgesehen – war keine Rede.

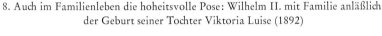

8. Auch im Familienleben die hoheitsvolle Pose: Wilhelm II. mit Familie anläßlich
der Geburt seiner Tochter Viktoria Luise (1892)

Diese Popularität des Kaisers war kein gutes Zeichen für die Urteilsfähigkeit des deutschen Volkes. Mehr noch: der Herrscher hat mit seinem lauten Wesen, seinem Hang zu Äußerlichkeiten, zu Forschheit und Schnoddrigkeit große Teile des Volkes durch viele Jahre geradezu geprägt; er hat auf diese Weise einen schlechten Einfluß ausgeübt. Nicht wenige Historiker sehen in Wilhelm geradezu den Repräsentanten einer Mehrheit deutscher Untertanen, den Verfechter und Vollstrecker ihrer Ideen, den Vertreter ihres Weltbildes. Zahlreiche Deutsche erschienen sozusagen als »Taschenausgaben« des Kaisers, als verkleinerte Kopien. Wie Rheinbaben feststellte, haben der Herrscher und das Volk in seiner Mehrheit einander beeinflußt; sie hatten einander nichts vorzuwerfen, sie stehen in gleicher Verantwortung vor dem Richterstuhl der Geschichte. Der Wilhelminismus blieb in großen Teilen des Volkes noch lange nach 1918 erhalten; charakteristische Züge konnte man noch im Auftreten und Handeln mancher Offiziere der deutschen Wehrmacht während des Zweiten Weltkrieges beobachten.

Kronprinz Wilhelm

Der älteste Sohn des Kaisers, Wilhelm, ähnelte in vielem seinem Vater, besonders darin, daß auch er bis in die späten Mannesjahre nicht selten Unreife und Taktlosigkeit an den Tag legte. Er gab sich gern als erfolgreicher Sportler, versuchte namentlich im Reitsport zu glänzen und machte besonders durch seine Frauenaffären von sich reden. Auslandsreisen mußten hier manches vertuschen, und einmal wurde er für längere Zeit in eine Garnison bei Danzig (Langfuhr) verbannt. Vor 1914 bewies er die unreife, militaristische Mentalität eines jungen Leutnants. Ein Festspiel »1813–1913« von Gerhart Hauptmann wurde auf sein Verlangen vom Spielplan abgesetzt, da es zu pazifistisch sei. Kronprinz Wilhelm soll allerdings später, besonders während des Ersten Weltkrieges, seine Umwelt und die Lage Deutschlands nüchterner, mit weniger Illusionen als sein Vater, betrachtet haben.

Die deutschen Bundesfürsten

Die deutschen Bundesfürsten haben die Einigung Deutschlands mit wachsender Machtlosigkeit bezahlt. Wilhelm I. und Bismarck haben sich im Umgang mit den Entmachteten durchaus taktvoll verhalten, und Bismarck hatte sogar so etwas wie eine Schwäche für König Ludwig II. von Bayern. Als jedoch der preußische Prinz Heinrich (nicht einmal der Kaiser selbst) im Jahre 1897 nach Moskau kam, wurden die ihn begleitenden deutschen Bundesfürsten und Prinzen als sein »Gefolge« bezeichnet, was bei ihnen eine schwere Verstimmung hervorrief, namentlich bei Prinz Ludwig von Bayern (dem späteren Ludwig III.). Nach einem Protest mußte Prinz Ludwig dennoch, wenigstens offiziell, vor Wilhelm II. klein beigeben.
Manche Fürsten, so König Wilhelm II. von Württemberg, Großherzog Ernst Ludwig von Hessen, Herzog Georg von Sachsen-Meiningen und der Graf-Regent von Lippe-Detmold – von den bayerischen Herrschern im allgemeinen nicht zu reden –, standen in offener oder stiller Opposition vor allem gegen Kaiser Wilhelm II., der sich in der Tat manche Taktlosigkeit zuschulden

9. Herrscher in einer Traumwelt: König Ludwig II. von Bayern. Letzte photographische Aufnahme (1885)

10. Landesvater und Kunstmäzen: Prinzregent Luitpold von Bayern

kommen ließ. Es ist bemerkenswert, daß die gemäßigten süddeutschen Sozialdemokraten einige süddeutsche Herrscher, wie z. B. König Wilhelm II. von Württemberg, vollauf respektierten – ein Verhältnis, das in Berlin unmöglich gewesen wäre.

Als König Albert von Sachsen im Jahre 1898 seinen 70. Geburtstag und sein 25jähriges Regierungsjubiläum feierte, bestand er zum hohen Unwillen Berlins darauf, eine Glückwunschmission der französischen Regierung zu empfangen.

Die vielbeschriebene Geschichte des Königs Ludwig II. von Bayern kann hier nicht wiederholt werden. Wenn sich auch die Anomalie des Herrschers schon vor 1870 zeigte, so trug doch die Machtlosigkeit, das Gefühl, nur mehr ein »Vasall« zu sein, dazu bei, daß Ludwig sich in die Welt seiner Schloßbauten, in die Opernwelt Richard Wagners, des Grals und in die Sphäre der eigentümlichen Theatervorstellungen bei leerem Zuschauerraum flüchtete. Die aufwendigen Schloßbauten, zuerst viel verspottet, sind nach seinem Tode durch die Besichtigungen, durch Prozessionen von Fremden zu einer großen Einnahmequelle des Staates geworden, was allerdings nie die Absicht des Königs gewesen war. Ludwig II. war der Retter und Protektor Richard Wagners, der ihm durch viele Jahre unendlich viel verdankte. Der König hat ferner Ehrenbesoldungen an Dichter und Schriftsteller auszahlen lassen.

Der Bau seiner drei Schlösser Neuschwanstein, Linderhof, Herrenchiemsee kann – jenseits aller ästhetischen Erwägungen – als Arbeitsbeschaffung in großem Stil bezeichnet werden. Besonders das Münchner Kunstgewerbe und -handwerk erfuhr durch das Mäzenatentum Ludwigs einen großen Aufschwung.

Ludwigs Onkel und Nachfolger, der Prinzregent Luitpold, war ein äußerst korrekter Monarch. Er hegte eine tiefe Liebe zur bildenden Kunst, er war Mäzen, wo immer es die Mittel erlaubten, er zog viele Künstler an seine Tafel und besuchte deren Ateliers. Luitpold trat dabei so leutselig auf, daß er einmal sogar bereit war, als Modell nur seine »schönen Beine« abbilden zu lassen – ein Vorgang, der in Berlin nicht denkbar gewesen wäre. Der Prinzregent hat gerade in München zahllose große Kunstausstellungen nicht nur eröffnet, sondern auch die ausgestellten Werke höchst interessiert und kritisch betrachtet. Er hat so manches Kunstwerk auf Ausstellungen spontan privat angekauft. Bei alledem war Luitpold aber kein Kunstdiktator wie Wilhelm II., er griff in den Streit zwischen der »alten« und »neuen« Kunstrichtung nicht ein und zeigte sich gegenüber modernen Kunstauffassungen aufgeschlossen. Er förderte den Schutz der heimatlichen Landschaft und Natur vor modernen Verschandelungen, die angeblich im Interesse des Fremdenverkehrs vorgenommen wurden.

König Ludwig III., der wie sein Vater gern bürgerlich auftrat, war ein guter Kenner der Agrarwirtschaft. Das Volk nannte ihn den »Millibauer« (Milchbauer).

Auf kulturellem Gebiet taten sich neben Luitpold auch andere Fürsten hervor; so etwa der Großherzog Friedrich I. von Baden oder der Großherzog Ernst Ludwig von Hessen. Dieser bewies als Mäzen viel Sinn für Literatur und Kunst, er ermunterte neue Baustile und eine neue Gartenkunst. Darmstadt wurde zu seiner Zeit eine Art Kunstzentrum, darüber hinaus durch die enge Verwandtschaft des großherzoglichen Hauses mit den Dynastien von England und Rußland fast ein europäischer Hof.

Herzog Georg II. von Sachsen-Meiningen war der berühmte »Theaterherzog«; er begründete die Meininger Bühne, deren mit historischer Akribie ausgestattete Aufführungen in die Theatergeschichte eingingen.

Von den übrigen deutschen Bundesfürsten wäre der populäre König Friedrich August III. von Sachsen zu erwähnen, der, in Wahrheit klug und bescheiden, ein burleskes Wesen hier und da fast übertrieb, wie um zu zeigen, daß er um die abnehmende Bedeutung der Monarchie wußte. So soll er einen Besuch bei Wilhelm II. in Berlin diesem gegenüber mit den Worten begründet haben: »Ich war ja ohnehin hier wegen der Hundeausstellung!« Der König kaufte an jedem Morgen selbst die sozialdemokratische »Volksstimme«, um über diese Partei und ihre »Enthüllungen« auf dem laufenden zu sein. Denn einzelne Skandale in fürstlichen Familien, an Höfen, machten riesiges Aufsehen, erschütterten das Prestige der Fürstenfamilien und wurden selbstverständlich gern von der sozialdemokratischen Presse aufgegriffen.

11. Sachsens letzter König, Friedrich August III.,
lebt bis heute in Anekdoten fort

ZUR INNEREN GESCHICHTE DES REICHES. BEVÖLKERUNG, STÄDTE, FREMDE MINDERHEITEN

Zur Bevölkerungsgeschichte des Deutschen Reiches

Im folgenden einige statistische Werte:
Deutsches Reich

1871	41 Millionen Staatsbürger
1880	45,2 Millionen Staatsbürger
1891	49,5 Millionen Staatsbürger
1900	56,3 Millionen Staatsbürger
1907	62 Millionen Staatsbürger
1911	64,9 Millionen Staatsbürger
1913	66,8 Millionen Staatsbürger
1914	67,7 Millionen Staatsbürger
1916	68 Millionen Staatsbürger

Die Bevölkerung der Einzelstaaten des Deutschen Reiches 1880–1905:

	1880	1905
Königreich Preußen	27 279 111	37 293 324
Norddeutsche Kleinstaaten:		
Großherzogtum Mecklenburg-Schwerin	577 055	625 045
Großherzogtum Mecklenburg-Strelitz	100 269	103 451
Herzogtum Anhalt	232 592	328 029
Herzogtum Braunschweig	349 367	485 958
Fürstentum Waldeck	56 522	59 127
Fürstentum Lippe	120 246	145 577
Fürstentum Schaumburg-Lippe	35 374	44 992
Großherzogtum Oldenburg	337 478	438 856
Freie und Hansestädte:		
Bremen	156 723	263 440
Hamburg	453 869	874 878
Lübeck	63 571	105 857

Königreich Sachsen	2 972 805	4 508 601
Thüringische Staaten:		
Großherzogtum Sachsen-Weimar	309 577	388 095
Herzogtum Sachsen-Altenburg	155 036	206 508
Herzogtum Sachsen-Coburg-Gotha	194 716	242 432
Herzogtum Sachsen-Meiningen	207 075	268 916
Fürstentum Schwarzburg-Sondershausen	71 107	85 152
Fürstentum Schwarzburg-Rudolstadt	80 296	96 835
Fürstentum Reuss – ältere Linie	50 782	70 603
Fürstentum Reuss – jüngere Linie	101 330	144 584
Süddeutsche Staaten:		
Königreich Bayern	5 284 778	6 524 372
Königreich Württemberg	1 971 118	2 302 179
Großherzogtum Baden	1 570 254	2 010 728
Großherzogtum Hessen	936 340	1 209 175
Reichsland Elsaß-Lothringen	1 566 670	1 814 564
Deutsches Reich (Summe der Bevölkerung)	45 234 061	60 641 278

Auswanderung aus Deutschland:
1871–1880 jährlich durchschnittlich 62 500 Auswanderer
1880–1890 jährlich durchschnittlich 134 000 Auswanderer
[Es gab aber Höhepunkte, z.B. im Jahre 1882 220 000 Auswanderer, im Jahre 1883 183 000 Auswanderer (die Zahlen schwanken in verschiedenen Statistiken).]

Um und nach 1900 geht die Zahl der Auswanderer bis auf einige Zehntausende zurück. Die Auswanderung in die dem Deutschen Reich unterstehenden Kolonien war relativ gering. Es gab nach 1900 Jahre, in denen die Einwanderung ins Reich die Zahl der Auswanderer übertraf.

Deutschlands Bevölkerung nahm von 1871 bis 1914 um mehr als 50 % zu. Die Gründe dafür, wie auch für die gleichzeitige Bevölkerungszunahme in den anderen europäischen Nationen, waren zu suchen in den Erfolgen der medizinischen und hygienischen Forschung, der Eindämmung der Epidemien, einer gewissen Besserung des Wohnungsstandards, der geringeren Sterblichkeit der Frauen im Wochenbett und der Säuglinge, der Verlängerung des Lebensalters (es gab weit mehr alte Leute als früher), dem Ausbleiben von Kriegen mit den daraus erwachsenden Verlusten unter den Männern usw. Die Auswanderung von Deutschen, besonders in die USA, vornehmlich im Jahrzehnt zwischen 1880 und 1890, aber auch in früheren Jahren, war allerdings ein arger Aderlaß. Sie ebbte etwa seit 1891 ab. Der Reichskanzler Graf Caprivi erklärte, daß Deutschland entweder Menschen oder – im Rahmen einer vom Staat begünstigten Industrie und ihres Exports – Waren exportieren müsse, – tatsächlich wuchs der Warenexport von jetzt an mehr und mehr.

Deutschland übertraf bei alledem im Ansteigen der Bevölkerungszahl in relativ kurzer Zeit die anderen europäischen Staaten. Vor 1914 nahm das deutsche Volk pro Jahr um 800 000 bis 900 000 Menschen zu. Die Gründe hierfür waren unter anderem die anschwellende Industrialisierung und das Wachsen der Großstädte – Erscheinungen, die schneller und krasser als in anderen Ländern ins Blickfeld rückten. Die Masse der Bevölkerung wurde nicht nur vermehrt, ein guter Teil wurde auch verlagert. Die Landflucht kann in ihrer einschneidenden Wirkung nicht hoch genug eingeschätzt werden. Von 1840 bis 1933 wanderten 4,5 Millionen Menschen aus den östlichen Provinzen Preußens ab, meistens nach Berlin und in die westlichen Industriegebiete. Von 1840 bis 1910 verließen allein in Ostpreußen 730 500 Menschen die Heimat. Diese Entwicklung wird in der Statistik deutlich:

Ländliche Bevölkerung zu Beginn des 19. Jahrhunderts	80	%
1882	42,52	%
1895	35,74	%
1913	33	%

Die Industriebevölkerung stieg von 1882 bis 1907 von 16 auf 26 Millionen, die Handelsbevölkerung stieg von 1882 bis 1907 von 4,5 auf 8,2 Millionen.

In Preußen lebte 1840 $\frac{1}{10}$ der Bevölkerung in Städten über 10 000 Einwohnern; im Jahre 1880 war es bereits $\frac{1}{4}$ der Bevölkerung. Diese Zahlen stiegen weiterhin unaufhörlich an (vgl. das folgende Kapitel).

Die Entwicklung lag im Zug der Zeit, war aber in Deutschland ausgeprägter als bei anderen Völkern. Die Menschen zogen von den agrarischen Ostprovinzen nach Berlin, nach Mitteldeutschland und, besonders nach 1890, vor allem in das Ruhrgebiet. Einwanderungsländer waren auch Oberschlesien, Sachsen, der Aachener Raum und Hamburg. Die schlechten wirtschaftlichen und sozialen Verhältnisse unter den Landarbeitern im Osten sprachen wesentlich mit. Die Löhne der Landarbeiter im Osten waren geringer als die Löhne der Industriearbeiter. Allerdings brauchte sich der Landarbeiter um Nahrung und um seine – allerdings meistens sehr schlechte – Unterkunft nicht zu sorgen, während der Industriearbeiter in der Stadt die dafür anfallenden Kosten natürlich von seinem Lohn bestreiten mußte. Ungeachtet dieser Bevölkerungsfluktuation gelang es den preußischen Konservativen, in erster Linie den Ostagrariern, den grundbesitzenden Junkern, ihre beherrschende Stellung in Preußen zu behaupten, was die Machtstruktur in Preußen immer problematischer erscheinen ließ.

Man wird nicht alle Landflüchtigen auf einen Nenner bringen können. Gewiß waren unter ihnen haltlose oder Illusionen nachhängende Naturen, die sich von der Stadt leichtere Verdienstmöglichkeiten und womöglich einen relativ schnell zu erlangenden Wohlstand versprachen. Andererseits bot die festgefügte Struktur des Landlebens Menschen mit Initiative und Tatendrang kaum Entfaltungsmöglichkeiten.

In den Städten stießen die Landflüchtigen jedoch auf Wohnungsnot und Teuerung; der vom Lande her gewohnte menschliche Zusammenhalt entfiel, soziale Probleme unbekannter Art taten sich auf. Vielen gelang die Bewältigung dieser Probleme nicht, sie wurden ein für allemal entwurzelt und zogen von Stadt zu Stadt. Mindestens eine Verschlechterung des gesundheitlichen Befindens, oft aber auch Trunksucht, Vagabondage, bei den Frauen Prostitution, waren die Begleiterscheinungen der wachsenden Ausbreitung des Industrieproletariats, in ihrem Ausmaß oftmals verstärkt durch die in Perioden wirtschaftlicher Depression auftretende Arbeitslosigkeit. Dennoch hörte man selten davon, daß ein Landflüchtiger reumütig aus der Stadt auf das Land zurückkehrte. Lieber endete er in der Stadt in manchmal kläglicher Weise. Die meisten Landflüchtigen waren also den Agrargebieten für immer verloren.

Man darf indessen die Zahl der gescheiterten Existenzen in den Städten nicht überschätzen. Nicht wenigen gelang die Einrichtung eines geordneten Lebens, oft sogar ein sozialer Aufstieg, den an die Nachkommen weiterzugeben und ihnen den weiteren Ausbau zu ermöglichen man bemüht war. Während es unter den Agrararbeitern kaum eine Geburtenbeschränkung gab und eine große Kinderzahl durchaus die Regel war, setzte sich bei den sozial bereits integrierten und fortgeschrittenen Familien der Gesichtspunkt durch, die Zahl der Kinder klein zu halten, um ihnen dadurch bessere Ausgangspositionen für den beruflichen Weg zu ermöglichen.

Sowohl die Landgebiete im Osten als auch die Industriegebiete im Westen brauchten Menschen, nachdem schlechtere Zeiten überwunden waren. Die Grundbesitzer im Osten, die die Landflucht der deutschen Agrararbeiter deutlich spürten, warben vor allem während der Zeit der Ernte zahlreiche fremde Staatsbürger, besonders Polen, als Saisonarbeiter an. Einige blieben in Deutschland, die meisten kehrten nach der Ernte in ihre Heimat zurück. Dies änderte sich jedoch im weiteren Verlauf. Während die Italiener, die meist zu Bau- und Erdarbeiten nach Deutschland kamen, fast ausschließlich Saisonarbeiter blieben, zogen die Polen in wachsender Zahl nach Berlin und in die rheinisch-westfälischen Industriegebiete, wo sie seßhaft wurden (vgl. das Kapitel über die Polen im Reich) – ein Vorgang, der Verstimmung und Mißtrauen in deutschnationalen Kreisen hervorrief. Es gab im Jahre 1905 im Reich 454 000 ausländische Arbeiter, allerdings zum größten Teil Saisonarbeiter. Zu erwähnen ist auch die Zuwanderung von Juden aus osteuropäischen Staaten ins Reich, besonders nach Berlin. Viele stiegen sozial auf, sie gelangten in intellektuelle Berufe, in den Journalismus, ins Theaterwesen, in die Literatur, und sie konnten nicht selten großen Einfluß erlangen. Hingegen spielte die Einwanderung aus dem Elsaß und aus Lothringen eine vergleichsweise geringe Rolle.

Trotz des Bedürfnisses nach Fremd- bzw. Saisonarbeitern entwickelte sich in Deutschland ein vergleichsweise starker Bevölkerungsdruck, der in weiten Kreisen zu territorial-expansivem Denken führte. Die deutschen Kolonien, deren Erwerb besonders in der Zeit Wilhelms II. manche Verwirrung in die deutsche Außenpolitik brachte – vielfach stifteten allein die kolonialpolitischen Ambitionen Unruhe –, haben nur wenige Zehntausende von Deutschen aufgenommen (bis 1913 angeblich nur 24 000 Menschen). Sie sind nie ein Bevölkerungsventil geworden, abgesehen davon, daß sie im Kriegsfall praktisch verlorene Posten waren.

Die Großstädte

Die rasche innere Entwicklung des Reiches zeigt sich besonders in der Vermehrung und im Aufschwung der Großstädte. Im Jahre 1871 war jeder zwanzigste Deutsche Großstädter, im Jahre 1913 jeder fünfte. Die Zahl der Großstädte in Deutschland mit über 100 000 Einwohnern betrug

im Jahre 1850 – 4,
im Jahre 1871 – 8,
im Jahre 1880 – 14,
im Jahre 1890 – 26,
im Jahre 1900 – 33,
im Jahre 1910 – 44,
im Jahre 1913 – 48.

Der Anteil der in Großstädten lebenden Bevölkerung betrug:

1871 – 4,8 %,
1890 – 12,9 %,
1900 – 16,2 %,
1910 – 21,3 %.

Berlin als Hauptstadt hat freilich nicht den ganzen Staat überschattet, wie etwa Paris und London das in Frankreich und England taten. Es gab neben Berlin zahlreiche bedeutende deutsche Großstädte. Ihr Anwachsen brachte nicht nur Nachteile mit sich, wie in der Literatur oft behauptet wird. Diese Städte waren Kulturzentren und haben in Verwaltung, Wirtschaft und Handel Bedeutendes geleistet. Der Aufstieg der Städte ging allerdings so rasch voran, daß die staatlichen Regierungen und die Kommunalbehörden oft der neuen schwierigen Probleme nicht rechtzeitig Herr werden konnten. Der Liberalismus wünschte eine völlig freie Entwicklung und war eher ein Gegner jeder – oft so gesunden und nötigen – Planung. Denn Schattenseiten waren nicht zu übersehen: Die Landflucht brachte gewiß zum guten Teil tüchtige Leute in die Stadt, die dadurch vor Inzucht bewahrt wurde; intellektuell Begabte von draußen konnten erst in der Großstadt ihren Aufstieg beginnen. Doch trotz besserer Erwerbsmöglichkeiten, größerer Freiheit, angeblich geringerer Arbeitszeit und besserer Gelegenheit zum Vergnügen barg das Leben in der Stadt mancherlei Risiken in sich, und zwar gerade für Angehörige ärmerer Schichten. Wenn es ihnen nicht gelang, sich rasch selbständig zu machen und den Lebensstandard zu erhöhen, blieben sie zumeist im Status des Fabrikarbeiters stecken; auch die Mädchen gingen in die Fabrik, wurden Dienstmädchen, kleine Angestellte, nicht selten Prostituierte. Zeiten relativer Muße, wie sie die durch den Rhythmus der Jahreszeiten bedingte Landarbeit bot, gab es für sie nicht mehr.

Die Landflucht führte zu großer Wohnungsnot in den Städten. Es entstanden Vorstädte, und Dörfer, die bisher am Rand der Stadt gelegen hatten, wurden eingemeindet. Das Proletariat wohnte in Mietskasernen oder in überbelegten Wohnungen, sonst in Kellerwohnungen, in Schlafstellen. Arbeitslose gingen in Obdachlosen- und Nachtasyle. Die Arbeitsräume in den Fabriken waren häufig ungesund, überall gab es Schnaps- und Bierkneipen niederster Art. Die sozial unteren Schichten waren in solchen Vorstädten zusammengedrängt. Es entstand der gedemütigte und profillose Massenmensch. Außereheliche Verhältnisse und uneheliche Kinder waren fast die Regel, freilich oft durch eine spätere Heirat legitimiert. Der Arbeiter fühlte in der Fabrik mehr Ordnung und Gemeinschaft als zu Hause, wo die Frau, oft auch als Fabrikarbeiterin tätig, mit Haushalt und Kindern nicht fertig werden konnte. Heinrich Zille und Käthe Kollwitz haben das Proletariat Berlins mit seinem Elend anklagend und eindringlich gezeichnet und gemalt.

Diese sozialen Zustände schufen den Boden für den Gedanken des Klassenkampfes und das stetige Anwachsen der Mitglieder- und Wählerzahlen der Sozialdemokratischen Partei. Die SPD begründete ihre Forderungen nach höheren Löhnen mit den größeren Bedürfnissen der Stadtbevölkerung im Vergleich zur Landbevölkerung sowie mit dem Wunsch, die durch geschickte Reklame und überreiches Angebot geweckten Bedürfnisse einigermaßen zu befriedigen. Straßenaufläufe und Streiks ereigneten sich, und die Parole der klassenbewußten Berliner Arbeiter hieß: »Zu Willem loof ick (zu Paraden usw.), aber für Bebeln sterb ick!«

Der soziale Abstand der Klassen, die Gegensätze im Lebensstandard waren kraß; Luxus und Elend waren räumlich nicht weit voneinander entfernt.

12. Die Mutter. *Kohlezeichnung von Käthe Kollwitz*

In den »Gründerjahren« bis 1873 haben Baugesellschaften spekulativ zu viele Häuser erbaut, die vorderhand z. T. leer blieben. Manche Baugesellschaften gingen in Konkurs. Es entstanden Viertel der ausgesprochen wohlhabenden Kreise, z. B. im Westen Berlins und im Tiergartenviertel. Viele Häuser im berühmt-berüchtigten Gründerstil wurden errichtet – mit überladenen Stuckfassaden, deren Üppigkeit nicht zuletzt einen Kontrast zum Elend der Hinterhöfe und Arbeitersiedlungen schaffen konnte. Jeder damals mögliche Luxus und jeder neue Komfort wurden eilig aufgegriffen. Große Wohnungen und Villen dieser Art bedingten natürlich ein zahlreiches Dienstpersonal, dessen Existenz und sozialer Status von ihrem Wohlverhalten gegenüber der »Herrschaft« abhing.

Aber auch in den Kreisen des Bürgertums empfand man die Großstadt nicht nur als Vorteil, und Klagen, deren Aktualität uns heute bedrängt, waren schon damals zu hören: die schlechte Luft, der Rauch, der Lärm und die Gefahren des Verkehrs, die Verunreinigung der Flüsse und Kanäle usw. Man begann Gespür für die Schäden zu entwickeln, die das Großstadtleben mit sich brachte, forderte öffentliche Stadtgärten; jede Villa sollte ihren eigenen kleinen Garten haben, die Stadtbevölkerung, die sich die Ausgabe leisten konnte, suchte eine Sommerfrische zuerst in benachbarten Dörfern, dann an der Nord- oder Ostsee, ja schon bald eine »Winterfrische« auf und wünschte z. B. für die Kinder Ferienerholungsheime.

Restaurant zum Nussbaum

13. und 14. Das alte Berlin:
Das Restaurant zum Nußbaum,
gezeichnet von H. Zille,
und die Friedrichstraße 1874,
gezeichnet von E. Doepler
(rechts)

Berlin

Fontane hat in seinen Romanen noch das alte, relativ bescheidene Berlin vor seiner großen Entwicklung geschildert; aber schon zu seiner Zeit war dies nur die eine Seite der wuchernden Großstadt, deren Entwicklung symptomatisch für die der anderen deutschen Großstädte ist. Berlin war der ausgesprochene Parvenü unter den neuen Großstädten. Der Münchner Historiker Karl Alexander von Müller schrieb um 1910: »Unsere neue deutsche Hauptstadt (Berlin) kommt mir vor wie ein Wagnerisches Musikdrama: Gewiß nicht ohne Großartigkeit und imponierenden Pomp, aber auch gewalttätig, marktschreierisch, trotz aller fiebernden Leidenschaft unecht, eine merkwürdige unreine Wirkung hinterlassend. Der altpreußische Kern war noch da, aber im Schwinden, in der Auflösung.« Karl Scheffler nannte Berlin »eine große Lehrwerkstatt für angewandte Logik und rationellen Patriotismus, für staatskirchlich denkendes Christentum und bürokratische Korrektheit«.

Die Bevölkerungszahl Berlins wuchs von 1816 bis 1900 um ungefähr das Zehnfache (200 000 bis 2 Millionen). Die Stadt verlor ihren preußischen Charakter, der – man mochte sich dazu verschieden stellen – immerhin etwas Eigenes war. Der Zuzug aus dem Osten war in Berlin besonders groß, er rekrutierte sich sogar aus den baltischen Ländern, vor allem aber aus den östlichen Provinzen des Reiches: aus Ostpreußen und dem Memelland, nicht zuletzt aus Schlesien. Es waren Vertreter aller Klassen, die den Weg nach Berlin fanden, auch Mitglieder höherer Stände, die der Verwaltungsapparat mit seinen Aufstiegsmöglichkeiten oder das intellektuelle und kulturelle Leben der Stadt anzogen. Groß war der Anteil der Ostjuden, die in Berlin oft neue Namen annahmen und sich häufig in bedeutende Positionen emporarbeiteten, was nicht zuletzt zu einem latenten Antisemitismus bei den nicht so Erfolgreichen führte; in diesem Sinne hat man Berlin als den Ausgangspunkt des neueren deutschen Antisemitismus bezeichnet.

In der Architektur verloren sich die klassizistisch-spartanischen Züge, die der Stadt das Gepräge gegeben hatten. Die Bautätigkeit war nach 1871 sehr rege, da die Gründung des Reiches neue Bauten und Ämter erforderte (z. B. das Reichstagsgebäude), von den Wohnbauten nicht zu reden. Die alten Amtsgebäude, die Bauten für kulturelle Einrichtungen jeder Art (Schulen jeden Ranges, Bibliotheken, Museen, Theater usw.), die Bahnhöfe genügten längst nicht mehr. Der anwachsende Reichtum förderte die Bautätigkeit, ohne daß originäre künstlerische Leistungen entstanden. Statt dessen bediente man sich des eklektizistischen Rückgriffs auf die Stile vergangener Epochen – es war die Zeit der neuromanischen Bahnhöfe, neugotischen Postämter, der Bauten im Renaissance- und Barockstil, wobei die Vorliebe des jeweiligen Bauherrn oftmals das einzige Kriterium für die Stilwahl bildete. Die damals berühmtesten Bauten waren die Siegessäule von Heinrich Strack und Friedrich Drake (1869–1873), das Reichstagsgebäude, das »maximale Größe bei minimaler wirklicher Macht zeige«, von Paul Wallot (1884–1894), der neue Dom von Julius Raschdorff (1894 bis 1904/05), die Kaiser-Wilhelm-Gedächtniskirche von Franz Schwechten (1891–1895).

Berlin wurde – wie schon erwähnt – mit Denkmälern von brandenburgischen und preußischen Herrschern, Generalen, Staatsmännern und Größen des Geistes, vornehmlich von Reinhold Begas und seiner Bildhauerschule, die von Wilhelm II. gefördert wurde, überschwemmt. Es wird besonders Wilhelm II. vorgeworfen, daß er den Architekten und Bildhauern in ihre Pläne hineinredete und manches verdarb, daß er Berlin »scheußlich« gemacht habe. Nur beim Bau einzelner Warenhäuser (Wertheim von Alfred Messel) und Fabriken (Peter Behrens) fand man einen neuen funktionsgerechten Stil.

Man hat behauptet, daß der Berliner in seinem Wesen sich – nicht eben zu seinem Vorteil – an Wilhelm II. orientiert habe: Geltungsbedürfnis, Protzertum, Snobismus und ein bedauernswerter Mangel an Geschmack hätten ihn geprägt. Dies ist zweifellos eine unzulässige Verallgemeinerung, die gewiß nicht für alle zutrifft. Der »richtige« Berliner, soweit er noch da oder dazu geworden war, war fleißig und arbeitsam, konnte allerdings auch Ellenbogenpolitik treiben, er war nicht auf den Mund gefallen und hatte manchmal eine »große Schnauze«, er war witzig, aber er konnte auch gutmütig sein. Der Auswärtige vertrug die Berliner in Berlin leichter; Berliner auf Reisen eckten nicht selten an. Der Berliner Haushalt war im Regelfall sauber und ordentlich; man lebte insgeheim

15. »Maximale Größe bei minimaler Macht« – das Reichstagsgebäude von Paul Wallot in Berlin
16. Das Königliche Schloß mit Schloßplatz in Berlin (1905)

17. Der Kurfürstendamm in den Jahren vor dem Ersten Weltkrieg

oft recht sparsam. Man speiste in Berlin, von bestimmten Restaurants abgesehen, zumeist reichlich, aber nicht sehr gut.

Berlin war die Stadt des Kaisers und des Hofes, die Stadt einer großen Garnison mit zahlreichen Offizieren und den glänzend uniformierten Garderegimentern. Man konnte in Berlin die größten und prunkvollsten Paraden dieser 13 Garderegimenter sehen, die weit über die Grenzen des Landes hinaus berühmt waren. Berlin war auch die Stadt der Minister, der Abgeordneten des Reichstages, des preußischen Herrenhauses und Landtages, zahlreicher Beamter, der meistens schon arrivierten bildenden Künstler, Dichter, Schriftsteller und Journalisten. Es war aber, trotz aller Industrie, doch nicht die Stadt der großen Wirtschaftskapitäne. Im Zentrum Berlins entwickelte sich ein elegantes Leben nach norddeutscher Art, die »high society« nicht nur der Hauptstadt selbst kam dort zusammen. Die Berufsschichten und Stände lebten für sich, sie vermischten sich gesellschaftlich wenig. Es gab noch sehr viel Adelshochmut; der wirklich kultivierte Teil des Adels und des Bürgertums bildete noch immer eine kleine Oligarchie. Die Bevölkerung von Berlin war trotz oder vielleicht wegen des Hofes und der Garnison wenig konservativ. Das Bürgertum (und die Stadtverwaltung) waren überwiegend »freisinnig« und gegen die noch privilegierten Gesellschaftsklassen eingestellt; die Arbeiterschaft dachte und wählte größtenteils sozialdemokratisch, ja, die

18. Der Alexanderplatz im Jahre 1906

sozialdemokratische Partei und ihre Führung hatten eine gewisse berlinische Färbung; die Macht der Partei war ohne ihre Abgeordneten und Anhänger aus Berlin nicht denkbar.

Die Hauptstadt suchte technische Erfindungen rascher und umfassender als andere Städte auszunützen, z. B. das Telefon und die Straßenbahn (seit 1897 Pferdebahn nach Hermsdorf, dann Dampflokomotiven, hierauf elektrische Straßenbahnen seit 1906); seit 1883 gab es dreirädrige Benzwagen, später die z. T. zweideckigen Autobusse (erster Auto-Omnibus mit erstem Stock 1905), erste Kraftdroschken (Autos) seit 1903 und schließlich seit 1902 die erste Strecke der S-Bahn. Man griff gleichermaßen rasch auch nach allen technischen Neuerungen in der Küche, in der Hauswirtschaft (Nähmaschine) und in anderen Bereichen.

Berlin bot den Studenten Hochschulen mit hervorragenden Gelehrten, eine Reihe reichhaltiger Bibliotheken und Museen, darunter die Nationalgalerie, das Hohenzollern-, das Märkische, das Völkerkunde- und das Kunstgewerbemuseum, vielseitige Konzerte und Opernaufführungen, Theater mit maßstabsetzenden Aufführungen und den Stücken der umstrittensten Autoren. Berliner Bühnen brachten Uraufführungen von bedeutenden Dramen der Zeit, manchmal unter Demonstrationen des Publikums (etwa bei den ersten Dramen von Gerhart Hauptmann). Schon frühzeitig entwickelte sich Berlin zur Zeitungsstadt: sämtliche Parteien, Weltanschauungen und

Geistesrichtungen hatten in Berlin ihre Zeitungen und Zeitschriften. Zu den ältesten gehörten die konservative »Kreuzzeitung« und die »Vossische Zeitung«. Zu diesen Zeitungen traten Witzblätter und satirische Journale sowie – was damals neu war – illustrierte Zeitungen. Manche Journale behaupteten sich, andere gingen nach ein paar Monaten oder Jahren ein. Die bedeutenden dichterischen Talente (der große Fontane, aber auch Heyse, Sudermann usw.) veröffentlichten öfter ihre Romane und Novellen zuerst in einer – gute Honorare zahlenden – Zeitung, meistens in einer in Berlin erscheinenden; danach erst in Buchform. Sudermann begann als Redakteur des »Deutschen Reichsblatts« seine literarische Laufbahn. Die großen Verlage Berlins (z. B. Ullstein) gaben Zeitungen, Zeitschriften und Bücher von hoher Qualität heraus.

Man wünschte das Neue, man hatte den Mut zu oft gewagten Experimenten. So in der Malerei: Um 1898/99 wurde die erste »Sezession« in Berlin gegründet, der Max Liebermann angehörte, im Jahre 1910 folgten die »Neue Sezession« und im Jahre 1914 die »Freie Sezession« – sie alle Sammelbecken und Wegbereiter neuer Ausdrucksformen in der Malerei.

Berlin hatte große und moderne Warenhäuser sowie elegante Hotels (Adlon seit 1907, Kaiserhof usw.). Es gab Bier- und Tanzlokale jeder Art und Größe, ein Panoptikum, Wachsfigurenkabinette, Vorstellungen »wilder Völker«, »Panoramen« und »Dioramen«, deren Publikum sich meistens aus den sozial unteren Klassen rekrutierte.

In Süddeutschland prangerte man den Hochmut mancher Kreise in Berlin an; die Polizei sei tüchtig, aber entsetzlich grob; die Küche biete nichts Interessantes; die Damenmode bleibe trotz des Reichtums mancher Familien provinziell; die Gesellschaften seien steif und langweilig, die Junker suchten ihren Mangel an wahrer Bildung durch »Zackigkeit« und Arroganz wettzumachen. Es ist bezeichnend, daß das Wiener Kaffeehaus sich in Berlin nicht durchzusetzen vermochte.

Der Kuriosität halber sei der um die Moral besorgte Berliner Polizeipräsident Traugott v. Jagow genannt, der allerdings nicht repräsentativ für die ironisch gestimmten freisinnigen Berliner war. Jagow suchte die ersten fußfreien oder später gar etwas wadenfreien Röcke der Frauen zu verhindern; der Kaiser und er machten gegen moderne Tänze Front (Cake Walk, Foxtrott, Tango); Jagow verbot auch die Ausstellung von Tizians Danae und einer Nymphe von Anselm Feuerbach. Statuen von Adam und Eva wurden aus einer Badeanstalt entfernt: »Wir sind in Berlin und nicht im Paradies«. Herren mußten Badeanzüge mit Oberteil tragen.

München

München war der Antipode Berlins. Im Gegensatz zur Hauptstadt hielt sich der Bevölkerungsanstieg in der bayerischen Metropole innerhalb von Grenzen, die eine gesunde Entwicklung zuließen: In dem hier behandelten Zeitraum stieg die Einwohnerzahl von 230 000 auf 600 000. Man nannte München die größte deutsche Kleinstadt, und dieses Prädikat war darauf zurückzuführen, daß die Stadt im Gegensatz zu Berlin sich viel von ihrem alten Charakter bewahren konnte: Sie erlag nicht dem totalen Anspruch der Industrialisierung, die Vorstädte hatten nichts Schreckliches an sich, der Kontakt zum Land und den Dörfern ringsum blieb erhalten.

Der Münchner konnte grob, aber auch humorig sein und war im Grunde gutmütig. Der Münchner Fasching war berühmt, der Leichtsinn feierte dort manche Siege (namentlich beim Versetzen von

19. München, der Gegenpol zur Reichshauptstadt. Marienplatz mit Mariensäule

Hausratsstücken, um das Geld für einen Ball aufzutreiben). Man war in München schon damals nicht prüde: Als z. B. einige Museumsleiter um 1900 Statuen mit Feigenblättern versahen, um polizeilichen Schwierigkeiten zuvorzukommen, streiften Studentenscharen durch die Museen und rissen die Feigenblätter herunter. Die Münchner verstanden es, Feste aller Art zu feiern. Hast fehlte, die Gemütlichkeit hörte nie völlig auf, wenn man ein paar grobe Worte nicht zu tragisch nahm.

Münchens war ein europäisches Kunstzentrum ersten Ranges, das auch vom experimentierfreudigen Berlin letztlich nie übertroffen wurde. Die Stadt verfügte über eine lange Tradition als Stätte der Kunst. Die Wittelsbacher haben zumeist als Kunstmäzene gewirkt, und man traf in der fürstlichen Familie ein tieferes und echteres Verhältnis zur Kunst an, frei von den Doktrinen eines kleinbürgerlichen Kunstverständnisses, wie sie uns so unangenehm am Berliner Hof begegneten. Und wie in Berlin in unvorteilhafter Weise, so prägte in München der Hof in positivem Sinne das Kunstleben der Stadt: Geschmack und, wenn nötig, Zurückhaltung waren für München charakteristisch. Man wollte keine Zwänge ausüben, man war weitherzig, nicht kleinlich, gab sich eher der Verschwendung als der Sparsamkeit hin, und es kam vor, daß man das Mäzenatentum bis zur Verschuldung trieb. Das Bonmot, München sei eine Kunststadt, Berlin dagegen ein Kunstmarkt gewesen, hat eine gewisse Berechtigung. »München leuchtete« – dieses Wort von Thomas Mann, das für die letzten Jahrzehnte vor 1914 gilt, ist berühmt geworden und kennzeichnet die Atmosphäre der Stadt treffend. Ludwig I. und Maximilian II. förderten München sehr, der erste im Rahmen der bildenden Kunst, der zweite im Rahmen der Wissenschaft und Dichtung. Ludwig II. ließ in der Residenz selbst allerdings nur einen Winterdachgarten mit einem künstlichen See bauen (1874).

20. Münchens Neues Rathaus, im gotischen Stil 1867–1874 erbaut

Er liebte das Leben in einer größeren Stadt nicht und verbarg seine Abneigung gegenüber München kaum; dort traten Regierungspflichten zu leicht an ihn heran. Auf Ludwig II. folgte die Regierungszeit des schon erwähnten Prinzregenten Luitpold (1886–1912), unter dem München eine Blütezeit als Kunststadt erlebte. Sein Sohn Ludwig III. (1913–1918) freilich hatte keinen Sinn für die Künste.

Die neue Zeit forderte auch von München neue Gebäude, Staats- und Gemeindeämter, neue Schulen oder die Erweiterung alter Schulbauten, Kirchen, Theater, ein Künstlerhaus, Museen, Banken, Bahnhöfe, Gebäude für Redaktionen und Versicherungen, Brücken und große Brunnen zur Verschönerung zentraler Plätze. Auch München erhielt eine Reihe von Denkmälern bedeutender Männer aus der Geschichte Bayerns, aber man errichtete sie nicht in so großer Zahl und nicht so pompös wie in Berlin. Einige Denkmäler hatten künstlerischen Rang. Die Stadt gewann einige hervorragende Architekten, auch wenn es z. T. Eklektiker waren, und Bildhauer, von denen ich (als Architekten) Friedrich v. Thiersch, Gabriel v. Seidl, Georg v. Hauberisser und (als Plastiker) besonders Adolf v. Hildebrand nenne. Das neue gotische Rathaus (1867–1874, von Hauberisser), der Justizpalast (Barock, 1887–1897, von Thiersch) und das neue Justizgebäude (der Gotik ähnlich, 1908, von Thiersch), das Künstlerhaus (1896–1900, von Seidl) und das Prinzregententheater (1901,

21. Das Künstlerhaus in München, erbaut 1896–1900

von Heilmann und Littmann) sind hervorzuheben. München erhielt eine Reihe von wertvoll aus-
gestatteten neuen Museen, so das bayerische Nationalmuseum (1894–1900, von Seidl), das Armeemuseum (1900–1905, von Mellinger) und die neue Schackgalerie (1908/09) sowie das Deutsche
Museum. Dieses attraktive Museum wurde von Oskar v. Miller organisiert, von den Brüdern
Gabriel und Emanuel v. Seidl 1906 begonnen, 1914 im Rohbau fertiggestellt und 1921 wieder
aufgenommen. Gabriel v. Seidl baute die St. Anna- und St. Rupertuskirche, Hauberisser errichtete
die St. Paulskirche; die Maler Franz v. Lenbach (1887, von Seidl), Franz v. Defregger und Franz
v. Stuck ließen sich nach damaligem Geschmack künstlerisch wertvolle Privathäuser bauen, wie
überhaupt München eine ganze Reihe von schönen Privatbauten erhielt. Die neuen Brücken waren
nicht ohne formale Eleganz (Luitpoldbrücke, 1901 von Th. Fischer, Maximiliansbrücke, 1905 von
Thiersch). Schließlich fielen im Bild der Stadt die schönen Brunnen auf; auf diesem Sektor hat sich
vor allem der große Bildhauer Adolf v. Hildebrand auszeichnen können (Wittelsbacherbrunnen
1893–1895, Vater-Rhein-Brunnen 1903, Hubertusbrunnen). Letztlich ist noch das Denkmal des
Friedensengels (1896–1899, von H. Düll, G. Petzold und M. Heilmeier) zu erwähnen. Die zahlreichen Schul- und Bibliotheksbauten können hier nicht im einzelnen angeführt werden.

22. Malerfürsten wohnten fürstlich: das Lenbachhaus (links oben)
23. Die Villa des Malers Franz von Stuck (links unten)
24. Ein Akzent im Münchner Stadtbild: der Wittelsbacherbrunnen von A. von Hildebrandt

Freilich hat München auch manche Künstler nicht halten können; z. B. Wilhelm Trübner, Hans v. Marées, Max Liebermann, Lovis Corinth, Max Slevogt und Wilhelm Leibl. Die Stadt hat aber ungleich mehr Talente angelockt, bildende Künstler und Dichter, aus dem Königreich Bayern, aber auch nicht wenige Norddeutsche, die »Nordlichter«. Ungefähr 70 % aller Künstler waren nicht »bodenständig« – aber sie wurden es. Die Anziehungskraft Münchens war weit größer als die Berlins, obwohl die bayerische Hauptstadt auf den ersten Blick weniger zu bieten hatte. Zu denen, die München zu ihrem Domizil machten, gehörten Björnstjerne Björnson, Stefan George, Max Halbe, Paul Heyse, Henrik Ibsen, Eduard Graf Keyserling, Thomas Mann, Gustav Meyrink (G. Meyer), Rainer Maria Rilke, Joachim Ringelnatz (Hans Bötticher), Roda-Roda und Frank Wedekind. Christian Morgenstern war ohnehin in München geboren, und für die Bayern Hans Carossa, Ludwig Ganghofer und Ludwig Thoma war die Übersiedlung nach München fast selbstverständlich. Es war bekannt, daß besonders junge bildende Künstler aus aller Herren Länder gern nach München kamen: Russen, Polen und Angehörige der anderen europäischen Ostvölker, Amerikaner, Spanier, Italiener usw.; zu ihnen gehörten auch die z. T. von den Münchnern nicht besonders geachteten »Schlawiner«, die in Schwabing oft ein Bohème-Leben führten.

München war die Stadt bedeutender Buch- und Kunstverlage (Piper, Beck, Lehmann, Oldenbourg, Bruckmann, Müller, Langen, Hirth, Knorr; in der Kunst Ackermann, Hanfstaengl usw.). Hier publizierten viele Dichter ihre Werke und ließen auch bildende Künstler ihre Arbeiten drucken. München zeigte erstmals im Jahre 1869, danach 1879 im Glaspalast, internationale Kunstausstellungen, die damals etwas Neues waren und auf denen besonders die Bilder der modernen Franzosen Aufsehen erregten. Diese internationalen Kunstausstellungen wurden ständig wiederholt. Seit 1889 gab es jährlich auch eine eigene Ausstellung der Münchner Künstler, die zur Austragungsstätte für die Auseinandersetzungen zwischen traditioneller und moderner Kunstrichtung wurde. Das Jahr 1908 brachte eine moderne Kunstausstellung mit Werken neuester Stile.

Es ist schon angedeutet worden, daß München eine Stadt berühmter Museen war. Es war eine noble Geste Wilhelms II., daß er die Galerie mit wertvollen Werken, die der Graf Schack ihm vererbt hatte, doch in München beließ, obwohl der Graf gerade auf München am Ende seines Lebens nicht gut zu sprechen war. Weniger bekannt war, daß es in München eine Reihe von kenntnisreichen Privatsammlern gab, die kostbare Privatgalerien in ihren Wohnungen bargen.

Einige »Fürsten der Kunst« sonnten sich in hoher Geltung und verfügten über reiche Einnahmen und vornehme Villen – so Karl v. Piloty und besonders Franz v. Lenbach, der glaubte, einen Führungsanspruch gleichsam in Erbpacht zu haben und der die modernen Kunstrichtungen nicht aufkommen lassen wollte. Franz v. Stuck beabsichtigte, eine eigene Privatakademie zu gründen, und in der Dichtung dominierte Paul Heyse. München nahm alle Kunstrichtungen auf, Eklektiker und Realisten, die Neuromantik, den Jugendstil, einen mythisch-allegorisch-symbolistischen Stil, den Naturalismus, den Impressionismus, den Expressionismus, den Futurismus und andere modernste Richtungen. Es war selbstverständlich, daß die alten und neuen Tendenzen sich bekämpften. Eine Richtung überholte die andere, so daß das Moderne von heute mitunter schon morgen als unmodern galt. Im Jahre 1891/92 wurde die »Sezession« vor allem gegen die Diktatur Lenbachs gegründet, eine Sezession, die selbst bald als altmodisch galt und durch eine »Neue Sezession« im Jahre 1910 abgelöst wurde. Die »Neue Künstlervereinigung« wurde im Jahre 1909 gegründet. Daneben gab es eigene Künstlergruppen, wie die »Scholle« oder um 1911 den berühmten »Blauen Reiter«, von Franz Marc angeregt.

Im Kunstgewerbe, in der Innendekoration und Raumkunst, in der Plakatkunst sowie im Buchschmuck hatte München eine führende Stellung inne. Es gab ausgezeichnete Rahmenschnitzer, Stukkateure und Gipsgießer (z. T. Italiener). Im Jahre 1907 wurde der »Deutsche Werkbund – München« gegründet, 1912 eine »Bayerische Gewerbeschau« gezeigt. In diesen Richtungen arbeitete die »Münchener Vereinigung für angewandte Kunst« (später »Münchner Bund«), die 1908 eine Vermittlungsstelle für angewandte Kunst einrichtete. Seit 1909 gab es eine Schule für Illustration und Buchkunstgewerbe.

Schließlich muß noch Schwabing genannt werden, das – nach einem Bonmot – nicht nur ein Stadtteil, sondern auch ein Zustand war – zugleich Thema vieler »Künstlerromane«. Dort war die Bohème zu Hause, dort gab es Ateliers, Künstlerkneipen und Literatencafés. Dort kamen die oft wild ausschauenden und wenig gepflegten Kunstjünger aus aller Welt zusammen. Die Schwabinger Künstlerfeste und die Münchner Künstlergenossenschaft waren berühmt-berüchtigt.

Hohes Niveau hatte das Münchner Musikleben. Der heute vergessene Komponist Franz Lachner lebte dort, Richard Strauss war ein geborener Münchner. Richard Wagners Wirken in München stand freilich unter keinem guten Stern; Wagner und die Münchner hegten wechselseitig wenig Sympathie füreinander. Eine Reihe bedeutender Komponisten – darunter Peter Cornelius, Hans Pfitzner und Max Reger – waren zeitweilig mit München verbunden.

Im relativ konservativen Münchner Theaterleben war Ernst v. Possart der allmächtige Mann. Es gab Theaterskandale, wenn etwas Revolutionäres geboten wurde, so z. B. bei der Aufführung des »Erdgeist« von Franz Wedekind (1895); Wedekinds Lulu schockte und wurde insgeheim zum Vorbild für so manche Frau. Das geistreiche Kabarett der »11 Scharfrichter« und der »4 Nachrichter« erregte Aufsehen.

Die Münchner Hochschulen hatten schon damals Probleme, denn 1913 wurde eine »Freie Studentenschaft« mit mehr als 2000 Mitgliedern gegründet, die sehr einschneidende Hochschulreformen forderte: Ein Begehren, das damals unerhörter als heute wirkte.

Elsaß und Lothringen

In den neu gewonnenen Reichslanden wurde Metz zu einer großen Festung ausgebaut und mit einer riesigen Garnison versehen. Wilhelm II. hat in Lothringen das Schloß Urville erworben – ein erfolgloser Versuch, sich bei der Bevölkerung als »einheimischer« Grundbesitzer zu etablieren. Die Stadt Schlettstadt im Elsaß schenkte dem Kaiser die Hochkönigsburg in den Vogesen, die vom »Reichsrenovierungsrat« Bodo Ebhardt wiederhergestellt und im Jahre 1908 eingeweiht wurde. Straßburg erhielt schon 1872 eine deutsche Universität, an die berühmte deutsche Gelehrte und Ärzte berufen wurden und zu der viele Studenten aus dem Reich strömten. Die Hochschule hat dennoch ein eigenes, nicht recht integriertes Leben geführt.

Über die aus militärischen Gründen und mit Rücksicht auf die deutsche öffentliche Meinung 1871 vorgenommene Annexion von Elsaß und Lothringen ist viel geschrieben worden. Die Gebiete wurden vorübergehend »Reichslande«, doch ihre Bewohner empfanden sich als »Reichsbürger 2. Klasse«; man fühlte sich als eine Kolonie. In der Tat wurden dem Gebiet – wie einer Kolonie – viele preußische Staatsbeamte zugewiesen, die einen bevorzugten Sonderstatus genossen. Sie waren sachlich tüchtig, gingen aber gegenüber der Bevölkerung oft psychologisch ungeschickt vor. Nicht weniger anstößig war mitunter das Auftreten der preußischen Offiziere in den großen Garnisonen. Die Elsässer – von den Lothringern zu schweigen – wollten selten deutsche Beamte, die jungen Intellektuellen schon gar nicht deutsche Reserveoffiziere werden. Die Einjährigen begnügten sich mit dem Rang eines Unteroffiziers oder gingen bewußt zum sonst verachteten Train, um ihre oppositionelle Haltung zu demonstrieren. Ein Teil der Rekruten aus Elsaß und Lothringen wurde in Regimenter im Osten des Reiches versetzt. Der Aufsehen erregende Vorfall von Zabern 1913 – davon später mehr – zeigte, wie stark die Spannungen unter der Oberfläche waren. Gerade viele Angehörige der Intelligenz und auch des Besitzbürgertums hatten im Jahre 1871 für Frankreich optiert und die Auswanderung vorgezogen. Die Oberschicht der zurückgebliebenen Einwohner pflegte prononciert die französische Tradition, und die unteren Klassen fühlten sich im Stich gelassen: Französisch konnte man nicht mehr sein, deutsch wollte man noch nicht sein. Der heimische Dialekt wurde im Elsaß wie eine eigene Sprache sorgfältig gepflegt.

Man hätte gut daran getan, den Ländern sofort nach der Annexion Autonomie zu geben. Es existierte zwar seit 1875 ein Autonomieprogramm der führenden Politiker in beiden Ländern, das jedoch von der Regierung nicht angenommen wurde. So kam es, daß in den siebziger und achtziger Jahren nur »Protestler« in die Vertretungskörperschaften gewählt wurden. Die Länder

25. Die restaurierte Hochkönigsburg in den Vogesen, Geschenk der Stadt
Schlettstadt an Kaiser Wilhelm II.
26. Die Universität Straßburg – geistiges Zentrum der Bemühungen, das Elsaß
dem Reich einzugliedern
27. Einweihungsfeier der mit der deutschen Reichsflagge geschmückten Straßburger
Universität im Jahre 1872

erhielten 1879 eine Sonderverfassung, die von vielen ein »Machwerk« genannt wurde. Der Statthalter besaß außerordentliche, im Ernstfall diktatorische Rechte, die erst 1902 aufgehoben wurden. Über besonderen Einfluß auf die Bevölkerung verfügten der katholische Klerus und die Angehörigen der höheren Stände, die »Notabeln«. Die auf das ständische Denken zurückzuführenden Versuche, gerade diese Notabeln für die deutsche Herrschaft zu gewinnen, scheiterten an deren ausgeprägt französischer Gesinnung. Man versäumte es im Reich, um die unteren Volksschichten zu werben: Die Bürger blieben französisch, die Bauern im Süden waren elsässisch gesinnt. Man hegte zwar keine sonderliche Sympathie für die Franzosen, aber man opponierte doch gegen die eingewanderten Deutschen. Es dominierte eine äußerlich ruhig anmutende, im Grunde aber trotzige oder ironische Haltung, und von einer Germanisierung der Lothringer konnte keine Rede sein. Der Kulturkampf im Reich schadete bei den katholischen Elsässern und Lothringern sehr, und die wenig taktvolle Art, mit der durch unzählige Denkmäler an die für die deutschen Waffen siegreichen Gefechte und Schlachten von 1870 erinnert wurde, war kaum dazu angetan, der Bevölkerung die Gewöhnung an die neuen Zustände zu erleichtern; weniger wäre hier zweifellos mehr gewesen.

Alle Welt wußte, daß Frankreich auf die beiden Länder nie endgültig verzichten werde. Es trieb eine rege Kulturpropaganda, die besonders die oberen Klassen erreichte. Die Länder wurden mit französischen Zeitungen überschwemmt. Selbstverständlich waren beide Länder auch von einem dichten französischen Spionagenetz überzogen. Der Kampf der liberalen französischen Regierungen gegen katholische Kircheneinrichtungen dämpfte allerdings etwas die französische Gesinnung. Das Bündnissystem Frankreichs und das Anwachsen seines Ansehens in der Weltpolitik haben die französische Gesinnung später wieder vertieft. Die Bevölkerung wünschte indessen nicht um den Preis eines Krieges, der Elsaß und Lothringen selbst zum Schauplatz der Kämpfe gemacht hätte, zu Frankreich zurückzukehren.

Die beiden Länder blühten immerhin unter deutscher Herrschaft wirtschaftlich sichtlich auf. Von der Universität Straßburg, in die sehr viel investiert wurde, die aber wohl ohne Zuzug aus dem Reich nicht hätte existieren können, war schon die Rede. Die Produkte des Bergbaus (Erze, Kali), deren Wert man im Jahre 1871 noch nicht vorausgeahnt hatte, wurden mehr erschlossen, und die Industrie, die Wasserkräfte, der Weinbau nahmen zu. Lothringische und elsässische Produkte fanden im Reich guten Absatz.

Seit 1905 trat eine eigene Autonomistenpartei auf, und sehr spät, erst im Jahre 1911, wurden Elsaß und Lothringen ein Bundesstaat mit zwei Kammern. Für die zweite Kammer galt das allgemeine, gleiche, direkte und geheime Wahlrecht für Männer. Hier hatte eine Schwesterpartei des Zentrums die Mehrheit. In dieser Zeit wurden nun immer mehr Einheimische in die leitenden Stellen berufen, und eine versöhnlichere Entwicklung schien sich anzubahnen. Aber schon im Jahre 1912 drohte Wilhelm II. in seiner ungeschickten Art mit der Einverleibung in Preußen, was u. a. wegen des in Preußen geltenden Dreiklassenwahlrechts einen starken Rückschritt gebracht hätte. Der Zwischenfall von Zabern am 27. November 1913, bei dem elsässische Rekruten und Bürger aufs äußerste provoziert, die Schuldigen aber praktisch freigesprochen wurden, hat viel böses Blut gemacht.

Dennoch waren vor 1914 mindestens im Elsaß Anzeichen einer Annäherung vorhanden, zu deren Vertiefung es jedoch noch einer langen Friedenszeit bis weit ins 20. Jahrhundert gebraucht hätte.

Aus dem elsässisch-lothringischen Raum stammten die deutschen Dichter Otto Flake (seinerzeit sehr viel gelesen), Ernst Stadler und vor allem René Schickele, der noch während des Ersten Weltkrieges »Die weißen Blätter« herausgab, die sich durch ihre objektive Haltung auszeichneten. Aus dem Elsaß kamen die deutschen Zeitschriften »Der Stürmer« (1902) und »Der Merker« (1903).

Die Polen im Reich

Die Zahl der im Reichsgebiet – überwiegend in Westpreußen, Posen und Oberschlesien – ansässigen Polen betrug ca. 2,2 Millionen. Zu dem nationalen Gegensatz zwischen Deutschen und Polen kam der religiöse (katholische Polen mit starkem Klerus – deutsche protestantische Ansiedler im Osten). Die deutsche Regierung steuerte angesichts dieser Probleme einen Zickzack-Kurs, Schärfe wechselte mit größter Milde. Die preußischen Konservativen, die Alldeutschen, die radikal deutschnational Gesinnten waren gegen einen eigenen polnischen Staat; andererseits erschien der Gedanke, die Polen etwa zu germanisieren, von vornherein als aussichtslos. Das Zentrum begünstigte eher die katholischen Polen, wozu der Kulturkampf nicht unwesentlich beitrug. Von den polnischen Saisonarbeitern und dem Zustrom polnischer Arbeiter in die westlichen Industriegebiete war schon die Rede. Die polnischen Kolonien hielten dort polnische katholische Geistliche, gründeten polnische Vereine und eine polnische Presse.

Der wirtschaftliche Aufschwung des Reiches wirkte sich auch in den polnischen Gebieten positiv aus, und besonders die sozialen Zustände in diesen Gegenden verbesserten sich. Bisher hatten nur der polnische Adel und der polnische Klerus sozial eine Rolle gespielt. Nun entstand unter den Polen ein Mittelstand – Bürger, Intellektuelle, Kaufleute, Wirtschaftsfachmänner jeder Art, Bankiers – sowie ein freies Bauerntum. Diese neuen Klassen mit ihren polnischen Vereinen und Zeitungen blieben indessen polnisch-national gesinnt. Der katholische Religionsunterricht schützte die polnische Sprache.

Ein Ansiedlungsgesetz (für Deutsche) von 1886, der deutsche Ostmarkenverein (gegründet 1894) oder ein Enteignungsgesetz von 1908 richteten nicht allzuviel aus: Nur wenige polnische Grundstücke gerieten in deutsche Hände. Die polnischen Banken schützten den polnischen Grundbesitz, und die deutschen Kommissionen erreichten im wesentlichen nur, daß deutsche Grundbesitzer ihr Eigentum nicht an Polen verkauften. Manche Deutsche fühlten sich in den polnischen Gebieten bald nicht mehr wohl und wanderten wieder in den Westen ab, was den Intentionen der Polen entsprach. Man kommt nicht daran vorbei festzustellen, daß die Polen sich im Reich aus taktischen Gründen nicht selten lautstärker beklagt haben, als ihre Lage es motivierte.

DIE KLASSEN UND STÄNDE DES DEUTSCHEN VOLKES

Der Adel

Wohl in keinem anderen Staat Europas spielte zwischen 1870 und 1918 der Geburtsadel noch eine so große Rolle wie im Deutschen Reich und in Österreich-Ungarn. Die deutschen Junker, besonders die norddeutschen und die ostelbischen, bewiesen Beharrlichkeit, Machtinstinkt, Ehrgeiz und natürlich viel Egoismus. Sie haben Positionen, die offenkundig nicht mehr im Einklang mit neuen Entwicklungen standen, mit politischem Geschick erstaunlich dauerhaft verteidigt. Ein so bedeutender Mann wie Bismarck kam allerdings nicht mehr aus ihren Reihen; immerhin haben sich die Junker in ihren Stellungen im großen und ganzen bewährt – im Offizierskorps, in der Verwaltung und Diplomatie, auch in der Landwirtschaft.

Wenn dem österreichischen Adel der »Zauber schlaffer Anmut«, zu viel Nonchalance nachgesagt wurde, so konnte man dies den Junkern gewiß nicht nachrühmen oder anlasten. Sie waren selten schlaff oder nonchalant, und Anmut war nicht gerade ihre Sache; allerdings haben viele im adligen Leben einen Zauber gefunden. Außerdem scheint es, daß die Ehe mit einem bürgerlichen Mädchen in Preußen nicht so sehr als Abstieg, als Mesalliance angesehen wurde wie in Österreich. Ausgesprochene Degenerationserscheinungen (von leichten Anwandlungen in dieser Richtung abgesehen) waren unter den Junkern eigentlich nicht allzu häufig.

Die Hochburgen des Adels waren Hannover, Mecklenburg, die Mark Brandenburg, Pommern, Ostpreußen und Schlesien, in geringerem Ausmaß Schleswig, Holstein und Westfalen. Zwischen dem protestantischen und katholischen Adel, besonders dem in Süddeutschland, gab es nur wenige Verbindungen. Der katholische Adel Süddeutschlands war volksverbundener. Er strebte nicht eine so mächtige Stellung im Staat an wie der protestantische, der ostelbische.

Der Adel, z.T. Altadel, hat mit Konsequenz, auch mit Anmaßung, seine privilegierte Stellung bis 1918 verteidigt, ja sie unter Wilhelm II. weiter ausgebaut, obwohl seine Ansprüche weder durch seine wirtschaftliche Stellung noch durch seine Steuerleistung vernünftig gestützt wurden. Im Gegenteil, der Staat mußte ständig dem Gutsbesitz im Osten finanziell beistehen.

Die Aristokratie setzte sich über die Impulse und den Geist der neuen Zeit hinweg. Der Adel machte aus Preußen und teilweise auch aus dem Reich in manchen Belangen einen unmodernen Staat. Er stemmte sich gegen den Fortschritt und verweigerte die Anpassung an das Neue; man wollte um jeden Preis seine eigene alte politische und gesellschaftliche Stellung behaupten, selbst wenn man mit diesem Egoismus offensichtlich dem Staat schadete. Nur wenige Altadlige, z.B. in Schlesien, entwickelten sich auf ihren Gütern zu Industriellen.

Viele Adlige legten auf Bildung wenig Wert und suchten ihre Bildungslücken durch Haltung, »Zackigkeit«, Selbstsicherheit in der Gesellschaft, auch durch Hochmut zu kompensieren. Man überschätzte die äußeren Formen. Die Unterhaltung des Adels bestand aus der Teilnahme an Hoffesten, aus einer gut besetzten Tafel, aus Jagd und Glücksspiel, weniger aus Reisen.

Der Horizont der ostelbischen Gutsbesitzer war begrenzt; man konnte sich ja nur mit dem Pastor und dem Lehrer unterhalten und mied den Kontakt zu kleinen oder mittleren Beamten aus einer benachbarten Kleinstadt. Die adligen Frauen und Töchter auf den Gütern durften nur eine streng frauliche Beschäftigung wählen und wurden gegen moderne Anschauungen abgeschirmt. Wissenschaftliches Interesse galt nur als Liebhaberei. Alles Fachwissen, besonders in der Technik, in den exakten Naturwissenschaften, der Justiz, im Bereich der öffentlichen Arbeiten, Finanzen und des Handels, überließ man den Bürgerlichen. Gegenüber Gelehrten und Schriftstellern hegte man Mißtrauen und witterte man leicht »staatsgefährdende Ideen«. Adlige, die in die Verwaltung gehen wollten, machten meistens nur die Staatsexamina und seltener den Dr. juris; manche Berufe, und zwar auch allgemein angesehene, bedeutsame und nötige – wie etwa der eines Arztes –, galten geradezu als anrüchig und kamen für Adlige nicht in Betracht.

Weite Kreise sahen im ostelbischen Adel und in dessen Stellung im Reich und in Preußen ein »nationales Unglück«, insbesondere das von liberalem Geist geprägte Bürgertum Süddeutschlands: In der Tat haben gerade der Adel und die Konservativen manche Kluft erweitert. So wurden die Sozialdemokraten, eine sehr starke Partei, im Reich und in Preußen nie zur Mitarbeit aufgefordert, weil sie ein für allemal als »Reichsfeinde« abgestempelt waren.

Selbstverständlich bemühte man sich auch, das Dreiklassenwahlrecht in Preußen zu verewigen. Die Aristokratie war monarchistisch gesinnt, forderte aber vom preußischen König die Erfüllung ihres Willens; geschah dies nicht, machte der Adel eine mehr oder minder stille Obstruktion (»der König absolut, wenn er unseren Willen tut«). In Ostelbien bestand eine riesige soziale Distanz zwischen Herren und Knechten; eine nicht seltene patriarchalische Fürsorge für die Agrararbeiter kann immerhin erwähnt werden.

Der preußische Adel war das Thema einer Flut von Romanen und Novellen bürgerlicher Dichter und Schriftsteller, die oft scharfe Worte der Kritik fanden. Das gilt auch für Theodor Fontane, obwohl gerade er von einer stillen Liebe zum Adel doch nicht loskam. Der heute fast vergessene Hermann Sudermann hat zahlreiche, nicht immer unwesentliche Romane und Novellen über den ostelbischen Adel geschrieben, wie denn überhaupt das Milieu in adligen Familien ein sehr beliebter Stoff der Unterhaltungsliteratur war.

Der Adel behauptete also am Hofe (besonders in Berlin), im kaiserlichen Hauptquartier, in den drei Kabinetten des Kaisers (Zivil-, Militär-, Marinekabinett), im Korps der General- und Flügeladjutanten eine Monopolstellung. Nur wenige Nichtadlige wurden bei Hoffesten zugelassen. Der weitaus größte Teil der Minister – darunter selbstverständlich alle Kriegsminister –, der Staatssekretäre, ein Teil der Ministerialbeamten, sämtliche hohen, ein guter Teil der mittleren Verwaltungsbeamten in Preußen waren adlig. Daß die Adligen besonders im Osten die Bevölkerung auf ihren Gütern und in ihrem Umkreis sowie die dortige Exekutive noch lange beherrschten, auch die Wahlen beeinflußten, war fast selbstverständlich. Fast sämtliche Mitglieder des diplomatischen Korps waren Aristokraten; bestenfalls einige untere Beamte im Auswärtigen Amt in Berlin waren bürgerlicher Herkunft. Es gab sehr feudale, dem Adel vorbehaltene Studentenverbindungen, vor allem die »Borussia« in Bonn, der Hohenzollernprinzen beitraten. Wer dort einmal aufgenommen war, genoß die Protektion so vieler hoher »Alter Herren«, daß eine erfolgreiche Laufbahn gesichert war. Die jungen Adligen kamen in die Kadettenanstalten und in das Offizierskorps, wo sie die Offiziersstellen der Infanterie- und Kavallerieregimenter der Garde fast vollständig ausfüllten. Sie drängten auch sonst in die Kavallerieregimenter, also in die überholteste, aber äußerlich glänzendste Waffengattung. Sie beherrschten den Ton in den Offizierskasinos. Die ersten Söhne der reichen adligen Familien dienten eine Zeit lang als Offiziere, in der Verwaltung oder Diplomatie und zogen sich danach auf ihre Güter zurück. Die jüngeren Söhne oder die Söhne aus ärmeren Adelsfamilien waren gezwungen, ihr ganzes Leben hindurch im Dienst zu bleiben, wobei sie allerdings sehr rasch aufstiegen. Für nicht wenige dürfte der Dienst z. B. in der Diplomatie interessanter als das Leben auf dem Gut gewesen sein.

Die Aristokraten hatten im preußischen Herrenhaus fast ein Monopol und hielten noch immer eine beherrschende Stellung im preußischen Landtag; ein guter Teil der Reichstagsabgeordneten der konservativen Parteien war adlig.

Nur ein Teil des Bürgertums in Preußen stand dem Adel feindlich oder spöttisch distanziert gegenüber oder wehrte sich gegen seinen übermäßigen Einfluß. Der »Geistesadel« unter den Bürgern begegnete dem Geburtsadel allerdings oft mit Hohn; ein Teil des »Geldadels« dagegen betete ihn fast an. So manche Bürger bewunderten die Adligen und ersehnten eine Nobilitierung. Sie waren stolz, wenn Aristokraten ihre Geselligkeiten besuchten, und sobald sie selbst geadelt waren, suchten sie noch adliger zu erscheinen und aufzutreten als ein richtiger Aristokrat – heraus kam dabei nur ein Parvenü. Neuadlige wurden im allgemeinen vom alten Adel herablassend behandelt. Nobilitierungen von Bürgerlichen erfolgten häufiger auf Grund von Protektion und unter finanziellen Gesichtspunkten.

Zahlreiche Adlige heirateten, um große Schulden bezahlen zu können oder ihre Familie finanziell wieder in die Höhe zu bringen, reiche bürgerliche, auch bürgerliche jüdische Mädchen. Die feudale Fassade des Reiches wurde immer brüchiger; dessen ungeachtet hielt die Aristokratie zäh an ihren Privilegien fest. In den zwei mecklenburgischen Großherzogtümern wurde bis in den Ersten Weltkrieg hinein die alte landständische Verfassung beibehalten: im Landtag waren nur die Rittergutsbesitzer und Abgeordnete der städtischen Magistrate vertreten; Tagegelder wurden nicht ausgezahlt.

Der Bedarf an Offizieren und Beamten im Reich und in den Bundesstaaten wuchs jedoch derart, daß der Adel nicht mehr eine ausreichende Zahl von Bewerbern stellen konnte und immer mehr Bürgerliche oder frisch Nobilitierte zugelassen werden mußten. Die industrielle Entwicklung überschattete alle Bereiche, so daß sich die Interessen der Landwirtschaft auf den Rittergütern immer schwerer verteidigen ließen, wenn es auch oft, wie die Sozialisten argumentierten, zu einem Bund von Hochofen und Rittergut kam.

Das Bürgertum

Es ist Mode geworden, das Bürgertum, in der Terminologie der Sozialisten die »Bourgeoisie«, sehr kritisch darzustellen. Gezielte und geglückte Propaganda hat viel zur Festsetzung des Bildes vom »häßlichen Bürger« beigetragen – doch man muß differenzieren. Die 2. Hälfte des 19. Jahrhunderts und die Periode bis 1914 waren im ganzen eine Blütezeit des Bürgertums. Mit dem

Aufstieg der Städte, besonders der Großstädte, hat das Bürgertum sehr an Bedeutung gewonnen. Dennoch war es nicht die politisch herrschende Klasse. Kein anderer Stand war so vielgestaltig, umfaßte innerhalb der einen Klasse so viele Schichten und Abstufungen wie das Bürgertum. Alle Menschen, die nicht zum Hof, zum Adel, zum begüterten Bauerntum oder zum Proletariat gehörten, waren »dritter Stand«, waren mithin Bürger. Mit fortschreitender Differenzierung wurde der Terminus »Bürgertum« zu einem ganz verschwommenen Sammelbegriff.

Das sogenannte Großbürgertum umfaßte Unternehmer, Fabrikanten, Bankiers, Börsianer, Großkaufleute, mehrfache Hausbesitzer u. a. Dem Kleinbürgertum sind kleine Krämer, kleine Beamte, Handwerker und das Heer der Angestellten jeder Art zuzurechnen – viele darunter, die dem Proletariat sehr nahe waren. Die Unterschiede im Vermögen und in den Einkünften waren zwischen Großbürgertum und Kleinbürgertum gewaltig. Dazwischen stand das, was man den Mittelstand in engerem Sinn nannte: Gelehrte, Studienräte, Lehrer, der mittlere und untere Klerus, der Großteil der Beamten, besonders die der Verwaltung und Justiz, Journalisten, mittlere Kaufleute, Wirte u. a. Scheiden läßt sich das Bürgertum auch in Besitz- und Bildungsbürgertum. Beim Militär konnten die bürgerlichen Offiziere weitgehend in der Infanterie, in der Artillerie, bei den Pionieren und in technischen Truppenteilen, im Train, aber auch in der Kriegsflotte Geltung erlangen.

Das Bürgertum hat in großem Umfang zum Aufschwung der Wirtschaft und der Kultur des Reiches von 1871 bis 1914 beigetragen. Es hat viel geistige und schöpferische Arbeit geleistet; der Aufstieg des Reiches in der Technik, im Bereich der Erfindungen, in den Geistes- und Naturwissenschaften, in Dichtung und bildender Kunst, in der Kultur überhaupt, in der Wirtschaft, in der Industrie, in Verwaltung und Gesetzgebung usw. wäre ohne das Bürgertum nicht möglich gewesen. Objektive Beurteiler haben dem Bürgertum – von Intelligenz abgesehen – Arbeitsamkeit, Fleiß, Pflichterfüllung, Gehorsam vor dem »unsichtbaren kategorischen Imperativ«, Vorwärtsstreben, Bewegungsdrang, Erwerbssinn, gutes Haushalten und Sparsamkeit nicht bestritten. Die Arbeitsmoral war hoch, die Dienstpflichten wurden in den meisten Fällen genau erfüllt. Der Bürger hatte Achtung vor Autorität, Recht und Pflicht und kann als Träger des nationalen Gedankens gelten. Bürgerliche Väter haben oft auf vieles verzichtet, um ihren Kindern so viel Vorschulung bieten zu können, daß sie im späteren Leben sozial noch höher aufstiegen als der Vater. Viele Eltern haben gedarbt, weil ihr Sohn bei einem Regiment oder in einer vornehmen Studentenverbindung so viel Geld ausgeben »mußte«.

Die Welt des Bürgers war die Familie, wenn auch viel über die heimliche Unmoral der Männer, besonders vor der Ehe, gespottet wurde. Für seine Familie tat man viel. Es wird dem Bürger zum Vorwurf gemacht, daß er die Ordnung liebte, daß er alles (scheinbar) Ungeordnete, Irrationale (wenn man von der Religion absieht), alles Ekstatische, nicht zuletzt auch das lockere Künstlertum haßte oder verachtete. Es steht außer Zweifel, daß sich hier manches Spießbürgerliche und Philisterhafte ins Bild drängte – aber der Bürger wollte seine gesicherte Welt abschirmen, und daraus kann ihm nicht unbedingt ein Vorwurf gemacht werden. Der Hang zum »Materialismus« konnte schließlich jeder Klasse angelastet werden, sowohl dem Adel als auch dem Bauerntum und dem Proletariat.

Die differenzierte Zusammensetzung brachte es mit sich, daß das Bürgertum keine geschlossene Masse bildete wie etwa das Proletariat. Die Bürger waren durch keine – alle Interessen einheitlich vertretende – Partei im Reichstag präsent, sie mußten parteimäßig zersplittert sein. Die Mehrzahl der Bürger – dies erklärte sich aus der gebrochenen Geschichte des 3. Standes in Deutschland – verharrte bei ihrer Devotion vor den Fürsten und dem Adel: Das Bürgertum wollte nicht nach der alleinigen Macht greifen. Es hat keinen geschlossenen Kampf nach oben oder nach unten geführt, und es muß – gemessen an seinen Leistungen, Verdiensten und Erfolgen – als allzu bescheiden gelten. Man war im Mittelstand mit den kargen wirtschaftlichen Aussichten und mit der pünktlichen Auszahlung des Gehalts zufrieden. Pfarrer, Lehrer und Schutzmann, allesamt »Bürger«, hatten den Staat zusammenzuhalten.

Die Laufbahn eines Abgeordneten galt im Bürgertum als nicht verlockend; man hielt sich größtenteils nicht nur von der Politik, sondern auch vom Problem der sozialen Frage fern, soweit man nicht direkt damit konfrontiert wurde, wie die großen bürgerlichen Arbeitgeber. Das Bürgertum strebte Titel, Orden, Uniformen und Stellen an; man begehrte den Rang eines Reserve-Offiziers, die Nobilitierung, den Titel eines Medizinal- oder Kommerzienrates. Die preußische Generalordenskommission forderte im Jahre 1914 450 000 Mark für die Anschaffung von Ordensinsignien; nur ein Jahr zuvor, 1913, waren es noch 300 000 Mark gewesen. Der Titel »Kommerzienrat« kostete in Preußen 75 000 Mark, in kleineren Bundesstaaten nur 30 000 Mark, wie überhaupt die außerpreußischen Bundesstaaten bei Ordens- und Titelverleihungen »billiger« waren. In nicht wenigen Fällen freilich wurden Orden oder Titel für wirkliche Verdienste und »gratis« verliehen.

Das Großbürgertum spielte die Rolle einer Geldaristokratie. Es hat für die Wirtschaft, für die Industrialisierung des Reiches sehr viel geleistet und beträchtliche Erfolge errungen. Über seine Einstellung zur sozialen Frage wird in einem anderen Kapitel zu berichten sein.

Die Vorfahren der Besitzbürger waren bemerkenswert oft kleine Leute, die sich mühsam hochgearbeitet hatten, und erst später kam es häufiger vor, daß die Söhne und Erben sich nicht mehr viel um das Unternehmen ihrer Großväter und Väter kümmerten, den Reichtum der Familie genossen und den vornehmen Kavalier spielten. Epigonen dieser Kategorie waren in Kurorten, in Spielsälen, am Badestrand, auf Sportplätzen, in den großen Theatern und Konzertsälen, in Varietés, Kabaretts, Bars und Nachtlokalen der Großstädte anzutreffen. Dies waren die Dandies, die Snobs, die so viel Haß auf das gesamte Bürgertum zogen, obwohl sie ja nur eine Minderheit des Standes repräsentierten.

Die gegen »das Bürgertum« gerichteten Vorwürfe trafen also vor allem das Großbürgertum und deckten sich mit den Anklagen der Arbeitnehmer gegen die Arbeitgeber. Vielfach erfolgte der Aufstieg bürgerlicher Unternehmer in den Reichtum allzu rasch: Der Besitzbürger und seine Frau gehörten plötzlich zur »großen Welt«; der Haushalt, die Kinder wurden dem Personal, den Hausmädchen, Gouvernanten und Hauslehrern überlassen. In protzigen, im Stil epigonalen Villen entfaltete sich ein hohler Prunk, ein äußerliches, aufgesetztes Kunstinteresse wurde bei einem Teil des Großbürgertums kultiviert. Hochmut und Geschmacklosigkeit – Eigenschaften, die Parvenüs nachgesagt wurden – machten sich breit. Man verstand noch nicht, Geld und Kultur in Einklang zu bringen. Theodor Fontane hat in seinem Roman »Frau Jenny Treibel« ein unvergleichliches Bild dieses Großbürgertums geboten.

Zur Mittelschicht gehörten im wesentlichen die Intellektuellen. Sie stellten das »Bildungsbürgertum«, auf das der Besitzbürger mit wohlwollender Herablassung blickte. Die deutschen Gelehrten, Erfinder, Ingenieure und Techniker haben in den Jahrzehnten nach 1870 sehr viel geleistet; die

28. »Dramatiker für Dienstboten – ›Noch eins! Bevor Sie die Stelle bei mir antreten, mache ich Sie darauf aufmerksam: bei uns gibt es nur alle drei Wochen Ausgang. Aber wir haben ein Theaterabonnement, und wenn klassische Stücke gegeben werden, dürfen es die Dienstboten benutzen‹.« Eine Karikatur von Th. Th. Heine zum Thema »Besitz und Kultur«

Beamten arbeiteten korrekt. Die Jugend wurde mit viel gutem Willen, nicht selten jedoch mit überholten Erziehungsmethoden, herangeschult. Das Bildungsbürgertum zeichnete sich im allgemeinen durch Solidität aus. Über den Spießbürger, den Philister ergoß sich allerdings viel Spott. Man hat oft behauptet, daß zumindest der mittlere und kleine Bürger auch nach 1871 nicht über den Lebensstil des Biedermeier hinausgekommen sei, und es ist in der Tat deutlich, daß diese Schichten des Bürgertums in ihren Wohnungen manches Geschmacklose, manchen Kitsch, manche »echte Imitation« anhäuften. Der Wunsch nach Ordnung im Leben und im Staat, ein starkes Sekuritätsbedürfnis, Trachten nach Behaglichkeit und – nach der Arbeit – nach einer gewissen Bequemlichkeit, nach einer fortlaufenden ruhigen Entwicklung ohne Umsturz, ja selbst Pedanterie verdienen jedoch nicht die üblich gewordene scharfe Kritik. Andere Klassen haben im Grunde keine anderen Wünsche gehegt. Die blühende Vereinsmeierei, das Aufwärmen der Kriegserinnerungen unter Veteranen, der Stammtisch der Männer, wo leidenschaftlich politisiert wurde, ohne daß man selbst bei der Politik mittun wollte, die Kaffeekränzchen der Frauen – dies blieb doch, jedenfalls vorerst, im Grunde harmlos. In der Politik weitgehend machtlos, flüchtete der Bürger in den patriotischen Verein, in den Wehr- und Flottenverein oder in verschiedene Krieger- und Veteranenvereine, allerdings auch nicht selten zu den Alldeutschen. Die Männer hatten als Angehörige einer Studentenkorporation oder im Militärdienst unbürgerlich, manchmal bohèmeartig gelebt, sie durften sich damals einer – gemäßigten – »Zügellosigkeit« hingeben, und sie haben ihr ganzes Leben hindurch davon

geschwärmt. Es war dies ein Ventil; spätere Generationen fanden es in der prononciert antibürger-
lichen Jugendbewegung.

Die Kritiker des Bürgertums sprachen gern von Heuchelei, von Pharisäertum, von heimlicher
Unmoral, von den »Lebenslügen«, auf denen die Existenz eines Mannes, das Leben einer Familie
aufgebaut seien. Henrik Ibsen hat dieses Thema eindringlich behandelt. Aber man muß sagen, daß
gerade angesichts der im Bürgertum vorherrschenden Solidität Fälle von Unmoral besonders auf-
fielen. Vorwürfe, auch im Hinblick auf eine nur oberflächlich zur Schau getragene Religiosität,
treffen jedoch andere Stände ebenso.

Die bedeutenden sozialistischen Reichstagsabgeordneten (die sozialistischen Abgeordneten in
Süddeutschland und die Reformisten viel weniger) haben im Sinne von Marx sehr oft die kommende Revolution und den Umsturz der bestehenden Gesellschaftsordnung verkündet: Prognosen,
durch die viele Bürger abgeschreckt wurden, die Ruhe und Ordnung über alles stellten. Allerdings
haben weite Kreise des Bürgertums das trügerische soziale Klima nicht richtig verstanden und
Gefahren unterschätzt, die sich aus der Unterdrückung sozialer Ansprüche der Arbeiterklasse notwendig ergeben mußten. Manche nahmen die sozialistische Bewegung noch immer nicht ernst;
bestimmte Schichten der mittleren und kleineren Bürger dagegen hegten gemäßigt emanzipatorische
Gedanken: Sie hingen Parteien der linken Mitte an und haben das Höfische und den Geburtsadel
gleichermaßen gehaßt und verspottet. Auch innerhalb des Bürgertums gab es Klassengegensätze.
Die vielen Angestellten, die zum mittleren und kleinen Bürgertum gehörten, betrachteten die
Unternehmer keineswegs kritiklos, und es wirkten Linksintellektuelle (nicht selten Juden), die
mindestens der Mentalität nach vom Bürgertum und seinen Parteien abgefallen waren und mit den
Sozialdemokraten und ihrer Weltanschauung sympathisierten; sie führten nun einen Kampf gegen
alles Bürgerliche.

Daneben gab es Bürger mit konservativer (etwa aus religiösen Gründen) und liberaler Anschauung, z. B. kleine Beamte mit zahlreichen Kindern, die nur der Mentalität nach noch Bürger
waren, die sich aber dem Lebensstandard nach – wenn auch oft noch mühsam vertuscht – dem
Proletariat näherten.

In den Jahren vor 1914 bemächtigte sich des Bürgertums eine gewisse Kulturmüdigkeit, das
Gefühl innerer Leere, Abscheu vor der Stadt, eine Angst vor dem Kommenden. Der Optimismus
der Gründerjahre war verflogen. Man flüchtete sich oft ins Irrationale, auch ins Religiöse. Große
Teile des Bürgertums begrüßten den – »befreienden« – Ausbruch des 1. Weltkrieges mit Begeiste-
rung und verfielen in einen hemmungslosen Chauvinismus. Der Gedanke eines Ausgleichsfriedens
wurde verworfen, statt dessen wurden übertriebene Annexionsforderungen gestellt, von deren
Verwirklichung angeblich Deutschlands künftige Sicherheit abhing. Die Anpassung an die vom
Adel vertretene gesellschaftliche Haltung ließ nun im Bürgertum sozialreaktionäre Züge hervor-
treten; so etwa war es bezeichnend, daß auch im Bürgertum Preußens die Bestrebungen nach
Abschaffung des Dreiklassenwahlrechts auf heftige Kritik stießen.

Der reisende Bürger

Die Deutschen entwickelten sich zu einem reiselustigen Volk. Während vor 1900 zumeist nur
der Adel und Angehörige der oberen Klassen aus England, Frankreich, Italien, Spanien oder

Das kulturgeschichtlich aufschlußreiche Gemälde »Der Festredner« von Carl Spielter (1901) spiegelt das Selbstverständnis des Besitz- und Bildungsbürgertums in der wilhelminischen Zeit.

29. Reisen wurde modern. *»Reisepläne«, Gouache von A. von Menzel (1875)*

Rußland größere Reisen unternahmen und die Kurorte bevölkerten, wurde nun auch für zahlreiche Angehörige des deutschen mittleren Bürgertums das Reisen eine feste Gewohnheit. Bereits um 1900 gab es Reisebüros, Vorläufer eines heute blühenden Gewerbes, sowie zahlreiche Zeitschriften für Touristen und Reisende; die deutschen »Baedeker« und andere Reiseführer (Grieben usw.) waren geradezu berühmt. Bildungsreisen nach Italien kamen in Mode. Die Alpen wurden z. B. durch den Deutschen und Österreichischen Alpenverein erschlossen.

Der guten Organisation von Reisen standen bedauerliche Mängel in der Art des Auftretens im Ausland gegenüber. Der deutsche Bürger, besonders der Kleinbürger, war hier aus seinem Rahmen gerissen: Er reiste in den Bahnen mit sehr viel Gepäck und fühlte sich bei aller Reiselust doch unsicher und benahm sich auffallend anders als zu Hause. Manche traten im Ausland hochmütig oder taktlos auf und machten keinerlei Versuche, sich den Gewohnheiten der fremden Völker anzupassen. Das waren jene typischen Reisenden, die im Ausland nach deutschen Speisen und Bier verlangten, überall sangen oder Skat spielten und Unmengen von renommierenden Ansichtskarten an ihre Freunde nach Deutschland sandten. Man wollte beneidet sein, und viele posierten nach 1871 im Ausland sogar als Angehörige der großen Siegernation. Ludwig Thoma hat die deutschen Reisenden in Italien mit ätzender Kritik bedacht. Die Deutschen wurden im Ausland bestaunt und manchmal gefürchtet; man nahm ihr Geld, aber man schätzte sie kaum. Vielfach haben sich Ausländer mit dem Blick auf den »reisenden Deutschen« ein völlig falsches Bild von den Eigenschaften der Deutschen gemacht.

Die Beamten

Man unterschied zwischen hohen, mittleren und unteren Beamten. Der Adel entsandte seine Söhne – besonders jüngere, die nicht auf dem Gut bleiben konnten – vor allem in die staatliche Verwaltung, wo sie bald in die höheren Positionen aufstiegen. Landräte waren meistens adlig und pflegten z.B. im Osten sehr gute Beziehungen zu den adligen Gutsbesitzern ihres Bezirkes. Ihre Herkunft sicherte dieser Beamtenschicht weitgehende Unabhängigkeit.

Die staatlichen Verwaltungsbeamten waren überwiegend Stützen der konservativen Parteien, während ein Teil der mittleren Beamten in der Verwaltung, die Beamten des Justizwesens, der finanziellen und technischen Ämter sowie der Bürokratien der Städte (Magistrate) oft eine bürgerliche und eher liberale Gesinnung vertraten. Die unteren Beamten, besonders die Schalterbeamten, kamen meistens aus dem Heer – der Typ des früheren Unteroffiziers –, sie haben oft den Ton des Befehlens beibehalten, waren arrogant und unbelehrbar, grob nach unten, servil nach oben. Sie haben das Beamtentum beim Volk in Verruf gebracht.

Protektionswirtschaft im Beamtentum kann nicht geleugnet werden. Die frühere Zugehörigkeit zu einem Regiment, der Rang eines Reserveoffiziers, die Mitgliedschaft bei einer vornehmen Studentenverbindung konnten gute Beziehungen schaffen und in der Karriere sehr helfen. Es galt als nicht erwünscht, daß Beamte Abgeordnete wurden und in diesem Status Immunität genossen.

Wie bei den mittleren und unteren Offizierschargen mußte das soziale Prestige des Beamten über die Knappheit des Gehaltes und der Lebensführung hinwegtrösten. Viele junge Leute haben die Beamtenlaufbahn wegen der damit verbundenen Versorgung, der Sicherheit des Einkommens und des Ruhegeldes, wegen des sozialen Ranges, z.T. auch wegen der Bequemlichkeit, die ja manche Stellen boten, gern angestrebt.

Ein allzu negatives Urteil wäre ungerecht: Der deutsche Beamte hatte zumeist Berufsethos und Ehrgefühl, er war unbestechlich, fleißig, strebsam und im allgemeinen objektiv. Mit dem Aufbau der Reichsverwaltung und der Ausweitung der modernen Aufgaben stieg freilich die Zahl der Ämter, der »Tintenburgen«, und es mußten vor allem im mittleren und unteren Dienst immer mehr Beamte angestellt werden, deren Niveau nicht ausreichte.

Der Bürokratie wurden zentralistische und konservative Gesinnung vorgeworfen; sie komme mit dem Aufschwung des modernen Staates nicht mit und sie sei zu wenig reformfreudig; sie habe wenig Kontakt zum Volk, die Stimmung im Volk bleibe ihr verborgen, und sie sei im Parteienverkehr wenig freundlich; das Wort vom »beschränkten Untertanenverstand« wurde besonders auf die Beamten angewandt. Die Beamten seien in der Amtsführung nicht nur sparsam, sondern auch kleinlich und knauserig. Kritisiert und verspottet wurde ferner ihre Sucht nach Titeln und Orden, nach Möglichkeit zur Nobilitierung.

Immerhin funktionierte die Maschinerie des Reiches und der Bundesstaaten im wesentlichen gut; nicht zuletzt die Beamtenschaft und die Kontinuität ihres Wirkens haben Deutschland über die Katastrophe von 1918 und die Gefahr eines Chaos hinweggeführt.

Studenten und Akademiker

Die Zeit vor 1914 kann als die große Zeit des vielfach glorifizierten und verklärten Studentenlebens im alten Sinne gelten. Unangefochten galt die Meinung, daß ein Student, besonders ein Couleurstudent, etwas Besseres sei. Unter den Burschenschaften, den Corps und den an Geltung gewinnenden katholischen Verbindungen war am berühmtesten die »Borussia« in Bonn, in der auch Hohenzollernprinzen verkehrten. Diese Verbindung verfügte mithin über sehr einfluß-

30. Der deutsche Couleurstudent in »vollem Wichs«. Göttinger Corpsstudent vor der Mensur (1902)

31. Die Hoffnung des Landes. »Meine Herren! Hupp! Der deutsche Student vergeudet seine Manneskraft nicht im Quartier Latin, hupp! wie der Franzose. Als ungeschwächte Hüter der reinen Ideale treten wir in das Leben hinaus. Hupp!« Simplicissimus-Zeichnung von Bruno Paul

reiche »alte Herren«, die den Studenten dieser Verbindung zu sicheren Karrieren verhalfen. Der Sohn einer bürgerlichen Familie mußte Couleurstudent oder Reserveoffizier sein, wenn er gesellschaftlich für voll genommen werden wollte. Wie die Eltern oft das Geld für einen Sohn, der als Offizier in einem feudalen Regiment diente, nur schwer aufbrachten und ihr Leben dafür einschränken mußten, so forderte auch ein Sohn, der in eine vornehme Verbindung eingetreten war, erhebliche Opfer von seiner Familie. Der Student genoß an der Hochschule nach dem strengen Unterricht und der strengen Disziplin des Gymnasiums die volle Freiheit. Der Bummel auf einer der Alleen der Universitätsstadt, die Kneipe, der Kommers und die Mensur waren nicht selten wichtiger als das Studium. Man setzte die alten Traditionen des berüchtigten »Saufens und Raufens« fort: Als »Beleidigter« oder »Beleidiger« mußte man ein paar scharfe Mensuren oder Duelle mit Gegnern hinter sich haben, die man oft bewußt provoziert hatte. Die katholischen Verbindungen machten hier allerdings eine Ausnahme.

In manchen Universitäten, wie z. B. in Wien, kam es oft zu Raufereien mit nicht »national gesinnten« oder jüdischen Studenten. Dabei war das Interesse der Studenten für die Politik – von konservativen, nationalen oder liberalen Klischeevorstellungen abgesehen – meist sehr gering. Der soziale Hochmut des Couleurstudenten wurde geradezu zur Pflicht gemacht, auch wenn der junge Mann nicht die Anlage dazu mitbrachte. Die Prüfungen an der Universität wurden recht und schlecht abgelegt. Angesichts dieser zumeist spärlichen Ergebnisse in der Aneignung von Wissensstoff war der Aufwand an Zeit und Geld im Verlauf der Semester unverhältnismäßig groß.

So wie der Dienst als Einjährig-Freiwilliger oder als aktiver Offizier dem Sohn aus Kreisen des Bürgertums oft zeit seines Lebens in freundlicher Erinnerung blieb, so wurden die Jahre als Couleurstudent für junge Männer aus dem Bürgertum oft zum Höhepunkt ihres Lebens. Man hatte unbürgerlich sein, etwas den Bohémien spielen können, man war aus dem nicht selten langweiligen, oft pharisäischen bürgerlichen Milieu scheinbar herausgekommen – und so beglückte es den Philister, wenn er auf einem Kommers die alten Lieder mit den unbürgerlichen Texten wieder singen konnte. Der »Simplicissimus« hat dieses studentische Treiben mitsamt den »alten Herren« oft satirisch aufs Korn genommen.

Ich hebe aber hervor: Die anderen Universitätsstudenten – es war die Mehrzahl –, die nicht Couleurstudenten sein wollten oder konnten, die bescheiden lebten, die sehr fleißig studierten und der raschen und erfolgreichen Beendigung ihres Studiums zustrebten, weil sie bald einen Broterwerb, eine Stellung brauchten, dürfen keinesfalls übersehen werden.

Der Unterricht an deutschen Gymnasien hat die Pflege der lateinischen und griechischen Sprache, der Altertumskunde stark übertrieben. Man hat gespottet, daß sich Einjährig-Freiwillige besser ausgekannt hätten, wenn sie in das antike römische und nicht in das deutsche Heer eingetreten wären. Humanistisch Gebildete blickten auf naturwissenschaftlich oder technisch Geschulte herab, sie pflegten einen unangenehmen Bildungsdünkel und hegten sogar eine gewisse Geringschätzung gegenüber allem, was mit Kaufmannschaft und Handel zu tun hatte. Dieser Habitus führte oft zu krasser Weltfremdheit.

Das Gymnasium alten Stils wurde überschätzt. Mit der Zeit aber gewannen innerhalb der Geisteswissenschaften die so wichtigen modernen Sprachen an Bedeutung und drängten die klassischen Sprachen etwas zurück. Auch die Kunst- und Literaturhistoriker erschienen nun interessanter als die klassischen Philologen, besonders wenn sie Vorlesungen über moderne Kunst und Literatur hielten. Mehr und mehr wuchs die richtige Einschätzung der Naturwissenschaften und der Technik – ja, die Vertreter dieser Richtung begannen nun ihrerseits, auf die nur humanistisch Gebildeten ironisch herabzusehen.

Gerade die speziell Begabten und Ehrgeizigen, die, die es zu etwas bringen wollten, wählten nun in verstärktem Maße die Naturwissenschaften (vor allem Chemie und Physik) und Technik oder Nationalökonomie als Studienfächer. Sie hofften, in der so rasch aufgeblühten deutschen Industrie gut voranzukommen, und standen dem praktischen Leben näher. Von der großen Masse der Juristen, die in die meisten Beamtenstellen kamen, muß hier nicht eigens die Rede sein.

Das neue deutsche Reich benötigte natürlich in der Verwaltung und im Unterricht, vor allem aber in der Industrie und Technik, weit mehr ausgebildete Akademiker als früher. Das brachte die Nachteile eines relativen Massenzustromes von Studenten zu den Hochschulen, einer Verflachung und Vergröberung mit sich. Immerhin genügten die deutschen Akademiker vor 1914 größtenteils ihren wachsenden Aufgaben; ohne sie wäre die verläßliche Verwaltung, ein relativ solider Unterricht und der Ausbau der aufgeblühten neuen Industrien und technischen Betriebe nicht möglich gewesen.

32. Ankunft galizischer Juden in Berlin 1875

Die Juden

Die Juden machten ungefähr 1 % der Bevölkerung des Reiches aus. Sie erhielten durch Zuwanderer aus dem Osten, besonders nach Berlin, kontinuierlich Zuwachs. Weit über ihren zahlenmäßig geringen Anteil hinaus gewannen sie Einfluß und bedeutenden Reichtum – was zu dem Antisemitismus jener Kreise führte, die sich durch Juden in ihren Positionen gefährdet oder daraus verdrängt sahen. Am kaiserlichen Hof betrachtete man das Judentum nicht zuletzt vom konfessionellen Standpunkt aus: Ein ungetaufter Jude wurde nicht nobilitiert und nicht am Hof empfangen, ein getaufter konnte – wenn auch nicht leicht – beides erlangen. Nur getaufte Juden konnten Beamte werden.

Bismarck vertraute dem jüdischen Bankier Bleichröder, die Kronprinzessin Viktoria argumentierte offen prosemitisch, und Wilhelm II. verkehrte viel mit dem (jüdischen) Schöpfer der deutschen Passagier- und Handelsflotte in Hamburg, Albert Ballin; Linksliberale und Sozialisten schließlich waren prosemitisch und hatten bedeutende jüdische Politiker in ihren Reihen.

33. Einsegnung des Sabbats in einer jüdischen Familie

In den Städten, besonders in Berlin, waren in der Kaufmannschaft, in den Banken, an der Börse, in den Pfandleihanstalten, aber auch unter den Universitätsprofessoren, Chirurgen und anderen Ärzten, unter den Rechtsanwälten, den Verlegern, unter den Journalisten und Kritikern, in den Redaktionen, in den Theatern, unter den Schauspielern, unter den freien Schriftstellern, unter den bildenden Künstlern, unter den Zeichnern humoristischer Zeitschriften (»Simplicissimus«) viele Juden vertreten. Die Juden haben moderne Richtungen in der Literatur und bildenden Kunst im allgemeinen selbst vertreten oder mindestens gefördert, und es bildete sich eine spezifisch jüdische Bourgeoisie, die kulturelle Belange und viele junge Künstler förderte. Auf dem Lande waren Juden unter den Vieh- und Getreidehändlern anzutreffen; Angehörigen dieser Gruppe wurde von antisemitischer Seite oft Wucher vorgeworfen.

Jene Berufe, deren Vertreter sich prinzipiell selten »beliebt« machten – Kritiker in Zeitungen, Darlehensgeber, Börsianer, Inhaber von Pfandleihanstalten usw. –, wurden relativ oft von Juden vertreten, und so entstand nicht selten Haß, der sich pauschal auf die Rasse übertrug. Der Herausgeber der »Zukunft« in Berlin, Maximilian Harden (Witkowski), kritisierte schonungslos die Gesellschaft des Hofes und des Adels und scheute vor keiner Enthüllung zurück; in der Wiener »Fackel« griff Karl Kraus – wie Harden Jude – die sozialen Zustände der österreichischen Monarchie an; der bekannte (jüdische) Theaterkritiker Alfred Kerr ließ neben Ibsen und dem jungen Gerhart Hauptmann nur wenige Autoren gelten und »verriß« zahlreiche Dramatiker. Als Hermann Sudermann eine Broschüre über die Verrohung der Kritik schrieb, schlugen die Kritiker zurück: Seine Werke wurden weniger aufgeführt, weil die Theaterdirektoren die Kritik fürchteten, der Absatz seiner Romane ging zurück. Es war begreiflich, daß diese Kritiker in bestimmten Kreisen verhaßt waren: Antisemitismus wucherte auf dem Boden derartiger Befehdungen.

Es würde zu weit führen, die nicht geringe Zahl bedeutender Juden anzuführen, die im wilhelminischen Deutschland eine Rolle spielten. Emil Rathenau (der Vater des Schriftstellers und Politikers Walther Rathenau) baute sehr erfolgreich die AEG aus. Fritz Haber machte die bedeutende Erfindung der Gewinnung von Stickstoff aus der Luft, so daß Deutschland während des Ersten Weltkrieges nicht mehr auf die Einfuhr von Salpeter angewiesen war. Besonders groß war die Zahl jüdischer Dichter und Literaten: Die Klagen über eine »Verjudung« der Literatur werfen ein Licht auf die hier und da mangelnde geistige Substanz im nichtjüdischen Bürgertum und im Adel.

Der Antisemitismus

Der Antisemitismus richtete sich meistens gegen die Juden als Kollektiv; auch Judengegner schätzten mitunter den einzelnen Juden und verkehrten ungescheut mit ihm. Ein Antisemit – wie Richard Wagner etwa – stützte sich, wenn es ihm opportun schien, oft auf Juden.

In Berlin war der Antisemitismus nicht sehr weit verbreitet, und er ging auch nicht so tief wie in Wien, wo später Hitler seinen unreflektierten Judenhaß in sich aufnahm.

Drei Wellen eines starken Antisemitismus sind zu nennen: Die erste Aufwallung gab es um 1873, im Jahr des großen Wirtschaftskrachs, an dem man den jüdischen Börsianern und Spekulanten viel Schuld gab. Die zweite Welle erlebten die achtziger Jahre, diesmal unter christlich-sozialen Gesichtspunkten: kirchliche Kreise wie auch das Kleinbürgertum, das im Geschäftsleben die jüdische Konkurrenz fürchtete, waren ihre Träger. Die dritte Welle in den neunziger Jahren bekämpfte die Juden z. T. schon vom völkischen, ja vom rassischen Standpunkt aus. Nach 1900 verlor der Antisemitismus an Breitenwirkung, erhielt aber schärfere Konturen. Die Bewegung verband sich besonders mit den Rechtsparteien, wurde in der konservativen Partei, im »Bund der Landwirte«, im Adel heimisch, obwohl nicht wenige Junker reiche Jüdinnen heirateten. Auch im Offizierskorps, unter den Alldeutschen, unter den Universitätsprofessoren, in den Studentenkorporationen und Burschenschaften und im Verein Deutscher Studenten gab es mehr oder weniger deutlichen Antisemitismus. Einzelne Verlage nahmen keine Manuskripte jüdischer Autoren mehr an.

Selbst der sehr abgeklärte Jacob Burckhardt beklagte, daß die Juden sich in zu vieles einmischten, und eine Reihe bedeutender Persönlichkeiten polemisierte antisemitisch – darunter

34. Stöckers Antisemitismus in der Karikatur

Nietzsche in seiner ersten Zeit, Richard Wagner, Treitschke, Lagarde. Der nationalistische Kampf gegen die Juden hatte seine Vorläufer in der Zeit vor 1914 (u. a. Ludwig Klages). Auf den Antisemitismus in Österreich (Lueger, Schönerer, die antisemitische Witzzeitung in Wien »Kikeriki«) kann hier nur verwiesen werden.

Der antisemitische Berliner Hof- und Domprediger Adolf Stöcker gründete eine christlichsoziale Arbeiterpartei, die sich vor allem an das Kleinbürgertum wandte und die Arbeiter von den Sozialisten abzuziehen, sie eher zu einer konservativen Anschauung zu führen suchte. Stöcker wollte durch seine Partei den Kapitalismus, den Liberalismus und den Marxismus bekämpfen. Sein Antisemitismus wurzelte in der Religion und bezog sich auf den wirtschaftlichen Wettbewerb mit den Juden. Stöckers Erfolge blieben auf Berlin beschränkt, aber sein Beispiel belebte doch die antisemitischen Stimmungen unter den Konservativen. Nach 1895 verebbte die von Stöcker angefachte Bewegung freilich mehr und mehr.

Die Handwerker

Für das Handwerk galt die preußische Gewerbeordnung von 1869, die im Jahre 1871 auch für das Reich Gültigkeit erlangte. Novellen von 1878, 1881, 1884 und 1887 ergänzten sie. Ein neues Handwerkergesetz kam am 26. Juli 1897 heraus. Handwerkskammern wurden eingerichtet.

Das Handwerk war durch die fortschreitende Industrialisierung von großen Gefahren bedroht. Gesellen oder sogar Meister sanken oft zu Fabrik- oder Heimarbeitern herab, die Frauen von Handwerkern arbeiteten nicht selten als sehr schlecht bezahlte Heimarbeiterinnen. Sozialer Abstieg bedrohte den Handwerkerstand. Manche Heimarbeiter, wie z. B. die Weber, verschwanden völlig. In anderen Fällen gelang es Handwerksmeistern freilich, ihre Betriebe zu vergrößern und durch die Aufstellung von Maschinen zu modernisieren – einen ersten Schritt zum Unternehmer, zum Kleinfabrikanten zu tun. Dies war ein sozialer Aufstieg, aber solche Fälle waren nicht allzu häufig. Die Zahl der Meister wurde kleiner, die der Gesellen wuchs. In jenen Jahrzehnten gingen viele Gesellen noch auf die traditionelle Wanderschaft; sie erhielten bei Handwerkern, bei denen sie vorsprachen, einen Zehrpfennig, und später zahlten Gewerkschaften aus Reisekassen kleine Beiträge aus. Nicht wenige Handwerksgesellen waren allerdings kaum mehr von Landstreichern zu unterscheiden; manche freilich wurden seßhaft, heirateten die Tochter eines Meisters und übernahmen dessen Betrieb.

Man unterschied zurückgehende oder stagnierende (u. a. Schneider, Maurer, Zimmerleute, Steinmetzen, Buchbinder, Goldschmiede, Sattler) und gedeihende Handwerksbetriebe (Uhrmacher, Tapezierer, Bäcker, Metzger, Friseure, Maler, Dachdecker, Schornsteinfeger usw.). Die Industrie sog bis zu einem gewissen Grade das Handwerk auf, und auch das anfangs noch zur Schau getragene Bemühen, den Produkten den Anschein handwerklicher Erzeugnisse zu geben, wurde bald fallengelassen. Die Industrie konnte mehr in ihre Werbung investieren und sandte Vertreter aus; die Waren wurden in praktischer Fabrikpackung ausgegeben. In größeren Städten behielt der Handwerker – allerdings viel seltener als früher – einen Verkaufsladen und bot handgearbeitete Produkte an, die teurer als Industriewaren waren, aber von Teilen des Publikums mehr geschätzt wurden, da sie als dauerhafter galten oder besser aussahen. Die große Konkurrenz waren die aufkommenden Warenhäuser. Sie führte dazu, daß die Handwerker (Schneider, Schuster, Uhrmacher usw.) nur mehr Ausbesserungsarbeiten übernahmen; immerhin erhielten sie soviele Aufträge, daß sie bescheiden leben konnten.

Das Handwerk hielt sich stärker auf dem Lande, in Dörfern, in Kleinstädten, besonders im Osten des Reiches; große Gutsherrschaften verfügten über ihre eigenen Handwerker. In den Jahren vor 1914 stieg trotz weiter zunehmender Industrialisierung die Zahl der Handwerker noch einmal an, da viele vermögende Kunden, die die Vorzüge der Handarbeit zu schätzen wußten, die soliden handwerklichen Erzeugnisse bezahlen konnten. Der Krieg führte natürlich zur Aufwertung von handwerklichen Ausbesserungsarbeiten, da man neue Sachen in »Friedensqualität« nicht nachkaufen konnte.

35. und 36. Heimarbeit in Thüringen (oben) und
Handarbeit in einer Zigarrenfabrik Ende des
19. Jahrhunderts; Erwerbszweige, die durch den
technischen Fortschritt zum Aussterben verurteilt
waren

Die Landbevölkerung

Im Jahre 1882 arbeiteten 9,2 Millionen Deutsche in der Land- und Forstwirtschaft, im Jahre 1907 nach bestimmten Angaben 9,9 Millionen. Diese Steigerung erscheint als geringfügig, wenn man sie mit der großen Vermehrung der Gesamtbevölkerung des Reiches vergleicht: 1871 bis 1914 von 41 auf fast 68 Millionen Menschen. Nach anderen Angaben waren aber im Jahre 1882 19,2 Millionen, 1895 18,5 Millionen und 1907 17,6 Millionen Menschen im Bereich der Landwirtschaft tätig – wohl unter Einbeziehung von Familienmitgliedern. Die Landbevölkerung machte danach im Jahre 1882 42,5 % der Bevölkerung aus, im Jahre 1895 37,7 (nach anderen Angaben 35,74 %) und im Jahre 1907 28,6 %. Dieser Rückgang betraf besonders die Zahl der Landarbeiter, also nicht die der einen Hof besitzenden Bauern.

Nirgends gab es solche krassen sozialen Unterschiede wie auf dem Land. Welche Differenz zwischen den Hofbesitzern und den Agrararbeitern, den Großbauern und den Kleinbauern, den Bauern im Nordosten und denen in Mittel- und Süddeutschland! Rittergutsbesitzer beschäftigten oft bis zu 200, manchmal sogar mehr Agrararbeiter, während selbst ein Großbauer in Süddeutschland nur über eine sehr beschränkte Zahl von Knechten und Mägden verfügte. Auffällige soziale Unterschiede bestanden zwischen kleinen Bauern in Süddeutschland und Agrararbeitern im Nordosten.

Von der Landflucht und der Anstellung von Saison- und Wanderarbeitern, von der Entsiedlung landwirtschaftlicher Gebiete in Ostelbien und im Nordosten war bereits die Rede. Es gab, besonders bis zur Einführung erhöhter Schutzzölle für Getreide unter dem Reichskanzler v. Bülow, weite landwirtschaftliche Notgegenden: Die Rittergutsbesitzer erklärten, daß sie auf ihren Gütern nur 2 % Dividende erwirtschaften könnten, während zahlreiche Betriebe im Westen (in Industrie und Handel) mit 15 % Dividende rechneten. Dennoch erstrebten nicht wenige reiche Bürger aus dem Westen des Reiches den Besitz eines Rittergutes im Osten, wo sie ausgeprägter eine Herrenrolle zu spielen hofften.

Klagen über eine Entbäuerlichung des Bauerntums waren oft und seit langem laut geworden. Statt der alten bäuerlichen Tracht werde nun Modekleidung getragen, die in jedem städtischen Geschäft zu kaufen sei; die alten bäuerlichen Bräuche seien im Schwinden begriffen. Die Geschwister eines Bauern wollten nicht länger ihrem älteren Bruder, dem Erben des Hofes, helfen, sondern drängten in die Stadt. Der Bauer erhalte immer schwerer Gesinde und müsse weit höhere Löhne zahlen. Alles Patriarchalische, alle Tradition gehe verloren.

Tatsächlich hatte es auf dem Lande immer eine gewisse patriarchalische Fürsorge der Grundbesitzer für die Landarbeiter gegeben, wenn auch deren Lebensstandard niedrig blieb. Für ziemlich reichliche Kost, für das Gewand und ein Dach über dem Kopf war gesorgt. Als dann die starke Landflucht einsetzte, waren die Grundbesitzer immer öfter gezwungen, große Scharen von Saison- und Wanderarbeitern (u. a. Polen) anzustellen. Sie bauten nun sogenannte »Schnitterkasernen«, Taglöhnerhäuser, die höchst primitiv ausgestattet waren: Es gab keine Betten, nur Stroh; Männer und Frauen schliefen meistens in großen Räumen zusammen, manche Frauen mußten fast öffentlich gebären, die Wasserleitungen und Aborte waren ungenügend.

Auch bei öffentlichen Bauten – etwa bei den Arbeiten am Nordostseekanal – gab es nur sehr bescheidene Barackenlager, und es war bezeichnend, daß die jungen Arbeiter sich solche Zumutungen immer weniger gefallen ließen und nicht selten Rache androhten. Mitunter kam es sogar zu Brandstiftungen. Die Anzeichen für eine Proletarisierung großer Teile der Landbevölkerung häuften sich.

Die Arbeiter

Wenn von der Arbeiterschaft die Rede ist, hat man weit mehr an die Städte als an das Land zu denken. Es sei zunächst betont, daß die deutschen Arbeiter im allgemeinen gut und rasch arbeiteten und daß es im »vierten Stand« oft den Typ des pflichtbewußten, von seiner Militärzeit her an Disziplin gewöhnten Arbeiters gab. Gerade die älteren Arbeiter erfüllten pünktlich die an sie gestellten Anforderungen; sie wußten mit ihrem Lohn, so gut es ging, hauszuhalten. Die Gemeinschaft im Betrieb bedeutete manchem mehr als die Gemeinschaft in der Familie.

Im folgenden ein statistischer Überblick.

Anzahl der Berufsbevölkerung in Bergbau, Industrie, Bauwesen:

1882	16 058 080 Menschen	= 35,51 %
1895	20 253 241 Menschen	= 39,12 %
1907	26 386 537 Menschen	= 42,75 %

Anzahl der Berufsbevölkerung in Handel und Verkehr:

1882	4 531 080 Menschen	= 10,02 %
1895	5 966 846 Menschen	= 11,52 %
1907	8 278 239 Menschen	= 13,42 %

In der Industrie	1895	1,5 Millionen Frauen und Mädchen
	1907	2 Millionen Frauen und Mädchen

In Handel und Verkehr	1895	579 608 Frauen und Mädchen
	1907	931 373 Frauen und Mädchen

Durch die Intensivierung der Landwirtschaft und besonders durch die Industrialisierung, durch den Ausbau der Bergwerke und durch die Vermehrung und das Anschwellen der Großstädte wuchs der »vierte Stand« beträchtlich an. Dieser Umstand wirkte sich spürbar auf die Wahlerfolge der Sozialdemokraten aus, die schon bald für sich in Anspruch nehmen konnten, 35 Millionen Staatsbürger zu vertreten. In den Großstädten, aber auch in kleineren Städten stellten die Lohn- (meistens Fabrik-) und in manchen Gebieten die Bergarbeiter sowie die kleinen Handwerker den vierten Stand. Daneben gab es einen »fünften Stand«, das sogenannte »Lumpenproletariat«, auf das mitunter selbst die Führer der Sozialdemokraten mit Verachtung herabsahen.

37. Landflüchtige fanden Arbeit in den Werken der aufstrebenden Schwerindustrie.
Blick in ein Walzwerk

Im Deutschen Reich gab es vor 1914 nicht ganz 500 000 Arbeitslose, und diese – natürlich nach oben und nach unten vielfach schwankende – Zahl galt fast als normal; entweder waren die Menschen aus diversen Gründen vorübergehend arbeitslos oder es handelte sich um Leute, die notorisch keine Arbeit annehmen wollten und eher zu den Asozialen gehörten. Im allgemeinen konnte ein Arbeiter mit halbwegs gutem Leumund unschwer eine Anstellung finden.

Die Angehörigen des »fünften Standes« waren Entgleiste, gescheiterte Existenzen aus höheren Ständen, Gelegenheitsarbeiter, aber auch sogenannte arbeitsscheue Elemente, Abenteurer, Landstreicher, Gewohnheitsbettler, Ausländer aus der tiefsten sozialen Stufe ihrer Völker (Polen, Ungarn, Slowaken, Italiener usw.), aber auch kriminelle Elemente, also Gewohnheitsdiebe, Zuhälter und Prostituierte – Existenzen, die – wie alle Feinde des städtischen Lebens meinten – von den Großstädten erzeugt wurden.

Es gab in den Jahrzehnten nach 1870 nicht nur Neureiche, sondern auch zahlreiche Neu-Arme. Indessen soll von diesem »fünften Stand«, dessen zahlenmäßiges Anwachsen nach Meinung mancher Historiker auch durch das Sozialistengesetz Bismarcks verschuldet worden ist, hier nicht weiter die Rede sein. Die steigende Industrialisierung erforderte immer mehr Arbeiter, und die Landflucht lieferte sie. So mußte der in die Stadt kommende landflüchtige Arbeiter froh sein, rasch angestellt zu werden; lange wählen konnte er nicht. Dem Landflüchtigen boten sich im Grunde in der Stadt nur zwei Möglichkeiten, wenn er nicht eine höhere Schulung besaß: Die Fabrik und der Eintritt ins Heer oder in die Flotte. Es war bekannt, daß nur sehr wenige Landflüchtige auf das Land zurückkehrten, sondern in der Stadt eher von Stufe zu Stufe sanken – oft herab zum Kriminellen, zum Zuchthäusler.

Die kleineren Betriebe, in denen ein menschlicher Kontakt zwischen Arbeitgeber und Arbeiter möglich war, gingen an Zahl zurück. Die Großbetriebe dagegen nahmen zu; sie waren entweder nicht mehr Privatbesitz, sondern Eigentum einer Gesellschaft, eines Konzerns, oder es gab zwar noch einen Fabrikherrn – aber die Distanz zwischen Arbeitgeber und Arbeitnehmer wurde dennoch immer größer. Der Fabrikant konnte nicht alle Arbeiter kennen – um so weniger, als manche, besonders die Ledigen, den Ort der Anstellung öfter wechselten. (Im Vergleich dazu hatte etwa der Grundbesitzer zum Landarbeiter oder auch der Offizier zu seinen Untergebenen einen direkten, manchmal sogar menschlichen Kontakt.)

Aus der Vermehrung des städtischen Proletariats erwuchsen weitere oft dargestellte Nachteile; besonders die Vergrößerung der Vorstädte in den Großstädten mit den häßlichen Mietskasernen und den schlechten, dennoch relativ teuren Wohnungen. Man kam mit dem Bau von Wohnungen, deren Miete erschwinglich war, nicht nach. Die Arbeiterfamilien lebten in wenigen und engen Räumen. In den Städten gab es, besonders für Ledige, wohl christliche Herbergen, häufiger aber sehr ärmliche Asyle, Logierhäuser, »Pennen« usw. Manche Arbeitgeber, wie Krupp, Stumm oder andere, bauten eigene Arbeitersiedlungen, die sich von den Arbeiterwohnungen in den Vorstädten vorteilhaft abhoben. Die Arbeiterfamilien lebten oft nur von Kartoffeln, Brot und schlechtem Kaffee; viel anderes kam nicht auf den Tisch.

Eine gewisse Besserung in den Lebensbedingungen der Arbeiter ergab sich nach der Überwindung der Wirtschaftskrise von 1873. Die Löhne zogen stärker an als die Preise und ermöglichten vielfach eine Hebung des Lebensstandards. In abgelegenen Gegenden hatten unwürdige soziale Zustände zwar noch länger Bestand, jedoch wurde auch dort zumeist nicht mehr gedarbt.

In den Zentren der Industrie und des Bergbaus ergaben sich bald Differenzierungen innerhalb der Arbeiterschicht, deren verschieden bewertete Arbeit zugrundelag: Brachte er genügend Fleiß und Geschick mit, bot sich dem Arbeiter hier und da die Möglichkeit, sich zum Polier, zum Spezialarbeiter zu qualifizieren. Diese Chance bildete für ihn häufig die Einstiegsmöglichkeit in das Kleinbürgertum. Sein weiteres Trachten war es dann, sich diese Stellung zu erhalten und durch Sparsamkeit und manches finanzielle Opfer seinen Kindern die Voraussetzungen zu weiterem sozialen Aufstieg zu ermöglichen.

Diese Entwicklung beinhaltete jedoch keineswegs immer eine Distanzierung von der proletarischen Herkunft. Mancher Arbeiter, der eigentlich schon kein Proletarier mehr war, empfand sich immer noch als Proletarier; es war für ihn ein Ehrentitel, er war standesbewußt und stimmte weiterhin mit seinen ehemaligen Kollegen überein, die in den Fabrikhallen noch an den gleichen Plätzen standen. Viele Arbeiter waren Mitglieder von Arbeiterbildungsvereinen und liehen in Arbeiterbibliotheken Bücher und Broschüren aus. Der Bildungshunger zahlreicher Arbeiter ist bemerkenswert, und insbesondere empfanden sie große Achtung vor der Wissenschaft und den Errungenschaften der Technik, mit denen sie ja in der Fabrik ständig konfrontiert waren. Die komplizierten und umfangreichen Werke von Marx freilich blieben zumeist unzugänglich, und sicherlich gab es nur wenige Arbeiter, die sie lasen. Dies galt mehr oder weniger auch für die Werke von Engels, Bebel, Kautsky, Bernstein und Mehring, die aber doch in vereinfachter und gekürzter Fassung von einigen zur Kenntnis genommen wurden. Beliebt war dagegen Populärliteratur, die die Forschungen berühmter Männer kurz gefaßt und leicht verständlich, manchmal stark vereinfachend, darlegte (besonders Darwin und Haeckel).

38. »Bitte schön, wenn der Herr Hund vielleicht nicht alles aufessen kann ...«
Zeichnung von Th. Th. Heine

Unter den männlichen Arbeitern löste sich oft die Bindung an die Religion, weil nicht zuletzt der Klerus der christlichen Konfessionen als Hüter der bestehenden Gesellschaftsordnung angesehen werden konnte. Sehr oft waren die Arbeiter treue Abonnenten und Leser sozialistischer Zeitungen (des »Vorwärts«), manchmal sogar der »Sozialistischen Monatshefte«.

Bei alledem blieb das Verhältnis des Arbeiters zur wilhelminischen Gesellschaft antagonistisch. Die Parolen vom notwendigen Umsturz der bestehenden Gesellschaftsordnung, vom Klassenkampf, von der kommenden Revolution wurden beharrlich weiterhin verkündet; viele Arbeiter aber dachten nicht ernstlich daran, weil sie wußten oder fürchteten, daß sie bei einer Revolution mehr verlieren als gewinnen würden. Sie sangen weiterhin die Internationale, aber das Gefühl, die »Verdammten dieser Erde« zu sein, schwand mehr und mehr. Sie waren Gegner des

Militarismus, dachten aber nicht selten gern an ihre eigene Militärzeit zurück und waren selbst Mitglieder von Krieger- und Veteranenvereinen. Die Bewußten unter den Arbeitern hegten jedoch dauerhaft ihren festen Glauben an den ununterbrochenen Fortschritt der Menschheit, an den Aufstieg des Proletariats, an eine schönere Zukunft.

Man wußte, daß das Bürgertum uneinig war, man baute auf die eigene Einigkeit und das Gemeinschaftsgefühl des Proletariats. Die Überzeugung von der Überlegenheit des Proletariats aufgrund seiner Organisationsgabe, Disziplin, Opferbereitschaft und seines Zusammenhaltes war weit verbreitet. Die Ideen des Liberalismus – von Sympathie für einige radikale Linksliberale einmal abgesehen – wurden abgelehnt. Das wachsende Selbstbewußtsein der Arbeiterklasse dokumentierte sich in den häufig sehr scharfen, von drohenden Untertönen getragenen Reden der preußischen sozialdemokratischen Abgeordneten im Reichstag und später im Landtag. Natürlich trug dieses Auftreten dazu bei, den Widerspruch zu den Angehörigen der bürgerlichen Klasse zu verschärfen – vom Adel ganz zu schweigen. Radikale Äußerungen sozialdemokratischer Führer oder Presseorgane nahm die Bourgeoisie zum Anlaß, um – generalisierend, gelegentlich übertreibend – der Sozialdemokratie mangelnde Vaterlandsliebe, Sittenlosigkeit und Untergrabung der bürgerlichen Ordnung, Leugnung von Autorität (die nicht einmal vor der Person des Kaisers haltmache) vorzuwerfen. Das Wort Wilhelms II. von den Sozialisten als den »Reichsfeinden« und »vaterlandslosen Gesellen« hat hier seinen Ursprung.

So hat sich im Lauf der Jahre nach der Reichsgründung – durch Polemiken und Agitation von beiden Seiten – eine unwillkürlich wachsende, teils aber auch systematische Vergiftung der Atmosphäre ergeben. Die gemeinsame Gefahr und die gemeinsame Not vor allem bei den Sturmangriffen und in den Schützengräben der Westfront hat erst im Krieg zahlreiche Bürger und Arbeiter in Uniform einander nähergebracht und ihnen gegenseitiges Verständnis aufgezwungen. Der objektive Teil des Bürgertums mußte anerkennen, daß die Arbeiter und Sozialisten während des Krieges im Hinterland wie an der Front keineswegs als »vaterlandslose Gesellen« auftraten; der »Vierte Stand« hat im ersten Weltkrieg sehr große Opfer gebracht. (Vgl. auch den Abschnitt »Die Sozialisten«, S. 103.)

DIE KONFESSIONEN

Die Katholiken

Die Katholiken in Deutschland hatten die Prüfung des Kulturkampfes zu bestehen, sind aber gestärkt, geeint und mit Selbstbewußtsein daraus hervorgegangen. Die katholische Kirche profitierte vor allem von ihrer guten und straffen Organisation und ihrer hierarchischen Ordnung. Sie strebte nach voller Freiheit und Selbständigkeit und wünschte, auch bei der Gründung und Erhaltung konfessioneller Schulen abgesichert und unterstützt zu werden; man verwarf die Trennung von Kirche und Schule.

Die Stellung der katholischen Kirche war bedeutend – nicht zuletzt durch die beträchtliche Zahl der Bischofssitze mit ihren Kurien, die Stützpunkte bildeten, wie sie der Protestantismus nicht besaß. Gerade die Katholiken Westdeutschlands (Rheinland, Saargebiet, Westfalen) und Schlesiens lebten in wirtschaftlich aufblühenden, durch ihre Steuerleistung für das Reich sehr wichtigen Gebieten. Sie hatten ein Recht darauf, mit ihren Forderungen gehört zu werden. In erster Linie ging es um die volle Parität neben den Protestanten. Diesem Wunsch kam Wilhelms II. Vorliebe für das deutsche Mittelalter, für das Mystische und Romantische in der katholischen Kirche entgegen. Er besuchte mit allem Aufwand die Päpste Leo XIII. und Pius X. in Rom, er kam deutschen Bischöfen und deutschen Benediktinern sehr freundlich entgegen und ließ der katholischen Kirche manche Stiftungen zukommen. Die deutschen Bischöfe suchten ihrerseits das neue Einvernehmen zu erhalten und zu vertiefen.

Die Altkatholiken, deren Initiator Ignaz von Döllinger in München war (gest. 1890), glaubten nicht an das Dogma der Unfehlbarkeit des Papstes (verkündet 1870), und sie standen schließlich außerhalb der Kirche, blieben aber ohne große Gefolgschaft (ca. 30 000). Bereits um 1890 erlosch das Altkatholikentum praktisch wieder. Der »Modernismus« war eine neue Gefahr für die katholische Kirche; er wurde im Jahre 1907 von Pius X. verworfen. Die Kleriker hatten einen »Antimodernisteneid« zu leisten, von dem aber manche katholisch-theologischen Professoren stillschweigend befreit wurden.

Im Adel, im Bürgertum und bei den Intellektuellen machten sich in diesen Jahrzehnten Lauheit und unausgesprochener Unglaube breit. Die meisten zogen aber nicht die letzte Konsequenz; sie blieben mit ihren Familien Mitglieder der Kirche, nicht zuletzt aus Rücksicht auf den staatlichen Vorgesetzten, auf ihr Ansehen beim Nachbarn und in der Gesellschaft. Allerdings wuchs stets die Gefahr, daß Religion und Kirche zu so etwas wie »Brauchtum und Sitte« herabsanken. Ein guter Teil der unteren Schichten des Volkes, besonders die Frauen, aber auch Landarbeiter und eine Anzahl von Arbeitern blieben jedoch der Kirche treu.

39. Titelblatt der katholischen Zeitschrift »Hochland«

Unter den protestantischen, liberalen oder praktisch glaubenslosen Gelehrten, die quantitativ in der Überzahl waren, verbreitete sich die Meinung, daß der Katholizismus im Grunde nicht die Freiheit der Wissenschaft dulde. Eine Reihe von bedeutenden katholischen Gelehrten widerlegte diesen Vorwurf. Die (katholische) wissenschaftliche Görresgesellschaft wurde in Koblenz 1876 gegründet, und stets gab es innerhalb des Kreises der katholischen Gelehrten eine liberale Richtung, die volle Forschungsfreiheit forderte und dabei innerhalb der Kirche blieb – sich nötigenfalls aber unterwarf (z. B. Hermann Schell in Würzburg, gest. 1906). Reformistische Bestrebungen hörten jedoch nie ganz auf; ihnen entgegen wirkte die unter dem Pontifikat Leos XIII. von Rom ausgehende neuscholastische Bewegung, die dem hohen Klerus den Vorwurf eintrug, eine starre Haltung gegenüber der modernen Wissenschaft zu vertreten.

1880 erfolgte in Mönchen-Gladbach die Gründung eines Verbandes und einer Zeitschrift »Arbeiterwohl«, die von katholischen Unternehmern getragen wurden. Karl Muth gründete 1903 in München die katholische Zeitschrift »Hochland«. Es entstand eine spezifisch katholische Literatur, die allerdings neben der liberalen und außerhalb der Konfessionen stehenden Literatur keine große Rolle spielte (Autoren: Heinrich Federer, Paul Keller, Enrika v. Handel-Mazzetti, Konrad v. Bolanden, Ferdinande v. Brackel u. a.).

Die katholische Kirche gelangte im ganzen erst sehr spät zum Verständnis sozialer Fragen. Es nützte nicht viel, wenn man den Reichen Güte, den Armen Geduld empfahl. Caritas allein, so schön sie sicher war, blieb auf die Dauer zu wenig. Die soziale Enzyklika »Rerum novarum« von 1891 kam spät.

Bestimmte katholische Kreise in Deutschland waren den sozialen Fragen immerhin aufgeschlossen, wie besonders die Tätigkeit und die Schriften des Mainzer Bischofs Wilhelm Emanuel Frh. von Ketteler (gest. 1877) bewiesen. Diese Schriften erhoben z. T. ähnliche Forderungen wie die Sozialisten und unterschieden sich hierin vorteilhaft von protestantischen Bestrebungen.

Besonders die Bauern und die Handwerker wollte die katholische Kirche als konservative Elemente geschützt wissen. »Kolpinggesellenvereine« bestanden schon seit 1846; außerdem wurden später christliche Gewerkschaften, Arbeiter- und Gesellenvereine gegründet (Gesamtverband seit 1899), die jedoch nur zu Teilerfolgen führten. Die Abwanderung breiter Schichten unter den Arbeitern zur Sozialdemokratie ließ sich nicht verhindern.

Die Fin-de-siècle-Stimmung in den Jahrzehnten vor dem Ausbruch des Weltkrieges brachte es dann mit sich, daß die katholische Kirche wieder größeren Zulauf zu verzeichnen hatte. In ihrer streng gegliederten Hierarchie suchten viele den Halt, den ihnen das überwiegend nach materiellen Gesichtspunkten ausgerichtete tägliche Leben nicht mehr gab.

Die Protestanten

Der Protestantismus verfügte nicht über die straffe Organisation der katholischen Kirche, und er konnte auch von seinen Gläubigen nicht denselben bedingungslosen Gehorsam fordern. Die neupietistische, neuorthodoxe Richtung wäre um 1870 wahrscheinlich erloschen, wenn nicht der Kulturkampf die antikatholische Tendenz, den spezifisch protestantischen Glaubenseifer neuerdings angefacht hätte.

Die Protestanten verfügten im Reichstag und in den Landtagen über keine derartige Gesinnungspartei wie die Katholiken mit dem Zentrum. Allerdings gab es eine Reihe von Parteien mit vorwiegend protestantischen Wählern. In Ostelbien haben evangelische Pastoren auf die Bauern und Agrararbeiter im Interesse konservativer Wahlentscheidungen eingewirkt: Ein anderes Votum sei bereits eine Art Empörung gegen die göttliche Ordnung und daher mehr oder minder Sünde.

Es gab im Protestantismus stets eine orthodoxe Richtung, die durch die Hofprediger der Hohenzollern in Berlin (besonders unter Wilhelm I.) und durch einen Teil der evangelisch-theologischen Fakultäten an den Universitäten vertreten wurde; als orthodoxe Fakultäten galten u. a. die von Leipzig, Erlangen und Greifswald, als eher liberale die von Tübingen und Jena. Immerhin opponierten die leitenden Männer der protestantischen Kirche (auch zahlreiche Professoren) gegen die »Reaktion«, gegen Glaubenszwang und Dogmen; sie traten für die Lehrfreiheit ein: Gerade die protestantische Kirche müsse überall den Fortschritt fördern. Sie hatte durch eine losere Organisation den Vorteil, konzilianter zu erscheinen, sich auch mit neuen Erkenntnissen und Wissen-

40. Adolf Stöcker, Hofprediger Wilhelms II., suchte die Arbeiter für die Monarchie zu gewinnen

schaften verbinden und mindestens Teile scheinbar feindlicher Richtungen – wie die der Aufklärung und des Rationalismus – integrieren zu können. Im allgemeinen wurde der protestantisch-religions-wissenschaftlichen oder auch kirchengeschichtlichen Forschung jede Freiheit gelassen, so daß gerade-zu von einer Verwissenschaftlichung der Theologie, von einer Entkirchlichung der theologischen Lehre gesprochen wurde. Ein Gelehrter, etwa ein Universitätsprofessor, konnte mit liberalen Be-kenntnissen sehr weit gehen und trotzdem in der Kirche bleiben; ein Ausschluß wie bei den Katho-liken drohte nicht. Er hatte gelegentlich allerdings unter Anfeindungen zu leiden, wie etwa der liberale Professor Albrecht Ritschl in Göttingen (gest. 1889) oder gar Adolf v. Harnack in Berlin.

Wilhelm II. und seine religiös sehr eifrige Gemahlin Auguste Viktoria waren die Schirmherren der protestantischen Kirche. Formen eines gewissen »Caesaropapismus« waren ganz nach dem Geschmack des Kaisers, der ja selbst auf seiner Yacht »Hohenzollern« Gottesdienste gehalten und gepredigt hat. Frömmigkeit war am Hof wohlgelitten, was unter den Höflingen manchmal zu religiöser Heuchelei führte. Die Kaiserin war die Protektorin des Kirchenbauvereins (gegründet 1890); in der nächsten Folgezeit wurden in Berlin 32 und in der Umgebung der Hauptstadt weitere 11 Kirchen gebaut.

Der liberale protestantische Gelehrte Adolf v. Harnack hatte beträchtlichen Einfluß auf den Kaiser, und es war sein Verdienst, daß seit Beginn des 20. Jahrhunderts die liberale undogmatische Richtung des Protestantismus auch am Hofe mächtiger wurde.

Der protestantische Klerus und sozial bevorrechtete, wohlhabende Kreise widmeten sich der Inneren Mission, der Stadtmission, vor allem in Berlin (Pastor v. Bodelschwingh), aber auch der evangelischen Mission in den Kolonien. Seit 1883 gab es einen protestantischen Missionsverein. Man wollte sozial und karitativ wirken und sah sich dabei denselben Schwierigkeiten wie der katholische Klerus gegenüber. Man konnte Tendenzen zum Umsturz der Gesellschaftsordnung, den Materialismus und Rationalismus nicht bejahen und verlor viele Gläubige, die zu den konkreter argumentierenden Sozialdemokraten gingen und von der Kirche abfielen. Es wurden evangelisch-kirchliche Hilfsvereine und ein evangelischer Arbeiterverein (1882) geschaffen; der frühere Hofprediger Adolf Stöcker (gest. 1909) gründete 1890 einen evangelisch-sozialen Kongreß, aber diese Bemühungen erfaßten nicht die Arbeitermassen: Die soziale Bewegung ließ sich so nicht aufhalten.

Wie die katholische so war auch die protestantische Kirche bei der Gründung und Organisation von Vereinen sehr rührig. Erwähnt seien hier nur der deutsche Protestantenverein (seit 1863), der bedeutende Evangelische Bund (seit 1886/87) und der Deutsche Evangelische Frauenbund (seit 1899) – einige von ihnen mit der deutlichen Tendenz, sich gegen den deutschen Katholizismus zur Wehr zu setzen. Damals haben gerade gemischt-konfessionelle Gebiete (Diaspora) den Glaubenseifer der Anhänger der zwei Konfessionen sehr angefacht.

Die Freidenker

Mehrere Richtungen außerhalb des Christentums (und gegen das Christentum) bildeten keinen gemeinsamen Strom, sondern zerflossen gleichsam in verschiedenen Bächen. Der Liberalismus forderte nur die Freiheit des Gewissens, die Toleranz, er wollte keinen krassen Bruch mit der Vergangenheit; dem Liberalen war es auch nicht auferlegt, aus einer Kirche auszutreten. Immerhin führte die Haltung zu einem weitgehend unkirchlichen, unreligiösen Leben. Die alten religiösen Volkssitten verschwanden zum guten Teil, und viele religiöse Bindungen fielen. Wahre Bildung und Kirchenglauben – so wurde propagiert – seien nicht miteinander zu vereinbaren. Die Religion sei höchstens noch eine Sache für Frauen und Kinder; sie sei es nicht mehr wert, vom Staat geschützt zu werden. Kirche und Staat sollten voneinander getrennt werden. Viele liberal Denkende scheuten dennoch den endgültigen Bruch mit der Kirche. Der Intellektuelle stand zwischen den Fronten; was er an den Kirchen als zu krasse Orthodoxie, als Fesselung der Geistesfreiheit empfand, und was sich ihm im Bereich des aus allen möglichen Quellen fließenden Vulgär- und Ersatzglaubens der Halb- und Ungebildeten darbot – das schreckte ihn gleichermaßen ab.

Die verschiedensten Theorien und Vorschläge wurden verkündet: Das Christentum sei im Deutschtum ein Fremdkörper; man wollte statt dessen den Nationalismus zur Religion erheben oder eine germanisch-arische Kirche, eine deutsche Nationalkirche gründen. Oder sollte man sogar, wie es um 1900 mystisch empfindende Kreise ernstlich erwogen, einer Art neuen Wotanskult anhängen?

Die allgemeine Unsicherheit unter den Intellektuellen führte zur Bildung zahlreicher Richtungen, die ihre Anhänger suchten und fanden: des Monismus, des Positivismus, einer Art Naturreligion, des Pantheismus, des Atheismus, des Materialismus. Die Pantheisten z. B. haben in Friedrichshagen einen eigenen Kreis gebildet.

Die Haltung einiger Führer der Sozialdemokraten war einflußreich. Sie erklärten unter Berufung auf Marx: Wissenschaft sei etwas Heilsnotwendiges, Religion verdumme und bringe den Menschen um sein wahres Glück. Die Kirchen seien ein Instrument der gegenwärtigen Klassenherrschaft, der bestehenden, aber zu verwerfenden Gesellschaftsordnung. Der marxistische Sozialismus wurde somit vorderhand ein Gegner der christlichen Konfessionen und setzte an die Stelle der Religion das Ideal der Bildung, ohne freilich der Masse seiner Anhänger mehr als eine unzureichende Halbbildung vermitteln zu können.

Es gab also, besonders unter Bürgern und Arbeitern, Freidenkerbünde, freireligiöse Gemeinden, die auch Verbindungen zur Sozialdemokratie pflegten; es existierten ein sozialistischer Zentralverband proletarischer Freidenker (seit 1908), ein eher bürgerlicher Deutscher Monistenbund (seit 1906) und andere. Wie in der späteren Aufklärung des 18. Jahrhunderts bildeten sich Tendenzen, die sich von der Aufklärung entfernten – wie Theosophie, Okkultismus, Spiritismus, Geisterglauben, und sie alle fanden Anhänger. Bei »Priestern« des Spiritismus wurde mancher Betrug aufgedeckt.

Die ganze außer- und antichristliche Bewegung flaute nach 1900 sichtlich ab. Man besann sich wieder auf »Herz und Gemüt«, verwarf die »kalte Vernunft«, und nicht wenige fanden den Weg in die christlichen Kirchen zurück.

DIE WICHTIGSTEN PARTEIEN
UND POLITISCHEN GRUPPIERUNGEN

Das Wahlrecht

Bevor ich die Geschichte der wichtigsten Parteien skizziere, muß vom Wahlrecht die Rede sein. Für den Reichstag galt seit 1871 das allgemeine, gleiche und – oft freilich nur offiziell – geheime Wahlrecht für Männer, das der Landtag von Baden im Jahre 1904 und die Landtage von Bayern und Württemberg im Jahre 1906 übernahmen. Preußen behielt bis 1918 das aus dem Jahre 1849 stammende »zensitäre« Dreiklassenwahlrecht, nach dem diejenigen Urwähler, die die höchsten Steuern zahlten, in die erste Klasse kamen, diejenigen, die im mittleren Maße Steuergelder abgaben, in die zweite, und jene, die am wenigsten Steuern zahlen konnten, in der dritten Klasse standen. Natürlich hatte die 1. Klasse nur wenige Urwähler (ursprünglich gar nur 13,8 % der Bevölkerung), die dritte Klasse die meisten. Aber jede Klasse stellte die gleiche Zahl von Wahlmännern und von Abgeordneten: eine unverhüllte Bevorzugung der Besitzenden, im Osten der Grundbesitzer, im Westen des wohlhabenden Bürgertums und der Neureichen. Es ist gesagt worden, daß die Konservativen durch das Dreiklassenwahlrecht den Osten Preußens beherrschten, die Zentrumspartei den Westen.

Die Aufrechterhaltung dieser Wahlordnung suchte man zu rechtfertigen mit der Behauptung, sie garantiere eine Stabilität, die durch die Aufhebung des Dreiklassenwahlrechts gefährdet sei. Dahinter verbarg sich die Besorgnis, die Besitzlosen könnten mit Hilfe gleicher Wahlchancen durch Staatsverordnungen einen Griff in die Geldbörsen der Wohlhabenden tun.

So saßen zuerst keine, dann sehr wenige sozialdemokratische Abgeordnete im preußischen Abgeordnetenhaus; hingegen zahlreiche im – anders gewählten – Reichstag. Wenn das Dreiklassenwahlrecht aufgehoben worden wäre, hätten die Junker und Grundbesitzer in Ostelbien viel an Einfluß verloren, der Westen hätte an Gewicht gewonnen, bürgerliche Linke und Sozialdemokraten mehr Abgeordnete stellen können. Versuche einer Wahlrechtsreform in Preußen in den Jahren 1900, 1904 und 1910/11 scheiterten an dem Widerstand der Konservativen. In Sachsen, wo die Sozialdemokraten zahlenmäßig eine starke Position hatten, wurde sogar 1896 noch das Dreiklassenwahlrecht eingeführt: eine krasse Verschlechterung für die unteren Volksschichten und deren Parteien. Im Jahre 1905 kam es dort zu einem Pluralwahlrecht, das die Wähler in höherem Alter, mit selbständiger Lebensstellung und höherem Einkommen begünstigte. Die mecklenburgischen Großherzogtümer behielten bis 1918 eine altständische Verfassung, die überhaupt nur die Junker und die Vertreter der Stadtmagistrate zum Landtag zuließ.

In vielen Teilen Preußens gab es de facto kein geheimes Wahlrecht. Die Stimmen wurden offen abgegeben, was natürlich eine Beeinflussung begünstigte. Im Osten – so hieß es – wurden die Land-

Auf zur Landtagswahl!

Sehr geehrter Herr!

Die Stunde der Wahl ist da. Am **3. Juni** muß es sich entscheiden, ob Preußen noch weiter unter einem **unwürdigen Klassenwahlrecht** seufzen, oder ob es sich eines freien **Volkswahlrechts** erfreuen soll.

Mehr als 40 Jahre ist es her, daß **Bismarck** am 28. März 1867 im Reichstage das preußische Wahlrecht das **elendeste und widersinnigste aller Wahlgesetze** nannte. Die Konservativen, aber, die sonst ein Patent auf Bismarck-Verehrung zu haben vermeinen nennen dasselbe Wahlrecht in ihrem Wahlaufruf „**bewährt.**" Jawohl bewährt hat es sich zur **Aufrechterhaltung der Junkerherrschaft.** „Wir machen dabei bessere Geschäfte, also wollen wir es nicht ändern," erklärte Freiherr von Hammerstein, der Führer der Konservativen, am 6. Dezember 1883 im Abgeordnetenhause.

Der Nutzen der Junker, das ist der Schaden des übrigen Volkes.

Alles an dem preußischen Wahlrecht ist **miserabel.**

Ein lächerlicher **Unsinn** ist die **indirekte Wahl.** Als mündige Männer schreiten die Preußen zur Reichstagswahl und wählen den Mann ihres Vertrauens zum Abgeordneten. Geht es zur Landtagswahl, so sinken sie in den Stand der Unmündigkeit zurück. Sie brauchen einen politischen Vormund, den Wahlmann. Eine sinnlose Schikane!

Ein Akt der Unmoral ist die **öffentliche** Abstimmung.

Für die Reichstagswahl erschien selbst dem Fürsten Bülow die geheime Abstimmung noch nicht geheim genug. Die Wahlkuverts und das sogenannte Wahllosett wurden eingeführt. Für die Landtagswahl gilt noch immer das alte System des Gewissenszwanges und der moralischen Vergewaltigung. Selbst der konservative Verein in Minden-Ravenberg hat um geheime Wahl petioniert, um seine Arbeiter-Mitglieder vor Terrorisierung durch die nationalliberalen Fabrikanten zu schützen. Aber die konservativen Rittergutsbesitzer und ihre Gefolgsleute schwärmen für die öffentliche Wahl, um ihre Herrschaft zu behaupten.

Eine **schreiende Ungerechtigkeit** ist die **Dreiklassenwahl.** Nicht der **Mensch** gilt etwas, nur der **Geldbeutel.** Wenn dem Bauern seine Ochsen krepieren, so sinkt er aus der zweiten Klasse in die dritte. Fürst Bülow ist seit 1903 aus der dritten zur zweiten avanciert, weil ihm ein reicher Vetter gestorben ist. Bordellbesitzer haben das letzte Mal in der ersten Klasse gewählt, die höchsten Beamten in der dritten.

Zur Gemeinheit des Wahlrechts tritt das empörende **Unrecht der Wahlkreiseinteilung.** In dem pommerschen Wahlkreis Greifenberg-Kammin haben 80 000 Menschen, in Teltow-Beeskow mehr als 420 000 dieselbe Zahl von Abgeordneten zu wählen. Worum diese ungeheuerliche Bevorzugung von Preußen gegenüber Preußen? Sind die Wähler der pommerschen Rittergüter soviel wertvoller oder intelligenter als die vor den Toren Berlins, daß ihnen das fünffache Wahlrecht zusteht? Die Konservativen bekamen 1903 bei 334 000 Stimmen 143 Mandate, die Sozialdemokraten bei 314 000 — eins! Ist ein solches Wahlrecht, das den zahlreichsten Teil der Bevölkerung geradezu rechtlos macht, nicht von einer aufreizenden und darum direkt staatsgefährlichen Ungerechtigkeit?

Wer die **Konservativen** Kandidaturen die Herren Felisch und Hammer unterstützt, der hilft den bestehenden Zustand in all seinem Unsinn, seiner Unmoral, seiner Ungerechtigkeit verewigen.

Die Nationalliberalen sind die Parteien der Halben und Lauen.

Sie wollen Reformen, aber unzureichende. Sie weigern sich für die Wahlkreiseinteilung die Bevölkerungszahl maßgebend zu machen und so den Maßstab der Gerechtigkeit anzulegen. Sie haben im Landtag alle Anträge auf geheime Abstimmung einmütig zu Fall gebracht und sich erst notgedrungen in allerletzter Zeit gegen die öffentliche Abstimmung entschieden. **Sie verwerfen grundsätzlich das Reichstagswahlrecht für Preußen.** Sie wollen ein neues Privilegienwahlrecht einführen, das **Pluralwahlrecht.** Nicht **gleiches Recht für alle** Staatsbürger ist **ihre** Losung. Sie wollen **Bevorzugung** der Einjährigen, Bevorzugung des Alters usw. Altes Unrecht soll durch neues Unrecht ersetzt werden.

Wer für **Dr. Liepmann** eintritt, schickt einen **Feind des Reichstagswahlrechtes** in den Landtag.

Die **freisinnige Volkspartei** hat sich mit den Nationalliberalen trotz ihrer Wahlrechtsfeindschaft verbündet. Wer **Dr. Inbenthal** unterstützt, unterstützt damit gleichzeitig einen **Wahlrechtsfeind.** Aber das stört die blockbegeisterten Herren von der Volkspartei nicht. Haben sie es doch in **Nieder- und Oberbarnim** sogar fertig gebracht, zwei **konservative** Reaktionäre im ersten Wahlgange als ihre eigenen Kandidaten auf den Schild zu erheben. Uebrigens bekennt sich **Dr. Inbenthal** in seinen Wahlversammlungen offen als ein **grundsätzlicher Freund von Ausnahmegesetzen.**

Wer den Wahltag zu einem Tage des **Protestes** gegen das unwürdige **Dreiklassenwahlrecht** und gegen jedes Ausnahmegesetz überhaupt machen, wer sich klipp und klar **für das Reichstagswahlrecht** aussprechen will, für den kommen unter allen bürgerlichen Kandidaten nur die beiden **sozialliberalen** Herren

Dr. Rudolf Breitscheid und N. H. Witt

in Betracht.

Die **Wahl** soll **frei** sein. So will es die **Regierung selbst.** Hat doch **Fürst Bülow** am 10. Januar im Landtage erklärt: „Es bedarf wohl kaum der Versicherung, ich will es aber trotzdem ausdrücklich

41. Aufruf zur preußischen Landtagswahl
1908 des Sozialliberalen Vereins, in dem
die Abschaffung des Dreiklassenwahlrechts
gefordert wird

42. Stimmabgabe bei den preußischen
Landtagswahlen von 1903

arbeiter von den Grundbesitzern zur Stimmabgabe für die konservative Partei getrieben, wie »das
Vieh zur Tränke«. Erst im Jahre 1903 wurden Wahlzellen und ein Umschlag für den Wahlzettel
des Wählers eingeführt. Die Abgeordneten erhielten seit 1906 wieder Tagegelder und freie Fahrt
auf den Bahnen, nachdem derartige Vergünstigungen im Jahre 1884 aufgehoben worden waren.
Konservative Kreise und selbst Bismarck in seiner Spätzeit wollten das freie und gleiche Wahlrecht
für den Reichstag wieder aufgehoben wissen, ohne freilich damit durchdringen zu können. Von
einer Umwandlung des preußischen Herrenhauses, das natürlich erzkonservativ war und sich gegen
jede Neuerung stemmte, war erst gar nicht die Rede. Eine Änderung der Wahlkreiseinteilung
Preußens war überfällig: Agrarische Gebiete, vornehmlich in Ostelbien, wurden bevorzugt (sie
konnten mit relativ wenigen Wählern eine über Gebühr hohe Zahl von Abgeordneten stellen), die
neuen Industrie-Großstädte benachteiligt. Ihnen wurden vor 1914 nur 10 neue Wahlkreise bewil-
ligt – zweifellos, weil man ein Anwachsen der Stimmenzahl für die bürgerliche Linke und die
Sozialdemokraten fürchtete. Alles in allem sollten dem konservativen, agrarischen, protestantischen, eher städtearmen Osten Vorteile zugeschanzt werden, während der katholische, national-
oder linksliberale und sozialdemokratische, städtereiche industrielle Westen als verdächtig galt.
Verständlicherweise machte die öffentliche Meinung besonders der unteren, aber sehr breiten
Volksschichten gegen diese Zustände Front und nannte das herrschende System zu Recht anachro-
nistisch.

Die Konservativen

Im Jahre 1866 wurde die Freie Konservative Vereinigung, die sogenannten »Freikonservativen«, gegründet. Sie bildeten eine Stütze Bismarcks. Die »Deutsche Reichspartei«, gemäßigt konservativ gesinnt, wurde 1871 ins Leben gerufen (unter Wilhelm v. Kardorff). Seit 1872 waren die Konservativen gespalten. Die Freikonservativen standen immer noch auf der Seite Bismarcks, die alten Konservativen bekämpften den Kanzler eher, der damals mit den Liberalen zusammenarbeitete. Die katholischen Konservativen gingen größtenteils zum Zentrum und seinen süddeutschen Schwesterparteien.

Die Deutsche Konservative Partei wurde 1876 gegründet. Sie beherrschte das nicht-katholische konservative Lager und bestand in dieser Form von 1876 bis 1918. Bei Wahlen nach dem allgemeinen direkten und gleichen Wahlrecht konnte sie im Reichstag immer nur eine kleinere Fraktion stellen. Sie mußte sich mit anderen Parteien verbünden und trachten, ihren Einfluß anderswo, vor allem in den Ministerien, entscheidend in die Waagschale zu werfen. Sie verfügte über eine Monopolstellung im preußischen Herrenhaus und über die Mehrheit im preußischen Landtag.

Die alten Konservativen waren keine Freunde des neuen Reiches; sie wollten nur Preußen sein. Das Jahr 1871 markierte nach ihrer Auffassung eher das bedauerliche Ende des alten Preußen, als das Gründungsjahr des deutschen Nationalstaats und zweiten Kaiserreiches.

Ihre Anhänger und Wähler waren Angehörige der Höfe (vornehmlich der protestantischen) und des grundbesitzenden Adels (Landadel), die Junker, Groß- und größere Bauern (soweit sie nicht zum Zentrum gehörten), Offiziere, Regierungsbeamte, Pastoren, die Mitglieder der nationalen und Kriegervereine jeder Art, zumeist auch die Belegschaften der Rittergüter (Agrararbeiter), die man bei den Wahlen unter Druck setzte. Konservativ wählten aber auch Teile des Bildungsbürgertums (Professoren usw.) und des finanziell sehr gut gestellten Besitzbürgertums: Sie erwogen oft, von der roten Gefahr erschreckt, ob sie nicht von den Liberalen zu den Konservativen übergehen sollten, und sie vollzogen diesen Schritt nicht selten. Die sicheren Wahlkreise der Konservativen lagen in Ostelbien und in anderen agrarischen Bezirken. Das Organ der Partei war die berühmte »Kreuzzeitung«. Die Partei begab sich, wie der Adel, immer mehr in eine Abwehrstellung gegen Neuerungen. Sie war zuerst eine Weltanschauungspartei, konservativ, monarchistisch, vornehmlich protestantisch. Viele Konservative unterstützten nicht den Kulturkampf, weil er gegen eine Kirche gerichtet war. Die Partei war ferner deutsch-national (oft eher preußisch-national), autoritär, antidemokratisch, größtenteils antisemitisch und antisozialistisch (sozialreaktionär). Sie wollte keine Volkspartei sein und legte auf breite Popularität keinen Wert; man erklärte hochmütig, daß man eben nicht opportunistisch wie andere sei. Volle Demokratisierung erschien den Konservativen gleichbedeutend mit Zersetzung und Niedergang. Die Volksvertretungen wurden gering geschätzt. Der konservative Reichstagsabgeordnete Elard von Oldenburg-Januschau aus Ostpreußen erklärte 1910 im Reichstag: »Der König von Preußen oder der Deutsche Kaiser muß stets imstande sein, jedem Leutnant zu sagen: Nehmen Sie zehn Mann und schließen Sie den Reichstag!« Ein Satz, der berühmt geworden ist und ein Schlaglicht auf die Haltung der Konservativen gegenüber dem Parlamentarismus wirft.

43. Ernst v. Heydebrand und der Lasa, Führer der konservativen Landtagsfraktion seit 1903 und einflußreichster Politiker in Preußen

Aus der ehemaligen Weltanschauungspartei wurde mehr und mehr eine Klassen- und Interessenpartei. Sie vertrat den Adel und dessen alte Privilegien sowie die Interessen der Landwirtschaft. Die Partei und der rührige und mächtige, im Jahre 1893 gegründete »Bund der Landwirte« arbeiteten Hand in Hand. Daneben gab es auch einen bayerischen Bauernbund, der aber mehr mittlere und kleine Bauern vertrat. Der »Bund der Landwirte« forderte die Einführung von hohen Schutzzöllen für Getreide, was natürlich zu einer Verteuerung der Lebensmittel und damit zu einer Belastung für die unteren Volksschichten führen mußte. Der Bund wünschte möglichst wenig direkte Steuern, dafür Steuerprivilegien für den ostelbischen, oft arg verschuldeten Grundbesitz. Ja, der Bund verhinderte sogar den Zusammenschluß des Kanalsystems im Westen und Osten, damit nicht größere Mengen von Lebensmitteln auf den Kanälen in den Osten des Reichs »importiert« werden könnten. Mit aller Kraft suchte man die Interessen der Landwirtschaft zu verteidigen; dies um so mehr, als man immer deutlicher spürte, daß die Zukunft des Reiches in der Industrialisierung lag und die Landwirtschaft im Vergleich mit der Industrie ins Hintertreffen zu geraten drohte. Immerhin hatte die Ansicht der Konservativen und des »Bundes der Landwirte«, daß die agrarische Basis im Reichsgebiet nicht zu schmal werden und daß man nicht zu sehr vom Import ausländischer Lebensmittel abhängig sein dürfe, einiges für sich. Die Bevölkerung wurde während des Ersten Weltkrieges daran erinnert.

Die konservative Partei verdankte ihre Stellung der Beibehaltung des preußischen Herrenhauses in seiner alten Form, dem preußischen Dreiklassenwahlrecht sowie der veralteten Wahlkreiseinteilung, die dicht besiedelte Gebiete zu wenig berücksichtigte, und der praktisch offenen Stimmen-

abgabe bei den Wahlen auf dem Lande. Die Junker sollen oft von nahezu jedem Bauern und Landarbeiter gewußt haben, wie er gewählt hatte; er konnte sich Schwierigkeiten aussetzen, wenn er
nicht konservativ votiert hatte.

Die preußische Verfassung durfte nach dem Willen der Konservativen nicht geändert werden.
Ernst v. Heydebrand war durch viele Jahre der Führer der konservativen Partei: Zustände, die
immer anachronistischer wurden, hat er mit bemerkenswertem Geschick und mit Zähigkeit verteidigt. Während Kaiser Wilhelm I. konservativ und Friedrich III. eher liberal gesinnt waren,
schwankte Wilhelm II. in seiner Haltung gegenüber den Konservativen, die wiederum mit ihm
nicht stets zufrieden waren. Durch seine ungeschickten Reden und Auftritte machte Wilhelm II. den
Konservativen die Verteidigung der monarchistischen und konservativen Idee oft schwer.

Im Juli 1914 wurde ein jungkonservativer Reichsverband gegründet, der durch einige Reform-
ambitionen sofort das Mißtrauen der Leitung der konservativen Partei hervorrief. Der Krieg
machte solche Dispute bedeutungslos, und das Jahr 1918 brachte schließlich den völligen Zusammenbruch des Systems, auf dem die Stärke der konservativen Partei beruht hatte.

Die Alldeutschen

Obwohl gewiß nicht alle Konservativen Alldeutsche waren und sich die Bestrebungen der Konservativen und Alldeutschen nicht völlig deckten, schließt sich hier doch sinnvoll das Kapitel über
die Alldeutschen an. Selbstverständlich hatte der Alldeutsche Verband auch Mitglieder, die Anhänger nicht-konservativer Parteien waren. Es gab seit 1891 einen »Allgemeinen Deutschen Verband«; der »Alldeutsche Verband« wurde im Jahre 1894 gegründet. Er spiegelte die Mentalität eines
Teils des deutschen Bürgertums wider. Sein erster Vorsitzender war der bekannte Kolonialpionier in
Ostafrika Dr. Karl Peters (bis 1893), hierauf Ernst Hasse (1893–1908) und seit 1908 (bis zur
gewaltsamen Auflösung des Verbandes im Jahre 1939) Justizrat Dr. Heinrich Class.

Bismarck hatte das Zweite Deutsche Reich ausdrücklich für saturiert erklärt, der Alldeutsche
Verband dagegen erstrebte eine Weltstellung des Reiches durch Erfassung aller Deutschen auch
außerhalb des Deutschen Reiches, man propagierte einen Pangermanismus, der überdies die politische Expansion nach Skandinavien, nach Holland, zu den Flamen, in den polnischen Raum, in
den Raum der österreichisch-ungarischen Monarchie, tief nach dem Südosten, nach dem Balkan,
nach dem nahen Orient, in den Raum der Mohammedaner vorsah – ja, während des Ersten Weltkrieges dachte man an fast uferlose Annexionen. Die Deutschen in Rußland sollten ausgesiedelt und
nach Deutschland gebracht, weitere große Kolonien erworben werden.

Der Alldeutsche Verband stand rechts, er war monarchistisch (machte aber den üblichen »Byzantinismus« nicht mit), antidemokratisch und galt als sozialreaktionär. Er unterhielt Beziehungen
zum Auswärtigen Amt, obwohl seine Forderungen dem Großteil der Diplomaten zu maßlos waren, zum Reichsmarineamt, zum Flottenverein und zu den Wehrvereinen. Der Verband verfügte
auch über Querverbindungen zum Reichstag – 60 Abgeordnete waren Mitglieder des Verbandes –,
zum preußischen Landtag, zu den konservativen und bürgerlichen Rechtsparteien (vom Zentrum
abgesehen) sowie zu einer Reihe von Universitätsprofessoren, z. B. auch zu damals bekannten

Historikern wie Dietrich Schäfer. Der junge und unreife Kronprinz Wilhelm war ein besonderer Gönner der Alldeutschen, während Wilhelm II. in seiner Haltung gegenüber dem Verband schwankte.

Die gute Organisationsgabe der Deutschen bewährte sich auch bei den Aktivitäten des All-deutschen Verbandes. Die Alldeutschen, deren Mitgliederzahl nie über rund 35 000 hinausging, hatten einen weit über diese Zahl hinausreichenden Einfluß, praktizierten eine rege Propaganda, gaben eine Reihe von Zeitschriften, Zeitungen, Flugschriften und Handbücher heraus und wußten viele Deutsche außerhalb des Reiches zu interessieren und als Mitglieder zu erfassen. Der Verband hat viel für die Errichtung von Bibliotheken, Kindergärten und Schulen in deutschsprachigen Gebieten außerhalb des Reiches getan, wo die Deutschen national bedrängt und wirtschaftlich in Not waren, und diese Leistung soll hier nicht bestritten werden. Er hat deutsche Kultur – was immer er darunter verstand – verbreitet. Durch Gesellschaftsreisen lernten Mitglieder des Ver-bandes die Probleme des Auslandsdeutschtums kennen.

Andererseits gediehen, getragen besonders durch den Vorsitzenden Class und radikale Elemente, gefährliche Ideen und Pläne im Rahmen des Verbandes: Die darwinistische Theorie, übertragen auf das Völkerleben; das Wort vom ewigen Kampf auf der Erde, in dem der Schwache unterliegen müsse; die Überzeugung vom unterschiedlichen Wert der Rassen, die einen ausgeprägten Anti-semitismus im Gefolge hatte, sowie der Glaube an die Höherwertigkeit der Deutschen als Herren-volk – hier brach sich bereits Bahn, was im Nationalsozialismus so radikal und hart hervortreten sollte. Der Verband bejahte Militarismus und das Prinzip des Präventivkrieges. Die meisten Mit-glieder begrüßten den Krieg von 1914, dessen Ausbruch »wie eine Befreiung« verstanden wurde. Überflüssig zu sagen, daß die Aktivität des Verbandes im Ausland mit größtem Mißtrauen ver-folgt wurde.

Der Verband verlor schließlich jedes Augenmaß, er überschätzte die Kräfte des deutschen Staates und Volkes und die Möglichkeiten der Außenpolitik des Reiches; er wirkte häufig taktlos und pro-vozierend. Bei allen Verdiensten für das Auslandsdeutschtum schadete er doch dem Deutschen Reich im Ausland sehr, zumal in den Nachbarstaaten sein Einfluß auf die Reichsregierung und die öffentliche Meinung im Reich weit überschätzt wurde. Neben dem Flottenausbau durch Tirpitz hat gerade die Aktivität des Alldeutschen Verbandes die antideutsche Stimmung in England sehr verstärkt.

Sicherlich gab es unter den Mitgliedern des Verbandes manche Idealisten; dennoch hat sich die politische Unreife und Ungeschicklichkeit des deutschen Bürgertums gerade im Alldeutschen Ver-band dokumentiert. Die deutsche Neigung, alles gleich bis zur letzten Konsequenz zu treiben und Prinzipien zu Tode zu reiten, trat hier auffällig hervor.

Das Zentrum. Der Kulturkampf

Der Kulturkampf – das Wort wurde von Rudolf Virchow geprägt – ist ein wesentlicher Faktor in der deutschen Kulturgeschichte dieser Epoche, kann aber hier nur skizziert werden. Er begann in den Jahren 1871 bis 1873; zwischen 1880 und 1883 kam es zwar zur Milderung der Spannungen, doch wurde er erst 1887 endgültig beigelegt. Der Kulturkampf bestand aus einer Verfolgung der –

sich wehrenden – katholischen Kirche und ihres Klerus, nicht des Glaubens und der Religion. Die Auseinandersetzungen spielten sich in Preußen, daneben in Bayern und Baden ab. Das Ganze ging von der forcierten Ansicht der Liberalen und der protestantischen Beamten aus, daß die an Rom orientierten Katholiken Feinde des Fortschritts seien; ihre Mitwirkung im öffentlichen Leben wurde als unerwünscht empfunden und sogar geargwöhnt, sie könnten im neuen Reich staatsgefährdend operieren. Man müsse versuchen, einen Teil der Katholiken zu emanzipieren und von der »Papstherrschaft« zu befreien. Bismarck griff diese Grundstimmung auf und machte sie sich zunutze. Die Motive für sein Vorgehen gegen die katholische Kirche lagen allerdings in deren Widerstand gegen die von ihm angestrebte Trennung von Kirche und Staat sowie in der – wohl überschätzten – Verbindung katholischer Kirchenkreise zu den polnischen und lothringischen Katholiken und zur lothringisch-französischen Nationalbewegung. Die protestantische und liberale Mehrheit im preußischen Landtag hat durch viele Jahre die Maßnahmen Bismarcks anstandslos gebilligt. Kaiser Wilhelm I., seine Gemahlin Augusta, selbst der orthodoxe protestantische Klerus und die überzeugten Konservativen haben den Kulturkampf – allerdings lange ohne Erfolg – nicht unterstützt, weil sie befürchteten, daß man Teilen des Volkes die Gläubigkeit nehme und daß nur die Sozialisten von der Auseinandersetzung profitieren könnten.

Die deutschen Katholiken wurden indessen nicht aufgespalten oder eingeschüchtert; gewiß fielen manche von der Kirche ab, andere hielten dafür um so stärker an ihr fest.

Der Kampf war nicht Reichsangelegenheit, sondern nur die Sache einzelner Bundesstaaten. Er wurde in einzelnen Teilen des Reiches nur lau oder gar nicht geführt. Die Ergebnisse des Kampfes konnten nicht nach dem Sinn der Kulturkämpfer sein. Die Achtung der deutschen Katholiken vor ihrem Klerus, der sich im allgemeinen klug und mannhaft verhielt und auf einige »Märtyrer« verweisen konnte, wurde eher gehoben. Der Klerus, die katholischen Gläubigen, die von Bismarck befehdete Partei des Zentrums und die Römische Kurie verbanden sich stärker als früher, die Organisation der deutschen Katholiken wurde straffer.

Die Ergebnisse des Kulturkampfes wirkten sich am Ende vorteilhaft für das Zentrum aus, und ein guter Teil der deutschen Katholiken stand nach dem Kulturkampf den Landesherren in Preußen, Bayern oder Baden, besonders Bismarck und dem neuen Regime des Reiches fremd, feindlich oder mißtrauisch gegenüber. So kam es schließlich eher zu einem Sieg der katholischen Kirche und zu einer Niederlage Bismarcks und der Regierungen in den betreffenden Bundesstaaten. Die Gegner der katholischen Kirche erreichten nur weniges – Dinge, die sie in kürzerer Zeit und billiger hätten haben können. Es war im wesentlichen die Zivilehe (daneben blieb die kirchliche Trauung für Katholiken von der Kirche vorgeschrieben) und eine gewisse Anzeigepflicht der Kirche gegenüber dem Staat bei der Besetzung höherer kirchlicher Stellen, ferner ein Einspruchsrecht des Staates hierbei, das meistens nicht ausgeübt wurde. Die Mitglieder bestimmter Orden – vor allem die Jesuiten – konnten erst nach und nach ins Reich zurückkehren.

Das Zentrum war eng mit dem katholischen Teil der Bevölkerung des Reiches verbunden; Schwesterparteien des Zentrums wirkten unter anderen Namen in Süd- und Südwestdeutschland.

Es bestanden auch Verbindungen zu den katholischen Elsässern, Lothringern und Polen im Reich. Die Partei entstand im Herbst 1870 und stellte bereits 1874 die zweitstärkste, seit 1881 die stärkste Fraktion des Reichstages, eine Stellung, die sie später an die Sozialdemokraten verlor. Zuerst verbarg sich im Zentrum die Opposition z. B. der Welfen in Hannover. Die Partei wollte

44. Karikatur des »Kladderadatsch« zum Kulturkampf (1875)

überkonfessionell sein, aber Bismarck trieb die katholischen Kreise durch den Kulturkampf im Zentrum zusammen, während der Zustrom von Protestanten nahezu vollständig aufhörte. Die Grundhaltung des Zentrums war demokratisch; man focht für die Macht des Parlamentes, gegen die Allmacht des Staates, föderalistisch gegen die Verpreußung des Reiches und gegen den preußischen Militarismus. Das Zentrum war keine Klassenpartei; Adlige, Bürger aller sozialen Stufen, Arbeiter und Bauern traten als Wähler und als Abgeordnete auf. Die Partei wurde so groß, daß sich ein rechter und ein linker Flügel herausbildeten; letzterer gewann vor 1914 an Gewicht.

Die Partei forderte die volle Freiheit und Selbständigkeit der katholischen Kirche im Reich. Die gesamten katholischen Vereine und Organisationen, und zwar religiöse Vereine, Studentenkorporationen, gelehrte Vereine (Görresgesellschaft), bestimmten Klassen dienende Vereine (Gesellen des Kolpingvereins, Vereine von Meistern, Lehrlingen, Bauern), christliche Gewerkschaften, karitative Vereine, Pressevereine, natürlich sämtliche katholischen Zeitungen und Zeitschriften – das Hauptblatt war die »Germania« – standen dem Zentrum zur Verfügung. Bismarck versuchte vergeblich, die Römische Kurie gegen das Zentrum auszuspielen. Allerdings erklärte die Partei, daß sie, wenn nötig, in weltlichen Fragen der Kurie keinen Gehorsam schuldig sei. In der Stärke ziemlich gleichbleibend, ohne große Stimmengewinne oder -verluste, hatte das Zentrum eine Schlüsselstellung im Reichstag und im preußischen Landtag inne.

In wissenschaftlichen und moralischen Fragen galt die Partei als sehr empfindlich. Sie hat moralische Mißstände in den deutschen Kolonien vor den Reichstag gebracht und scheute dabei nicht davor zurück, Deutschland vor der Welt zu kompromittieren. Die katholische Missionstätig-

45. Ludwig Windthorst,
der führende Zentrumspolitiker,
1889 gezeichnet im Foyer des
Reichstages

keit war für das Zentrum das wichtigste in der deutschen Kolonialpolitik. Die Lex Heinze von 1900 (gegen Kuppelei, Zuhälterei, gegen »das Schamgefühl verletzende« Schriftwerke und Darstellungen der bildenden Kunst) hatte ihre positiven Aspekte, aber das Zentrum versuchte der Geltung des Gesetzes ein ungebührlich weites Ausmaß zu geben, das einer prüden Eindämmung der Kunst gleichkam. Unter Literaten und bildenden Künstlern (der »Goethebund«, Leiter Hermann Sudermann) erhob sich ein Sturm der Entrüstung, und das Zentrum mußte seine Pflöcke zurückstecken.

Das Zentrum verfügte stets über fähige und rührige Abgeordnete. Ich nenne hier nur Ludwig Windthorst, den geschickten Gegenspieler Bismarcks, Ernst Lieber, Hermann v. Mallinkrodt, Peter und August Reichensperger und den allerdings viel umstrittenen Matthias Erzberger. Ludwig Thoma hat in seinen amüsanten »Briefen des Abgeordneten Josef Filser« die bayerische Filialpartei des Zentrums lächerlich gemacht. Immerhin hat die Partei es nach 1918 verstanden, mit der neuen Zeit zu gehen und ihre Macht in der Weimarer Republik noch zu steigern – bis 1933.

Die Liberalen

Die wiederholten Zusammenschlüsse und Spaltungen (Sezessionen) der liberalen Parteien und ihrer Teile von 1866 bis 1918 können hier nicht aufgezählt werden. Es gab im wesentlichen die Nationalliberalen, die eine Mitte-Rechts-Partei bildeten, und die Linksliberalen (Freisinn und Fortschritt), die als eine Mitte-Links-Partei oder sogar als Linkspartei angesehen werden konnten. In Süddeutschland vertrat die Deutsche Volkspartei den Liberalismus. Alle diese Gruppierungen waren keine Massenparteien. Ihre Partei-Organisationen waren sehr locker. Man arbeitete mit Wahlkomitees, Bürgervereinen und geselligen Clubs.

Die Träger und Wähler der Nationalliberalen waren die Kreise um das Großbürgertum, die Großindustriellen, die Großkaufleute, die Fabrikanten, die Bankiers, die Unternehmer und Arbeitgeber und die Direktoren der Aktiengesellschaften. Teile dieser Kreise tendierten allerdings zu den

Konservativen und zum Zentrum. Die Großindustrie, der Zentralverband Deutscher Industrieller und der im Jahre 1909 gegründete Hansabund finanzierten die Nationalliberalen. Es war eine Honoratiorenpartei – Offiziere ohne viel Mannschaft.

Die Wähler von Freisinn und Fortschritt waren zahlreicher. Es waren Gewerbetreibende, mittlere und kleine Kaufleute, mittlere und kleine Beamte und Angestellte, liberal gesinnte Akademiker, Volksschullehrer, evangelische Geistliche, auch Bauern. Bei den Nationalliberalen taten sich Rudolf v. Bennigsen und, während des Ersten Weltkrieges, Gustav Stresemann, bei Freisinn und Fortschritt der wortgewaltige Eugen Richter als glänzende Abgeordnete hervor.

Die Nationalliberalen, die von 1871 bis 1878 eng mit Bismarck zusammenarbeiteten, haben manche Konzessionen machen müssen. Sie rückten immer weiter nach rechts, akzentuierten mehr das nationale als das liberale Element und bejahten den Machtstaat; sie waren zuerst »Freihändler«, dann »Schutzzöllner«. Die Nationalliberalen schwankten zwischen den Prinzipien, eine Regierungspartei zu sein oder mindestens die Regierung zu unterstützen, oder eine gemäßigte Opposition zu treiben. Freisinn und Fortschritt, die Linksliberalen, jedoch standen fast immer in scharfer Opposition, Eugen Richter war im Reichstag einer der zähesten Widersacher Bismarcks.

Man kann, um es salopp auszudrücken, sagen, daß die Nationalliberalen sehr viel Wasser in den liberalen Wein geschüttet haben, die Linksliberalen nur wenig Wasser, aber hier und da auch etwas. Manche Grundsätze der sechziger Jahre mußten aufgegeben werden. Man konnte nicht den Staat ignorieren und neben ihm leben. Man verurteilte die steigende Staatsomnipotenz, sah aber ein, daß eine Großmacht wie Deutschland inmitten hochgerüsteter, z. T. feindlicher Staaten schließlich keine Volksmiliz mehr aufstellen konnte, sondern ein starkes Heer brauchte. Der Kulturkampf, den die Liberalen begrüßt hatten, mußte abgebrochen werden. Aber die Liberalen forderten nach wie vor die Säkularisierung des Lebens, die Trennung von Kirche und Staat. Sie waren größtenteils prosemitisch. Sie haben sich dadurch Verdienste erworben, daß sie stets für die Verbesserung des Schulwesens, für die Schulpflicht, für einheitliche Staatsschulen eingetreten sind. In der Frage des Wahlrechts waren sie gespalten: die einen wünschten, daß Besitz und Bildung bevorzugt würden, die anderen forderten eine Erweiterung des Wahlrechts (vor allem in den Landtagen) und eine Parlamentarisierung der Verfassung des Reiches und der Bundesstaaten.

Der Liberalismus wollte das freie Spiel der Kräfte in der Wirtschaft. Man bejahte den Kapitalismus, die Freizügigkeit in der Wirtschaft, die Gewerbefreiheit, den Freihandel, der sich aber nicht verewigen ließ, man war gegen den Protektionismus des Staates. In der liberalen Wirtschaft gab es keine Sicherungen und Versicherungen. Der Liberalismus wünschte das freie Spiel der Kräfte auch in der sozialen Frage, also volle soziale Freiheit, das Recht auf die Selbsthilfe und das freie Koalitionsrecht der Arbeiter; man griff die staatliche Fürsorgepolitik und den staatlichen Interventionismus an; der Staat sollte seine Kompetenzen in der Wirtschaft und Sozialpolitik möglichst wenig ausdehnen. Bei diesem »freien Spiel der Kräfte« konnte der eine sozial rasch aufsteigen, der andere zugrundegehen – und so wurde der Vorwurf erhoben, die geforderte Freiheit sei eine Freiheit zur Ausbeutung der wirtschaftlich Schwächeren. Bismarck hat seine berühmte Sozialgesetzgebung gegen den Willen der meisten Liberalen durchsetzen müssen.

Wie man sieht, arbeiteten die Liberalen teilweise mit ihren Forderungen den Sozialisten in die Hand – Säkularisierung des Lebens, Parlamentarisierung, Widerstand gegen die Omnipotenz des bestehenden Staates –, mit anderen Forderungen jedoch standen sie völlig konträr zu den Sozialisten. Der Sozialismus hat den Linksliberalen viele Wähler entzogen. Die Linksliberalen delegierten eine Anzahl jüdischer Abgeordneter in den Reichstag, und ihre Judenfreundschaft wurde ihnen von anderen Gruppen vorgeworfen. Selbst Jacob Burckhardt schrieb einmal, daß die deutschen Liberalen wieder etwas vom Judentum abschütteln müßten. Wohin aber sollten sich die politisch interessierten intellektuellen Juden wenden, wenn nicht zu den Linksliberalen oder zu den Sozialisten?

Die Liberalen haben Bismarck, der nur zeitweilig ihr Bundesgenosse war, ganz mißverstanden. Er hat ihnen den Gefallen nicht getan, nach 1871 aus dem Reich einen vollständig liberalen Staat zu machen. Die liberalen Forderungen in Weltanschauung, Wirtschaft und in der sozialen Frage hatten in den letzten Jahrzehnten des 19. Jahrhunderts noch ihre Berechtigung. Sie waren aber zum größten Teil nach 1900 überholt und verbraucht. Die liberalen Wähler sind allerdings nie völlig in anderen Parteien aufgegangen; trotz aller Verluste blieb der Liberalismus eine einigermaßen konstante Größe.

Die Sozialgesetzgebung Bismarcks

Die Liberalen haben Bismarck, der nur zeitweilig ihr Bundesgenosse war, ganz mißverstanden. Frage evolutionär, Schritt für Schritt, in Angriff genommen werden. Eine wirtschaftliche Krise, die vom Jahr des Krachs (1873) teilweise noch bis nach 1880 nachwirkte, mußte überwunden werden. In dieser Zeit ging es den Arbeitern mehr oder minder schlecht. Die meisten hatten Entlassung und Arbeitslosigkeit zu fürchten, die Löhne sanken, und man führte ein höchst bescheidenes, zum Teil elendes Dasein. Die höheren Klassen schlossen davor mitunter krampfhaft die Augen, und auch der Kulturkampf lenkte die Aufmerksamkeit vieler Bürger von der sozialen Frage ab.

Eine Sozialgesetzgebung hätte früher beginnen müssen. Bismarck kannte aus eigener Anschauung nur das patriarchalische Verhältnis des Gutsbesitzers zum Bauern und Agrararbeiter auf dem Lande, wo manche Not – etwa bei der Nahrungsbeschaffung – gemildert wurde, die den Industriearbeiter oder Bergmann drückte. Der Reichskanzler hat mit dem Sozialistengesetz von 1878 die Sozialdemokraten unterdrückt bzw. ihre Tätigkeit sehr einengen lassen. Die Vorschriften des Gesetzes wurden allerdings seit 1881 bzw. 1884 gemildert, und hierzu kamen Versuche Bismarcks, durch positive Maßnahmen die Arbeiter für den konservativen Staat zu gewinnen.

Kaiser Wilhelm I. erließ auf Verlangen Bismarcks am 17. November 1881 eine soziale Botschaft. In ihrem Sinne kam es 1883 zur Krankenversicherung (Novellen in den Jahren 1892 und 1903), 1884 zur Unfallversicherung (Novelle im Jahre 1900) und 1889 zur Invaliditäts- und Altersversicherung (sie trat am 1. Januar 1891 in Kraft, Novelle im Jahre 1899). Bis 1886 waren drei Millionen Industriearbeiter versichert. Das dritte Gesetz von 1889, das die Altersversicherung betraf und das zwölf Millionen Menschen erfaßte, galt für Arbeiter und Arbeiterinnen, für Dienstboten, Näherinnen, Wäscherinnen und Handlungsgehilfen, die jährlich unter 2000 Mark verdienten. Eine Rente wurde allerdings erst vom 70. Jahr an ausgezahlt. Es waren Zwangsversicherungen: Einen Teil der Rente zahlte das Reich, einen Teil der Arbeitgeber, einen weiteren Teil der Arbeitnehmer. Die oberste Aufsicht hatte das Reichsversicherungsamt.

Diese Versicherungsgesetze wurden während der Geltung des Sozialistengesetzes von 1878 bis 1890 erlassen. Man ersieht daraus Bismarcks Bestreben, die sozialen Leistungen als vom Staat gewährt erscheinen zu lassen, nicht als Resultat erzwungener Forderungen. Die Zusammenarbeit mit den Sozialdemokraten in dieser Frage lehnte Bismarck daher ab.

Ungeachtet dessen stellte die Sozialgesetzgebung einen großen Fortschritt dar. Das Deutsche Reich eilte damit sämtlichen Staaten voraus, es diente als Vorbild, und es kam anderswo erst nach und nach zu teilweise weniger wirksamen Nachahmungen.

Man hat zeitweilig befürchtet, daß durch die Versicherungen und die Beträge, die besonders die Arbeitgeber zahlen mußten, die Preise steigen und Deutschlands Konkurrenzfähigkeit gegenüber dem Ausland zurückgehen würden. Dies war jedoch nicht der Fall.

Es galt ferner die Gewerbeordnung von 1869. Im Jahre 1876 kam ein Gesetz über Hilfskassen heraus, das besonders die Kommunalbehörden belastete, aber ohne nennenswerte Resultate blieb. Bismarck hielt damit die soziale Fürsorge für abgeschlossen. Er war nicht gewillt, viel weiteres zu gewähren. Er wollte – damit stand er sowohl den Konservativen als auch den Liberalen nahe – den Fabrikanten und den Arbeitern ansonsten weitgehend Freiheit lassen: Der Fabrikant habe bestimmte Besitzer- und Herrenrechte, während die Arbeiter und Arbeiterinnen nach Belieben über das Normale hinaus mehr Arbeitsstunden ableisten und dabei mehr verdienen könnten. Darin dürfe man sie nicht einschränken. So wandte sich Bismarck noch gegen das Verbot der Sonntagsarbeit, der Frauen- und Kinderarbeit, gegen die Einschränkung der täglichen Arbeitszeit, gegen Schiedsgerichte zwischen Arbeitgebern und -nehmern und gegen Fabrikinspektoren.

Die sozialen Gesetze Bismarcks waren neuartig und ungewohnt und erfuhren viel Kritik: Der bürokratische Apparat der Versicherungen sei zu teuer, die Verwaltungskosten seien zu hoch; die Versicherungen gegen Krankheit, Unfall und Invalidität würden einen Anreiz für Simulanten bilden.

Sowohl die Arbeitgeber als auch die Arbeitnehmer zahlten zuerst die Beiträge nicht gern. Viele Mitglieder auch der Sozialdemokraten dürften indessen bald – wenn auch uneingestanden – die Versicherungsgesetze begrüßt haben. Die sozialdemokratische Partei wandte sich offiziell jedoch gegen die Versicherungsverordnungen und stimmte auch im Reichstag gegen die Gesetzesvorlagen. Sie seien lediglich ein taktisches Manöver der Regierung, mit dem man die Arbeiter nicht versöhnen werde. Es handele sich höchstens um ein Almosen, eine Abschlagzahlung. Der Arbeiter fordere dagegen das Mitspracherecht und die Gleichberechtigung. Er wünsche die Selbstverwaltung in sozialen Dingen.

Es erwies sich jedoch, daß gerade die – bei der Abstimmung abgelehnten – Versicherungs- und Krankenkassenanstalten später hohe Geldbeträge ansammeln und zu einer Stätte der Schulung für den politischen Nachwuchs der Sozialdemokraten werden konnten.

Bismarck war von der Ablehnung durch die Sozialdemokraten so enttäuscht, daß er z. B. erwog, bei eventuellen Streiks nicht einzugreifen: Ein Streik solle ausbrennen, und der Arbeiter gezwungen sein, die Arbeit wieder aufzunehmen, wenn er keine Mittel mehr zum Leben habe. Ja, Bismarck dachte um 1889/1890 sogar an einen Staatsstreich, der sich vor allem gegen die Sozialdemokraten gerichtet hätte: Das Wahlrecht zum Reichstag und zu den Landtagen sollte grundlegend im konservativen Sinn geändert werden.

Der Nachfolger Bismarcks, Graf Caprivi, war keineswegs so konservativ, wie man es von ihm erwartet hatte. 1890 wurden staatliche Gewerbegerichte eingeführt, die Streitigkeiten zwischen Arbeitgebern und Arbeitnehmern schlichten sollten. Das Arbeiterschutzgesetz von 1891 enthielt

Bestimmungen zur gesetzlichen Sicherung der Sonntagsruhe, zum Verbot der Nachtarbeit sowie zur Einschränkung der Frauen- und Kinderarbeit. Schulpflichtige Kinder sollten nicht länger zur Fabrikarbeit gezwungen werden können. Trotz der Einschränkung der Arbeitszeit blieb oft der Arbeitstag von 11 oder 10 Stunden. Es wurden gleichmäßige Kündigungsfristen und obligatorische Arbeitsordnungen sowie eine Gewerbeaufsicht angestrebt, und eine Novelle zur Gewerbeordnung von 1891 galt der Sicherung von Leben und Gesundheit der Arbeiter durch die Anordnung, die Arbeitsräume u. a. mit gutem Licht und guter Luft annehmbar einzurichten und Maschinen und Geräte so zu verwenden, daß sie niemanden gefährdeten. Eine Reihe von zusätzlichen Gesetzen und Verordnungen brachte nach und nach weitere soziale Erleichterungen und Vorteile:
1896 die Ausdehnung der Fabrikinspektion auf handwerkliche und Kleinbetriebe sowie Hausindustrie;
1896 eine Erleichterung der Arbeit in Bäckereien und Konditoreien.
1897 folgte ein neues Handwerkergesetz, 1903 das Gesetz über die endgültige Aufhebung der Kinderarbeit, 1903 eine Seemannsverordnung, 1908 ein neues Gesetz für Vereine und Versammlungen (das den Sozialdemokraten zugute kam). Zu erwähnen sind ferner das Stellenvermittlergesetz (1910), die Neue Reichsversicherungsverordnung, das neue Gesetz zur Angestelltenversicherung, das Hausarbeitsgesetz, die neue soziale Versicherung für die Landarbeiter und die Witwen- und Waisenversorgung (besonders für Arbeiterfamilien), die alle 1911 erlassen wurden.

Um 1900 waren neun Millionen Arbeiter gegen Krankheit versichert, dreizehn Millionen gegen Invalidität und bei Erreichung der Altersgrenze, siebzehn Millionen gegen Unfall. Die Sozialdemokraten erhoben allerdings noch weitere Forderungen. Sie wandten sich u. a. gegen die Schutzzölle auf agrarische Produkte, die die Preise von Mehl, Brot und anderen Lebensmitteln erhöhten.

Ungeachtet dessen war Deutschland in der Gewährung sozialer Vorteile vor 1914 fast allen anderen Staaten der Erde zeitlich und im Ausmaß voraus.

Die Kathedersozialisten

Auch einige Konservative brachten soziales Verständnis auf und wünschten Besserungen für die Arbeiter; sie wandten sich gegen allzu reaktionäre Unternehmer. Zu nennen sind hier der Redakteur der konservativen »Kreuzzeitung« und Geheime Vortragende Rat im preußischen Staatsministerium Hermann Wagener, der preußische Handelsminister Hans Hermann Frh. v. Berlepsch, der die »Gesellschaft für soziale Reform« gründete, und nach 1900 der Staatssekretär im Reichsamt des Innern Arthur Graf Posadowsky-Wehner. (Von Naumann und Stöcker ist in anderen Kapiteln die Rede.) In den katholischen Teilen Deutschlands traten durch soziales Verständnis und entsprechende Vorschläge der Bischof von Mainz Wilhelm Emanuel Frh. v. Ketteler, der Fabrikbesitzer Franz Brandt aus Mönchengladbach, der Kaplan Franz Hitze – beide waren im katholischen Verein »Arbeiterwohl« in Aachen seit 1880 und im »Volksverein für das katholische Deutschland« seit 1890 tätig – und der Zentrumspolitiker und spätere Reichskanzler Georg Frh. (später Graf) von Hertling hervor.

Es gab ferner eine Reihe von Gelehrten (vornehmlich Nationalökonomen) und Publizisten, Organisatoren und Politiker, die erkannten, daß eine Erstarrung der herrschenden Gesellschafts-

47. Gustav Schmoller, Volkswirtschaftler
und Historiker,
gehörte zu den Kathedersozialisten

ordnung auf die Dauer nicht tragbar sei, die also eine gemäßigte Gesellschaftsreform forderten. Sie
sagten, daß der »Pauperismus« eingeschränkt oder abgeschafft werden müsse, fanden aber gerade
wegen der in ihren Programmen geübten Zurückhaltung keinen Anklang und keinen Dank bei
den auf den Marxismus eingeschworenen Führern der Sozialisten; es bestanden kaum Verbindungen
zu dieser Partei. Die Liberalen nannten jene Männer spöttisch »Kathedersozialisten«, ein Name,
der sich – später nicht mehr herabsetzend verstanden – allgemein durchsetzte. Die Kathedersozialisten standen im Gegensatz zum Marxismus; im Jahre 1872 gründeten sie einen »Verein für
Sozialpolitik«.

Manche Unternehmer, wie etwa Karl Ferdinand Frh. von Stumm-Halberg im Saarland, nannten
die »Kathedersozialisten« staatsgefährdende Verführer der akademischen Jugend – dennoch wurden zwei berühmte Vertreter dieser Richtung, Gustav Schmoller und Adolf Wagner, zu Rektoren
der Berliner Universität gewählt.

Neben Schmoller und Wagner (der übrigens auch »alldeutsche« und chauvinistische Ansichten
äußerte) gehörten Lujo Brentano und – bis zu einem gewissen Grade – der berühmte Werner
Sombart zu dieser Richtung. Ich erwähne ferner Adolf Held, F. A. Lange, Erwin Nasse, Karl
Theodor Reinhold, Gustav Friedrich Schönberg, Lorenz Stein, Max Weber und Julius Wolf.
Auch einige Österreicher standen den Kathedersozialisten nahe, unter ihnen Karl Frh. v. Vogelsang.

Friedrich Naumann mit seinem »Nationalsozialen Verein« (1896) und seiner sozialwissenschaft-
lichen Vereinigung vertrat Ziele, die denen der Kathedersozialisten zum Teil entsprachen.

Die christlichsoziale Bewegung (vgl. Adolf Stöcker), in Berlin und in Österreich verschieden, hatte bei weitem nicht den starken Zustrom wie die Sozialisten. Schließlich gab es auch in Kreisen der Linksliberalen »soziale Tendenzen«. Insgesamt konnte also nicht behauptet werden, daß das Bürgertum der sozialen Frage durchgehend verständnislos gegenüberstand.

Die Sozialisten

Im Abschnitt über die Arbeiterklasse wurde bereits auf die Sozialisten eingegangen; hier nun eine Skizze zur Geschichte ihres Aufstiegs.

Die einflußreichsten Propheten des Sozialismus waren Deutsche, die als Emigranten vornehmlich in London lebten: Karl Marx aus Trier (gest. 1883) und Friedrich Engels aus Barmen (gest. 1895), neben ihnen auch Ferdinand Lassalle (gest. 1864). Marx und Engels pflegten Kontakte zu Bebel, Liebknecht und Bernstein, und so bestand ein direkter Zusammenhang zwischen den großen Theoretikern und der sozialistischen Arbeiterpartei Deutschlands (später Sozialdemokraten). Die Entwicklung der sozialistischen Bewegung in Deutschland soll hier kurz nachgezeichnet werden.

Ferdinand Lassalle, der 1864 im Duell fiel, gründete 1863 den »Allgemeinen Deutschen Arbeiterverein«. Er griff die marxistische Lehre nicht auf und war zur Mitarbeit innerhalb des Staates bereit; Bismarck hat Beziehungen zu ihm angeknüpft. Im Jahre 1866 wurde die »Sächsische Volkspartei« gegründet, die bewußt auch Bürger aufnahm (nicht nur Arbeiter); diese schieden später jedoch größtenteils wieder aus.

August Bebel und Wilhelm Liebknecht gründeten 1869 in Eisenach die »Sozialdemokratische Arbeiterpartei Deutschlands«, die bald 150 000 Mitglieder zählte. Die Lassalleaner waren vorerst noch ausgeschlossen, vereinigten sich aber mit der Arbeiterpartei auf dem Parteitag von Gotha im Jahre 1875, der ein den Lehren von Marx nahestehendes Programm aufstellte. Das Programm wurde allerdings von Marx verworfen, was aber damals verheimlicht und erst 1891 bekannt wurde. Lassalles Vorstellungen wurden übergangen, spielten jedoch in der Praxis vieler süddeutscher Sozialisten noch eine Rolle.

Dem Sozialistengesetz vom 21. Oktober 1878 waren zwei Attentate auf den 81jährigen Kaiser Wilhelm I. vorausgegangen, die man wie andere Anschläge den Sozialisten zur Last legte, obwohl sich die Partei sofort von den Attentätern distanzierte. Sie konnte aber fortbestehen und sandte weiterhin Abgeordnete in den Reichstag und in die Landtage. Ihre Tätigkeit wurde allerdings stark behindert: 1770 Druckschriften wurden verboten, 1500 Menschen wanderten in ganz Deutschland zwischen 1878 und 1890 ins Gefängnis. 893 Personen wurden aus dem Ort ihres Wirkens ausgewiesen, verbreiteten aber nun ihre Propaganda in anderen Teilen des Reichs; 22 Gewerkschaftsverbände und 352 Vereine wurden aufgelöst. Versammlungen, Vereinstätigkeit und jede Agitation wurden verboten. Über manche Ortschaften wurde vorübergehend der »kleine Belagerungszustand« verhängt. Die Hauptführer der Sozialisten, August Bebel und Wilhelm Liebknecht, wurden mehrmals wegen »Vorbereitung zum Hochverrat« in Festungshaft genommen. Bebel ging – mit seinem Kanarienvogel und einem Koffer voller Bücher – auf die Festung, wo er Gelegenheit zur Ausheilung einer Krankheit und zum Studium fremder Sprachen sowie der Nationalökonomie fand. Liebknecht und er bereicherten in der Haft ihr Wissen im Interesse ihrer späteren Laufbahn.

Die Partei ging in den Untergrund, was bei weitem nicht so gefährlich war wie etwa eine illegale Aktivität nach 1933. Sozialisten trafen insgeheim in abgelegenen Gasthöfen, in Wäldern, Kiesgruben und Steinbrüchen zusammen, und es wurden auch Tarnorganisationen, wie Kegelklubs oder Turnvereine, geschaffen. Man darf, wie erwähnt, bei der Sozialistenverfolgung nicht an spätere faschistische Formen der Verfolgung denken.

Im Jahre 1881 wurden die sogenannten Fachvereine freigegeben, und seit 1884 ließ die Verfolgung merkbar nach. Die unterdrückten Sozialisten rückten beharrlich zusammen, empfanden sich als Märtyrer, und ihre Partei wurde nicht nur nicht zerschlagen, sondern eher zusammengeschweißt, gestählt und neu geschult. Sie wurde allerdings auch radikalisiert. Man lehnte sich nicht mehr gegen die diktatorische Leitung der Partei, gegen die Partei-Oligarchie, auf, sondern verschärfte im Gegenteil die Partei-Disziplin.

Das Sozialistengesetz wurde ab 1. Oktober 1890 nicht mehr erneuert. Jede Untergrundbewegung hörte auf, und die Partei genoß nun volle Freiheit. Nicht wenige Genossen bedauerten fast das Ende der illegalen Tätigkeit; man fürchtete jetzt Verweichlichung und Opportunismus, eine Aufweichung trat jedoch nicht ein. Auf dem Parteitag von Erfurt 1891 schloß man sich der im Jahre 1889 in Paris gegründeten II. Internationale an. Die Partei übernahm die Lehren von Marx und Engels und nannte sich nun »Sozialdemokratische Partei«. Sie war eine Klassenpartei und mehr und mehr auch eine Massenpartei. Man erhob den Anspruch, die einzige legitime Vertreterin der Interessen des Proletariats, vor allem der städtischen Arbeiter zu sein; Fürsorge von anderer Seite für die Arbeiter wurde als unzulänglich oder als Anmaßung abgelehnt. Nicht wenige Arbeiter wählten allerdings das Zentrum oder linksliberal, während die Landarbeiter in Ostelbien unter dem Einfluß der Grundbesitzer größtenteils sogar konservativ votierten. Saisonarbeiter waren als Ausländer nicht wahlberechtigt.

Die Sozialdemokraten kümmerten sich wenig um das Kleinbauerntum, das für eine absterbende Größe gehalten wurde.

Die Sozialdemokraten waren die größte und am besten organisierte marxistische Partei in ganz Europa. Innerhalb der Partei dominierten zwei Richtungen: Die eine war preußisch, sozialphilosophisch, klassenkämpferisch, intolerant, diktatorisch eingestellt und betonte allein die Interessen des Proletariats. Die andere ließ noch das Volkstum gelten, hatte Elemente des Bürgertums in sich aufgenommen und argumentierte tolerant, konziliant und demokratisch; diese Richtung kam stärker in Süddeutschland zur Geltung. Marxistisch orientiert wirkten Bebel und Wilhelm Liebknecht, neben ihnen Karl Kautsky; besonders radikal traten später Karl Liebknecht und Rosa Luxemburg auf. Sie sahen keine Chance zur Zusammenarbeit mit den bürgerlichen Parteien in den Volksvertretungen. Bebel, Wilhelm Liebknecht und Kautsky lehnten terroristische und anarchistische Mittel ab, wollten aber theoretisch doch als Revolutionäre gelten. Ihre Kontrahenten waren die Pragmatiker, die Revisionisten und Reformisten, vor allem (seit 1899) Eduard Bernstein, auch Eduard David. Diese hielten die Lehren und Voraussagen von Marx für falsch; denn es kam nicht zur Verelendung der Arbeiterklasse und zum Untergang der bürgerlichen Gesellschaft – im Gegenteil, der Lebensstandard der Arbeiter stieg sichtlich: Die deutschen Arbeiter hatten vor 1914 einen höheren Lebensstandard als die Arbeiter in jedem anderen Land Europas. Andererseits zeigte die kapitalistische Wirtschaft eine große Standfestigkeit. Die Revisionisten traten für den evolutionären Weg ein, sie wünschten die Preisgabe der Obstruktion und durch Anpassung den langsamen Über-

48. und 49. Führer der Sozialdemokraten:
August Bebel und Wilhelm Liebknecht

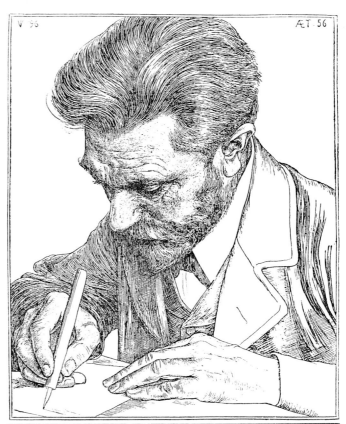

Reichs-Gesetzblatt.

№ 34.

(Nr. 1271.) Gesetz gegen die gemeingefährlichen Bestrebungen der Sozialdemokratie. Vom 21. Oktober 1878.

Wir Wilhelm, von Gottes Gnaden Deutscher Kaiser, König von Preußen rc.

verordnen im Namen des Reichs, nach erfolgter Zustimmung des Bundesraths und des Reichstags, was folgt:

§. 1.

Vereine, welche durch sozialdemokratische, sozialistische oder kommunistische Bestrebungen den Umsturz der bestehenden Staats- oder Gesellschaftsordnung bezwecken, sind zu verbieten.

Dasselbe gilt von Vereinen, in welchen sozialdemokratische, sozialistische oder kommunistische auf den Umsturz der bestehenden Staats- oder Gesellschaftsordnung gerichtete Bestrebungen in einer den öffentlichen Frieden, insbesondere die Eintracht der Bevölkerungsklassen gefährdenden Weise zu Tage treten.

Den Vereinen stehen gleich Verbindungen jeder Art.

§. 2.

Auf eingetragene Genossenschaften findet im Falle des §. 1 Abs. 2 der §. 35 des Gesetzes vom 4. Juli 1868, betreffend die privatrechtliche Stellung der Erwerbs- und Wirthschaftsgenossenschaften, (Bundes-Gesetzbl. S. 415 ff.) Anwendung.

Auf eingeschriebene Hülfskassen findet im gleichen Falle der §. 29 des Gesetzes über die eingeschriebenen Hülfskassen vom 7. April 1876 (Reichs-Gesetzbl. S. 125 ff.) Anwendung.

§. 3.

Selbständige Kassenvereine (nicht eingeschriebene), welche nach ihren Statuten die gegenseitige Unterstützung ihrer Mitglieder bezwecken, sind im Falle des

Ausgegeben zu Berlin den 22. Oktober 1878.

50. Das »Gesetz gegen die gemeingefährlichen Bestrebungen der Sozialdemokratie« von 1878

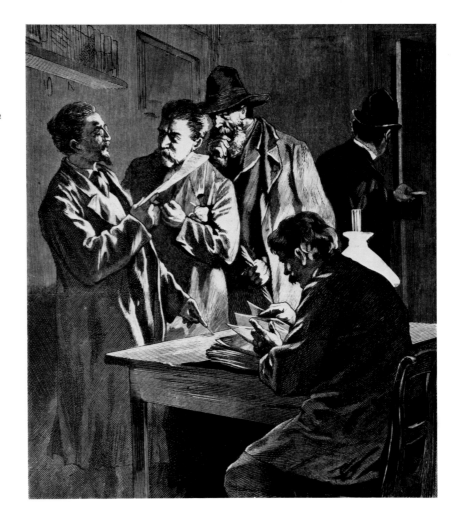

51. Das Sozialistengesetz
zwingt die Partei in den
Untergrund. Berliner
Sozialistenführer in
geheimer Beratung (1879)
Zeitgenössische Illustration

gang der bestehenden Ordnung in eine sozialistische Gesellschaft. Man gab sich auch mit Teilerfolgen zufrieden; Klassenkampf habe keinen Sinn mehr. Zahlreiche süddeutsche Sozialdemokraten standen den Revisionisten nahe.

Die Radikalen und die Revisionisten stießen auf dem Parteitag in Dresden im Jahre 1903 zusammen: Bebel trat wie ein Diktator auf, und die revisionistische Lehre wurde offiziell verurteilt – die Revisionisten wurden jedoch im allgemeinen nicht aus der Partei ausgeschlossen. Bebel beharrte 1903 auf der Prognose, daß die bürgerliche Gesellschaft zum Untergang verurteilt sei.

Die radikale Richtung wurde im Reichstag und seit 1908 im preußischen Abgeordnetenhaus vertreten. Die süddeutschen Sozialdemokraten, darunter vor allem Georg v. Vollmar, Ignaz Auer und Ludwig Frank, schlossen Koalitionen mit bürgerlichen Parteien, bewilligten den Staatshaushalt und akzeptierten auch Einladungen zu Empfängen an den Höfen (in Bayern, Württemberg, Baden). Sie ließen sich Konzessionen mit Vorteilen für die Partei honorieren und errangen dadurch wesentliche Teilerfolge.

Vor 1914 gab es in der Partei einen rechten Flügel, die Revisionisten, eine Mitte mit Abgeordneten, die theoretisch revolutionär, praktisch reformistisch waren, und eine Linke, die radikale, oft utopisch revolutionäre Ansprüche vertrat.

Die Forderungen der Partei waren sehr umfassend. Man verlangte nicht nach »Almosen« oder »Unterstützung«, sondern forderte sein soziales Recht: nicht nur ökonomische Sicherheit, sondern auch politische Gleichberechtigung. Man wünschte die Demokratisierung und Parlamentarisierung der Reichsverfassung, die Abschaffung des Dreiklassenwahlrechts, eine modernisierte Wahlkreiseinteilung, überall (auch in den Landtagen) das allgemeine, gleiche und geheime Wahlrecht vom 20. Lebensjahr an, und zwar auch für Frauen, überhaupt die Gleichstellung der Frau, die Wahl der Behörden und Beamten durch das Volk, die volle Koalitionsfreiheit, die ungehinderte Tätigkeit der Gewerkschaften (volle Freiheit in den Kampfmitteln) und freie Verträge zwischen den Unternehmern und Gewerkschaften.

Weitere Forderungen lauteten: Freiheit der Vereine und der Versammlungen, keine Sonntags- und Nachtarbeit, Einschränkung bzw. Verbot der Frauen- und Kinderarbeit, Einführung des

Normalarbeitstages mit 8 Stunden, keine Überstunden (auch nicht gegen Bezahlung), die Schaffung von Tarifverträgen und Schiedsgerichten, die Wahl von Arbeiterausschüssen, die Erhöhung der Löhne, die Überwachung aller Betriebe, eine unentgeltliche Rechtshilfe vor Gericht, die Zahlung von Erwerbslosenunterstützung, die sofortige Anstellung von demobilisierten Soldaten, die Abschaffung der Todesstrafe, eine progressive Einkommens- und Erbschaftssteuer, die Abschaffung der indirekten Steuern und der Zölle, eine kostenlose ärztliche Betreuung, kostenlose Schulbildung, die Erklärung der Religion zur Privatsache, die Umwandlung des Heeres in eine Miliz, die Verkürzung der militärischen Dienstzeit (aber die Ausbildung jedes Mannes im Milizdienst), Wegfall der sozialen Schranken beim Aufstieg zum Offizier, die Abschaffung der Einjährig-Freiwilligen, die Beendigung des Wettrüstens und der fortschreitenden Militarisierung, das Verbot jedes Angriffs- und Eroberungskrieges, die alleinige Entscheidungsgewalt der Volksvertretung über Krieg oder Frieden.

Diese Forderungen erschienen in der damaligen Situation mindestens zum Teil als undurchführbar, ja als utopisch. Selbst bei einer krassen Besteuerung der reichen und wohlhabenden Volksschichten konnte der Staat diesen Ansprüchen nicht genügen. Die Gegenseite warf den Sozialdemokraten Machthunger vor, und erschreckend wirkten besonders Parolen, die vom Umsturz der bestehenden Gesellschaftsordnung, von der Beseitigung des kapitalistischen Privateigentums, von der Überführung der Produktionsmittel in das Eigentum der Gesellschaft bzw. von Produktionsassoziationen mit Staatshilfe und von der Diktatur des Proletariats sprachen.

Man wußte in der Partei vor 1914, daß viele der proklamierten Forderungen mindestens gegenwärtig nicht zu erfüllen waren, aber man hielt an ihnen fest, z. T. auch, um durch sie neue Wähler zu gewinnen.

Wie schon erwähnt, haben viele Sozialisten im Grunde die Sozialgesetzgebung Bismarcks begrüßt; offiziell jedoch, aus taktischen Gründen, kritisierte man sie, weil sie vom Staat »oktroyiert«, weil sie nicht in Zusammenarbeit geschaffen worden sei. Auch wenn Unternehmer bezahlten Urlaub gaben, Arbeitersiedlungen, Unterstützungskassen, Kinderkrippen und -horte, Speise- und Krankenanstalten errichteten, wurde dies offiziell von der Partei kaum anerkannt, weil man keine halben Hilfen, sondern eine andere Gesellschaftsordnung anstrebte. Tatsächlich aber haben viele Arbeiter diese Initiative gern akzeptiert.

Der für leitende Funktionen in Betracht kommende Nachwuchs der Partei rekrutierte sich aus Intellektuellen (oft jüdischen Intellektuellen) und aus ehemals manuell tätigen Mitgliedern. Eine typische Parteikarriere sah etwa so aus: in der Jugend Arbeiter oder Handwerker, hierauf Tätigkeit in einer Gewerkschaft, Gemeinschaftskasse, Genossenschaft, Versicherung, Krankenkasse oder Konsumgenossenschaft – oder Arbeit als Redakteur einer sozialistischen Zeitung, schließlich die Stationen: Parteisekretär, Abgeordneter im Reichstag oder Landtag. So oder ähnlich war der Weg, den z. B. Friedrich Ebert, Gustav Noske, Philipp Scheidemann gingen.

Es wurde nicht selten über eine Bürokratisierung der Partei geklagt, und ihre fortschreitende Verbürgerlichung war – trotz aller Angriffe auf das Bürgertum – im Grunde nicht aufzuhalten.

Durch die pünktlich eingezahlten Beiträge der Mitgliedermassen standen der Partei beträchtliche Geldsummen zur Verfügung. Die Parteiführer betonten, daß sie vor den Volksvertretungen (Reichstag und Landtage) Achtung hegten und daß sie ihnen mehr Einfluß wünschten. Durch die

Der Sozialdemokrat

Organ der Sozialdemokratie deutscher Zunge.

No. 10. 8. März 1890.

Abonnements — — —

Inserate — — —

Erscheint wöchentlich einmal in London.

20 Mandate im ersten Wahlgang, 17 in der Stichwahl.
1,341,587 sozialdemokratische Wähler — 567,405 Zuwachs

Im ersten Wahlgang:

Glauchau Meerane:
Auer, Gattler (Schriftsteller) in München.

Hamburg I.:
A. Bebel, Drechslermeister (Schriftsteller) in Dresden.

Hamburg II.:
J. H. W. Dietz, Buchdrucker in Stuttgart.

Greiz:
C. Förster, Zigarrenarbeiter in Hamburg.

Altona:
Karl Frohme, Schlosser (Schriftsteller) in Hannover.

Leipzig-Land:
L. Geyer, Zigarrenarbeiter in Großenhain.

Nürnberg:
C. Grillenberger, Schlosser (Korrektor) in Nürnberg.

Barmen Elberfeld:
L. Hartz, Weber (Gastwirth) in Barmen.

Mühlhausen i. Elsaß:
Hickel, Schreiner in Mühlhausen.

Berlin VI.:
W. Liebknecht, Schriftsteller in Borsdorf.

Hamburg III.:
Wilhelm Metzger, Spengler (Journalist) in Hamburg.

Chemnitz:
Max Schippel, Schriftsteller in Berlin.

Mittweida Limbach:
Schmidt, Buchdrucker in Berlin.

Solingen:
Gg. Schumacher, Gerber in Solingen.

Schneeberg-Stollberg:
J. Seifert, Schuhmacher in Zwickau.

Berlin IV.:
P. Singer, Kaufmann in Dresden.

Zwickau Crimmitschau:
W. Stolle, Gärtner (Gastwirth) in Gesau.

München II. und Magdeburg:
G. Vollmar, Schriftsteller in München.

Gera:
C. Wurm, Schriftsteller in Dresden.

Unter die Welt, trotz alledem!

=== Der erste Akt. ===

In der Stichwahl wurden gewählt:

München I.:
J. Birk, Gastwirth in München.

Braunschweig:
W. Blos, Schriftsteller in Stuttgart.

Bremen:
J. Brahms, Zigarrenarbeiter in Bremen.

Mannheim:
A. Dreesbach, Tischler (Kaufm.) in Mannheim.

Calbe Aschersleben:
Aug. Heine, Hutfabrikant in Halberstadt.

Naumburg a. Saale:
W. Hofmann, Zigarrenarbeiter in Chemnitz.

Mainz:
Franz Jost, Tischler in Mainz.

Halle a. Saale:
Fritz Kunert, Lehrer (Redakteur) in Breslau.

Hannover:
H. Meister, Zigarren-Arbeiter in Hannover.

Ottensen Pinneberg:
H. Molkenbuhr, Zig.-Arbeiter in Kellinghusen.

Frankfurt a. M.:
Wilh. Schmidt, Lithograph in Frankfurt.

Sonneberg:
P. Kräbhaus, Schneider in Erfurt.

Königsberg i. Pr.:
Carl Schröter, Zigarrettenarbeiter in Königsberg.

Lübeck:
Th. Schwartz, Koch (Gastwirth) in Lübeck.

Nieder Barnim:
Arth. Stadthagen, Rechtsanwalt in Berlin.

Breslau Ost:
Franz Erdmer, Tischler in Berlin.

Offenbach Dieburg:
Carl Ulrich, Schlosser (Redakteur) in Offenbach.

Siegreiche Stichwahlen:

	1890	1887	Stichwahl
München I	7,570	1,563	11,432
Braunschweig	13,621	10,606	13,000
Bremen	14,843	7,713	10,404
Mannheim	8,701	5,128	12,401
Calbe-Aschersleben	12,514	4,837	16,373
Naumburg	10,563	5,491	13,000
Mainz	8,100	3,528	10,000
Halle a/S	12,618	6,691	14,500
Hannover	16,570	12,210	19,100
Ottensen	10,420	6,520	13,010
Königsberg	12,327	7,967	13,138
Frankfurt a. M.	12,654		14,090
Lübeck	6,399	4,254	7,316
Nieder Barnim	13,628	5,491	15,440
Breslau Ost	9,996	7,781	12,337
Offenbach	10,334	8,021	13,000
Sonneberg	7,215	4,658	10,000

53. Titelseite des in London gedruckten »Sozialdemokraten« vom 8. März 1890 (links)
54. Der 1. Mai als Kampftag der Arbeiter
55. Berliner Parteitag der SPD 1892; ganz rechts A. Bebel und W. Liebknecht

MAI·FEIER 1901

56. und 57. Theoretiker des Sozialismus: Karl Kautsky,
Steindruck von Max Liebermann, und Eduard Bernstein (rechts)

großen Zahlen ihrer Wähler konnten die Sozialisten sogar das Dreiklassenwahlrecht »durchlöchern«: 1908 saßen zum erstenmal sieben sozialistische Abgeordnete im preußischen Abgeordnetenhaus.

Bestimmte Organisationen stützten die Sozialisten oder hielten z. T. mindestens enge Verbindung mit ihnen. Es waren dies die offiziell marxistisch, in Wirklichkeit eher revisionistisch eingestellten »Freien Gewerkschaften« (unter Karl Legien), die liberal-demokratischen Gewerkschaften und die christlichen Gewerkschaften. Die sogenannten »gelben«, von den Unternehmern unterstützten Verbände standen den »Freien Gewerkschaften« und den Sozialdemokraten allerdings ablehnend gegenüber. Eine wesentliche Rolle spielten die Konsumgenossenschaften und die aus der Sozialversicherung erwachsenden Verbände, also Versicherungen und Krankenkassen. Die »Freien Gewerkschaften« hatten um 1912 2,1 Millionen Mitglieder und pro Jahr 52,5 Millionen Mark Einnahmen. Erwähnenswert sind ferner die zahlreichen Arbeiterbildungsvereine.

Die radikalen Parolen der Dogmatiker, die oft zu ihrem bürgerlichen Leben im Widerspruch standen, hielten die bürgerlichen Parteien im Reichstag davon ab, mit den Sozialdemokraten eine Koalition zu schließen und mit ihnen zusammenzuarbeiten. Immerhin wurden die Umsturzvorlage von 1894, die Zuchthausvorlage von 1899 und eine Novelle zum Vereins- und Versammlungsgesetz von 1897, die sich gegen die Sozialdemokraten richteten, im Reichstag mit Mehrheit abgelehnt. Im Jahre 1898 wurden Sozialisten vom Lehramt an preußischen Universitäten ausgeschlossen.

Hier und da kam es vor 1914 zu Streiks. Ein Streitobjekt war der 1. Mai als Arbeiterfeiertag: Die herrschende Gewalt wünschte diese Feiern auf Veranstaltungen in Sälen zu beschränken, während die Sozialisten große Arbeiter-Aufmärsche in den Straßen veranstalten wollten.

Die höchste Instanz der Partei waren die jährlichen Parteitage (1879 bis 1890 im Ausland). Die Sozialdemokraten verfügten über ein ausgebildetes Zeitungswesen; die Mitglieder waren treue Abonnenten – vor allem des seit 1876 erscheinenden »Vorwärts« in Leipzig und Berlin, der während des Sozialistengesetzes von auswärts über die Grenze geschmuggelt wurde. Ab 1865 erschien »Der Sozialdemokrat« in Zürich, dann in London. 1877 gab es 41 politische Zeitungen, nach einer anderen Angabe existierten 1878 75 größere und kleinere Parteiblätter, 1913 90 Tageszeitungen, 62 Druckereien, daneben seit 1884 die von Karl Kautsky in Zürich herausgegebene marxistische Zeitschrift »Die neue Zeit«, schließlich die revisionistischen »Sozialistischen Monatshefte«. Die Lektüre des »Vorwärts« war offiziell im Heer verboten.

Der Aufstieg der Partei im Reichstag erlitt hier und da kleine Rückschläge. Die alte Wahlkreiseinteilung bot große Nachteile, aber im allgemeinen war der Aufschwung der Partei sehr beachtlich, wie die folgende Übersicht zeigt.

Sozialdemokratische Abgeordnete im Reichstag:

1871	2 Abgeordnete
1874	9 Abgeordnete
1877	12 Abgeordnete
1879	9 Abgeordnete
1884	12 Abgeordnete
1887	11 Abgeordnete
1890 (rund 1,5 Millionen Wähler)	35 Abgeordnete
1893	44 Abgeordnete
1898 (rund 2 Millionen Wähler)	56 Abgeordnete
1903 (rund 3 Millionen Wähler)	81 bzw. 82 Abgeordnete
1907	43 Abgeordnete
1912 (rund 4,2 oder 4,5 Millionen Wähler)	110 Abgeordnete

Nach den Wahlen von 1912 stellte die Partei die stärkste Fraktion im Reichstag, und sie verfügte über 800 000 eingeschriebene Mitglieder. Deren Zahl stieg im Jahre 1914 auf über 1 Million.

Die Zahl der Wähler überstieg natürlich bei weitem die Zahl der eingeschriebenen Mitglieder: Nicht wenige Wähler waren verbitterte oder vom herrschenden System benachteiligte Bürger, die sich von den bürgerlichen Parteien abwandten oder ihnen einen Denkzettel geben wollten.

Die junge Generation der Arbeiter trat gegenüber den Unternehmern immer selbstbewußter auf. Noch lange Zeit dominierten Arbeitgeber – wie etwa Frh. v. Stumm-Halberg im Saarland (bis 1901), der gute Beziehungen zu Wilhelm II. unterhielt –, die sich auf den Standpunkt stellten:

Herr im eigenen Hause bleiben, aber bereit sein zu patriarchalischer Fürsorge für die Arbeiter. Auch im Bereich dieser Fürsorge wollten sie die Initiative behalten und sich vom Staat oder einer Partei nichts vorschreiben lassen. Die Sozialdemokraten verlangten dagegen keine Betreuung und Fürsorge, sondern ihr Recht. So kam es vor, daß manche Unternehmer Mitglieder der sozialdemokratischen Partei gar nicht erst einstellten oder sie entließen, wenn ihre Mitgliedschaft bekannt wurde. Bebel und die Dogmatiker konnten und wollten von ihren extremen Parolen nicht lassen, obwohl sie oft an eine gegenwärtige Möglichkeit zur Durchführung selbst nicht glaubten. Auf der anderen Seite hat Wilhelm II. mit seinen Worten von den »Reichsfeinden«, von den »vaterlandslosen Gesellen«, von der »Rotte, nicht würdig, Deutsche zu heißen« usw. viel Öl ins Feuer gegossen.

Mit dem Anwachsen der Partei wuchsen auch innere Spannungen, die schließlich zur Spaltung führten. Im Ersten Weltkrieg nahm die Partei eine für viele überraschende patriotische Haltung ein. Sie bewies gegenüber militärischen Behörden und den konservativen Parteien viel Besonnenheit, während es zugleich immer schwerer für sie wurde, ihre Wähler im Zaum zu halten. Die Zahl und das Ausmaß der Streiks wuchsen an. Im April 1917 wurde in Gotha die »Unabhängige Sozialdemokratische Partei« gegründet (USPD; mit 43 Abgeordneten, vor allem mit Bernstein, Kautsky, Karl Liebknecht und Rosa Luxemburg), die sich gegen die sogenannten »Mehrheitssozialisten« (67 Abgeordnete) wandte. Manche Führer der USPD kamen ins Gefängnis. Es war das große Verdienst der Führer der Mehrheitssozialisten, daß zu Ende des Jahres 1918 die alles umstürzende soziale Revolution vermieden wurde, und es war die Tragik der Partei, daß zwar viele ihrer alten Forderungen nach der Niederlage erfüllt werden konnten, weil das alte System wie ein Kartenhaus zusammenbrach – daß sie aber gleichzeitig ein sehr schweres Erbe, die Erfüllungspolitik nach dem überharten Frieden von Versailles, übernehmen mußte.

ZUR GESCHICHTE DER GESETZGEBUNG

Die moderne Entwicklung nach 1871 erforderte eine neue Gesetzgebung und neue Gerichte. Diese Gesetze mußten im Reichstag verabschiedet werden, wo es nicht selten zu harten Disputen über Gesetzesvorlagen kam. Manche vorgeschlagenen Gesetze wurden abgelehnt oder abgeschwächt. Die Annahme eines Gesetzes hing von der jeweiligen Parteienkoalition und Mehrheit ab. Der Reichstag, politisch machtloser, als er es hätte sein sollen, entfaltete jedoch viel Aktivität bei der Erarbeitung von Gesetzen. Mitunter opponierte der Reichstag durch Erschwerung und Verzögerung bei der Annahme von Gesetzen gegen die Reichsregierung, weil man ihn in vielen Dingen überging. Die Sozialgesetzgebung Bismarcks wurde bereits kurz dargestellt.

Bis in die achtziger Jahre dominierte im Parlament eine liberale Rechts- und Wirtschaftsauffassung. Die Konservativen errangen aber sowohl im Reichstag als auch besonders im preußischen Herren- und Abgeordnetenhaus beträchtliche Erfolge, zu denen ihnen – in Preußen – namentlich das Dreiklassenwahlrecht verhalf. Die Konservativen wirkten retardierend. Oft hinkten die erlassenen Gesetze einer bereits vorhandenen Entwicklung nach, mitunter kamen sie im rechten Augenblick, aber es war höchst selten, daß sie progressiv neue Entwicklungen einleiteten.

Im Jahre 1872 kam ein neues modernisiertes Strafgesetzbuch heraus, aber erst in den Jahren 1897/98 wurde eine neue Militärstrafgerichtsordnung geschaffen, und zwar gegen den Widerstand vieler Mitglieder des Offizierskorps. Ohnehin kamen noch immer viele Soldatenmißhandlungen vor. Der Text des neuen Bürgerlichen Gesetzbuches (BGB) wurde im Jahre 1896 fertiggestellt. Es trat am 1. Januar 1900 in Kraft. Vom selben Zeitpunkt an galt auch ein neues Handelsgesetzbuch. Kritiker haben diesen Gesetzbüchern vorgeworfen, daß sie, von bürgerlichen Juristen verfaßt, den Geist und das Lebensgefühl des Bürgertums spiegelten und diesem Stand zu sehr entgegenkamen. Außerdem kritisierte man, daß die Gesetzbücher nicht den wirtschaftlichen, technischen und sozialen Fortschritt widerspiegelten; die Rechte der Frauen seien nicht genügend berücksichtigt worden.

Die bestehende Gesellschaftsordnung, die Freiheit der Person und die Freiheit des privaten Eigentums wurden in der neuen Gesetzgebung bejaht. Die Möglichkeiten, die Todesstrafe zu verhängen, waren zahlreich, die Gefängnisstrafen weit drastischer als heute. Dieser Geist der damaligen Justiz entsprach durchaus der Rechtsprechung in allen anderen Staaten Europas.

Eine neue Gerichtsverfassung wurde 1879 eingeführt, und im selben Jahr wurde das Reichsgericht in Leipzig eröffnet. Ferner wurde eine Reihe von Spezialgerichtshöfen eingerichtet, z. B. 1890 ein staatliches Gewerbegericht (erneuert 1901) und 1904 ein Kaufmannsgericht.

Das Buch des berühmten deutschen Juristen Rudolf v. Ihering, »Der Kampf ums Recht« (1. Auflage 1872), erregte Aufsehen. Es erlebte viele Auflagen und wurde in die meisten europäischen Sprachen übersetzt. Ihering sowie andere Juristen setzten sich für das Bürgertum ein, das – zwischen Adel, Offizierskorps und Proletariat – in Gefahr sei, zwischen diesen Mühlsteinen zerrieben zu werden. Als Kuriosität sei die Lex Heinze erwähnt (1899/1900), von der unter dem Druck der öffentlichen Meinung und angesichts der Angriffe von Intellektuellen und Künstlern nur ein Torso übernommen worden ist. Das Gesetz bestand zu Recht, wenn es sich gegen Kuppelei und Zuhältertum wandte; im Verbot von »das Schamgefühl verletzenden« Schriften und Werken der bildenden Kunst strebte es jedoch sichtlich zu weit: Besonders das katholische Zentrum, aber auch orthodoxe Kreise der Protestanten, sahen hier eine Chance, um die Freiheiten der modernen Dichtung und der bildenden Kunst einzuschränken – wie erwähnt besonders »in sexualibus«. Die Anklagen richteten sich u. a. gegen Dramen von Hermann Sudermann (die nach heutigen Begriffen harmlos sind) und gegen ein Bild von Max Klinger, »Christus im Olymp«. Gegen die Bestrebungen bildete sich in den Jahren 1899/1900 der »Goethebund«, den Hermann Sudermann geschickt lenkte und in dem u. a. der Historiker Theodor Mommsen und der Maler Adolf v. Menzel eine Rolle spielten. Man forderte die Freiheit des Geistes und der Kunst. Schließlich wurde das Gesetz, soweit es die Bestimmungen gegen Kuppelei und Zuhältertum betraf, genehmigt. Daneben aber wurde nur der Verkauf unsittlicher Schriften und Bilder an Jugendliche unter 16 Jahren verboten. Überspitzte Verbotsforderungen wurden fallengelassen.

ZUR GESCHICHTE DER STEUERN

Das Reich hatte kontinuierlich mit finanziellen Schwierigkeiten zu kämpfen; Defizite entstanden, und Anleihen mußten aufgenommen werden. Die Reichsausgaben stiegen beständig, nicht zuletzt durch die Aufrüstung und Vergrößerung des Heeres und besonders durch den Bau der Kriegsflotte unter Tirpitz, während die Steuererträge des Reiches oft weit hinter den Ausgaben zurückblieben.

Die Bundesstaaten, besonders Preußen, waren dagegen reich. Das Deutsche Reich war von den Zahlungen der Matrikularbeiträge durch die Bundesstaaten abhängig, und die Bewilligung der Steuern hing davon ab, ob die entsprechenden Vorschläge im Reichstag durchgingen. Angesichts der relativen Einflußlosigkeit des Reichstages legten die Parteien gerade auf das Recht zur Genehmigung des Budgets und der Steuern besonderen Wert – wenigstens hier konnten sie ihre Macht demonstrieren. Die Haltung der Konservativen oder der Linksparteien im Reichstag konnte stets ziemlich genau vorausgesehen werden. Andere Parteien jedoch, wie besonders das Zentrum, waren in der Steuergenehmigung sehr flexibel; manchmal zogen sie die Opposition und die Flucht vor der Verantwortung vor. Die Reichsregierung brachte also den Reichstag oft nur sehr schwer zur Bewilligung genügender Steuergelder, so daß Bismarck, völlig verbittert, am liebsten das Reich umgeformt oder zum mindesten die Reichsverfassung entsprechend geändert hätte.

Die Finanzwirtschaft des Reiches, der Bundesstaaten und der Gemeinden wurde immer verwickelter, so daß sich schließlich nur einige Experten vollständig auskannten – etwa im Kommunalabgabengesetz von 1893.

Die Konservativen haben es im allgemeinen erreicht, daß die Rittergüter und der Grundbesitz in Ostelbien relativ wenig besteuert wurden. Sie haben ständig eine eigentlich zeitgemäße Erhöhung der Erbschaftssteuer verhindert, damit im Todesfall nicht zu hohe Steuern für ein Rittergut entrichtet werden mußten (Ablehnung der Erbschaftssteuervorlage u. a. 1893). Die Hauptsteuerlast trugen die städtische Bevölkerung und die Industrie, die trotzdem politisch weniger Einfluß hatten als der ostelbische Adel. Das Reich profitierte von einem Teil der indirekten Steuern (besonders der Tabaksteuer) und von den Zöllen, die Bundesstaaten zum großen Teil von direkten Steuern. Die Gemeinden hatten ihre eigenen, oft sehr verschiedenen Gemeinde-Umlagen.

Im Jahre 1890 wurde die Pflicht der Steuererklärung eingeführt. Eine neue Finanzreform wurde im Jahre 1909 nur in geschmälerter, nicht befriedigender Form vom Reichstag verabschiedet; vorher hatte es Steuerreformen u. a. in den Jahren 1891 und 1893 gegeben. Die Einkommensteuer wurde seit 1891 doch progressiv gestaffelt, mit einer Belastung der mittelmäßig Wohlhabenden und der Reichen und mit einer Entlastung der ärmeren Schichten. Die indirekten Steuern waren sehr zahlreich und wohl auch ertragreich (auf Tabak, Wein, Schaumwein, Bier, Branntwein, Kaffee, Tee, Zucker, Zündhölzer, Stempel, Fahrkarten, elektrotechnische Waren usw.) und wurden im Jahre 1909 erhöht. Schon damals gab es eine Wertzuwachssteuer, eine Gewerbe-, Warenhaus-, Börsensteuer und eine Steuer für Aktiengesellschaften. Die direkten Steuern waren im allgemeinen die gleichen wie überall in Europa. Im Jahre 1913 wurde ein einmaliger »Wehrbeitrag« aus Vermögen und Einkommen eingezogen.

Die Besteuerung galt damals als ziemlich hart, und besonders bedauerte man die Erhöhung der Preise für Bedarfsartikel und Lebensmittel durch die indirekten Steuern. (Es wurde allerdings nirgendwo in Europa so viel geraucht wie im Reich, weil die Tabaksteuer doch relativ gering blieb.) Nur die armen Leute spürten die indirekten Steuern empfindlich; ansonsten wurde der Lebensstandard durch die Steuern im wesentlichen kaum verringert.

Namentlich die neue Kriegsflotte beanspruchte die Geldmittel übermäßig. Ferner hätten Glanz und Prunk besonders am kaiserlichen Hof in Berlin seit 1888 durchaus reduziert werden können – aber Wilhelm II. war alles andere als sparsam. So wirkte dieser Aufwand aufreizend.

Immerhin haben spätere Zeiten weit drastischere Steuern erlebt, als sie in den Jahren vor 1914 gefordert wurden.

58. Beschönigende Idylle: A. v. Werners Gemälde »Im Etappenquartier« (1894)

DAS MILITÄR

Das Heer

Zunächst wiederum ein Überblick an Hand statistischer Angaben.
Die Stärke des Heeres:

1871 401 000 Mann (ebenso 1874)

1880 427 000 Mann

1887 468 000 Mann

1899 611 000 Mann, davon 24 000 Offiziere, 82 000 Unteroffiziere, mehr als 10 000 Einjährig-Freiwillige, 495 000 Mann;

1905 632 000 Mann, davon 25 000 Offiziere, 87 000 Unteroffiziere, 14 000 Einjährig-Freiwillige, 506 000 Mann;

1914 Bei Kriegsbeginn: 847 000 Mannschaften, 30 459 Offiziere, 2480 Sanitätsoffiziere, 865 Ve-
terinäroffiziere, 2889 Militärbeamte, 106 477 Unteroffiziere, 16 000 Einjährig-Freiwillige;
79 000 Angehörige der Kriegsflotte (Friedensstand); 2000 weiße und 5000 farbige Soldaten
in den Kolonien.

Das deutsche Volk war in seiner Einstellung zum Militär gespalten. Der größere Teil hatte Ver-
trauen zur Armee: viele Deutsche lebten in der Überzeugung, die Armee erziehe die jungen
Leute im christlichen und patriotischen Geist, und sie bringe Rekruten aus wenig entwickelten
Gegenden des Reiches etwas Zivilisation bei. Für einen anderen Teil des Volkes stellte sich die
Armee als ein Bollwerk der Reaktion dar, als eine Art großer Reserve für die Polizei und Gendarmerie, als ein Mittel gegen Streiks und Arbeiterdemonstrationen, die allerdings sehr selten
waren. Die Gegner des Heeres behaupteten, die Junker beherrschten die Armee und durch diese
den Staat.

Der Krieg galt als durchaus legitimes letztes Mittel der Politik, und es wurde sogar der Offensiv-
krieg gebilligt. Der Appell an die Waffen galt im Ernstfall als heilige Pflicht des Staates. Die
kriegerischen Reden Wilhelms II. erschienen in diesem Lichte vielen als nicht so absurd, wie sie
heute anmuten. Man wollte freilich die Welt nur einschüchtern, nicht so sehr bedrohen, und im
Grunde waren der Kaiser und weite Kreise des Heeres – von einzelnen karriere- und ordens-
süchtigen Offizieren abgesehen – sowie der weitaus größte Teil des deutschen Volkes durchaus
friedlich gesinnt. Man hat einige günstig erscheinende Gelegenheiten zu einem Präventivkrieg vor-
übergehen lassen.

Was nun die Größe des Heeres, an der Zahl der Bevölkerung gemessen, und die Ausrüstung
betrifft, so übertrafen andere Staaten, besonders Frankreich, in ihrer Rüstung das Deutsche Reich
bei weitem. Die Stärke des deutschen Heeres sollte alle sieben, später alle fünf Jahre neu bestimmt
bzw. erhöht werden. Wegen des Widerstandes einzelner Parteien im Reichstag mußte jedoch um die
jeweiligen Vermehrungen des Heeres hart gerungen, konnte oft die geplante Erhöhung nicht in
vollem Ausmaß erreicht werden.

Das Heer wuchs von 401 000 Mann Friedensstärke im Jahre 1871 auf 661 000 Mann (nur
Mannschaften) im Jahre 1913. Die künftige Präsenzstärke sollte 796 000 Mann betragen. Im Jahre
1912 wurden zwei neue Korps gebildet. Der Plan, 1913 drei weitere neue Korps aufzustellen,
mußte fallengelassen werden. Das Heer sollte etwa 1 % der Bevölkerung ausmachen, doch wurde
diese Maxime schon im Jahre 1871 nicht erreicht. Die Bevölkerung Deutschlands stieg so rasch an,
daß die relativ geringen Heeresvermehrungen in der Relation zurückblieben: Noch im Jahre 1910
standen nur 0,838 % der Bevölkerung im Heer. Erst ab 1913 kam man auf 1,018 % (nach anderen
Angaben 1,08 %).

Man konnte bei Musterungen eine scharfe Auslese treffen. Zahlreiche junge Männer wurden nicht
genommen, weil die bewilligte Stärke des Heeres bereits erreicht war. So kam es, daß Deutschland
im Sommer 1914 über viele junge Männer verfügte, die zwar tauglich, aber militärisch unausgebil-
det waren. Neben dem Heer gab es eine Landwehr ersten und zweiten Aufgebotes und einen
Landsturm.

Der deutsche Staatsbürger zahlte durchschnittlich pro Kopf für den Militärhaushalt im Jahre
1872 etwas weniger als 11 Mark an Steuern, im Jahre 1886 9,50 Mark, 1912 20 Mark und 1914
31,27 Mark. Frankreich hat z. B. von jedem Steuerzahler für die Rüstung weit mehr verlangt und

zugleich den männlichen Teil seiner Bevölkerung viel umfassender bei Musterungen für das Heer aktiviert. Frankreichs Heer war stets, an der Höhe der Bevölkerungszahl gemessen, relativ stärker.

Im ganzen Deutschen Reich war der Geist eines spezifischen Militarismus spürbar, am deutlichsten in Preußen. Preußische Offiziere dienten auch in anderen Bundesstaaten und waren dort nicht immer beliebt. Der deutsche Militarismus äußerte sich weniger in der gesamten Wehrpolitik, sondern präsentierte sich vorwiegend als ein Militarismus der Gesinnung. Die Erinnerung an die siegreichen Kriege von 1864 bis 1870/71 wurde durch 43 Jahre übermäßig gepflegt (man denke an die Sedanfeiern), obwohl man wußte, daß sich ein neuer Krieg nicht mehr wie der von 1870/71 führen lassen würde.

Es gab zahlreiche Krieger- und Veteranenvereine, die viele Zusammenkünfte und Feste feierten, auf denen Phrasen hinausposaunt und Hurrastimmung gepflegt wurden.

Seit etwa 1912 gab es einen eigenen Wehrverein unter Generalmajor Keim, der dem Flottenverein nachgebildet war; 1913 mußte von der Bevölkerung eine einmalige Steuer, der Wehrbeitrag, gezahlt werden.

Viele Offiziere kamen aus Kadettenanstalten – die wichtigste war in Lichterfelde bei Berlin –, wo sie hart »geschliffen« wurden. Die Zahl der Offiziere mit Abitur nahm ständig zu (1880 33 %, 1912 65 %). Nach strengen Maßstäben ausgewählte Offiziere, natürlich nur eine Minorität, besuchten später die Kriegsakademie und gelangten in den Generalstab; sie bildeten eine Elite. Die Laufbahn des Offiziers war kostspielig. Ein Offizier brauchte meistens Zuschüsse aus dem Elternhaus, die manchmal auf Kosten der Mitgift seiner Schwestern gingen – oder er mußte ein reiches Mädchen heiraten. Wer keine »gute Partie« machen konnte, mußte ledig bleiben, bis er nach 15 Jahren den besser dotierten Hauptmannsrang erreichte.

Ein Offizier mußte auf die Stellung und den Beruf seines künftigen Schwiegervaters sehr achten. Hier galten sehr zopfige Ansichten: Er durfte z. B. nicht die Tochter eines Kaufmanns heiraten, der in seinem Laden selbst bediente. Wenn die Familie eines noch rangniedrigen Offiziers kein Privatvermögen hatte, war sie zu einem bescheidenen Leben gezwungen, wobei viele Einschränkungen verheimlicht werden mußten. Immerhin konnte der Offiziersbursche gratis als Dienst- und Kindermädchen eingespannt werden. Es gab zahlreiche Versetzungen, die das immer wieder mitgeführte Mobiliar der Familie schließlich ruinierten. In manchen Ortschaften konnte man nur mit anderen Offiziersfamilien verkehren, was eine gewisse geistige Inzucht förderte. Bei früh pensionierten Offizieren war das Ruhegehalt klein. Man suchte wohl, sie anderweitig unterzubringen, fand aber bei Arbeitgebern oft wenig Neigung, ehemalige Offiziere anzustellen. Ein bestimmtes Regiment wurde in vielen Offiziersfamilien als eine Art zweiter Heimat betrachtet: Vom Urgroßvater bis zum Urenkel dienten die Männer der Familie oft in demselben Regiment als Offiziere.

Der Beruf des Offiziers galt als der erste Stand im Staate, und mit dieser Geltung mußten sich die schlecht bezahlten Offiziere trösten. Wilhelm II., gewiß kein Feldherr, fühlte sich stets als oberster Kriegsherr und sprach mitunter fast verächtlich von seinen Zivilbeamten. Selbst der Reichskanzler mußte, wollte er seine Geltung unterstreichen, auf die frühere Zugehörigkeit zu einem Truppenteil verweisen. Bismarck spielte den Kürassier, Caprivi war ohnehin ein aktiver General, Bülow spielte den Husaren, Bethmann Hollweg den Dragoner. Das Militär- und das Marinekabinett sowie die kommandierenden Generale verkehrten mit dem Kaiser nur »immediat«, und die Ansichten der Militär- und Marine-Attachés galten mehr als die der Botschafter.

59. Mit einer Parade Unter den Linden wird das neue Jahr gefeiert: Es ist das Jahr 1914

Das Heer war ein Staat im Staate. Der Reichskanzler und der Kriegsminister hatten nur die Pflicht, die Forderungen des Heeres im Rahmen des Budgets im Reichstag durchzubringen. Das Militärwesen war ansonsten dem Einfluß des Kanzlers entzogen – selbst bei Bismarck war das so. Ein Wort wie das von Clemenceau, daß der Krieg eine zu ernste Sache sei, als daß man ihn den Generalen überlassen könne, wäre in Deutschland auf totales Unverständnis gestoßen.

Allerdings gab es innerhalb des Heeres auch Gegensätze. So wurde oft geklagt, daß das Offizierskorps eine Domäne der Junker sei. Der Prozentsatz der Adligen unter den Offizieren war in den ersten Jahren des Reiches noch weit höher als später: Je stärker das Heer wurde, um so weniger vermochten die Junker den größten Teil des Offizierskorps zu füllen. Die Zahl der bürgerlichen Offiziere, die aber nicht aus dem Kleinbürgertum, dem Arbeiter- und Bauernstand stammen durften, stieg also seit den neunziger Jahren an. Bürgerliche Offiziere, die einen hohen Rang erreichten, wurden meistens geadelt. Das Zahlenverhältnis zwischen adligen und bürgerlichen Offizieren war je nach der Waffengattung verschieden; so überwog etwa in der Marine die Zahl der bürgerlichen Offiziere die der adligen bei weitem. Die Junker behielten aber im Heer noch immer eine unverhältnismäßige Machtstellung.

Der Kaiser war am Hof und im Militärkabinett nur von adligen Offizieren, z. T. von typischen »Hofgenerälen«, umgeben, die einen beträchtlichen Einfluß ausübten. Die adligen Offiziere suchten sich gegen die bürgerlichen exklusiv abzugrenzen: Vornehmlich die jüngeren unter ihnen, besonders in der Garde und bei der Kavallerie, pflegten jenen arroganten Stil und Ton, der als »preußische« Eigenart bei anderen Ständen des deutschen Volkes und im Ausland so unangenehm auffiel. Als des guten Eindrucks halber doch einige bürgerliche Offiziere im Gardekorps zugelassen wurden, spotteten die Adligen über sie als »bürgerliche Konzessionsschulzen«.

Das sehr große Gardekorps galt als die Elite des Heeres. Gardeoffiziere durften die Hofbälle besuchen, und adlige Kadetten wurden Leib- und Hofpagen des Kaisers. Die adligen Offiziere der

Gardekavallerieregimenter waren wegen ihres Hochmutes berüchtigt. Die Kavallerie nahm den Rang der vornehmsten Waffengattung für sich in Anspruch. Ihre Uniformen wurden immer prunkvoller und kostspieliger.

Nirgendwo auf der Welt gab es solche Paraden wie in Berlin: Im Frühjahr und Herbst marschierten auf dem Tempelhofer Feld oder im Potsdamer Lustgarten bis zu 50 000 Mann auf. Man kann sich vorstellen, wie lange die Soldaten geschliffen und gedrillt wurden, bis der berüchtigte preußische Parademarsch klappte. Die überflüssigen Paraden unmittelbar nach einem anstrengenden Manövertag waren besonders verhaßt.

Die Kaiserin und Prinzessinnen wurden zu Regimentschefs von Kavallerieregimentern ernannt und führten gelegentlich – in Kavallerie-Uniform im Damensattel – ihr Regiment vor. Wilhelm II. ließ bei den Kaisermanövern schneidige Attacken ausführen und »siegte« dadurch, obwohl verständige Offiziere wußten, daß im Ernstfall von den angreifenden Regimentern gegenüber dem

Abschied

(Zeichnung von O. Gulbransson)

60. Die »Schule der Nation« – karikiert von O. Gulbransson im »Simplicissimus« (1910)

„... und dann müßt ihr bedenken, als Zivilisten seid ihr hergekommen und als Menschen geht ihr fort!"

modernen Abwehrfeuer nicht mehr viel übriggeblieben wäre. Die Kavallerie, für die so viel Geld ausgegeben worden ist, hat sich bei Beginn des Ersten Weltkrieges sofort als nutzlose Waffengattung erwiesen.

Im Rang kamen nach der Kavallerie die Infanterie, die Artillerie, die Pioniere, der Train usw. Es gab bei den Offizieren der verschiedenen Waffengattungen große Unterschiede in der Lebensführung, da ihr finanzieller Standard verschieden war. Gerade die technischen Waffengattungen, die weit mehr Wissen erforderten, genossen kein besonderes Ansehen. Das alles war überaltert und unsinnig, aber vor 1914 nicht auszumerzen.

Es gab gewiß zahlreiche Offiziere, die ihren Beruf mit nüchternem Verstand ausfüllten. Besonders in der jüngeren Generation aber wurden nicht bloß gesundes Selbstgefühl, sondern Standesdünkel und Überheblichkeit gezüchtet – ein Geist, der alles andere geringschätzte, darunter natürlich die Zivilisten, aber auch die fremden Völker und Heere. Das Heer war weitgehend unpolitisch; der weitaus größte Teil der Offiziere war konservativ, wohl alle waren monarchistisch gesinnt. Damit verband sich eine unbillige Verachtung des modernen Verfassungslebens und des Reichstages sowie der Landtage. Forschheit, Schneid, Haltung, sicheres Auftreten, gute Manieren, das, was man in diesen Kreisen »Charakter« nannte, galt mehr als moderne Bildung. Intellektuelles Interesse dagegen, Wissen, so hieß es, sei ein bürgerliches Ideal, das man nicht brauche. Der Weg ging vom Selbstbewußtsein zur Selbstüberhebung, vom Stolz zur Arroganz, von der Betonung eigener Verdienste zum Selbstlob, von der Energie zur rücksichtslosen Grobheit, zur Überschätzung von Äußerlichkeit, zur Verständnislosigkeit gegenüber anderen. Im Ausland kam die Meinung auf, daß der deutsche Offizier gern renommiere, daß der deutsche Soldat gern die Hacken zusammenschlage und stramm stehe, daß dies zu einer Charaktereigenschaft werde.

Es gab nicht wenige einflußreiche Männer, die bedeutende technische Modernisierungen im Heer nicht gern sahen, weil dadurch die Geltung des Offiziers im Frieden und sein Offensivgeist im Krieg beeinträchtigt werden könnten. Die folgende Frage ist noch immer nicht einhellig beantwortet worden: Wurde die deutsche Armee vor 1914 um die so nötigen drei Armeekorps nur deswegen nicht verstärkt, weil man nicht mehr in genügender Zahl konservativ gesinnte Offiziere aufbrachte und das Offizierskorps nicht durch Ernennung von Söhnen aus Kleinbürger- und Arbeiterfamilien demokratisieren wollte? Im Jahre 1912 waren jedenfalls 1200 Leutnantsposten unbesetzt. Der Kriegsminister Josias v. Heeringen trat angeblich wegen dieses Problems 1913 zurück – aber es kamen dabei wohl mehrere Gründe zusammen.

Die Institution des Duells wurde beibehalten, und die Strafe bei schwerer Verwundung oder Tötung eines Duellanten war sehr milde. Wenn sich jemand, etwa nach einem Ehebruch mit der Frau eines anderen, zum Duell gestellt hatte, war alles in Ordnung, und es haftete kein Makel mehr an den beteiligten Männern. Offiziersehrengerichte suchten allerdings die Duelle einzuschränken. Es wurde über den schnoddrigen Offizierskasinoton, den auch Wilhelm II. beibehielt, über die Neigung zu Trunksucht, Schlemmerei, sexuellen Ausschweifungen und zum Glücksspiel, zu überflüssigen Duellen geklagt. Vitale, aber gelangweilte junge Offiziere suchten sich in stillen Garnisonen irgendwie auszutoben. Wilhelm II. hat diese Praktiken, besonders das Glücksspiel, zu unterbinden gesucht, wenn auch nicht mit vollem Erfolg.

Ständige Klagen wurden über die Soldatenmißhandlungen geführt. Es gab zahllose Mittel, einen Soldaten zu schikanieren, ohne daß er den Beschwerdeweg beschreiten konnte. Überhaupt wagte

61. »Bei Preußens«. Exerzierübungen auf dem Kasernenhof um 1880

der Soldat meistens nicht, eine Beschwerde einzureichen: Er erreichte faktisch nichts und verschlechterte eher seine Lage. »Soldatenschinder« waren aber weit mehr die Unteroffiziere, also Männer aus den unteren sozialen Schichten. Die Schuld der Offiziere lag darin, daß sie die Augen schlossen und ihre Unteroffiziere frei schalten und walten ließen. 1897/98 kam es endlich zu einer Reform der Militärgerichts- und Strafprozeßordnung, die jedoch noch manche Fragen offenließ.

Durch die Schaffung des »Einjährig-Freiwilligen« und durch die Institution des Reserveoffiziers wurden Bürgerliche für das Offizierskorps gewonnen. Der Einjährig-Freiwillige genoß ein Besitz- und Bildungsprivileg; er brauchte nur sechs Jahre Mittelschule absolviert zu haben und diente – statt drei oder zwei Jahre – nur ein Jahr lang, er konnte den Truppenteil und ein eigenes Logis wählen. Unteroffiziere ließen sich von ihm gern mit Geld abfinden und drückten oft »ein Auge zu«. Nach seiner Dienstzeit wurde er Reserve- oder Landwehroffizier und konnte auch als Reserveoffizier nach einigen Übungen avancieren. Der Rang eines Reserveoffiziers war im deutschen Bürgertum ungewöhnlich begehrt; im Jahre 1914 gab es 91 000 Reserveoffiziere. Nicht selten bevorzugte man auf Visitenkarten den Rang »Leutnant d. R.« gegenüber dem eines Direktors – eben weil es Kreise gab, die einen Zivilisten nur für voll nahmen, wenn er auch Reserveoffizier war. Vor allem Beamte und Diplomaten suchten Reserveoffiziere zu werden. Die Mentalität des aktiven Offiziers drang so in das Bürgertum ein, wahrhaftig nicht immer zu dessen Vorteil.

Von Reichstagsabgeordneten, die zugleich Reserveoffiziere waren, erwartete man, daß sie, gleichgültig welcher Partei sie angehörten, auf jeden Fall für ein hohes Militärbudget stimmten.

Die Distanz zwischen Offizieren einerseits und Unteroffizieren und Mannschaften andererseits war groß. Die Mannschaften mußten seit 1893 nicht mehr drei, sondern nur noch zwei Jahre dienen; lang dienende Unteroffiziere hatten einen Anspruch darauf, nach der Dienstzeit vom Staat in kleine oder mittlere zivile Beamtenposten übernommen zu werden, wo sie sich oft durch eine nicht ins zivile Leben passende Grobheit auszeichneten. Die Soldaten wurden während ihrer Dienstzeit mit manchem geplagt, dessen Nützlichkeit schwer einzusehen war – der Drill vor den Paraden, das Exerzieren des preußischen Paradeschritts, das Wachestehen an allen Ecken und Enden, auch dort, wo es durch keinerlei Notwendigkeit begründet war. Linksradikale sahen hinter dieser Form der Ausbildung die Interessen der »Schlotbarone und Krautjunker« und sprachen von einem »Gruben- bzw. agrarischen Militarismus«. Dem »Bund von Hochofen und Rittergut« – also von Industrie im Westen und agrarischem Großgrundbesitz im Osten – sei es ganz recht, wenn die jungen Leute im Heer »geschliffen« würden und Disziplin lernten. Dies sei für später wertvoll, wenn sie als Arbeiter in die Industrie bzw. auf die Rittergüter zurückkehrten – statt rebellischer Neigungen das Ideal des Gehorsams im Herzen tragend.

Die Rekruten vom Lande, vor allem die von einer Gutsherrschaft im Osten, waren ohnehin an Gehorsam gewöhnt. Allerdings verstärkte sich die Landflucht, wenn solche Rekruten in eine große, glänzende Garnisonstadt kamen (etwa nach Berlin zur Garde) und nicht mehr aufs Land zurückkehren wollten. Selbstverständlich wurden auch immer mehr Arbeitersöhne, die zum Teil sozialistisch geschult waren, Rekruten, und es galt lange die Vorschrift – und hierin war das Heer nicht unpolitisch –, daß Rekruten, die im Verdacht standen, Mitglieder der sozialdemokratischen Partei zu sein, eigens überwacht werden mußten. Aber so manche jungen Männer, die linksorientiert waren, blickten später doch mit einigem Behagen auf ihre Militärzeit zurück und traten vielleicht sogar einem Kriegerverein bei.

Generalfeldmarschall Colmar von der Goltz, der das vielbeachtete Buch »Das Volk in Waffen« schrieb, gründete den Verband »Jungdeutschland« für Halbwüchsige, die durch eine vormilitärische Erziehung hindurchgehen und zur Vaterlandsliebe und Wehrfreude erzogen werden sollten. Felix Graf Bothmer gründete als Gegenstück in Bayern den gleichgerichteten »Deutschen Wehrkraftverein«, der allerdings vornehmlich Söhne der Kleinbürger und Bauern erfaßte.

Der »Simplicissimus« in München spottete durch viele Jahre mit sehr treffenden Zeichnungen und Witzen über die feixenden und schnarrenden Offiziere. Diese Zeitschrift sowie das »Berliner Tageblatt« und die »Frankfurter Zeitung« waren in Offizierskasinos verpönt. Vor den Dramen von Gerhart Hauptmann, ja selbst vor der Oper »Carmen«, in der ein Deserteur vorkommt (José), wurde gewarnt.

Der Führer der sozialdemokratischen Partei August Bebel forderte nicht die Abschaffung der Wehrpflicht, sondern eine allgemeine Volksbewaffnung, allerdings auch die Verkürzung der Dienstzeit auf ein Jahr und die Beseitigung aller Schranken beim Aufstieg der Mannschaftspersonen zum Offizier sowie die Aufhebung der Einrichtung der Einjährig-Freiwilligen. Im Jahre 1911 wurde im Heer die Bestimmung abgeschafft, daß die Betätigung für die sozialdemokratische Partei im Heer Gegenstand einer ehrengerichtlichen Untersuchung sein müsse. Gerade die sozialdemokratischen Abgeordneten haben im Reichstag ständig auf die Soldatenmißhandlungen hingewiesen. Auch andere kritische Stimmen erhoben sich, etwa Franz Adam Beyerlein mit seinem Roman »Jena oder Sedan?« (1903).

62. Die Zabern-Affäre:
Preußische Offiziere
demonstrieren Selbst-
bewußtsein

Ein berühmtes Beispiel für den in Preußen herrschenden Militarismus war der »Hauptmann von Köpenick«, jener Schuster Wilhelm Voigt, der in Hauptmannsuniform ein paar Soldaten aufgriff und den Bürgermeister von Köpenick verhaftete (16. Okt. 1906). Das Erstaunliche und zugleich Bezeichnende war daran, daß alle vor der bloßen Hauptmannsuniform parierten und keine Einwände erhoben. Manche, wie auch der Kaiser, waren auf dieses entlarvende Beispiel deutscher Disziplin sogar noch stolz.

Ein anderer für den herrschenden Militarismus typischer Fall, der allerdings jeder Komik entbehrte, war die berühmt-berüchtigte Zabern-Affäre 1913/1914. Ein junger Leutnant überschritt seine Befugnisse und behandelte elsässische Rekruten schlecht. Als sich Proteste erhoben, wurde eine erhebliche Anzahl von Zivilisten vom Militär (nicht von der Polizei oder der Gendarmerie) über Nacht in einen Keller gesperrt, und über die Stadt Zabern wurde der Ausnahmezustand verhängt. Die ursprünglich ziemlich unbedeutende Angelegenheit wurde durch die Uneinsichtigkeit der Offiziere hochgespielt. In darauffolgenden Prozessen wurden alle Offiziere, auch die Vorgesetzten, die ganz anders hätten durchgreifen müssen, freigesprochen. Der Oberst der Garnison erhielt sogar einen Orden, während der Kronprinz das Vorgehen des Leutnants begeistert billigte. Die Folgen reichten weit. Es kam zu einer schweren innenpolitischen Krise. Dem Reichskanzler Bethmann Hollweg wurde im Reichstag ein Mißtrauensvotum präsentiert, weil er die Offiziere verteidigt hatte – aber nach der Verfassung bedeutete dies nicht seinen Rücktritt, wie es in einem demokratischen Staat der Fall gewesen wäre. Wenn auch Frankreich die Sache nicht einmal sonderlich hochspielte, so war doch der Eindruck auf die elsässische Bevölkerung, die Deutschland seit Jahrzehnten zu gewinnen gesucht hatte, vernichtend: Viel aufgewandte Mühe war mit einem Schlag vertan.

Deutsche Schriftsteller haben das Offiziersmilieu in zahlreichen Theaterstücken, Romanen und Novellen geschildert und stets, gerade beim bürgerlichen Publikum, damit höchstes Interesse ge-

63. Eine Kanone von Krupp

funden. Liebeskonflikte, besonders die Liebe zu einem sozial unebenbürtigen Mädchen oder ein
vorübergehendes Verhältnis mit einem Mädchen »aus dem Volke« und der traurige Abschied, die
Todesstimmung, die über einem Offizier vor einem schweren Duell schwebt, Konflikte im Dienst –
dies alles wurde oft behandelt, am eindringlichsten von Theodor Fontane und Detlev von Liliencron. Erwähnt seien aber auch heute ganz verschollene, seinerzeit dagegen viel aufgeführte oder
gelesene Autoren, etwa Otto Erich Hartleben (»Rosenmontag«), Georg v. Ompteda (»Sylvester
v. Geyer«); dazu die Romane von Fritz Skowronnek und Rudolph Stratz, die Dramen, Romane
und Novellen von Hermann Sudermann und Ernst von Wildenbruch (»Das edle Blut«) sowie von
Fedor v. Zobeltitz. Die Skala reichte bis zu einer Fülle von Militärhumoresken (z. B. denen des
Freiherrn von Schlicht).

Die Industrie und das Baugewerbe erhielten vom Heer und von der Flotte viele Aufträge. Sie
waren deswegen durchaus an einer Aufrüstung interessiert. Viele Kasernen wurden gebaut. Das
Heer bestellte, von Waffen und Munition abgesehen, Lebensmittel, Textilien, Leder und vieles
andere für die Uniformen. Vom großen Rüstungsunternehmen der Krupps soll später die Rede sein.
Heer und Flotte verbesserten ständig die Ausrüstung, und die Aufträge häuften sich. Dennoch
scheint es, daß nicht alle technischen Möglichkeiten ausgeschöpft wurden; man wollte ja die hohe
Stellung der Offiziere und den »Offensivgeist« der Mannschaft nicht durch die moderne Technik
beeinträchtigen. Auch die Lehren, die der Russisch-Japanische Krieg von 1904/05 bot, wurden nicht
durchweg befolgt. Frankreich und Rußland überspielten Deutschland in der Spionage bei weitem.

Dennoch gab es sehr viele Neuheiten, so etwa das Mausergewehr (8-Schuß-Magazin), das Ma-schinengewehr (600 Schuß in der Minute), Metallpatronen, rauchschwaches oder rauchloses Pulver, Schnellfeuergeschütze mit Rohrrücklauf und Schutzschilden, Haubitzen, neue Sprenggranaten, Schrapnells, Torpedos für U-Boote und Zerstörer, Fahrräder, Motorräder, ein (freiwilliges) Auto-mobilkorps, fahrbare Feldküchen, Eisenbahnpanzerzüge, Stahlrohrlanzen für die gesamte Kaval-lerie, Telefone, drahtlose Telegrafie, Lichtsignale, Drahthindernisse, Verbesserung des Panzerstahls, Panzerkuppeln, schwere Betonmauern für Festungen usw.

Man setzte große Hoffnungen auf das starre Luftschiff des Grafen Ferdinand Zeppelin, das jedoch im Ersten Weltkrieg enttäuschte. Der Rivale dieses Luftschiffes war das halbstarre des Majors v. Parseval, das sich indessen nicht durchsetzte. Die Luftschiffe traten mehr und mehr hinter den Flugzeugen zurück.

Der Erste Weltkrieg brachte dann eine Fülle von Neuerungen im Heer: Stahlhelm, Gas und Gasmaske, Flammenwerfer, Tank, Fesselballon, die Fernkampfkanone mit einer Reichweite von ca. 130 km und anderes. Das deutsche Heer hat im Weltkrieg von 1914 bis 1918 gegen eine Über-macht beharrlich gekämpft und z. T., besonders im Osten, große Erfolge errungen. Manche Mängel, die man während der Friedenszeit den aktiven und Reserveoffizieren ankreidete, verschwanden jetzt. Zahlreiche aktive Offiziere sind, tapfer kämpfend, in den ersten Kriegsmonaten gefallen, so daß sich das Heer – besonders in den unteren Rängen – immer häufiger auf Reserveoffiziere stützen mußte.

Die Kriegsflotte

Bismarck hatte seinerzeit mit einer relativ kleinen Flotte, die keiner Macht bedrohlich erschien, nur die deutschen Küsten schützen wollen. Wilhelm I. und Friedrich III. interessierten sich wenig für die Flotte, und es war bezeichnend, daß in dieser Zeit Generale des Landheeres Chefs der Flotte wurden (Stosch, Caprivi). Dies änderte sich unter Wilhelm II. Er liebte das Meer, die Seefahrten auf seiner Yacht »Hohenzollern« (in die norwegischen Gewässer, in den Atlantik, in das Mittel-meer) und das Leben auf einem Schiff. Das »Lieblingsspielzeug« des Kaisers, wie man spottete, wurde nun eine neue große Kriegsflotte, die Alfred von Tirpitz seit 1897 aufbaute. Hierin blieb Wilhelm II. ausnahmsweise konsequent, bei diesem Projekt ließ er sich nie hineinreden. Bezeich-nende Worte des Kaisers wurden oft zitiert: »Unsere Zukunft liegt auf dem Wasser« und »Der Dreizack gehört in unsere Faust«.

Die Geschichte der kaiserlichen Kriegsflotte, damals der zweitstärksten der Welt, und ihrer sehr ungünstigen außenpolitischen Auswirkungen (besonders auf England) gehört nicht unmittelbar in eine Kulturgeschichte; aber sie war doch etwas so Wesentliches für das Wilhelminische Deutschland, daß eine Skizze nicht ausgelassen werden kann.

Es sei nur folgendes hervorgehoben: Mit Tirpitz wirkte in Deutschland zum erstenmal ein bür-gerlicher (erst später geadelter) Mann in hoher und einflußreicher Stellung, der sich moderner Mit-tel bediente. Er verstand es, den Reichstag sehr geschickt zu behandeln und dort überzeugend zu reden, wobei er es mit der Wahrheit nicht stets allzu genau nahm; er lud z. B. Parlamentarier auf die eindrucksvollsten Schiffe der Kriegsflotte ein, er operierte propagandistisch sehr klug und ver-stand es, die Presse für seine Ziele zu gewinnen. Sein Wirken grenzte manchmal an Demagogie.

64. Alfred von Tirpitz, Großadmiral
der neuen deutschen Kriegsflotte

65. Das Schlachtschiff »Deutschland«
passiert den Kaiser-Wilhelm-Kanal (1912)

Der im Jahre 1898 gegründete Deutsche Flottenverein war sehr rührig, er arbeitete mit vielen Publikationen (Flottenkalendern usw.) und Spenden. Tirpitz machte die neue Kriegsflotte in weiten Kreisen des Volkes populär. Die »Neudeutschen«, die also eine neue deutsche, eine »Weltpolitik« wünschten, sowie breite Kreise des Bürgertums und der Liberalen waren Anhänger des Flottenbaus. Tirpitz und der Flottenverein standen mit allen nationalen Verbänden in enger Verbindung, z. B. mit den Alldeutschen. Es versteht sich, daß große Teile der Industrie, besonders Krupp, hinter Tirpitz standen, da es gute Aufträge regnete. Das waren, wie die Sozialdemokraten sagten, die »Panzerplattenpatrioten«, die an der Herstellung von Panzerplatten für die Panzerschiffe jeder Größe gut verdienten.

Die Konservativen dagegen, die Ostagrarier, das Offizierskorps des Heeres, soweit es gehört wurde, waren eher gegen die Kriegsflotte. Die Ostagrarier wünschten sich in erster Linie den Schutz ihrer Gebiete durch das Heer vor – im Kriegsfall – eindringenden russischen Kosakenscharen.

Bei allen – besonders außenpolitischen – Nachteilen, die der Bau der großen und teuren Flotte mit sich brachte, muß man dem Unternehmen lassen, daß es so etwas wie ein »Schmelztiegel« des deutschen Volkes wurde: Ausgesuchte Männer aus allen Teilen und Stämmen des Reiches kamen als Offiziere und Mannschaften in die Flotte, auch aus Binnenlandschaften; im Sommer 1914 umfaßte die Flotte 79 000 Mann. Gerade im Verband der Flotte fühlten sich die Dienenden nur mehr deutsch, nicht mehr als Preußen oder Bayern usw. Der Andrang war wegen der Popularität der Flotte groß; man konnte sich die besten Anwärter aussuchen.

Ein besonderer Vorzug des Offizierskorps in der Flotte bestand darin, daß kein »Junker«-, kein Kastengeist herrschte, daß es dort kaum Männer gab, die darauf stolz waren, eine große Zulage vom Elternhaus zu erhalten. Der größte Teil der Offiziere war bürgerlich – 20 Kapitäne zur See waren adlig, 80 dagegen bürgerlich –, was die Flotte beim deutschen Bürgertum und bei den Liberalen besonders beliebt machte. Die See-Offiziere waren oft erstaunlich gebildet, und sie erwarben sich durch ihre Auslandsfahrten in ferne Kontinente einen weiteren Horizont. Sie waren indessen meistens nur auf ihren Sold angewiesen, und nicht wenige verheiratete Offiziere in unteren Rängen mußten sehr bescheiden leben.

Es gehört auf ein anderes Blatt, daß fast zu viele gute Offiziere, zu viele Mannschaften und zu viele Gelder, die der überbetonten Kriegsflotte dienten, dem Landheer Deutschlands, das zum Schutz des Reiches wichtiger war, verlorengingen. Zur Küstensicherung hätte eine weit kleinere Kriegsflotte genügt, zumal sich herausstellte, daß man im Kriegsfall die deutschen Kolonien ohnehin nicht schützen konnte. Das Reich verfügte bei Kriegsbeginn im Jahre 1914 über 37 Linienschiffe, 8 Küstenpanzer, 18 große Kreuzer, 34 kleinere Kreuzer, 219 Torpedo- und Minensuchboote und 29 Unterseeboote. Die Kriegsflotte hat trotz der legendären Seeschlacht im Skagerrak (31. Mai 1916) im ersten Weltkrieg den großen Erwartungen, die man in sie gesetzt hatte, nicht entsprochen.

PRIVATLEBEN UND GESELLSCHAFT

Die Moral

In der Zeit von 1871 bis 1914 gab es in Fragen der sexuellen Moral viel Heuchelei; die Zeit zeigte zwei Gesichter: Auf der einen Seite betonte man die offiziellen hohen Moralprinzipien, und es herrschte noch in manchen Kreisen die Auffassung, daß die unverdorbenen, edle Sitten pflegenden Deutschen im Krieg von 1870/71 über die sittenlosen Franzosen siegen mußten, so wie früher die Germanen über die verdorbenen Römer gesiegt hatten. Es gab viel Prüderie, Sittenrichtertum, Steifheit und unnatürliche Zurückhaltung in sexuellen Dingen. Andererseits regierten nach 1871, in den Gründerjahren, Genußsucht und eine gewisse Sittenlosigkeit. Der Einfluß der christlichen Kirchen auf die Moral ging sichtlich zurück. Die jungen Männer fast aller Stände heirateten meistens relativ spät (etwa im Alter zwischen 30 oder 35 Jahren), was aber nicht bedeutete, daß sie stets als »männliche Jungfrauen« in die Ehe traten. Der wohlhabende junge Offizier hatte vorübergehend Erlebnisse oder ein längeres Verhältnis mit Mädchen aus unteren Ständen, von dem er sich rechtzeitig löste, um die Ehe mit einer gesellschaftlich »ebenbürtigen« Partnerin zu schließen (Fontane: »Irrungen, Wirrungen«, und zahlreiche andere Werke der Literatur). Es durfte nur kein Skandal entstehen, der die Offiziersehre bedroht hätte. Der Gutsherr im Osten kommandierte die jungen Landarbeiterinnen zu sich, die dies häufig als hohe Ehre ansahen (Sudermanns Novelle »Die Magd« u. a. m.). Uneheliche Kinder hatten auf dem Gut zu leben. Sie wurden später Hausdiener oder Landarbeiter und -arbeiterinnen. Der junge Adlige hatte im allgemeinen nur eine Adlige zu heiraten, die selbstverständlich unberührt sein mußte. Seitensprünge von Prinzessinnen (von denen der Prinzen braucht nicht die Rede zu sein) wurden zuerst nicht bekannt; später dagegen bereicherten sie die Skandalchronik, die sich kritisch gegen die Monarchie richtete. Söhne der Geldaristokratie, also z. B. von Industriellen, lebten wohl ähnlich wie die Söhne des wohlhabenden Adels, konnten freilich Fabrikarbeiterinnen nicht so zu sich befehlen wie Gutsherren junge Landarbeiterinnen auf den östlichen Gütern.

Der Bauernsohn »probierte« in den meisten Fällen seine Bauernbraut zuerst »aus«, was diese als selbstverständlich hinnahm. Ein uneheliches Kind erhöhte ihren Wert, hatte sie damit doch bewiesen, daß sie nicht unfruchtbar war. Fontane schrieb: »Wenn unsere märkischen Landleute sich verheiraten, dann reden sie nicht von Leidenschaft und Liebe. Sie sagen nur: Ich muß meine Ordnung haben.« Der Bauernknecht schlief bei der Bauernmagd, der Landarbeiter bei der Landarbeiterin, und bei den Wohn- und Schlafgelegenheiten des dienenden Personals achtete man nicht sonderlich auf Trennung der Geschlechter. Die Geburt unehelicher Kinder wurde meistens nicht tragisch genommen. Das uneheliche Kind einer Magd oder Landarbeiterin wuchs allerdings unter den ärmlichsten Bedingungen auf.

Städtische Fabrikarbeiter hatten ihre Erlebnisse mit jungen Arbeiterinnen. Viele lebten mit einer Arbeiterin in einer »wilden Ehe«, die später oft von Staat und Kirche als reguläre Ehe sanktioniert wurde. August Bebel, der Führer der deutschen Sozialdemokraten, der das berühmte Buch »Die Frau und der Sozialismus« schrieb, trat offiziell für die freie Liebe ein. Die Landflucht der Landarbeiterinnen in die Stadt brachte es mit sich, daß viele nicht die Arbeit und den Lohn fanden, die sie erwartet hatten, und in die Prostitution abglitten. Über dies alles regten sich die Zeitgenossen und spätere Schilderer der Periode jedoch wenig auf. Das besondere Angriffsziel dagegen waren die sexuellen Verhältnisse im Kleinadel und im viel gelästerten Bürgertum. Die Mehrzahl der Eheleute und der heranwachsenden Söhne und erst recht Töchter lebte sicher im großen und ganzen »moralisch« einwandfrei. Für den Sohn allerdings brachten das Einjährigen-Freiwilligen-Jahr, überhaupt der Dienst im Heer oder in der Flotte oder der Eintritt in eine Studentenverbindung es mit sich, daß er sich Erlebnissen, die mit den gängigen Moralvorstellungen nur schwer vereinbar waren, kaum entziehen konnte – ob er sie nun unmittelbar wünschte oder nicht. Der Sohn einer Bürgerfamilie konnte erst heiraten, wenn er, zumeist als Akademiker, Beamter, Professor oder Angestellter, über ein Gehalt in einer bestimmten Höhe verfügte und bereits ein gewisses Alter erreicht hatte; in der Regel ungefähr 35 Jahre. Aber auch dann, wenn seine Eltern oder er selbst Vermögen besaßen, neigte er kaum zu einer früheren Heirat.

Es ist nun in konfessionell streng denkenden Kreisen sicher oft vorgekommen, daß der Sohn keinen vorehelichen Geschlechtsverkehr kannte – für einen relativ spät heiratenden jungen Mann eine sehr hohe Forderung. In liberal gesinnten bürgerlichen Kreisen war die Enthaltung vom vorehelichen Verkehr wohl seltener. Die Eltern drückten ein Auge zu oder rieten ihm sogar, sich unauffällig sexuelle Erfahrungen zu verschaffen oder sich ein bißchen »auszutoben«. Er sollte ja in den Flitterwochen der Lehrer seiner unberührten jungen Frau sein.

Dieses »Vorleben« vollzog sich in verschiedenen Formen. Es kam in Familien der höheren Stände vor, daß die Eltern es nicht ungern sahen, wenn der Sohn bei der Gouvernante oder beim Dienstmädchen erotische Erfahrungen sammelte. Wenn sich Folgen zeigten, wurde die Sache bei den einen gut (die Gouvernante oder das Dienstmädchen wurden durch eine Mitgift »abgefunden«), bei den anderen schlecht »bereinigt« (man warf die »Schlampe« hinaus, die den Sohn »verführt« hatte, und trieb sie oft in die Prostitution).

In anderen Fällen knüpfte der Sohn ein vorübergehendes Verhältnis mit einem Mädchen aus unteren Ständen an – es waren dies »die süßen Mädels«, die Arthur Schnitzler berühmt gemacht hat. Nicht selten waren auch heimliche Verbindungen mit einer in der Ehe unzufriedenen Frau. Das konnte gefährlich werden, wenn es bekannt wurde, und zu einem Skandal oder zu einem Duell führen. Ehebruch galt dennoch als Kavaliersdelikt.

Der einfachste Weg war der in ein mehr oder minder vornehmes Bordell oder zu Animiermädchen in einem Nachtlokal. Von religiösen Bedenken abgesehen, war hier das einzige Hindernis die Angst vor einer Geschlechtskrankheit. Von zehn jungen Leuten wurden damals mindestens einer oder zwei angesteckt; die gegen Syphilis wirksamen Mittel Salvarsan bzw. Neo-Salvarsan und Ehrlich-Hata 606 (Paul Ehrlich) waren erst ab 1909 erhältlich.

Jedenfalls sollte sich der junge Mann »die Hörner abstoßen«, und gerade dieses doppelte Spiel in Bürgerkreisen wurde oft angeprangert.

Die bürgerliche Ehe war nur selten das Ergebnis einer echten Zuneigung zweier junger Menschen. Die Familien mußten im Rang zueinander passen, und oft schloß man eine Geldheirat – oder der künftige Schwiegervater mußte durch seine Beziehungen die Karriere des Schwiegersohnes fördern und beschleunigen. Die Tochter sollte unberührt in die Ehe kommen, ihr Gemahl ihr Lehrmeister in der Liebe sein, wobei sie nicht viel zu fragen hatte, woher er über seine Kenntnisse verfügte.

Das Mädchen sollte in einer gewissermaßen sterilisierten Atmosphäre heranwachsen. Man tat, als ob junge Mädchen lange »dumm« zu bleiben hätten; sie hatten das süße, hilflose, unwissende Geschöpf zu spielen, und man kann sich die geradezu erzwungene Heuchelei mancher Mädchen vorstellen. Es gab in der Schule kaum eine sexuelle Aufklärung. Die Mädchen waren beim Turnunterricht vollständiger angezogen als heutzutage auf der Straße. Die Badekostüme am Strand waren stoffreich und sollten möglichst alles verbergen. Ein Medizinstudium galt für Mädchen als unanständig. Sie sollten nur unbedenkliche Literatur in die Hand bekommen, und es gab sogar »purgierte« Bibelausgaben. Noch schlimmer war es, wenn das Mädchen eine Gouvernante erhielt, die Tag und Nacht aufzupassen hatte. Die »höhere Tochter« sollte ständig beschäftigt sein: mit Stunden im Klavierspiel, im Singen, im Zeichnen, in fremden Sprachen, in Kunst- und Literaturgeschichte usw.; dagegen wurde sie oft nur oberflächlich in den Künsten der Hauswirtschaft unterwiesen, denn sie würde ja als verheiratete Frau Personal anstellen können. So sollte aus ihr eine Treibhauspflanze gemacht werden.

Es sei dahingestellt, wie oft das Mädchen mit weiblicher List solche Vorsichtsmaßnahmen zu umgehen verstand und zu mehr Kenntnissen gelangte, als es zugeben durfte.

Die jungen Leute lernten sich vor allem auf Bällen kennen, für die das Mädchen auf das schönste hergerichtet wurde. Die weibliche Mode suchte sonst wohl anzudeuten, aber doch auch zu verhüllen. Nur auf dem Ball durfte das Mädchen nackte Schultern und ein tiefes Dekolleté zeigen.

Der junge Mann und Heiratskandidat wurde von den Eltern des Mädchens eingeladen; man traf sich in Gesellschaft oder im Theater. Eine relativ neue Form der Zusammenkünfte war der Sport: das Tennisspiel, das Schwimmen im Strandbad, der Wintersport oder auch die Bergtouren, in wohlhabenden Kreisen das Reiten. Wenn »ernste Absichten« angedeutet wurden, folgten heimliche Erkundigungen über den jungen Mann, über das Mädchen und seine Eltern, über die Vermögensverhältnisse usw. Eine Verlobung konnte sehr rasch gefordert werden, dazu genügten ein langes tête-à-tête, ein Kuß und eine Umarmung, bei der man »überrascht« wurde. Mancher ist in eine solche Falle gegangen und ließ es seine Frau später büßen. Willigte er nicht in eine Bindung ein, konnte ihm dies im Amt und in der Gesellschaft schaden.

Selbst ein verlobtes Paar durfte nicht allein bleiben. Bei Zusammenkünften wurde das Mädchen von einer »Garde«, meistens von einer Verwandten, begleitet. Wenn man sich liebte, sollte man heiraten, sofern es die Verhältnisse erlaubten. Wenn etwa soziale Unterschiede gegen eine Heirat sprachen, hatte man seine Gefühle zu unterdrücken und den Partner zu vergessen.

Die Ehe galt weiterhin als die Zelle der Ordnung. Es kamen Fälle vor, in denen Mädchen unaufgeklärt in die Hochzeitsnacht kamen, und es folgten Szenen, die die ganze spätere Ehe belasteten. In zahlreichen »Vernunftehen« lebten die Partner ohne echte Neigung miteinander: Er machte seine Frau zur Mutter seiner Kinder, und man demonstrierte der Welt einen äußerlich gut geführten bürgerlichen Haushalt mit schöner Wohnung, Personal usw. Zeugung und Fortpflanzung der Sippe – so hieß es – seien das eine, Sinnlichkeit und ihre Befriedigung bei einer Frau etwas

völlig anderes, durch das man die eigene Frau nicht »entwürdigen« dürfe. Erotik sei lasterhaft und
für eine Frau aus guten Kreisen in der Ehe nicht »standesgemäß«. Die Ehegattin wurde also oft
nicht zugleich eine Geliebte, sie hat den Ehemann nicht erotisch zu fesseln gewußt, und der Ehemann suchte den Rausch, die Verzauberung nicht selten in der Halbwelt und bei Lebedamen, die
alle Raffinements kannten. Oft suchte der Ehemann auch ein Verhältnis zu einer anderen verhei-
rateten Frau, die er reizender fand; wenn gewandte Verführer auftraten, war eine in ihrer Ehe enttäuschte Frau wenig widerstandsfähig. Es kam nicht selten zu einer Scheidung, die man allerdings,
solange es nur ging, hinausschob. Der geschiedenen Frau, ob schuldig oder unschuldig, haftete in
der Gesellschaft ein Makel an.

Es wurde schon damals über das Sinken der Geburtenziffer in bürgerlichen Kreisen geklagt. Teils
wünschte man nicht zu viele Kinder, um einen hohen Lebensstandard bewahren zu können, teils
dürfte die Kinderlosigkeit oder eine geringe Kinderzahl ihren Grund in den Vernunftehen gehabt
haben, in denen Mann und Frau aneinander wenig Interesse hatten und das Eheleben langsam
einschlafen ließen.

Manche Mädchen blieben unverheiratet, sie blieben »sitzen«, füllten aber keinen Beruf aus, weil
sie nichts entsprechendes gelernt hatten. Teils lebten sie von der Familie, teils wurden sie in der
ganzen Verwandtschaft herumgereicht, wo man rasch eine Hilfe brauchte. Die »alte Jungfer« galt
als lächerlich, obwohl gerade sie manchmal ehrlicher und couragierter gewesen ist: Sie hatte sich
nicht in eine Vernunftehe zwingen lassen. Weil sie den Mann, den sie liebte, nicht haben konnte,
heiratete sie auch keinen anderen. Ein lediger Mann durfte – inoffiziell – eine Mätresse haben,
eine ledige Frau jedoch keinen Geliebten; sie hatte nur in der Ehe das Recht auf Sexualität.

Die Gründerjahre mit ihrem neuen, oft nur scheinbaren Reichtum ließen die Genußsucht wachsen.
Die Zahl der vornehmen Nachtlokale mit Chambres séparées, der Stundenhotels, der Tanzdielen
jeder Art, der Bars nahm zu. Es gab vornehme Etablissements, in denen die »Vermittlerinnen«
nicht mehr als Kupplerinnen galten, Lebedamen, die in der Zeitung als Derby-Besucherinnen genannt wurden, die in eleganten Kutschen über den Corso fuhren und sich in den ersten Theatern
Berlins in den Proszeniumslogen mit ihrem meist bejahrten »Freund« bewundern ließen. Oft war
heimlich der eheliche Sohn des alten »Freundes« bereits ihr Geliebter.

Die »freie Liebe« kam in allen Abstufungen vor. Mätressen verfügten über eine eigene, gut
ausgestattete Wohnung und einen hohen Monatswechsel ihres Freundes. Angestellte jeder Art
ließen sich von einem Herrn aushalten oder suchten hier und da bezahlte Erlebnisse; sie waren
mehr oder minder Prostituierte im Nebenberuf. Die einen, die Prostituierten der Straße, waren
behördlich zugelassen, mit einem eigenen Buch und zweimaliger ärztlicher Untersuchung in der
Woche; die anderen trieben Geheimprostitution oder waren Animierdamen in Nachtlokalen. Ein
Fünftel der Straßenprostituierten in Berlin lebte im Haus der Eltern, die an der Tätigkeit ihrer
Töchter nichts auszusetzen hatten. Viele waren noch minderjährig. Hamburg z. B. hatte um 1875
über 180 Bordelle, Leipzig ungefähr 70.

Im Jahre 1880 wurde ein »Deutscher Kulturbund« zur Bekämpfung des Dirnenunwesens gegründet. Die Fälle der Notzucht mehrten sich. Über die Gründerjahre hinaus wurde in den wohlhabenden Kreisen der deutschen Großstädte ständig eine erotische Atmosphäre kultiviert, die sich
in der hektischen Stimmung vor 1914 noch verdichtete. Auf den Bühnen minderen Grades wurden
viele französische »Sitten-Stücke« gegeben, in denen oft ein Ehebruch vorkam. Einzelne Dramen

66. »Bildnis einer (eleganten) Dame« von A. v. Keller

Gerhart Hauptmanns und noch mehr Stücke des damaligen Erfolgsautors Hermann Sudermann galten damals als ausgesprochen erotisch, Wedekind fast schon als pornographisch.

Die sogenannte Salonmalerei, deren Hauptgegenstand der weibliche Akt war, erfreute sich großer Beliebtheit. Nackte Frauen erschienen auf Gemälden, die die antike Geschichte, die antike Mythologie, sogar die Bibel, christliche Märtyrerinnen, Szenen aus der Kulturgeschichte (z. B. das jus primae noctis), den Orient (z. B. einen Harem), bestimmte Märchen oder sogenannte Allegorien zum Thema hatten. Die Sinnlichkeit wurde mit dem wissenschaftlichen Interesse am Sujet bemäntelt. Unter diesem Vorwand konnten diese Bilder auch in Salons der Privatwohnungen prangen. Durch die Bevorzugung sinnlich aufreizender Sujets konnten auch Maler zweiten und dritten Ranges, die heute völlig vergessen sind, viele Bilder gut verkaufen und relativ reich werden. Die satirischen Zeitschriften jener Zeit, der »Simplicissimus« und die »Jugend« in München oder die »Muskete« in Wien, hatten ihre eigenen erotischen Schriftsteller und Zeichner (als Zeichner v. Reznicek, Schönpflug u. a.). Es läßt sich nicht mehr feststellen, wie viele erotische »Privatdrucke«, geheime Fotos usw. im Handel waren; es gab sie schon damals in nicht geringen Mengen.

In diesen Jahrzehnten war es möglich, hochgestellte Persönlichkeiten durch den Vorwurf der Homosexualität zu ruinieren; Aufsehen erregten besonders zwei Fälle: Zum einen die Affäre um den Hofmarschall Kaiser Wilhelms II. Graf Leberecht v. Kotze und den Zeremonienmeister Baron Schrader – es ging hier nicht nur um die Anklage der Homosexualität – von 1892, und zum anderen der Fall des Botschafters Philipp Fürst zu Eulenburg und Hertefeld aus dem Freundeskreis des Kaisers und des Stadtkommandanten von Berlin General Graf Kuno Moltke von 1906/07; diese Affäre hatte der Journalist Maximilian Harden geschürt.

Die Skandale können hier nicht ausführlich geschildert werden. Die »Schuld« einer Reihe von Persönlichkeiten war jedenfalls nicht erwiesen. Wilhelm II., der selbst wegen seines vorbildlichen Familienlebens als über jeden Zweifel erhaben galt, wartete meist nicht ab, bis Schuld oder Unschuld erwiesen waren, sondern ließ seine ins Zwielicht geratenen Freunde oft sehr rasch fallen.

Viel erotische Zurückhaltung, viele gute Sitten zerbrachen während des Ersten Weltkrieges, der mehr als vier Jahre dauerte. Der Offizier oder Soldat, der für kurze Zeit die Front verlassen konnte, suchte wie ein Matrose nach langer Fahrt sein Verlangen nach Frauen abzureagieren; da er wußte, daß er wieder in schreckliche Gefahren zurückkehren mußte, daß er in ein paar Tagen fallen konnte, wollte er noch etwas vom Leben genießen. In der Etappe, ziemlich knapp hinter der Front, entstanden Bordelle für Offiziere, für Unteroffiziere, für deutsche und österreichisch-ungarische Mannschaften. Viele junge Frauen und Mädchen, die in der Etappe angestellt waren, gingen Verhältnisse mit Offizieren ein. Viele Ehemänner, die durch lange Zeit nicht in einen Heimaturlaub fahren konnten, suchten draußen ein rasches Erlebnis. Die Kosten spielten keine Rolle, da der Frontoffizier oder -soldat ohnehin seinen Sold gespart hatte. Es gab kein Hindernis mehr, auch nicht die Furcht vor einer Geschlechtskrankheit; man war ja in ein paar Tagen wieder der Todesgefahr ausgesetzt, oder, weit besser, man kam durch die Krankheit in ein Lazarett. An spätere Folgen wollte man nicht denken.

Auch im Hinterland fielen zahlreiche Schranken. Der Urlauber verlobte sich sehr rasch. Die Braut gab sich ihm hin, bevor er an die Front zurückkehren mußte. Viele verehelichte Frauen hielten die lange Enthaltsamkeit nicht aus und wählten einen Mann als Liebhaber, der als unabkömmlich im Hinterland blieb, oder einen Kriegsgefangenen, der auf einem Bauernhof arbeitete – oder sie verführten gar einen Jugendlichen.

Es arbeiteten weit mehr Frauen als früher in Rüstungsfabriken. Erlebnisse mit Fabrikarbeitern waren rasch und leicht zu finden. Unter diesen Verhältnissen stieg die Zahl der Ehescheidungen und auch der Abtreibungen sehr rasch an. Bei einem einzigen Berliner Amtsgericht wurden im Jahre 1918 in 4 Monaten 700 Scheidungen ausgesprochen. Es ist möglich, daß die Kriegsnot darbende Witwen, ja Mütter zu einer mehr oder minder verhüllten Prostitution, zu einem Sich-Aushalten-Lassen zwang. Die Insassinnen eines Offiziersbordells waren in der Ernährung oft besser gestellt als die normalen Bürger im Hinterland. An der Front, in den engen Schützengräben, wuchs ferner die Häufigkeit der Homosexualität, während sich im Hinterland unter den Frauen wegen des Männermangels die lesbische Liebe ausbreitete.

Die Unmoral in der Geschäftswelt war bereits vor 1914 angestiegen. In den Gründerjahren gab es viele hochstaplerische, schwindelhafte Unternehmungen mit unehrlichen Anpreisungen, die oft sehr bald in Konkurs gingen und ihre Gläubiger mitrissen. Das System der Provisionen, der Schmier- und Bestechungsgelder blühte natürlich besonders bei untergeordneten Organen der Hofhaltungen,

z. T. der staatlichen und kommunalen Verwaltung. Es wurde schlechte Ware geliefert oder mehr Ware berechnet als geliefert. Männer der Wirtschaft gründeten sogar einen Verein gegen das Bestechungsunwesen.

Vor 1914 wurden einige aufsehenerregende Prozesse geführt, die Schäden des Wirtschaftslebens aufzeigten, und während des Ersten Weltkrieges stieg auch die geschäftliche Unmoral in einem bisher ungeahnten Ausmaß. Der Staat mußte notgedrungen seine Aufträge rasch vergeben; er konnte kaum die Firmen wechseln und mußte Rechnungen bezahlen, ohne viel zu fragen. Die Kriegsgesellschaften verschiedener Art und die Firmen, die die Wehrmacht belieferten, konnten bei einiger Skrupellosigkeit einen hohen Gewinn einstreichen und doch allem das Mäntelchen des Patriotismus umhängen. Einer zu raschen Erhöhung der Preise schob allerdings der Staat einen Riegel vor. Mit dem Fortschreiten des Krieges tauchten die Kriegsgewinnler, die Schieber, die Schwarzhändler auf, die sich hohe Gewinne sichern konnten, indem sie rasch Immobilien und andere wertbeständige Dinge aufkauften. Der Unterschied zwischen den vielen Idealisten im deutschen Volk, den Opfern des Krieges, jenen, die sich in den immer schwieriger werdenden Verhältnissen nicht mehr zu helfen wußten und unter die Räder zu kommen drohten, und den Kriegsgewinnlern und Schiebern war kraß.

Die Geselligkeit

Fontane hat einmal gesagt, daß Preußen durch Einfachheit groß geworden sei. Der Zustrom der französischen Milliarden nach 1871 und der Stil der Gründerjahre ließen jedoch von dieser Einfachheit bald nichts mehr erkennen. Der Luxus im Lebensstil der Wohlhabenden stieg kontinuierlich bis 1914 an, was man auch an den Formen der Geselligkeit ablesen konnte. Berlin gab, zumindest für Norddeutschland, den Ton an. Geselligkeit war eine Frage des Wohlstands: Man brauchte Dienstpersonal, teils weil die Hausfrau von der Hausarbeit entlastet werden sollte, um dadurch zu reichlicher Freizeit zu gelangen, teils weil ja das Personal die Gäste bedienen mußte.

Im allgemeinen haben die Hofgesellschaft und der Adel einen gewissen Geschmack bewahrt. Sie waren im Auftreten selbstsicher, oft zugleich bewußt oder unbewußt hochmütig. Das in sich abgestufte Bürgertum suchte nicht selten den Adel nachzuahmen. Die neue Zeit erzeugte viele rasch reich gewordene Parvenüs, die gesellschaftlich noch unsicher waren und in der Aufwendung von Prunk, in der Präsentation ihres Reichtums leicht geschmacklos wurden. Andere bürgerliche Familien glaubten, über ihre Verhältnisse Geselligkeit pflegen zu müssen: Sie hatten eine zu große Wohnung, in der Salon und Speisezimmer prunkvoll ausgestattet waren, die anderen Räume, besonders das Schlafzimmer, dafür um so ärmlicher.

Die Verpflichtung zur Geselligkeit nahm immer größere Ausmaße an. Man mußte zahlreiche Einladungen annehmen und sich selbstverständlich durch Einladungen in das eigene Haus revanchieren. Die Söhne mußten Einladungen nachkommen, um einflußreiche Familien und Herren kennenzulernen, die für ihre Karriere wertvoll sein konnten, oder um auf Brautschau zu gehen, um ein reiches Mädchen oder eine Tochter aus einer sozial hochgestellten oder einflußreichen Familie zu finden. Studenten aus Verbindungen besuchten Gesellschaftsveranstaltungen ihrer »Alten Herren«. Nicht zuletzt mußte sich die Tochter bei Geselligkeiten sehen lassen, um einen Bräutigam einzufangen. Je nach ihrer sozialen Stellung besuchten die Familien Feste bei Hof, große Bälle, Empfänge, große Diners und Wohltätigkeitsfeste, deren Ertrag den Armen zugutekam.

Bei Einladungen zu Mittags- oder Abendmahlzeiten aß und trank man sehr reichlich. Es gab zu Mittag vier, bei festlichen Anlässen acht bis zwölf Gänge. Die Speisen hatten französische Namen zu tragen, und möglichst ausländische Weine mußten auf den Tisch kommen. Tischreden – manchmal allzu viele – wurden obligatorisch gehalten. Es war üblich, daß sich die Herren hierauf in ein eigenes Rauchzimmer zurückzogen. Frauen durften erst seit den späten achtziger oder seit den neunziger Jahren Zigaretten rauchen, doch wurde das Rauchen bei Frauen auch dann noch nicht gern gesehen. Die Konversation war, von wenigen Zirkeln abgesehen, im allgemeinen seicht. Die Sprache der Herren unter sich verrohte, die der Damen versimpelte mit der Zeit. Es war ursprünglich verpönt, daß Herren mit Damen über Weltanschauung, Politik oder gar Intimes sprachen. So blieb oft nur der Klatsch über die Mitmenschen übrig. Die Geselligkeit in Norddeutschland galt – mindestens bei den Süddeutschen – als steif; sie betonte die sozialen Unterschiede, während in Süddeutschland die sozialen Differenzen durch eine gewisse Gemütlichkeit überbrückt wurden. Es hieß, der Wein trenne, das Bier einige. Für manche Geselligkeiten wurden Sänger und Sängerinnen engagiert, die etwas aus ihrem Repertoire vortrugen, doch gab es nur wenige Salons, die über kulturelles Niveau verfügten. Der Salon der Kronprinzessin Viktoria galt als einer von ihnen; Adolf v. Menzel hat diesen Kreis gezeichnet.

Die Damen hatten einen »Jour fixe« zu Hause. Sie gaben dort Tee- oder Musikabende, oder sie gingen mit ihren Freundinnen in Konditoreien oder Kaffeehäuser. Die Herren trafen sich mit ihren Freunden am Stammtisch in einem Gasthof; sie besuchten »altdeutsche Trinkstuben« oder die neuen Bierpaläste.

Es gab Tanzstunden, kleinere Kränzchen, Hausbälle und große öffentliche Bälle. Zu Tanzveranstaltungen bei Hofe erhielten nur sozial Auserlesene eine Einladung. Die alten Tänze, wie der Walzer, verloren bei der Jugend langsam an Reiz. Ausländische und damals moderne Tänze, wie z. B. der Tango, wurden immer beliebter, obgleich Wilhelm II. sie zeitweilig seinen Offizieren verbot. Der Kaiser mahnte zur Vermeidung von Luxus und Verschwendung, ging aber keineswegs mit gutem Beispiel voran.

Alles Wettern der Ärzte und bestimmter reformfreudiger Kreise gegen die Schädlichkeit reichlichen Fleischgenusses, des Alkohols und des Nikotins nützte nichts. Wie hätte man auch mit solchen Mahnungen in Offizierskasinos, in Studentenverbindungen, an Stammtischen, bei zahlreichen Einladungen durchdringen können?

Zur Geselligkeit gehörten sonntägliche Landpartien der bürgerlichen Familien, Picknicks, Kahnpartien, Besuche von Gartenrestaurants auf dem Lande, Wagen- oder Schlittenfahrten zur Stadt hinaus. Gegenüber der oft behandelten Landflucht gab es die zeitweilige Stadtflucht, besonders im Sommer. Man blieb meistens nur an einem Ort, ja, man besuchte diesen Ort in jedem Jahr. Die bürgerliche Familie lebte wegen der Kosten nicht in einem Gasthof oder einem Hotel, sondern sie mietete für die Sommermonate eine meist recht primitive Sommerwohnung auf dem Lande. Der halbe Inhalt der Schubladen und Schränke der Stadtwohnung wurde mit Sack und Pack auf einer

67. »Beim Cotillon«. *Zeichnung von S. Rejchan (1897)*

68. Kur und Geselligkeit: Man trifft sich in Bad Wildungen

69. Sonntagsausflug in die Hasenheide
(Berlin, um 1890)

großen Fuhre vorübergehend in die Sommerwohnung transportiert. Reiche und sozial hochstehende Kreise besuchten vornehme Strandbäder. Sie reisten in berühmte Bäder mit Heilquellen und Ortschaften, in denen es Rennplätze oder Spielsäle gab, u. a. Baden-Baden, Ems, Homburg, Nauheim und Wiesbaden.

Etwas Neues war der in Mode kommende Alpinismus; in diesem Bereich genossen gerade die Deutschen einen sehr guten Ruf. Beim Bergsteigen entfiel, besonders unter den jungen Leuten, manches von dem steifen Wesen, wie es im normalen Alltagsleben noch gang und gäbe war.

Es gab Privatiers, die fast das ganze Jahr hindurch nur in der Fremde lebten: im Winter in einem entsprechenden Kurort, hierauf in einer etwas höher gelegenen Ortschaft und schließlich in einer Sommerfrische, aus der sie wieder in ihren früheren Winteraufenthalt zurückkehrten. Die Hoteliers reichten sich diese Leute weiter; Paul Heyse hat solche Gestalten geschildert.

Im Ersten Weltkrieg versank fast alle Geselligkeit der Friedensjahre. Frauen kamen bei einem »Kriegstee oder -kaffee« nur zu einem karitativ gedachten gemeinsamen Stricken von Kleidung zusammen, die für Soldaten an der Front oder Verwundete bestimmt war. Nur solche, die eine gewisse Wohlhabenheit in die Zeit nach Kriegsende hinüberretten konnten, nahmen etwas mühsam eine Geselligkeit wie vor 1914 wieder auf. Aber viele Formen des geselligen Lebens der Zeit vor 1914 bröckelten ab, was zum Teil mit dem Abstieg bestimmter Stände, vor allem des Adels und des Besitzbürgertums der Vorkriegszeit, zusammenhing.

Festlichkeiten

Es war ein Zeichen jener üppig erscheinenden Zeit, daß zahlreiche Feste gefeiert wurden. Kostümfeste waren am Hof besonders beliebt. Bald war das Motto die Renaissance in Florenz – und alle mußten in Kostümen der Zeit der Mediceer erscheinen –, bald war es die deutsche Renaissance, war es ein »Dürerfest«. Selbst Kronprinz Friedrich Wilhelm (der spätere Kaiser Friedrich III.) hatte für Kostümierungen dieser Art viel übrig, und Wilhelm II. erschien besonders gern kostümiert, z. B. als »Großer Kurfürst«. Im Rahmen solcher Feste wurden zahlreiche »Lebende Bilder« u. ä. gestellt. Auch vermögende Künstler veranstalteten solche Feste: die im Hause Franz v. Lenbachs in München waren besonders berühmt. An diesem beliebten »historischen Unterricht in Kostümkunde« verdiente das Kunsthandwerk oft sehr gut.

Etwas anderes waren die nationalen Feste. Die Jahrhundertfeier 1813–1913 vor einem internationalen Forum in Leipzig fiel allerdings durch einige Taktlosigkeiten auf: Sie ließ die Preußen als die alleinigen Sieger der Völkerschlacht erscheinen, was verständlicherweise die Teilnehmer aus den anderen Nationen verletzte. Ein Festspiel von Gerhart Hauptmann, das ab 31. Mai 1913 in Breslau aufgeführt wurde und das nicht die Kämpfe der Truppen, sondern die Befreiung von der Knechtschaft verherrlichte, wurde nach Protesten von Kriegervereinen, auch auf Aufforderung des Kronprinzen Wilhelm, nach der elften Aufführung verboten. Die Sedanfeiern (1. oder 2. September) wurden im ganzen Reich bis 1914 abgehalten. Manche Veteranen taten, als ob sie damals allein die Schlacht gewonnen hätten. Jacob Burckhardt berichtet aus dem Jahre 1877 spöttisch von einer Sedanfeier in Würzburg, die sich als ein Volksfest ohne Festrede, aber mit Böllersalven, Frühkneipe, Glückstopf, Tanzgelegenheit, Hammeltanz, Kletterbäumen, Hahnschlagen, Feuerwerk und Preisverteilungen darstellte. Derartiges hatte mit Sedan nichts mehr zu tun.

In Preußen selbst wurde dieser Tag mit militaristischen Akzenten gefeiert. Die Sozialdemokraten wandten sich gegen diese Sedanfeiern, die sie als besonderes Zeichen für die Pflege des Militarismus und als Verherrlichung des blutigen Krieges begriffen. Im ganzen war es eine festfreudige Zeit. Man hat den Eindruck, daß alles, auch wenig bedeutende Jubiläen, als willkommener Vorwand für rauschende Feiern herhalten mußte.

Der Sport

Sportliche Betätigung und Sportvereine gab es in allen sozialen Schichten, doch war der Bezug der jeweiligen Sportart zur Gesellschaftsklasse, der man angehörte, unverkennbar. In den unteren und mittleren Volksschichten waren Fußball, der in Berlin seit etwa 1892 gespielt wurde, und das traditionelle Turnen ziemlich weit verbreitet, ebenso das Ringen. Die Mitglieder der zahlreichen Schützen- und Turnvereine rekrutierten sich auch aus dem Bürgertum; dort war man vor 1870 begeistert für die Einigung Deutschlands eingetreten und hatte dieser Idee propagandistisch vorgearbeitet. Nicht weniger beliebt waren die Kegelvereine, doch handelte es sich dabei wohl häufiger um eine angenehme Kurzweil als um Sport. Als Wassersport kam außer dem Schwimmen noch das Rudern in Frage, während das Segeln bereits als vornehmer Sport galt. Gleichsam exklusiv

70. Musterriege der
deutschen Turner bei den
Olympischen Spielen in
St. Louis 1904
71. Tennis — auch den
Damen erlaubt. Die deutsche
Spielerin Frau Uhl

72. Der Eislauf als Sport und Gelegenheit zum Flirt

waren auch Sportarten wie Tennis, Golf oder Bogenschießen, die dem Adel bzw. dem Besitzbürgertum vorbehalten blieben.

Sehr beliebt in allen Kreisen war die Jagd, man kann sie eine Art Volkssport nennen. Der
bürgerliche Sonntagsjäger, der mit einer Flinte auf die Pirsch zog, war eine beliebte Figur der
Witzzeitungen. Wilhelm II. besaß ein teures, sehr gepflegtes Jagdgebiet in Rominten in Ostpreußen, von dessen Besuch ihn auch wichtige Staatsgeschäfte oft nicht abhalten konnten. Er war
trotz seines verkürzten linken Armes ein guter Schütze. Auch Prinzregent Luitpold von Bayern
widmete den größten Teil seiner nicht unbeträchtlichen Freizeit der Jagd.

Die Kunst des Fechtens war für Offiziere vorgeschrieben, auch Angehörige von schlagenden
Studentenverbindungen mußten sie erlernen. Dies empfahl sich nicht zuletzt auch deshalb, als ja
der »Satisfaktionszwang« so tief in den gesellschaftlichen Ehrbegriffen verwurzelt war, daß nur
wenige den Mut aufbrachten, sich ihm zu entziehen.

Eine besondere Stellung nahm der Reitsport ein. Das Reiten selbst war natürlich noch weit
verbreitet, besonders auf dem Lande; als Sport jedoch blieb es den höheren Kreisen, überwiegend
dem Adel, vorbehalten. In Berlin war der Tiergarten das bevorzugte Reitgelände, wo Herren und
Damen aus hohen und höchsten Kreisen ihre täglichen Spazierritte unternahmen, darunter auch

73. Eine junge Dame »der Gesellschaft« auf der Reitbahn im Tiergarten (1912)

Wilhelm II. mit seinem Gefolge. Die Frauen ritten in langen Röcken im Damensattel; Herren-
sattel und Reithosen galten für sie als unschicklich. Berüchtigt waren die Distanzritte von Kaval-
lerieoffizieren, vor allem zwischen Deutschland und Österreich, weil dabei erlesene Pferde, die
nicht gewechselt werden durften, buchstäblich zu Tode geritten wurden. Treffpunkte der Gesellschaft waren die Pferderennen, deren Besucher sich oftmals weniger aus Interesse am Sport ein-
fanden, sondern um sich am Tage darauf in den Zeitungen unter den Namen der anwesenden
Prominenzen zu finden. Deutschland hatte im Jahre 1903 87 Rennplätze, deren berühmteste
Baden-Baden, Hoppegarten bei Berlin, Karlshorst, Mannheim und Hamburg-Horn (wo jährlich
das Deutsche Derby ausgetragen wurde) waren. – Als besonders eleganter Sport galt das Fahren im
Zweier-, Vierer- oder gar Sechserzug, wobei ein oder zwei Pferdeknechte, als Lakaien uniformiert,
mitfuhren, um die Pferde jederzeit betreuen zu können.

Die Anfänge des Automobilsports entwickelten sich um die Jahrhundertwende. Die ersten Automobile sah man seit 1883, und 1898 wurden bereits die ersten Autorennen veranstaltet. Verbrei-
teter war naturgemäß der Radsport, und Radrennen, darunter die bekannten Sechstagerennen,
fanden Zulauf aus weiten Teilen der Bevölkerung.

Ein besonderes Charakteristikum des Wintersports war, daß er in allen Formen von allen Gesell-
schaftsschichten ausgeübt wurde – sei es nun der Schlittschuhlauf, der Skilauf (damals im Entstehen

begriffen) oder das Schlittenfahren. Besonders beliebt war der Schlittschuhlauf, nicht zuletzt unter der Jugend, da er Gelegenheit zu zwanglosen und unauffälligen Kontakten bot. Allgemein kann man sagen, daß das Interesse am Sport und seine Verbreitung in den Jahren vor 1914 ständig zunahmen, wozu die Jugendbewegung einen beträchtlichen Teil beitrug. Das Bestreben nach geistiger und körperlicher Entfernung aus dem ungesunden Milieu der Großstadt führte dazu, im Sport Ertüchtigung und Gesundung zu suchen. Doch blieb all dies zumeist privater Initiative überlassen, ohne daß vom Staat Förderung oder Unterstützung in nennenswertem Maße erfolgten. Staatliche Initiativen beschränkten sich auf den Turnunterricht in den Schulen, wenn man von der sportlichen Betätigung innerhalb der militärischen Ausbildung einmal absieht.

Die Jugendbewegung

Die Jugendbewegung war eine Mahnung für die ältere Generation vor 1914: Sie kann als eine geistige Revolte verstanden werden; sie wollte in der Ära des Bürgertums unbürgerlich sein, man entfloh dem bürgerlichen Familienidyll, man lief vor den Familienfesten davon, opponierte gegen die Konventionen und die »Vorurteile der Zeit«, gegen das nach der Meinung der Jungen »Überlebte«, gegen den reinen Nützlichkeitskult und Materialismus, gegen die gesellschaftlichen Äußerlichkeiten, die auf bloßem Schein basierten. Die Interessen der Jugendlichen gingen oft weit über das in der Schule Gebotene hinaus. Man begeisterte sich für alle möglichen neuen »Richtungen«, die die Schule nicht zur Kenntnis nahm oder verwarf. Die Jugendbewegung war Zeichen einer gewissen Zivilisationsverdrossenheit. Man nannte die Alten dekadent; diese erklärten die Jugend für anarchisch. Die Jungen hatten das Bestreben, idealen Gesinnungen zu folgen und nur das Innerliche zu pflegen. Sie kämpften gegen den Individualismus, sie pflegten einen gewissen Kollektivismus und unterwarfen sich selbstgewählten jungen Führern, denen man unbedingte Gefolgschaftstreue versprach; Kameradschaft galt als besonders wichtig. Man sah Gruppen von braungebrannten Burschen mit Joppen, Schillerkragen und kurzen Hosen, ohne Hut, z. T. ohne Strümpfe, mit Wimpeln, mit Rucksack, Gitarren oder Lauten über das Land ziehen. Es war verständlich und auch beabsichtigt, daß ein solcher Aufzug damals auffiel. Man wanderte in die freie Natur, man schlief in Zelten. Beim Lagerfeuer wurden alte und neue Lieder mit unbürgerlichen Texten gesungen und alte Volkstänze wieder belebt. Es wurden Laienspiele aufgeführt, man pflegte verschiedene Arten von Sport und »Geländespiele«. Die Jungen lebten auf ihren Wanderungen von sehr wenig Geld. Strapazen machten nichts aus; manche Gruppen wollten bewußt asketisch leben. Sie mieden den Genuß von Alkohol und Tabak, den Gesellschaftstanz, sogar den Besuch von Theateraufführungen. Man wandte sich auch gegen den Komment der Studentenverbindungen und fühlte sich als eine neue Elite der Jugend, die autonom sein wollte. Manche Eltern und Lehrer standen der Bewegung wohlwollend gegenüber. Landwirte bauten eigene einfache Heime oder erlaubten den Jugendlichen, auf ihrem Grund zu zelten.

74. Abkehr von den »Unsitten der Alten«
75. »Wandervögel« auf großer Tour (1912).
In einem Zelt aus Lodencapes wird übernachtet;
die Klampfe ist immer dabei

Die Feinde der Jugendbewegung warfen den Jungen bald einen zu freien Verkehr mit Mädchen, bald Homosexualität, manchmal auch Landstreicherei oder versteckte Bettelei vor. Die Anhänger der Jugendbewegung dachten mehr völkisch als staatlich; sie fühlten sich mit den Deutschen jenseits der Grenzen des Zweiten Reiches verbunden, besonders mit dem Grenzlanddeutschtum und den Deutschen der Sprachinseln. Sympathien für die Alldeutschen lagen nicht fern. Es wurde der Jugendbewegung nachgerühmt, daß sie zu deutschem Pariotismus und zu Wehrgeist erzogen habe. Man war sich im Zweifel, ob man philo- oder antisemitisch sein solle. Es gab Verbindungen zu den Kreisen um Adolf Stöcker, um Friedrich Naumann, um Stefan George, auch zu Ferdinand Avenarius, dem Schriftleiter der Zeitschrift »Kunstwart«. Man ließ sich von Friedrich Nietzsche, Richard Wagner, Houston Stewart Chamberlain, Paul de Lagarde und Julius Langbehn geistig anregen. Das bezeichnende Romanwerk der Jugendbewegung ist das heute vergessene Buch von Josef Poppert: »Helmut Harringa« (um 1910), in dem Enthaltsamkeit und Reinheit empfohlen werden.

Die ersten Anfänge der Jugendbewegung werden auf den Schüler des Magdeburger Gymnasiums Hermann Hoffmann-Fölksamb zurückgeführt, der mit einer kleinen Gruppe um 1890, 1894 und 1899 weite Wanderungen bis in den Böhmerwald, ja sogar bis Venedig unternahm. Karl Fischer gründete am 4. November 1901 im Ratskeller von Steglitz bei Berlin die erste Gruppe des »Wandervogels«. Dieser spaltete sich bald in drei Organisationen, den Steglitzer Wandervogel, den Altwandervogel und den »Wandervogel – Deutscher Bund«. Eine Art jüdischer Wandervogelbewegung hieß »Blau-Weiß«. Die Wandervogelbewegung pflegte Beziehungen zu den neuen »Freien Schulgemeinden« und zur Richtung der neuen »Jugendkultur«. Seit 1909 trat eine Bewegung, die auf den Lehrer Richard Schirrmann aus Altena zurückging, für den Bau möglichst vieler Jugendherbergen ein. Anläßlich der Hundertjahrfeier von 1913 kamen die Führer von Jugend- und Reformbünden mit vielen Anhängern (mehr als 2000 Personen) auf dem Hohen Meissner in Hessen zusammen (12. Oktober 1913); die Gruppen vereinigten sich dort zu einer Union, der »freideutschen Jugend«, die sich zum Ziel setzte, von der Welt des Materialismus, des Spätbürgertums und der geheimen Unmoral wegzustreben. Von katholischer Seite wurden die Bünde Quickborn, Jungborn, Hochland und Staffelstein gegründet (in Österreich »Neuland«).

Viele Jungen aus diesen Organisationen sind 1914 mit Begeisterung und großen Hoffnungen, oft als Freiwillige, ins Feld gerückt und haben einen schweren Blutzoll entrichtet. Sie verstanden den Kampf als Verteidigung Deutschlands, als Läuterung und Bewährungsprobe. Man hoffte, daß nach einem siegreichen Krieg die neuen Formen der Jugendbewegung zum Durchbruch gelangen würden.

Die Frauenbewegung

Die Kenntnis einiger statistischer Daten ist für das Folgende wichtig:
Im Jahre 1906 gab es in Preußen 17 784 Lehrerinnen (gegenüber 84 980 Lehrern). Es arbeiteten in der Industrie

> 1895 1,5 Millionen Arbeiterinnen,
> 1907 über 2 Millionen Arbeiterinnen,

im Handel und Verkehr

                1895 579 608 Frauen und Mädchen,

                1907 931 373 Frauen und Mädchen,

in Verwaltungsstellen und freien Berufen

                1895 176 648 Frauen und Mädchen,

                1907 288 311 Frauen und Mädchen.

Der wachsende Anteil der Frau am Berufsleben brachte es mit sich, daß die Forderungen nach Gleichberechtigung, nach Zutritt zu immer zahlreicheren, auch höheren und akademischen Berufen und nach dem Frauenwahlrecht immer nachhaltiger vertreten wurden. Die Frau sollte in zivilrechtlicher Hinsicht, im Ehe- und Vormundschaftsrecht eine bessere Stellung erlangen.

Die Kronprinzessin Viktoria, die Gemahlin des späteren Kaisers Friedrich III., war eine besondere Protektorin der Frauenbewegung in diesem Rahmen. Das Streben nach einer Reform der Frauenmode spielte dabei eine geringere Rolle, und so etwas wie den Kampf der Suffragetten in England mit manchen lächerlichen Ausschreitungen hat es in Deutschland nicht gegeben.

Der rechte Flügel des Zentrums und die Konservativen wandten sich gegen eine Emanzipation der Frau, und die meistens bürgerlichen Altliberalen waren in der Förderung dieser Bestrebungen sehr zurückhaltend. Die Freisinnigen, der linke Flügel des Zentrums und die Sozialdemokraten dagegen setzten sich für eine Besserung der Stellung der Frau ein. In der Halbwelt, wo man des »Sieges über die Männer« gewiß war, verspottete man die Frauenbewegung: »Wenn man eine gute Figur hat, denkt man gar nicht an das Stimmrecht. Und wenn man eine schlechte hat, ist ein Korsett entschieden nützlicher.«

In den sozial unteren Klassen sah man das Streben der Frau in einen Beruf als selbstverständlich an. Die Eltern konnten für eine Tochter ja nicht dauernd aufkommen. Die Landarbeiterin, besonders im Osten, führte ein sehr bescheidenes Leben, wurde aber im allgemeinen patriarchalisch betreut. Hinter der Landflucht von Mädchen in die Stadt standen teilweise der Wunsch nach besseren Lebensbedingungen, teilweise Neugierde und illusionäre Hoffnungen. Landmädchen konnten in der Stadt Ammen, Dienstmädchen, Kellnerinnen, Ladenmädchen, Putzmacherinnen, Friseusen, z. T. Masseusen, ja Straßenkehrerinnen (ab 1906 in Berlin), vor allem aber Fabrik- und Heimarbeiterinnen werden. Manche dieser Berufe standen am Rande einer verhüllten Prostitution, wie ja überhaupt viele landflüchtige Mädchen in der Stadt der offenen oder geheimen Prostitution verfielen. Sogenannte »Vermittlungsstellen für Dienstmädchen« waren nicht selten heimliche Büros des Mädchenhandels.

Die Heimarbeiterin (in der Textil- und Konfektionsindustrie) war sehr schlecht bezahlt, und auch die Fabrikarbeiterinnen wurden schlechter entlohnt als die Männer. Wenn sie heirateten und vor oder in der Ehe Kinder auf die Welt brachten, waren sie mit Aufgaben überlastet: Sie mußten dann die Fabrikarbeit leisten, irgendwie die Kinder betreuen und die Wohnung und den Haushalt instandhalten.

Die Kinder spielten den ganzen Tag über auf der Straße oder wurden, wenn es gut ging, in Krippen oder Kinderbewahranstalten untergebracht. Die Frau verblühte bald, das Hauswesen verschlampte wegen Mangels an Zeit, der Mann floh ins Wirtshaus. Fabrik- und Heimarbeiterinnen litten oft krasse Not, wenn sie mit den Kindern vom Mann alleingelassen oder Witwen wurden. Dienstmädchen hatten eine außerordentlich lange Arbeitszeit; sie wurden entweder im Haushalt

Fräulein Marie Calm.
Frau Louise Otto-Peters.   Frau Lina Morgenstern.   Frau Henriette Goldschmidt.
Fräulein Jenny Hirsch.   Fräulein Auguste Schmidt.
Frau Anna Schepeler-Lette.
Die Führerinnen der Frauenbewegung in Deutschland. Originalzeichnung von Adolf Neumann.

geschult, um später Hausfrau zu werden, oder sie blieben als Ledige in der Familie und wurden – mitunter – fast zu einem Familienmitglied.

Die sozialdemokratische Partei argumentierte besonders im Interesse der Frauen aus den unteren Ständen, und in dem berühmten Buch des Reichstagsabgeordneten August Bebel »Die Frau und der Sozialismus« (1. Auflage 1879, dann zahlreiche weitere Auflagen) wurden Ansichten vertreten, die z. T. auch noch für heutige Verhältnisse radikal erscheinen. Die Erotik wurde hier fast zum Religionsersatz: Die Frau habe ein Recht auf freie Liebe und auf ihren Wunsch nach Abtreibung des Kindes. Keine Liebe sei »illegitim«, und eine geschiedene Frau sollte nicht diffamiert werden. Die Frau sei die Gefährtin des Mannes, sie solle sich früh dem Schutz der Eltern entziehen und selbständig werden. Die Kinder sollten früh sexuell aufgeklärt werden, und uneheliche Mütter und Kinder müßten den vollen Schutz der Gesetze genießen.

In adligen und bürgerlichen Kreisen ließ man große Schauspielerinnen, Sängerinnen und Tänzerinnen gelten, auch wenn ihnen ein Hauch von Bohème anhaftete. Die Zahl der angesehenen, rührigen, geistig hochstehenden oder routinierten, oft vielgelesenen Schriftstellerinnen war erstaun-

77. Romane für die Welt der »Gartenlaube«: Eugenie Marlitt

lich groß. Genannt seien hier: Lou Andreas-Salomé, Eufemia v. Ballestrem, Margarete Beutler, Charlotte Birch-Pfeiffer, Helene Böhlau, Margarete Böhme, Ferdinande v. Brackel, Lily Braun, Margarete Bruch, Margarete und Frieda v. Bülow, Lena Christ, Hedwig Courths-Mahler, Anna Croissant-Rust, Melanie Ebhardt, Marie v. Ebner-Eschenbach, Nataly v. Eschstruth, Luise v. François, Ilse Franke, Alice v. Gaudy, Adele Gerhard, Ida Gräfin Hahn-Hahn, Enrica v. Handel-Mazzetti, Wilhelmine Heimburg (= Bertha Behrens), Elisabeth Baronin v. Heyking, Wilhelmine v. Hillern, Ricarda Huch, Maria Janitschek, Anna Klie, Annette Kolb, Isolde Kurz, Nanny Lambrecht, Else Lasker-Schüler, Fanny Lehwald, Gertrud v. Le Fort, Mathilde v. Lichnowsky-Arco, Eugenie Marlitt (John), Malwida v. Meysenbug, Agnes Miegel, Clara Müller-Jahnke, Erminia v. Natangen, Annemarie v. Nathusius, Helene v. Nostiz, Gertrud Pfander, Alberta v. Puttkamer, Gabriele Reuter, Franziska Gräfin Reventlow, Anna Ritter, Edith Gräfin Salburg, Anna Schieber, Antonie Steinmann, Dora Stieler, Lulu v. Strauss u. Torney, Clara Viebig, Helene Voigt-Diederichs, Erika v. Watzdorff-Bachoff.

Viele dieser Autorinnen standen freilich – für heutige Begriffe – am Rande des Dilettantismus, manche hatten sensationellen Erfolg, etwa die Courths-Mahler oder die Marlitt. Die Zahl der weiblichen Gelehrten war damals verschwindend gering; unter den bildenden Künstlerinnen können die Malerin Paula Modersohn-Becker und die Bildhauerin Renée Sintenis genannt werden.

Wie bereits erwähnt, waren die Möglichkeiten für Mädchen aus bürgerlichem Hause, zu einer sinnvollen Beschäftigung oder gar Berufsausbildung zu gelangen, äußerst begrenzt. Die Mädchen nahmen, um die Zeit auszufüllen, Unterrichtsstunden in allen möglichen leichten Wissenschaften und Fertigkeiten, sie strickten und stickten, manchmal nur unnützes Zeug. Der Frau aus dem Adel oder aus dem Besitzbürgertum war nur die Betätigung in kirchlichen, karitativen oder vaterländischen Vereinen, in der Kranken-, Armen- und Waisenpflege erlaubt. Dennoch übernahm manche Ehefrau die Buchführung im Geschäft ihres Mannes oder half ihm auf andere Art, soweit es ihr möglich war, bei seiner beruflichen Tätigkeit.

Vereine und Tagungen traten für größere Rechte der Frauen ein: Der Leipziger Frauenbildungsverein sowie der Allgemeine Deutsche Frauenverein (von Luise Otto-Peters) wurden im Jahre 1865 gegründet. Letzterer hatte bald Zweigvereine in vielen größeren Städten. Der erste deutsche Frauentag fand bereits im Jahre 1865, ein weiterer 1876 in Frankfurt am Main statt. Ein Frauenverein »Reform« entstand im Jahre 1888, und 1894 schlossen sich die meisten deutschen Frauenvereine zu einem Bund zusammen. Daneben gab es seit 1866 den sogenannten »Letteverein« (nach Wilhelm Adolf Lette) für die handwerkliche und gewerbliche Ausbildung der Mädchen.

Das Bestreben der Frauen war – unter anderem – der »Sturm auf die Schule«. Helene Lange forderte seit den siebziger Jahren bei Regierung und Reichstag eine bessere Stellung und eine Vermehrung der öffentlichen Mädchenschulen und eine bessere Ausbildung der Lehrerinnen. Die Mädchenschulen erwuchsen meistens nur aus städtischer oder privater Initiative, und es gab in den größeren deutschen Bundesstaaten nur sehr wenige Mädchengymnasien. In den kleineren deutschen Bundesstaaten diskutierte man die Teilnahme von Mädchen in Knabenklassen, jedoch war die Frage der Koedukation noch umstritten. Nach einer Verordnung vom Mai 1894 in Preußen wurde endlich ein wesentlicher Teil des Unterrichts an höheren Mädchenschulen Oberlehrerinnen übertragen, wodurch der Bedarf an Bewerberinnen für diesen Beruf stieg; es gehörte ja zu den Forderungen der Frauenbewegung, daß mehr Seminare für die Ausbildung von Ober- und Volksschullehrerinnen gegründet werden sollten. Süddeutschland ging in der Entwicklung des Mädchenschulwesens voran: In Süddeutschland gab es mehr Mädchengymnasien als im Norden des Reiches; die bekanntesten waren die in Karlsruhe und Stuttgart. Das Jahr 1892 brachte erste Anfänge einer Reifeprüfung für Mädchen.

Bisher waren Mädchen an Universitäten nur als Hörerinnen geduldet worden. Sie hatten keinen Anspruch auf die Zulassung zu Doktor- oder Staatsprüfungen. Einzelne Universitätssenate und -fakultäten, zahlreiche Universitätsprofessoren und Ärzte argumentierten gegen das Frauenstudium, wobei die angeblich schwächere psychische und physische Konstitution der Frauen hervorgehoben wurde. Die Ärzte befürchteten wohl auch die Konkurrenz der künftigen Ärztinnen. Der evangelische Frauenbund und die Katholikentage erklärten sich erst etwa ab 1900 für das Frauenstudium, und seit 1900 bzw. 1901 gaben die Mädchengymnasien in Baden volle Abiturientenzeugnisse aus (oder aber richteten Kurse zur Erlangung einer gültigen Reifeprüfung ein). Damit konnten sich Mädchen an den Universitäten Freiburg i. Br. und Heidelberg immatrikulieren. Sie konnten dort ihr Studium wie männliche Hörer beenden und alle akademischen Rechte erlangen. Im Jahre 1901 legten hier die ersten Medizinerinnen Staatsprüfungen ab. Es folgten mit solchen Konzessionen

78. Frauen im Büro. Die Expedition der »Berliner Illustrirten Zeitung« (1901)

Bayern und Württemberg, seit 1908 die Universitäten in allen deutschen Bundesstaaten. Preußen führte erst 1908 eine Mädchenschulreform durch: Es gab dort u. a. neue Lyzeen und Oberlyzeen für Mädchen.

Viele Frauen ergriffen mit Begeisterung die neuen Möglichkeiten: Eine Frau konnte Lehrerin oder Oberlehrerin, sogar Direktorin einer Schule, Ärztin, Rechtsanwältin, Beamtin eines Jugendgerichtes oder Angestellte in der Jugendfürsorge, auch Journalistin werden. Frauen, die keine höheren Studien absolvierten, konnten immer öfter im Post- und Telefondienst oder als Sekretärinnen in Büros angestellt werden. Weltliche Krankenpflegerinnen mit einer gewissen Vorschulung wurden immer häufiger gesucht. Durch eine Novelle zur Gewerbeordnung von 1891 wurde eine Besserstellung der Frau erreicht.

Das Ringen um das Frauenstimmrecht zum Reichstag und zu den Landtagen begann im wesentlichen in den neunziger Jahren und wurde besonders von den Sozialisten getragen. Nach einem Reichsgesetz vom 15. Mai 1908 wurden Frauen zu politischen Versammlungen und Vereinen zugelassen. Sie erhielten auch das politische Koalitionsrecht. Das Frauenstimmrecht konnte allerdings bis 1918 nicht durchgesetzt werden.

Im Ersten Weltkrieg kamen zahlreiche Mädchen und Frauen als Pflegerinnen in Lazarette, wo sie zum guten Teil großartige Leistungen vollbrachten, oder als Arbeiterinnen in die Rüstungsindustrie. Die Zahl der Studentinnen an den Hochschulen wuchs; die Studenten standen ja an der Front oder waren gefallen. Der Krieg bewirkte allgemein eine größere Unabhängigkeit der Frau. Die Zahl der unehelichen Geburten, der antikonzeptionellen Mittel, der Abtreibungen, der Ehescheidungen wuchs. Obwohl diese Erscheinungen mehr oder minder zurückgingen, als wieder normale Friedensverhältnisse einkehrten, hat der Krieg doch die Stellung und die Rechte der Frauen dauerhaft gehoben.

Die Mode

Die Entwicklung der Mode von 1871 bis 1914 kann hier nicht in allen Details geschildert werden. Die Arbeitskleidung der Bauern und Bäuerinnen blieb ziemlich unverändert, und auch die Kleidung der Arbeiter und Arbeiterinnen in den Fabriken wechselte wenig. Dem Diktat der Mode fügten sich besonders Damen und Herren des Adels und des höheren und mittleren Bürgertums; denn sich nach der Mode zu kleiden, war damals wesentlich teurer als heute. Allerdings waren viele der damals verwendeten Stoffe sehr haltbar, was freilich den Damen keinen Vorteil bot, die sich nach dem Gebot der Mode doch bald ein neues Kostüm o. ä. anfertigen lassen mußten. Aus der Mode gekommene, aber gut erhaltene Kleider wurden oft den Dienstmädchen geschenkt.

Die Herrenmode wechselte natürlich langsamer als die der Damen. Die Herren trugen lange oder Backenbärte à la Kaiser Wilhelm I., à la Kronprinz Friedrich Wilhelm, à la Kaiser Franz Josef I., danach dann Schnurrbärte à la Kaiser Wilhelm II. (Haby-Bärte), ferner Spitzbärte. Bärte wie die von Hermann Sudermann oder von Admiral v. Tirpitz wurden geradezu berühmt. Später kam nach englischem Muster die Mode auf, glattrasiert zu sein. Das Haar wurde mit viel Pomade gebändigt. Die Uniformen wurden besonders unter Kaiser Wilhelm II. immer prunkvoller und teurer (vor allem für Offiziere der Garde und Kavallerie). Die Zivilisten aus höheren Ständen trugen auch an Werktagen Zylinder, erst später den Halbzylinder. Der Herr mußte den »Chapeau claque« sogar in den Ballsaal mitnehmen, während ein weicher Filzhut lange verpönt war. Im Sommer wurde ein Panamahut oder von jungen Männern ein »Girardi« getragen. Mützen waren nur für die Reise oder den Sport erlaubt. Die Kragen mußten steif sein, doch »Vatermörder« kamen langsam aus der Mode. Üblich wurde der Ecken- oder Kläppchenkragen; weiche Kragen, die man mit Knöpfen am Hemd befestigen konnte, oder umlegbare Kragen waren lediglich im Rahmen der Sportkleidung erlaubt. Das einzig Farbige, das der Herr tragen konnte, war die Krawatte, wenn möglich mit einer kostbaren Nadel, oder die »Fliege«. Zum Schmuck des Herrn gehörten neben Ringen goldene oder silberne lange Uhrketten mit Anhängern. Obligatorisch waren steife Manschetten.

Pullover kamen erst ziemlich spät auf; Westen trug man hochgeschlossen. Die langen Hosen, die sehr weit auf den Schuh herabfallen mußten, hatten erst ab ungefähr 1900 eine Bügelfalte. Die Kleider konnten an den Schultern, selbst an der Brust wattiert sein.

Auf Bällen oder auf der Tribüne bei einem Pferderennen entfaltete ein Herr seine ganze Eleganz: Als festliche Kleidung diente lange der Gehrock (»Bratenrock«), danach kamen immer mehr der Frack mit weißer Weste und gestärktem Hemd, ab 1900 der Smoking auf. In Gesellschaft ging es teilweise so vornehm zu, daß Männer im Herrenzimmer beim Rauchen eine eigene seidene Ärmelweste überzogen, um später den Tabakgeruch nicht mit sich herumzutragen. Man muß zwischen älteren sowie soliden jüngeren Herren, die sich nach der Mode, aber unauffällig kleideten, und Dandies, Snobs und »Gigerln« unterscheiden, die das Modische übertrieben und überelegant

79. Modische Eleganz auf der Rennbahn (um 1900)
80. Mode für den selbstbewußten Herrn
81. Die geschnürte Taille (Modebild aus dem Jahre 1900)
82. »Valse bleue« anno 1890. *Zeichnung von F. v. Reznicek*

erscheinen wollten. Diesem Typ begegnete man meistens unter Söhnen reicher Adliger oder Bürger, unter Müßiggängern. Die Wendung zum Sport, der mehr und mehr als gesellschaftsfähig galt, brachte Erleichterungen in die Herrenmode. Der Automobildreß mußte allerdings noch vornehm sein, ansonsten aber durfte man farbige Hemden, eventuell Schillerkragen, Joppen und kurze Hosen tragen. Der Charakter der Sportkleidung wurde bis zu einem gewissen Ausmaß, zumindest in mittleren bürgerlichen Kreisen, immer mehr auch auf die Straßenkleidung übertragen.

Die Kleidung der damaligen Dame ist auf knappem Raum schwerer zu beschreiben. Gerade die Damenmode von 1871 bis nach 1900, die in den adligen und großbürgerlichen Kreisen getragen und gebilligt wurde, kann für jene Zeit als besonders bezeichnend gelten. Heute wird sie als höchst unpraktisch, ungesund, ja als lächerlich angesehen. Die komplizierten Hüte, Kostüme aller Art usw. beschäftigten eine große Menge von Modistinnen, Schneiderinnen, Näherinnen und Heimarbeiterinnen, die meistens schlecht bezahlt wurden, später auch Fabrikarbeiterinnen. Die Frauenmode war sehr teuer, da die künstlichen Blumen, die Federn und ausgestopften Vögel auf den Hüten, die wertvollen Stoffe der Ober- und Unterkleidung, die vielen Unterröcke und die Unterwäsche aus sehr guten Stoffen, der ganze Aufputz und die Zutaten sehr viel kosteten und dennoch, sobald die Mode es verlangte, oft gewechselt werden mußten.

Eine solche Mode konnte nur von Frauen getragen werden, die Personal – wenn möglich sogar eine Zofe – hatten und wenig oder keine Hausarbeit leisten mußten. Das Ankleiden war manchmal

ohne Mithilfe nicht möglich, besonders beim Schnüren des Korsetts. Die Dame mußte sich noch dazu während des Tages mehrmals umziehen. Für jede Gelegenheit (Ausgang auf die Straße, Empfang von Besuchen usw.) gab es ein passendes Kleid. Die Mode war ungesund, Oberkörper und Taille waren zu stark eingezwängt. Die Kleider waren zu schwer und oft zu stoffreich. Ein von der Sonne verbrannter Teint galt, anders als heute, nicht als attraktiv.

Das »Verführungsprinzip« kam nur im Ballsaal zur Geltung, wo die Damen nackte Schultern und ein tiefes Dekolleté zeigten. Sonst waren die Damen bis zum Halse verhüllt und durften Körperformen nur andeuten. Durch enganliegende Kleider und manche Hilfsmittel konnten allerdings die Partien der Brust und des Beckens besonders betont werden. Die Mode hob zugleich die Schwäche der Frau, das Hilfsbedürftige hervor – z. B. durch »Humpelröcke«, die so eng waren, daß die Dame nur kleine Schritte machen und sich im sogenannten »chinesischen Watschelgang« fortbewegen konnte. Manchmal war die Dame kostümiert wie eine orientalische Sklavin.

Das »hierarchische« Prinzip war klar ausgedrückt: Die Kostüme mit vielem kostbaren Beiwerk verwiesen auf die Wohlhabenheit, aber wohl auch den hohen sozialen Rang der Dame. Das »Nützlichkeitsprinzip« zeigte sich darin, daß die Damenkleidung sehr warm war, im Sommer allerdings wohl zu warm. Von Bequemlichkeit konnte oft keine Rede sein. Erst die Sportkleidung brachte auch hier Erleichterung. Im Auto trug die Dame noch einen riesigen Hut, der mit einem großen Schleier festgebunden war. Wie früher erwähnt, bestanden die Schwimmkostüme der Frauen aus sehr viel Stoff und bedeckten den Körper gänzlich. Die Radlerinnen trugen viel verlachte Pumphosen oder geteilte Röcke; die Kostüme der Reiterinnen, Schlittschuhläuferinnen und Tennisspielerinnen waren allerdings leichter.

Die Pflege der langen Haare war sehr kompliziert. Da gab es in die Stirne hängende Pony- oder Simpelfransen, die etwas geschnitten werden mußten, Locken à la Loreley, Schnecken, alle möglichen Flechten, die berühmten Chignons (beutelähnliche Wulste am Hinterkopf), künstliche Vermehrungen und Verstärkungen des Haarbestandes, falsche Zöpfe usw. Es wurden Brennscheren und Lockenwickler, große Kämme und Spangen verwendet. Alte Frauen und dienendes Personal trugen Hauben. Die Damen trugen Hüte, oft groß wie ein Wagenrad, auf denen künstliche Blumen, Reiher- oder Straußenfedern, ja sogar kleine ausgestopfte Vögel aufgesteckt waren. Die Hüte mußten mit langen Nadeln im Haar befestigt werden. Da Mitgäste in der Straßenbahn durch die herausragenden Spitzen solcher Nadeln gefährdet wurden, mußten auf Anordnung des Polizeipräsidenten von Berlin solche Nadeln an der Spitze eine Schutzkappe erhalten. Durch einige Zeit waren sogenannte »Rembrandt«-Hüte modern. Später trugen Damen orientalische Turbane. Da man auf den Teint acht geben mußte, trug man Schleier und sehr oft einen Sonnenschirm. Auch hier bot das Aufkommen der Sportmütze eine Erleichterung. Das Korsett mit Eisenschienen und Fischbein, mit Haken und Ösen mußte mit Schnüren zugezogen werden und sollte die Figur der Frau möglichst vorteilhaft erscheinen lassen.

Die Braut brachte viele Unterwäsche als Teil der Aussteuer mit in die Ehe. Sie sollte möglichst lange reichen. Die Dame trug Hemden mit Spitzen und mehrere Unterröcke; die Stoffe der Unterwäsche (Seide usw.) waren kostbar; sie sollten beim Gehen ein »geheimnisvolles Rauschen« erzeugen. Wenn die Dame auf der Straße den Oberrock etwas hob, sollte ein kostbarer Unterrock zum Vorschein kommen. In die Unterwäsche war in Kniehöhe ein ringförmiges Band eingenäht, damit die Frau nicht in Versuchung geriet, zu große, undamenhafte Schritte zu tun. Die Zahl der Teile, die zur Unterwäsche gehörten, wurde mit der Zeit verkleinert, z. T. bedingt durch die Einführung der Sportkleidung. Am Kleid trug die Dame sogenannte »Hammelkeulen«- oder »Schinken«-ärmel, also sehr ausgeweitete Ärmel. Von der »Wespen«-Taille abwärts sollte das Kleid wie eine Glocke erscheinen, vom früheren »Cul de Paris«, der den rückwärtigen Teil des Beckens aufbauschte, nicht zu reden.

Einige Zeit ging man »altdeutsch«: Die Dame sollte wie Gretchen im »Faust« auftreten, mit einer eigenen »Gretchentasche«. Die Verwendung von Bändern, Spitzen, Rüschen (Krausen), Falbeln, Litzen, Fransen, Puffen, Volants usw. kann hier nur angedeutet werden. Samt und Seide, Taft, Gold- und Silberbrokate, Musselin, Tüll, Crêpe de Chine wurden auch im Alltag bevorzugt. Billige Baumwollstoffe galten als unfein. Die Röcke mußten natürlich bis zu den Füßen reichen; man sollte kaum die Knöchel sehen. Vor 1900 gab es die Schlepprócke, die die Damen entweder nachziehen oder ständig mühsam aufgehoben tragen mußten. Nach 1900 kamen die bereits geschilderten engen Humpelröcke auf. Eine vornehme Frau ging selten über weite Strecken zu Fuß; sie fuhr in einer Kutsche oder gar in einem Auto, so daß sich der Humpelrock ertragen ließ.

Zu derselben Zeit erschien, wie erwähnt, die orientalische Mode. Die Herren konnten sich als eine Art Pascha fühlen, der eine Sklavin besaß. Es kam überdies, wenn auch für kurze Zeit, der Hosenrock (also mit zwei weiten Hosenbeinen) in Mode. Die Damenschuhe hatten hohe Stöckelabsätze; auf Bällen trug man Gold- oder Silberpantoffeln. Selbst die Knöpfe des Damenkleides dienten als Schmuck (aus Perlmutt usw.). Man trug oft und sehr viel Schmuck, der hier und da nicht echt gewesen sein dürfte, aber als echt gelten sollte. Im Winter verwendete man Pelzmäntel oder Pelzboas und Muffe; kostbares Pelzwerk war sehr beliebt. Die Dame trug fast immer Handschuhe, Fächer wurden auf Bällen – hier Fächer mit Handmalerei oder aus Straußenfedern – oder im Sommer im Freien, zur Kühlung, benutzt.

Ein »Allgemeiner Verein für die Verbesserung der Frauenkleidung in Deutschland« (gegründet im Jahre 1897), der im Jahre 1907 als »Deutscher Verband« noch vergrößert wurde und eine Zeitschrift herausgab, setzte sich für eine Veränderung der Frauenkleidung ein, die vor allem gesünder werden sollte. Auch die sozialdemokratische Partei gab vorübergehend eine kleine Modezeitschrift für Arbeiterinnen heraus. Die Propagandisten des Reformkleides und die Frauenrechtlerinnen hatten dasselbe Ziel. Das von manchen Künstlern und Vereinen geforderte Reformkleid (der »Reformsack«), oft mit Mustern im Jugendstil, betonte die flache Form; es wäre bequemer gewesen, setzte sich aber auf die Dauer nicht durch. Hingegen nahm die Verbreitung der Sportkleidung und der vermännlichten Kleidung der Frau zu; dies galt als »englisch«. Die Dame trug eine Art kleinen Zylinder, einen hohen steifen Kragen, Bluse und Rock, die durch einen hübschen Gürtel zusammengehalten wurden, ein Jackett oder einen herrenmäßig geschnittenen Mantel. Der Rock wurde ein wenig verkürzt. Die Farben waren schwarz oder grau kariert. Die Zahl der Unterröcke und der Aufwand an Unterwäsche waren geringer. Der Warenmangel in den Jahren des Ersten Weltkrieges machte allen unnötigen Forderungen der Damenmode ein Ende. Für zahlreiche Frauen wurde nun eine praktische Arbeitskleidung das allein Wichtige.

Der Wohnungsbau

Das Wohnungsproblem war schwerwiegend: Die Städte, die Vorstädte, die das Land rings um die Stadt fraßen, und die Industrieviertel wuchsen mit der Bevölkerung derartig rasch, daß man mit Neubauten nicht mehr nachkam. Vor den damit verbundenen Problemen versagte selbst die sonst sprichwörtliche Organisationsgabe der Deutschen. Es fehlte an Planung, an der Aufstellung neuer Verordnungen der Baupolizei, an Berücksichtigung der sozialen Fürsorge und der Hygiene. Hier wirkte sich der Liberalismus in Wirtschaftsfragen sehr negativ aus. Der Wirtschaft wurde soviel Freiheit gegönnt, daß die Sucht nach möglichst großem Gewinn nicht selten alle anderen Belange bagatellisierte.

Nur sehr reiche Leute konnten in vornehmen Vierteln Einfamilienhäuser oder Villen bauen. Die Fassaden waren prunkvoll, und vor ihnen wurde oft eine kleine Grünfläche angelegt. Es gab zwei Treppenhäuser, eines für die Herrschaft und eines für das Personal und die Lieferanten. Die Villa hatte mindestens ein Badezimmer. Fast alle Räume, die z. T. durch Schiebetüren verbunden wurden, waren heizbar. Es gab Dauerbrandöfen oder Zentralheizung, ferner einen Speiseaufzug aus der Küche; erste Versuche wurden mit Waschmaschinen, Eiskästen und Kochkisten gemacht. Der Abort war ein Wasserklosett; eigene Röhren dienten der Entfernung von Müll und Küchenresten. Größere vornehme Häuser verfügten über einen Personenlift.

Die meisten Häuser dagegen waren vier- oder fünfstöckige Mietskasernen mit zahlreichen Mietwohnungen. Man muß nun zwischen bürgerlichen Vierteln, wo ziemlich normale Wohnverhältnisse herrschten, und Vorstädten und Proletarierviertel unterscheiden, wo oft Wohnungselend herrschte und die Menschen in übermäßiger Menge zusammengepreßt waren. Seit 1871 florierte in Berlin und anderen Städten eine große Boden- und Bauspekulation. Wer rasch handelte, konnte große Gewinne verbuchen – dies galt bis zu dem großen Krach von 1873. Im Jahre 1872 gab es in Berlin noch 25 Baugesellschaften mit 104 Millionen Mark Kapital, nach 1873 nur noch sieben. Grundstücke konnten, wenn man früh zugriff, in einem aussichtsreichen Gelände billig gekauft und wenig später mit einer riesigen Gewinnspanne an eine Baugesellschaft verkauft werden. Nach 1873 gab es allerdings vorübergehend viele leerstehende Wohnungen, die man nicht billig vermieten wollte. Die in Berlin von 1853 bis 1887 geltende Baupolizeiordnung war unzureichend: Die Hinterhöfe der Häuser, die Lichthöfe, der Abstand zu einem Hinterhaus durften klein und schmal sein, so daß die Bewohner hinterer Räume und Häuser wenig Luft und fast kein Licht hatten.

Der Hausbesitzer wollte von den Erträgen seines Hauses gut leben. Sie waren oft seine einzige Einnahme. So wurden möglichst viele Wohnungen und entsprechend möglichst viele Menschen in eine Mietskaserne gepreßt. Um 1860 hatte ein Berliner Haus durchschnittlich noch 50 Bewohner – vor der Änderung der Baupolizeiordnung von 1887 konnten jedoch in einer fünfstöckigen Mietskaserne (eventuell mit Hinterhaus) bis zu 325 Menschen wohnen. Nach 1887 sollten in einem fünfstöckigen Haus »nur« ungefähr 167 Personen hausen. Um 1895 besserten sich die Verhältnisse etwas. Es war bereits ein günstiger Fall, wenn in einem Haus nur 72 Menschen wohnten. Die Verhältnisse hingen oft vom Charakter des Hausbesitzers ab: Manche Eigentümer konnten sich zu angsterregenden Tyrannen ihrer Mietparteien entwickeln. Kündigungen am Quartalschluß und Steigerungen der Miete waren unter den Mietern gefürchtet. Um 1873, nach dem Krach, konnten die Hausherren allerdings ihre Mieten wegen des vorübergehenden Wohnungsüberschusses nicht steigern; der Mietzins wurde aber vor 1890 wieder in die Höhe geschraubt. Die Hausherren vermieteten natürlich auch Geschäfte im Erdgeschoß und Arbeitsräume an Handwerker.

Zahlreiche Mietskasernen in Vorstädten waren regelrechte Elendsquartiere. In manchen Wohnungen wurde nur ein Raum geheizt oder war überhaupt nur ein Raum heizbar. Manche Mieter nahmen möglichst viele Untermieter auf oder gaben Schlafstellen ab; d. h. der oder die Betreffende durfte nur in der Nacht kommen und in einem abgelegenen Winkel schlafen. Andere Familien lebten auf dem Dachboden oder in Kellerwohnungen. Auf die damals ansonsten strenge Moral wurde in diesem Fall wenig Wert gelegt: Viele Hausbesitzer nahmen jeden auf, wenn er nur die Miete zahlte, und manche Mietskasernen dienten z. T. als heimliche Bordelle. Nicht wenige Ehemänner flohen aus dem Elend in der Mietskaserne oder in ihrer Wohnung. Sie fühlten sich in einer Kneipe wohler und kamen oft betrunken nach Hause, hatten auch für ihre Verhältnisse zu viel Geld ausgegeben. In zahlreichen älteren Mietskasernen fehlten die Kanalisierung und die Wasserklosetts. Mehrere Parteien mußten einen Abort in demselben Stock im Treppenhaus benutzen. Die Kanalisierung wurde z. B. in Essen im Jahre 1863, in Dresden im Jahre 1874 eingeführt. Die Dienstboten einer Familie mußten oft in unzureichenden Räumen oder Verschlägen schlafen. Ärmere Leute konnten noch feuchte Bauten gegen einen niedrigeren Mietzins beziehen; sie mußten sozusagen die feuchten Räume »trocken wohnen«, was natürlich der Gesundheit schadete. Die trocken gewordenen Zimmer wurden später gegen eine höhere Miete abgegeben.

85. Das Wohnungselend der Arbeiter: Hinterhöfe in der Berliner Ackerstraße (um 1900)

Seit etwa 1895 überwog das Wohnungsangebot die Nachfrage: Die Wohnungsnot hörte mindestens in den Mittelstandskreisen auf. Der Wohnungsstandard wurde in bürgerlichen Wohnungen
sowie in solchen von Industriearbeitern (Poliere, Facharbeiter usw.) etwas besser. Gerade in diesen
Kreisen wuchsen damals die Gehälter oder Löhne rascher als die Mieten. Der Mietzins für eine
mittlere Wohnung stieg von 1880 bis 1910 von 407 auf 474 Mark jährlich, für ein Einzelzimmer
allerdings von 244 auf 306 Mark jährlich. Der durchschnittliche Mietaufwand pro Person ist in
derselben Zeitspanne von 98 auf 133 Mark gestiegen. Der Komfort wurde angehoben: Es gab mehr
Badezimmer, mehr Wasserklosetts und mehr Gasanschlüsse. Man baute größere Licht- und Hinterhöfe und größere Fenster.

Ledigen- und Altersheime wurden in wachsender Zahl gebaut. Daneben existierten allerdings
auch weiterhin die berüchtigten Nachtasyle (»Herbergen« und »Pennen«), wo die Bretterwände
mit Dachpappe und Zeitungspapier abgedichtet waren und zweistöckige Bettstellen mit Strohsäcken
standen. Karitative Vereine beider Konfessionen suchten gerade die Wohnverhältnisse für die
sozial unteren Kreise zu bessern. Ein anderes Wohnungsproblem in Ostelbien bzw. an der Ostgrenze war die Unterbringung der ländlichen Taglöhner, der Saison- und Wanderarbeiter, der
»Sachsengänger«. Es waren die sogenannten »Schnitterkasernen«, meistens elende Baracken, ohne
Betten, nur mit aufgeschüttetem Stroh. Diese Menschen, z. T. aus Russisch-Polen, stellten allerdings
keine hohen Ansprüche und waren nur vorübergehend auf dem Gut. Die Besserung der Wohnverhältnisse hing vom sozialen Verständnis und vom Wohlstand der Gutsbesitzer ab. Hier und
da waren sie gezwungen, ihren Saisonarbeitern wohnlichere Räume zur Verfügung zu stellen, weil
sonst gerade die jüngeren Taglöhner ausblieben, die von vornherein bessere Arbeits- und Wohn-
bedingungen forderten. Das ständige Personal des Gutshofes war im allgemeinen besser untergebracht.

Die Wohnungen der meisten adligen Gutsherren glichen vornehmen Stadtwohnungen. Der
moderne hygienische Komfort dürfte dort allerdings nur langsam eingeführt worden sein. Es gab
in Industrie- und Bergwerksgebieten, besonders im Westen des Reiches, Arbeitgeber wie etwa
Krupp oder Stumm, die für ihre Arbeiter anständige Wohnungen zu relativ niedrigem Zins bauten
und dadurch die soziale Unzufriedenheit in einem wichtigen Bereich beschwichtigten. Selbstverständlich sollten gerade tüchtige und seßhafte Arbeiter auf diese Weise bewogen werden, nicht zu
kündigen und der Firma treu zu bleiben.

Das Innere der Wohnungen

Heute gilt die Wohnung der wohlhabenden Kreise in der Zeit vor 1914 oft als der Inbegriff der
Geschmacklosigkeit und des Kitsches. Indessen muß man jeder Zeit ihr Recht lassen; wer weiß, wie
spätere Generationen unsere Wohnungen und Bilder beurteilen. Es hat zweifellos viele Wohnungen
gegeben, deren Inhaber guten Geschmack und Sinn für gefällige Einfachheit bewiesen. Heute
werden jedoch nur die üblen und lächerlichen Beispiele herausgestellt – und auch ich muß hier ein
bißchen in diese Einseitigkeit verfallen.

Das Parvenühafte der frisch nobilitierten Adelskreise und eines Teiles des Bürgertums zeigte sich
besonders deutlich im Interieur ihrer Wohnungen. Alte Stilformen wurden nicht nur in der Archi-

tektur, sondern auch in den Wohnungen selbst nachgeahmt. Die Wohnung konnte durchgehend gut ausgestattet sein, oder sie teilte sich in ärmlicher möblierte Zimmer (vor allem das Schlafzimmer) und in Glanzzimmer (Salon, Speisezimmer, die »gute Stube«, manchmal auch das Arbeitszimmer der Hausfrau), die einer Ausstellung oder einem Museum glichen und in die man die Gäste führte. Hier konnte, nach heutigen Begriffen, die Geschmacklosigkeit wahre Orgien feiern.

Wohlhabende Kreise haben zumeist nur echtes Material bestellt: Sie hatten Möbel aus Eiche, Mahagoni oder Rosenholz, gebräuchlich waren auch Bambusmöbel mit Weidengeflecht. Man bevorzugte »altdeutsche« – angeblich gotische – Formen (z. B. Schränke mit Butzenscheibenfenstern), den Renaissance-Stil oder Möbel à la Louis Quinze, Louis Seize oder Empire. Selbstverständlich handelte es sich dabei in den meisten Fällen um Imitationen, die es mit der Formtreue nicht immer allzu genau nahmen. Es war aber häufig der Fall, daß gutes und teures Material durch unechtes und billiges vorgetäuscht werden sollte. Die Imitation, der Talmi triumphierte. Man wollte elegant erscheinen, war aber insgeheim sparsam, ja geizig. Da gab es Möbel aus Fichten- oder Tannenholz, das wie Eiche ausschauen sollte, Stuck, Gips oder gar Blech und Zement statt Marmor; Holz- statt Marmorsäulen, Steingut statt Porzellan, Pappe statt Leder, Gußeisen statt edlerem Metall – aber alles war so marmoriert, angemalt, gemasert, gesprenkelt, daß der Besucher glauben konnte, doch kostbares Material vor sich zu haben. Es gab ferner Messing als Gold, falschen Alabaster und falschen Onyx. Andere Utensilien waren unverhüllt unecht, wie Blumen aus Papier oder Stroh, oder Obst aus Wachs oder Seife, Dinge, die ständig im Zimmer »auflagen«.

Der Salon oder die »gute Stube« waren mit nutzlosen Dingen vollgestopft und übersät. In einem Glasschrank wurden »Kostbarkeiten«, alte Hochzeitsgeschenke oder Reiseandenken gezeigt. Das Vertiko – ein Zierschrank mit kleinem Überbau – war besonders beliebt. Im Bücherschrank durften neben dem Konversationslexikon nur Prachtausgaben mit echtem oder falschem Lederrücken stehen. Auf dem Tisch lagen stets große Prunkbände in Folioformat mit Goldschnitt, reich illustriert – etwa Werke von Joseph Victor v. Scheffel, Julius Wolff, Gustav Freytag, Georg Ebers, Felix Dahn, Emanuel Geibel, Rudolf Baumbach, oder ein reich illustriertes Werk über den Krieg von 1870/71 und das neueste Heft der »Gartenlaube«. Auf dem Klavier oder anderen Möbeln standen Gipsbüsten von großen Männern.

Nicht jeder konnte ein Original eines bekannten Salon-, Genre- oder Landschaftsmalers kaufen. So hingen schlechte Öldrucke an den Wänden, die oft mit Bildern fast tapeziert waren. Überall standen Nippesfigürchen herum. Wenn Zinngeschirr im Zimmer ausgestellt werden konnte – um so besser. Nur wenigen reichen Leuten gelang es, den Eklektizismus aus den Niederungen profaner Imitation herauszuführen, so dem Münchner Maler Franz v. Lenbach mit seiner Villa in florentinischer Renaissance oder später dem Münchner Maler Franz v. Stuck mit seiner Villa im griechisch-römischen Stil.

Der Salon schaute manchmal so aus, als ob man in die Wohnung eines berühmten Malers oder Weltreisenden, eines Jägers, Kriegers, Reiters oder Seefahrers geraten sei. Türkische, persische, bucharische, japanische, chinesische Textilien, Möbel oder Keramiken, Jagdtrophäen, nicht selten aus Kunstmasse, ausgestopfte Vögel, Helme und Waffen, nicht selten sogar orientalische; Tigerfelle, Segelschiffe, die von der Decke herabhingen, Sättel und Reitgerten waren zu sehen. Es mußte, wie gesagt, keineswegs alles echt sein – davon nicht zu reden, daß man es natürlich nicht im Herkunftsland erworben hatte. Es gab die erwähnten »altdeutschen« Zimmer, »echte« Bauernstuben, »maurische« Rauchzimmer, sogenannte »spanische« Herrenzimmer, »ostasiatische« Boudoirs. Im Zimmer standen eine Palme oder falsche Blumen oder ein Arrangement von Pfauenfedern. Große Vogelbauer oder Aquarien oder Terrarien waren sehr beliebt. An Stoffen gab es Samt und Seide (auch Wollsamt), Atlas, Damast, Ripsgewebe, Plüsch, Tüllgardinen, baumwollene Gaze (u. a. für Decken, Überzüge von Möbeln, Portieren usw.) zu sehen. Die Möbel (oft Plüschmöbel) trugen Überzüge aus Kattun, die entfernt wurden, wenn »großer Besuch« kam oder Feste gefeiert wurden. Sonst sah man Glanzleder, Goldrahmen, Goldstuck, Schildpatt, Elfenbein und Perlmutt. Der Kachelofen wies häufig die seltsamsten Formen auf, stellte beispielsweise eine Ritterburg dar. Manche Zimmer hatten einen imitierten »offenen Kamin« mit Holzscheiten und beleuchtetem rotem Stanniolpapier. Es wurde dort nie wirklich geheizt.

Man liebte es, bestimmte Gegenstände einem anderen Zweck zuzuführen, worin eben die »spaßhafte« Überraschung lag; ich kann hier nur einige Beispiele anführen: Eine Ritterrüstung konnte ein Schirmständer, eine kleine Pistole ein Thermometer, eine kleine Lokomotive eine Uhr sein. Aufklappbare Bismarckköpfe oder Mönche waren Bierkrüge, ein aufliegendes dickes Buch ein Tabakbehälter, ein Totenkopf oder eine Eule ein Tintenfaß, eine Schöne im Reifrock oder ein Tiroler Hut Zigarrenständer. Es war kaum zu fassen, was alles als Vase oder als Briefbeschwerer dienen mußte, was auf die Kaffeetassen gemalt wurde (Wilhelm II., Bismarck, Goethe usw.)!

89. Befreiter Wohnstil:
Speisezimmer im Haus des Grafen
Dürckheim, gestaltet von
Henri van de Velde (1912/13)

Leuchter oder Rahmen von Bildern und Spiegeln waren ein weiteres Betätigungsfeld für Kitsch-
künstler. Zweck all dessen war es, »Gemütlichkeit« zu erzeugen; die Überfülle verbannte aber oft
jede Gemütlichkeit, ja auch wahre Bequemlichkeit. Die Galaräume waren vollgestopft, deswegen
halbdunkel, mit zahlreichen Staubfängern und wenig gelüftet. Sie waren im Winter nicht geheizt,
meist nur zum Weihnachtsfest oder wenn ein besonderer Besuch kam. Für diese hausbackene Vor-
nehmheit war es andererseits bezeichnend, daß der im Winter ungeheizte Salon als Kühlraum
benutzt wurde und daß dort – allerdings in Schränken verborgen – Einmachtöpfe, Schmalzschüsseln
und Eiervorräte aufbewahrt wurden.

In dieser Situation wirkte der Jugendstil, der um die Jahrhundertwende aufkam, als Befreiung
und Protest. Er erstreckte sich auf das Mobiliar, die Innenarchitektur und die Innendekoration.
Dadurch wurden die Wohnungen leerer, heller, luftiger und freundlicher. Manche ließen Villen und
Wohnungen im Jugendstil neu bauen, andere ließen ihre Wohnungen im Jugendstil umformen.
Man begann sich der Imitationen, des Talmiglanzes zu schämen, und die Salons im geschilderten
Stil verschwanden immer mehr. Der Ofen sollte nun wirklich wie ein Ofen ausschauen, auf die
falschen Kamine wurde verzichtet; die Makartsträuße wurden weggeworfen, und man stellte ent-
weder frische Blumen ins Zimmer oder keine. Wenigstens in wohlhabenden Familien zog man nun
echte Orientteppiche vor.

Diese Abwendung von der Imitation, diese Hinwendung zum Echten und Geschmackvollen setzte sich verschieden schnell durch. Während die jüngere Generation sich den neuen Formen gegenüber aufgeschlossen zeigte, behielten die älteren Eheleute meistens ihre Einrichtung noch durch Jahrzehnte bei, oft bis in die Zeit nach dem Ersten Weltkrieg. Manche aus dem vierten in den dritten Stand aufgestiegene Leute kauften noch Wohnungseinrichtungen im Stil der Zeit nach 1871; sie wollten dadurch dokumentieren, daß sie nun zum Bürgertum gehörten.

Technik, Erfindungen, Hygiene

Im späteren 19. und im beginnenden 20. Jahrhundert hat die Technik in einem Ausmaß Fortschritte gemacht, wie in keiner Epoche zuvor. Die Welt- und Großmächte traten auch im Bereich der Erfindungen und der Technik in einen scharfen Konkurrenzkampf, und Deutschland hatte daran wesentlichen Anteil. Der Zeitraum zwischen 1871 und 1918 hat besonders zahlreiche deutsche Erfindungen gebracht. Manche reichten allerdings in die Zeit vor 1870 zurück und reiften erst nach 1871 voll aus. Andere Erfindungen wurden in Deutschland und anderen deutschsprachigen Gebieten gemacht, aber erst im Ausland sinnvoll ausgewertet. Wissenschaft und Technik gingen Hand in Hand und förderten die Entwicklung von Industrie und Landwirtschaft, die Entwicklung der Verkehrsmittel und alle Arten des Komforts. Neue Methoden senkten die Herstellungskosten und führten zu einem schnelleren Fluß der Produktion sowie zu einer Vermehrung des Warenangebots.

Die neue Technik brachte große Auswirkungen im sozialen Bereich mit sich. Der Weg ging vom »gutseigenen« Mechaniker auf einem ostelbischen Gutsbesitz, vom Heimarbeiter und Handwerker zum Fach- und Fabrikarbeiter. Noch Bebel hat die Verbreitung immer modernerer Maschinen als einen Hebel zum Aufstieg des Arbeiters betrachtet. Die Technik befreie von viel schwerer Arbeit und werde das Volk demokratisieren; sie bewerkstellige den Aufstieg der Massen. Naturwissenschaften und Technik bedingten Fortschrittsglauben und Optimismus. Dabei übersah man nur zu häufig die Nachteile dieser Entwicklung. Rationalismus und Materialismus vertieften sich im Volk, während gleichzeitig, gefördert durch die Massenproduktion von Schundwaren und Kitschartikeln, eine Beschränkung der geistigen Substanz und des künstlerischen Empfindens zu beobachten war. Die Landschaft erhielt ein anderes Gesicht. Es entstanden Fabrikvororte oder ganze Fabrikstädte mit Hochöfen, riesigen Schornsteinen, Reklame-Aufschriften usw. Das Land wurde mit Schienenwegen, Straßen, Leitungsmasten und Kanälen überzogen, und da der Gedanke des Heimatschutzes noch nicht voll entwickelt war, wurde das Bild der Landschaft oft verunstaltet. Rauch und Gase begannen die Luft zu verpesten. Die alte biedermeierliche Geruhsamkeit und Gemütlichkeit gingen verloren. Der Verkehr auf den Straßen der Großstädte und ihrer Vororte wurde dichter, lauter und gefährlicher.

Das Leben wurde in einiger Hinsicht bequemer, nahm aber gleichzeitig an Hektik zu. Die Massenproduktion erforderte gesteigerten Absatz, der wiederum nur durch intensive Werbung zu erzielen war. Das Phänomen des Konsumzwanges nahm hier seinen Anfang: Die Technik eilte den bisher geträumten Wünschen des Menschen voraus, erhöhte die Begehrlichkeit nach Komfort und Genuß und erweckte immer neue Bedürfnisse – und damit Unzufriedenheit.

90. Gebäude der Maschinenbau A. G. Nürnberg im Jahre 1880

Die immer zahlreicheren Maschinen schienen die Gefahr einer steigenden Arbeitslosigkeit herauf-
zubeschwören, die aber bis 1914 durch die Blüte der Wirtschaft im allgemeinen gebannt werden
konnte. Die Maschine und die wachsende Automatisierung der Arbeit – so wurde häufig geklagt –
führten zur Entpersönlichung des Arbeiters, der, auf einige Handgriffe beschränkt, jeden Bezug zu
der von ihm hergestellten Ware und seiner Arbeit verlor. Ein Fabrikarbeiter konnte leichter ersetzt
werden als früher ein guter Handwerker. Dies führte da und dort zu Entlassungen und, damit
verbunden, zu größerer Fluktuation.

Der Fortschritt zeigte sich vor allem im Verkehr. Die Dampflokomotiven der Eisenbahnen sowie
die Waggons wurden immer moderner. Die deutschen Eisenbahnen hatten seit 1872 Speisewagen,
seit 1873 Schlafwagen (im Jahre 1900 bereits 776 Schlafwagen und 120 Speisewagen). Später
kamen Kühlwagen für den Transport leicht verderblicher Lebensmittel auf. Seit 1892 gab es sogenannte D-Züge. Die Firma Siemens & Halske zeigte schon im Jahre 1879 auf der Berliner
Gewerbeausstellung die erste elektrische Eisenbahn. Reichs-, Staats- und Privatbahnen bestanden
zunächst nebeneinander, ein Tarifchaos war die Folge. Die Übernahme der Bahnen durch das Reich
gelang vorerst nicht, weil die außerpreußischen Bundesstaaten sich dagegen wehrten. Um 1875 gab
es in Preußen noch 49 Privatbahnverwaltungen. Der Staat Preußen kaufte seit 1880 systematisch
Privateisenbahnlinien auf, und zwar von 1880 bis 1890 ein Streckennetz von rund 14 000 km.
Die Mittelstaaten folgten widerwillig im Ankauf von Privateisenbahnen. Aus Mitteln der großen
französischen Kriegsentschädigung wurden viele neue Eisenbahnlinien finanziert, vollspurige sowie
Kleinbahnen. Die Militärverwaltung wünschte natürlich auch – zum Zweck der Landesverteidigung
an der West- und Ostgrenze – den Bau bestimmter Linien. Der Aufstieg der Wirtschaft, die
Bergwerke, die Hochöfen, die Schwerindustrie im Westen des Reiches, darunter auch in Lothringen,
erforderten erst recht eine Verdichtung des Eisenbahnnetzes. Seine Ausdehnung betrug:

1880	33 865 km
1885	37 572 km
1890	41 818 km
1895	45 203 km
1900	49 873 km
1905	54 680 km
1910	59 031 km

Den Bundesstaaten eröffneten sich in den Eisenbahnen gute Einnahmequellen; Preußen z. B. erwirtschaftete im Jahre 1889 einen Überschuß von 156 Millionen Mark. Als vorteilhaft erwies sich die Gründung von Eisenbahngemeinschaften; so etwa die von 1896 zwischen Preußen und dem Großherzogtum Hessen, der sich im Jahre 1901 auch Baden anschloß.

In Deutschland brauchte man, begünstigt durch die meist flache Landschaft, nicht viele Tunnels zu bauen. Bewundert wurde jedoch seinerzeit der Tunnel der Moseltalbahn bei Cochem – 4200 m lang –, der zwischen 1874 und 1877 erbaut wurde. Noch berühmter war der Elbtunnel bei Hamburg, der für Fahrzeuge und Passanten bestimmt war. Er liegt 21,5 m unter dem Spiegel der Elbe bei einer Länge von 500 m und wurde von 1907 bis 1911 mit einem Kostenaufwand von 11 Millionen Mark erbaut.

Das alte Verkehrsmittel für begüterte Kreise war die Droschke, die um 1900 sogar einen Taxameter zur Feststellung des Fahrpreises erhielt. Die Ausdehnung der Großstädte machte die Straßenbahn zu einem notwendigen Verkehrsmittel. Die Entwicklung ging von der Pferdestraßenbahn auf Schienen – die erste fuhr im Jahre 1865 in Berlin – zur Dampf- und schließlich zur elektrischen Straßenbahn. Die erste elektrische städtische Bahn Europas wurde am 12. Mai 1881 in Berlin eröffnet. Sie führte vom Anhalter Bahnhof zur Hauptkadettenanstalt in Großlichterfelde und wurde von der Firma Siemens & Halske gebaut. Seit den neunziger Jahren entwickelte sich die Straßenbahn zu einem Massentransportmittel, auf das zahlreiche Menschen angewiesen waren. Berlin besaß bereits 1902 eine elektrische Hochbahn, die streckenweise auch schon unter der Erde fuhr. Die Strecke Marienfelde–Zossen (1903) sowie einige Alpenbahnen erhielten bereits elektrische Lokomotiven. Eine damals besonders originelle Bahn war die elektrische Einschienen-Schwebebahn zwischen Barmen und Elberfeld.

Die Landstraßen verödeten zeitweilig, da auch die ärmeren Leute in der billigen 4. Klasse der Eisenbahn reisen konnten; dennoch wuchs das Straßennetz in Deutschland von 50 000 km im Jahre 1886 auf 150 000 km im Jahre 1900. Besonders in den Grenzgebieten waren gute Straßen von Bedeutung für einen eventuellen Truppenaufmarsch.

Den anwachsenden Materialtransporten diente auch der Ausbau der Fahrrinnen der Flüsse, besonders des Rheins, der Ems, der Weser, der Elbe, der Oder, der Weichsel, der Memel, des Pregel, sowie der Bau einer Reihe von Kanälen, die zum guten Teil die Flüsse miteinander verbanden. An den Flüssen und Kanälen mußten z. T. neue Häfen und Schleusen gebaut werden. Der Rheinhafen von Duisburg war vor 1914 der größte Binnenhafen der Welt. Der sogenannte Mittellandkanal, dessen Bau 1899 und 1901 im Reichstag heftig umstritten war, kam – als Gesamtlinie – durch den Widerstand der Konservativen und ostelbischen Landwirte und Grundbesitzer nicht zustande. Diese befürchteten, daß auf einem durchgehenden Kanal wohlfeiles Getreide billig vom Westen nach dem Osten transportiert werden könnte. Ein durchlaufender Kanal sei überhaupt wirtschaft-

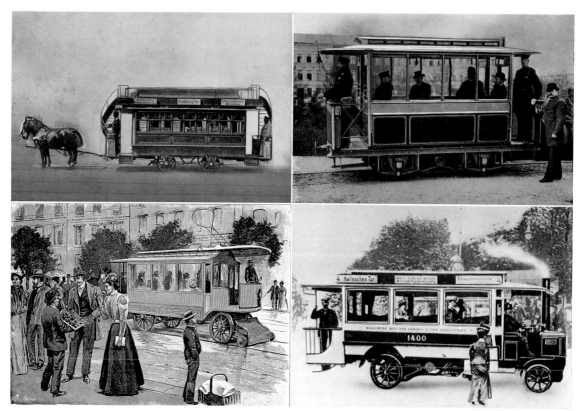

91. Der Wagen Nr. 1 der ersten »Berliner Pferdeeisenbahn«, die am 22. Juni 1865 eröffnet wurde (oben links)

92. Vom Pferd zur Elektrizität: Berlins erste »Elektrische« im Jahre 1881

93. und 94. Verkehrsmittel im Berliner Straßenbild:
links ein elektrischer Omnibus (1899) und rechts ein Dampfomnibus (1905)

lich eher für den Westen als für den Osten ein Vorteil. Kaiser Wilhelm II. hätte den vollständigen Kanal gewünscht, aber selbst er setzte sich nicht durch. Es nützte nicht viel, daß ein Kanal von Dortmund nach Hannover zustande kam; da nämlich die Verbindung zur Elbe nicht hergestellt wurde, verfügte das Reich über keine durchgehende Kanalverbindung von Westen nach Osten.

Wasserstraßengesetze von 1888 und 1905 regelten die Art des Transportverkehrs auf Kanälen. Für solche Bauten wurden mehr als 2 Milliarden Mark investiert. Der Nord-Ostsee-Kanal (»Kaiser-Wilhelm-Kanal«) wurde von 1887 bis 1895 erbaut und am 21. Juni 1895 eröffnet; er war 98 km lang. Er wurde für die neue große deutsche Kriegsflotte bedeutsam und schon bald erweitert, so daß ihn seit 1914 auch sehr große Schiffe passieren konnten.

Die deutsche Schiffahrt nahm nach 1871 einen ungeahnten Aufschwung. Der Schraubendampfer verdrängte das Segelschiff, und nach 1890 bildeten Segelschiffe nur noch Ausnahmen. Die Dampfer wurden immer häufiger aus Stahl gebaut. Man verwendete schon Dampfturbinen, während in kleine Schiffe bereits Dieselmotoren eingebaut wurden. Die zwei bedeutendsten Reedereien, die Hamburg-amerikanische Paketfahrt-AG (Hamburg-Amerika-Linie = Hapag) und der Norddeutsche Lloyd Bremen, sind schon in den Jahren 1847 bzw. 1857 gegründet worden. In Hamburg und Bremen entstanden von 1871 bis 1913 acht weitere Reedereien für die Linienschiffahrt nach Übersee. Einzelne Unternehmungen spezialisierten sich auf bestimmte ferne Gebiete (Südamerika,

95. Der Schnelldampfer »Kaiser Wilhelm II.«, der 1902 als der größte Dampfer
der Welt galt. *Zeichnung von Willy Stoewer*

Afrika, Ostindien, Australien usw.). Neben diesen Gründungen gab es vier deutsche Reedereien
»mit großer Küstenschiffahrt« (gegründet von 1873 bis 1896), deren Schiffe zu den Ostseeländern,
nach England, zur Iberischen Halbinsel, nach Marokko und in die Levante fuhren. Die Hapag und
der Norddeutsche Lloyd besaßen im Jahre 1904 je ein Kapital von 100 Millionen Mark. Hapag
verfügte im Jahre 1913 über 341 Schiffe und 150 Millionen Mark Aktienkapital; Lloyd im Jahre
1913 über 467 Schiffe und 125 Millionen Mark Aktienkapital.

Der Leiter der Hapag war Albert Ballin, ein weitblickender Mann, der die besondere Gunst
Wilhelms II. genoß. Auf der Höhe der Geltung der Hapag vor 1914 befuhr diese 74 Linien, ihre
Schiffe liefen ungefähr 400 Häfen an. Im Passagierdienst nach New York stritten Hapag und
Lloyd mit den englischen Schiffen der Zeit um das berühmte »Blaue Band« für die schnellste Atlan-
tiküberquerung.

Die deutsche Handelsflotte nahm einen großen Aufschwung: Von 1890 bis 1913 wurde die
Tonnage vervierfacht. Die Flotte war vor 1914 nach der englischen die zweitgrößte Handelsflotte
der Welt. Gerade die immer größer werdenden Schiffe konnten Waren in Massen befördern, was
die Frachtkosten des Schiffsverkehrs ermäßigte.

Die Gesamttonnage der deutschen Handelsflotte betrug: 1900 2 650 000 BRT, 1909 4 267 000 BRT
und 1911 4 467 000 BRT.

Im folgenden statistische Angaben zu den Ankünften von Schiffen in den deutschen Häfen:

Unter allen Flaggen:

1876/80	51 050 Schiffe
1890	64 878 Schiffe
1900	88 379 Schiffe
1910	111 797 Schiffe

Unter deutscher Flagge:

1876/80	34 721 Schiffe
1890	46 942 Schiffe
1900	66 749 Schiffe
1910	86 810 Schiffe

In Hamburg beheimatete Schiffe:

1876/80	475 Schiffe
1890	587 Schiffe
1900	802 Schiffe
1914	1 353 Schiffe

Die Produktion deutscher Schiffe (einschließlich der Fluß- und Kriegsschiffe) wuchs von 385 Schiffen im Jahre 1900 auf 859 Schiffe im Jahre 1911.

Ein neuer Schiffstyp war das Unterseeboot; die deutsche Kriegsflotte stellte 1906 das erste U-Boot in Dienst. Zunächst wurde seine Bedeutung sehr unterschätzt, doch während des Ersten Weltkrieges baute das Reich rund 400 U-Boote, die insgesamt 5495 feindliche Kriegs- und Handelsschiffe mit ungefähr 12 Millionen BRT versenkten.

Deutschland hat bei der Entwicklung zur »Eroberung der Luft« eine bedeutende Rolle gespielt. Die Freiballons, um 1897 sogar mit einem Motor ausgerüstet (Wölfert bei Berlin), hatten allerdings keine Zukunft. Während des Krieges kamen dann die Fesselballons auf, die aber vom Feind – durch Jagdflieger und Artillerie – leicht abgeschossen werden konnten. Der berühmte »Drachenflieger« Otto Lilienthal führte ab 1893 in den märkischen Rhinower Bergen Segel- und Gleitflüge durch. Er segelte bereits über Strecken von 400 m, bevor er am 9. August 1896 tödlich verunglückte.

Die Zukunft gehörte dem Flugzeug mit Motor und Propeller. Die damaligen Flugzeuge waren Drei- und Doppeldecker und bestanden aus schwachem Holz, aus Stoff und aus Drähten, später dann aus Aluminium. Im Jahre 1907 wurde eine deutsche Flugmaschinen-Wright-Gesellschaft unter Major v. Kehler gegründet. Später errichtete der Flieger Edmund Rumpler in Berlin eine Flugzeugfabrik. Berühmte deutsche Flugzeugkonstrukteure waren Hans Grade, Edmund Rumpler und Professor Hugo Junkers, der im Jahre 1915 das erste Ganzmetallflugzeug baute. Der erste autorisierte deutsche Pilot war Kapitän Engelhardt, die erste Pilotin hieß Nelly Beese. Helmuth Hirth flog 1911 in einer »Rumplertaube« mit einer Geschwindigkeit von 100 km pro Stunde von München nach Berlin. Man versuchte auch schon Flüge bei Nacht. Besonders in der Umgebung Berlins wurden Flugtage mit Schauflügen veranstaltet, und im September 1909 fand die 1. internationale Flugwoche auf dem Johannisthaler Flugplatz bei Berlin statt.

Das Offizierskorps beurteilte das Flugwesen unterschiedlich. Die einen betrachteten es als Spielerei und Sport, die anderen sagten ihm eine militärisch bedeutsame Zukunft voraus. Auch im Flugwesen

96. Heinkels erstes selbstgebautes Flugzeug
beim ersten Flug am 9. Juli 1911 (oben)

97. Der »Flugapparat« des Prinzen
Friedrich Sigismund v. Preußen (1913)

kam es zu einem Wettlauf zwischen Deutschland und den westlichen Großmächten. Um 1913 strebte
Frankreich nach dem Geschwindigkeitsweltrekord für Flugzeuge, während Deutschland den Fern-
flugweltrekord erreichen wollte (um 1913 2160 km). Kurze Zeit vor dem Krieg, am 11. Juli 1914,
blieb ein deutsches Flugzeug 24 Stunden und 12 Minuten ununterbrochen in der Luft, was wiederum
einen Weltrekord darstellte.

Dem Flugzeug kam während des Krieges eine ungeahnte Bedeutung zu. Bombenangriffe waren
dabei weniger wichtig als die Aufklärung durch Flugzeuge und das Eingreifen in den Bodenkampf.
Die berühmtesten deutschen Jagdflieger im Ersten Weltkrieg waren Oswald Boelcke, Max Immel-
mann und Manfred Frhr. v. Richthofen.

Wenn auch die mit Gas gefüllten lenkbaren Starrluftschiffe mit Motorenantrieb, die General-
leutnant Ferdinand Graf Zeppelin konstruierte, heute nur mehr ein Kapitel der Geschichte sind,

so bleiben doch der Erfindergeist und Tatendrang Zeppelins zu bewundern. Zeppelin arbeitete seit
1890 an seiner Erfindung, und 1895 meldete er sein Luftschiff zum Patent an. Im Jahre 1898 wurde
eine Aktiengesellschaft gegründet (Neugründung 1906). Die Werft war bei Manzell am Bodensee.
Am 2. Juli 1900 stieg das erste Luftschiff auf (LZ I): Es war 128 m lang, hatte einen Durchmesser
von 11,2 m und war mit 11 300 m³ Gas gefüllt. Es blieb nur 18 Minuten in der Höhe – aber ein
Anfang war gemacht. Zeppelin mußte bis 1908 manche Rückschläge hinnehmen. Zwei Luftschiffe
wurden ohne seine Schuld vernichtet, eine Luftschiffhalle am Bodensee versank 1907 im Wasser.
Zeppelin selbst verbrauchte sein Privatvermögen von 800 000 Mark; Aktiengesellschaften und
Lotterien mußten helfen. August v. Parseval mit einem unstarren Luftschiff und das halbstarre
Luftschiff des Majors Hans Gross traten als Konkurrenten auf. Das System Zeppelins wurde
schließlich mit dem System von Schütte-Lanz vereinigt. Nach dem Unglück von Echterdingen am
5. August 1908 wurde eine deutsche Nationalspende von 6 Millionen Mark aufgebracht.

In Friedrichshafen am Bodensee wurden die Maybach-Motorenwerke begründet, die seit 1909
auch für Zeppelin arbeiteten. Nun schien das Werk Zeppelins gesichert zu sein: Bis 1914 wurden

98. Graf Zeppelin beim Start zu seiner
»historischen Fahrt mit dem lenkbaren
Luftschiff«. *Gemälde von Z. Diemer*
99. Beim Fahrradfahren – um 1900 –
trugen die jungen Damen flotte Kostüme

insgesamt 25 Luftschiffe gebaut, die über die Schweiz, den Rhein entlang, bis Berlin, schließlich bis Spitzbergen flogen. Es wurden regelmäßige Flüge und ein Fahrplan eingerichtet und bis 1914 rund 25 000 Menschen befördert. Man drängte sich danach, von einer Stadt zur anderen mit einem Luftschiff zu reisen. Im Jahre 1914 verfügten das deutsche Heer über 8 und die Marine über 3 Luftschiffe. Man erhoffte sich von den »Zeppelinen« viel, erlebte aber Enttäuschungen. Die Bombenangriffe u. a. auf London und Paris und über der Front von Verdun waren wenig wirksam, zumal die Luftschiffe mit ihrem brennbaren Gas durch Artilleriebeschuß und durch den Angriff von Jagdfliegern leicht vernichtet werden konnten. Die größte Leistung eines Zeppelins war die Fahrt von L 59 von Bulgarien bis Chartum in Afrika und zurück im November 1917. Man wollte mit diesem Flug den eigenen Truppen in Deutschostafrika zu Hilfe kommen, doch kehrte der Kapitän, durch Funkmeldungen der Engländer fehlgeleitet, zurück, ohne die Kolonie erreicht zu haben. Sämtliche Luftschiffe mußten nach der Niederlage im Jahre 1918 zerstört werden.

Die Anfänge des Fahrrades – eigentlich die Erfindung des Freiherrn Karl v. Drais aus Mannheim – reichen in die Zeit vor 1870 zurück. Es gab früher Hochräder mit Tretkurbel, die vorn ein sehr großes, hinten ein sehr kleines Rad hatten. Das »Veloziped« (Fahrrad), spöttisch auch »Knochenschüttler« genannt, wurde später durch Luftreifen erträglicher. Das Fahrrad im modernen Sinn setzte sich etwa zwischen 1880 und 1890 durch. E. Sachs erfand im Jahre 1900 die Fahrrad-Torpedo-Freilaufnabe.

Es entwickelte sich eine eigene Fahrradindustrie. Das Rad galt zuerst nur als Sportfahrzeug, später wurde es ein viel benütztes Beförderungsmittel. Es gab zeitweilig Fahrräder, auf denen bis zu 7 Personen hintereinander sitzen konnten, aber allein das Tandem – für zwei Personen – hielt sich längere Zeit. Der Fahrradverkehr war allerdings im Kern von Berlin bis 1896 als zu gefährlich verboten. Bis 1912 wurden sogar Fahrradkarten, also eine Art Führerschein, ausgegeben.

Gottlieb Daimler konstruierte schon im Jahre 1886 ein Motorzweirad, den Vorläufer des Motorrades. Die deutsche Industrie gab es seit 1900 in Serienerzeugung heraus, und die Reichspost stellte im Jahre 1900 Motorräder in Dienst.

Es würde in diesem Rahmen zu weit führen, die Geschichte der Erfindungen des Benzinmotors und des Autos im einzelnen darzustellen. Die deutschen Pioniere auf diesem Gebiet waren Gottlieb Daimler aus Schorndorf in Württemberg, Carl Friedrich Benz aus Mannheim, Nikolaus August Otto aus Holzhausen im Taunus, Wilhelm Maybach aus Heilbronn, Siegfried Marcus aus Mecklenburg und Christian Reithmann aus München. Marcus baute schon im Jahre 1864 einen Motor in einen Wagen ein, mit dem er auf der Wiener Schmelz 200 m weit fuhr. Im Jahre 1875 – also als erster – schuf er sein zweites Auto, mit dem er wiederholt Probefahrten unternahm (7 Kilometer Stundengeschwindigkeit). Die Wiener Polizei untersagte »wegen ungebührlicher Lärmentwicklung« weitere Fahrten, worauf Marcus seine anscheinend aussichtsreichen Versuche einstellte.

Nikolaus August Otto erfand schon im Jahre 1860 einen Gasviertaktmotor und wandte sich danach dem »Zweitakter« zu, von dem er über 5000 Exemplare verkaufen konnte. Erst im Jahre 1874 konnte er einen verbesserten Viertaktmotor herausbringen, für den nun die Gasmotorenfabrik Deutz ein Patent erhielt und der zahlreiche Käufer fand. Auf das Patent mußte freilich im Jahre 1884 verzichtet werden, da sich herausstellte, daß der Münchner Christian Reithmann bereits im Jahre 1873, also ein Jahr früher als Otto, einen guten Viertaktmotor erfunden, dafür aber kein Patent erwirkt hatte.

Daimler und Carl Benz arbeiteten zunächst nebeneinander. Benz in Mannheim erhielt im Jahre 1879 für einen von ihm konstruierten Zweitaktmotor ein Patent. Er verkaufte den Motor mit so gutem Erfolg, daß er mit einigen Partnern die Mannheimer Gasmotorenfabrik gründen konnte. Nun wollte er darangehen, einen selbstfahrenden Wagen zu bauen, doch die Teilhaber lehnten eine Unterstützung ab. Benz verließ das Unternehmen und baute mit dem Erlös aus seinem Anteil an der Fabrik den von ihm längst entworfenen selbstfahrenden Wagen, für den er zuerst einen neuen Zweitakter, hierauf einen neuen Viertakter erfand. Er gründete nun zusammen mit einem reichen Kaufmann die »Benz u. Co. Rheinische Gasmotoren-Fabrik« – als die dritte dieser Art. Nach zweijährigen Experimenten stand im Frühjahr 1885 der erste Benzsche selbstfahrende Wagen bereit. Er war ein Dreirad; der Motor war zwischen den Hinterrädern eingebaut.

Bei der ersten Probefahrt wurde zwar ein Zaun zertrümmert, aber sonst gelangen alle Fahrversuche bei Mannheim. Benz bewältigte schon 12 km in 60 Minuten. Er erhielt am 29. 1. 1886 das

100. Ein Daimler-
Wagen mit Einzelrad-
lenkung und Ketten-
antrieb aus dem
Jahre 1890. Dieses Auto
schaffte 22 Stunden-
kilometer und kostete
4400 Mark.

deutsche Patent auf seinen selbstfahrenden Wagen. Es war die Geburtsstunde des deutschen Auto-
mobils. Käufer blieben allerdings vorderhand noch weitgehend aus. Man brauchte ein sensationelles
Ereignis als »Durchbruch«. Da machte es Aufsehen, als die Frau des Erfinders, zuerst ohne Wissen
ihres Mannes, mit zwei Söhnen ohne Unterbrechung von Mannheim nach Pforzheim fuhr. Im
September 1888 fuhr dann Benz selbst mit seinem Kraftwagen durch die Straßen von München zur
dortigen Kraftmaschinenausstellung, so daß zahlreiche Passanten das Automobil selbst in Aktion
sahen und bewundern konnten. Der Kraftwagen erhielt auf der Ausstellung die Goldene Medaille.

In derselben Zeit baute Daimler, der technische Direktor der Gasmotorenfabrik Deutz, zusammen mit seinem Mitarbeiter Maybach einen schnellaufenden Motor, der leichter als der Motor Benz'
war, und setzte diesen Motor in einen Wagen ein. Auf der damaligen Pariser Weltausstellung
wurden die beiden Automobile von Benz und Daimler zusammen dem Publikum gezeigt – und
nun ging es rasch aufwärts. Aus dem Dreirad wurde ein Wagen mit vier Rädern, und alle folgenden
Modelle wurden jeweils rasch modernisiert. Robert Bosch konstruierte im Jahre 1895 für den
Benzwagen eine Magnetzündung; schon 1894 unternahm ein Freiherr von Liebig mit einem Benzwagen eine lange Fahrt über 2500 km durch Deutschland und Frankreich; seit 1896 begann Adam
Opel, seine Automobile zu bauen; die ersten »Mercedes« wurden ab 1901 verkauft.

Von 1893 bis 1897 entwickelte Rudolf Diesel in Augsburg den nach ihm benannten Motor, bei
dem er als Kraftstoff statt Benzin das billigere Gasöl verwendete. Die Stundengeschwindigkeit, die

101. Eine der ersten Berliner Kraftdroschken (nach der Jahrhundertwende)

zu Beginn zwischen 16 und 25 km schwankte, stieg auf 60 km, und die Automobile bewältigten bald auch steile Alpenstraßen.

Kraftwagen waren in dieser Zeit noch ein Luxus für reiche Leute. Es handelte sich im allgemeinen um Viersitzer, die wie eine Kalesche aussahen und ein umlegbares Regendach hatten. Es gab noch keine Schutzscheibe: Der Automobilist, mit riesigen Brillen versehen, war dem Gegenwind und der Sonne ausgesetzt. Die Polsterung war gering, der Motor bockte oft, und zur Schadenfreude des Publikums mußte der Automobilist oft mit einer Gießkanne zum nächsten Brunnen oder Teich laufen, um das Wasser im Kühler seines streikenden Autos zu erneuern. In der Gegend von Berlin gab es 1898 die ersten Autorennen. Es waren damals sowohl Zuverlässigkeits- als auch Schnelligkeitsprüfungen; für Wettrennen wurden schon eigene Rennwagen mit 200 PS gebaut.

Wilhelm II. ließ für sich und den Hof Automobile ankaufen. Der Erzherzog-Thronfolger Franz Ferdinand fuhr fast nur mehr im Automobil, während der alte Kaiser Franz Joseph sich von seinem Mißtrauen gegen den Kraftwagen nie befreien konnte. Man sah bald Automobile und Motorräder auf den großen Manövern, ohne daß von einer Motorisierung einzelner Truppenteile die Rede sein konnte. Die erste Benzinmotordroschke stand schon im Jahre 1899 in Berlin zur Verfügung, und die ersten Motoromnibusse wurden 1905 in Berlin in Dienst gestellt. Autobusse ersetzten die alten »Stellwagen« mit Pferden. Andere Autobusse wurden vor 1914 auf Strecken eingesetzt, auf denen es keine Eisenbahnen gab – oder sie verkehrten schon über Alpenpässe. Der Komfort war allerdings noch gering. Die Straßen waren nicht asphaltiert oder geteert, und die Passagiere wurden vollständig durchgeschüttelt und eingestaubt.

Die deutsche Kraftwagenindustrie baute im Jahre 1901 1809, im Jahre 1910 30 984 Fahrzeuge. Um 1905 soll es in Deutschland bereits 36 000 Kraftfahrzeuge gegeben haben (darunter auch ausländische Wagen). Um 1914 waren bereits 55 000 Pkw vorhanden. Im Gefolge des Autos wurde während des Ersten Weltkrieges der Tank (Panzer) mit einem starken Motor entwickelt, eine Erfindung, mit der sich die deutsche Heeresleitung von den Feinden im September 1916 überraschen ließ. Im Sommer 1918 besaß das deutsche Heer 75, England ungefähr 2000, Frankreich gar rund 4000 Tanks.

Nach der Verstaatlichung der Post nahm diese einen ungeahnten Aufschwung. Deutschland besaß im Generalpostmeister und Staatssekretär des Reichspostamtes Heinrich von Stephan einen hervorragenden Fachmann, der an der Gründung des Weltpostvereines in Bern im Jahre 1874 maßgeblich beteiligt war. Schon 1871 kam ein Reichspostgesetz heraus. Das Telephon- und Telegraphenwesen wurde im Jahre 1892 gesetzlich geregelt.

Bayern und Württemberg hatten sich bei der Reichsgründung unbedeutende Postreservatrechte ausbedungen. Man führte als Neuheit die Postkarte (seit 1870), später die illustrierte Postkarte ein. Berlin und andere große Städte erhielten eine Rohrpost. Auch zur Entwicklung des Postwesens einige Zahlen:

Postanstalten im Reich:

1872	7 334 Ämter
1900	37 146 Ämter
1910	40 816 Ämter

Gesamtzahl der durch die Post beförderten Sendungen:

1872	972 042 000
1900	5 689 255 309
1910	5 938 600 000

Das Telegraphennetz des Reiches war 750 906 km lang. Die Zahl der Telegraphenanstalten im Reich betrug:

1872	4 038
1900	24 456
1910	45 116

Gesamtzahl der beförderten Telegramme:

1872	12 165 954
1900	46 008 795
1910	48 235 000

Ein Lehrer in Friedrichsdorf bei Homburg v. d. Höhe, Philipp Reis, erfand um 1860/61 das erste elektrische Telefon, ohne die volle Bedeutung seines großen Erfolges zu ahnen. Telefonlinien nach dem System von Alexander Graham Bell zwischen Leipzig und Dresden sowie zwischen Berlin und Friedrichsberg wurden schon um 1877 gebaut. Es folgten Verbindungen zwischen Berlin und Magdeburg und in Bayern (um 1882). Die Firma Siemens und Halske übernahm in Berlin die Herstellung von Telefoneinrichtungen. Der Telefondienst wurde 1892 durch gesetzliche Regelung zum Reichsmonopol erklärt.

Daten zur Entwicklung des Telefonverkehrs im Reich (mit Bayern und Württemberg):

	Zahl der Orte mit Fernsprechstellen	Zahl der Sprechstellen	Gesamtzahl der vermittelten Gespräche
1881	7	1 504	511 354
1890	258	58 183	249 716 555
1900	15 533	289 647	690 956 355
1910	36 665	1 039 200	1 850 700 000

An die Stelle der Petroleumlampen trat die Gas-, später die elektrische Beleuchtung. Karl Auer R. v. Welsbach erfand zuerst das Gasglühlicht (Gasglühstrumpf 1884/85) und später die Metallfadenlampe (Osmiumglühlampe, 1898, Verbesserungen 1902 bzw. 1905). 1884 erhielten erste Restaurants in Berlin eine elektrische Beleuchtung. Die erste Neonröhre tauchte im Jahre 1910 auf. Man legte immer häufiger Gasleitungen in die Küchen und in die Badezimmer der Wohnungen. Der Gasverbrauch stieg gewaltig – trotz der Einführung des elektrischen Stromes. Dennoch hielten sich die Kachelöfen noch lange. Die besseren Häuser verfügten jedoch bereits über Zentralheizungen in allen Formen (erhitzte Luft, heißes Wasser oder Dampf). Die Wasserleitungen und die Kanalisation führten in den modernen Häusern bis in die obersten Stockwerke. Die Kanalisation der Straßen erfolgte z. B. in Hamburg bereits in der Mitte der fünfziger Jahre, andere Großstädte folgten diesem Beispiel bald.

Vornehme Häuser verfügten über einen Lift; die ersten Modelle gab es ab 1880. In der Küche oder in angrenzenden Arbeitsräumen konnten die ersten Vorläufer des heutigen Kühlschrankes (z. T. mit Dampfmaschine; Carl v. Linde, 1875–1877), des Elektroherdes (1904), der Waschmaschine (1900) und des elektrischen Bügeleisens (1901) verwendet werden. Manches Küchengeschirr wurde bereits aus Aluminium (Friedrich Wöhler, seit 1886) oder aus Bakelit (seit 1909) gefertigt. Zur Wäsche verwendete man schon seit 1907 Persilpulver. Obst und Gemüse konnten sterilisiert, d. h. eingeweckt werden. Damals kam auch die Sitte auf, verschiedene Lebensmittel in fertigen Konserven aufzubewahren und z. T. »aus der Konserve« zu leben. Für Zuckerkranke gab es Sacharin (Erfinder Fahlberg, 1879; synthetischer Zuckerstoff durch Emil Fischer, 1890).

Nur modernste und teure Wohnungen hatten ein Badezimmer. Das Wasser wurde mit Kohle, Gas oder elektrischem Strom erhitzt. Die Badewannen waren aus Gußeisen, aber emailliert, oder aus Zinkblech. Die Reinigung der Wohnung konnte bereits ab 1901 durch erste Modelle des elektrischen Staubsaugers erleichtert werden. Die Nähmaschine dagegen war schon längst eingebürgert; Versuche mit Strickmaschinen wurden unternommen. Kranken diente ein elektrisches Wärmkissen. Rolltreppen in Warenhäusern baute man ab 1900.

Die Auswahl an kosmetischen Artikeln und Parfüms, die vielfach auf chemischem Wege hergestellt wurden, vergrößerte sich von Jahr zu Jahr. Moderne Utensilien des Herrn waren der Gilette-Rasierapparat (ab ungefähr 1901), der Kolbenfüllhalter (ab 1908) und das Feuerzeug (ab 1906).

Hermann Wilhelm Vogel fand im Jahre 1873 chemische Zusätze zur lichtempfindlichen Schicht der photographischen Platten und konnte damit die Sensibilisierung der Platten und die Herstellung farbrichtiger Aufnahmen erreichen. Petzval, Voigtländer, Schott und Zeiss (Jena)

102. Die Entwicklung des Telefons: Siemens-Fernsprecher aus den Jahren 1880, 1900 und 1908 (von links)
103. Ein Berliner Fernsprechsaal für »Vielfachbetrieb« um die Jahrhundertwende

104. 1100 Besucher im Berliner Beethovensaal erlebten 1899 ein neuartiges Grammophon-Konzerts (links)
105. Eines der ersten Kinos in Berlin verheißt »kinematographische Bilder der gediegensten Art« (unten)
106. Arbeit am Mikro-Apparat in der Photographischen Lehranstalt des Lette-Vereins (rechts)

brachten bessere Objektive (Linsen) heraus. Um 1900 konnten bereits Momentaufnahmen gemacht werden. Bis dahin mußte man relativ lange Zeit unbeweglich ins Objektiv starren, was dem obligaten Lächeln einen verzerrten Ausdruck gab. Photographien von Personen, Familien, Kameraden aus der militärischen Dienstzeit, Gruppenbilder aus dem Vereinsleben, aber auch Aufnahmen von festlichen Anlässen in einer Familie, von Landschaften oder von Kunstwerken dienten fortan als Wandschmuck. In manchen Wohnungen stand schon ein Grammophon mit einem Riesentrichter und einer Kurbel. Emil Berliner hatte 1887 die Schallplatte entwickelt.

Paul Nipkow erfand im Jahre 1884 die »Nipkowsche Scheibe«, und Karl Ferdinand Braun brachte im Jahre 1897 die »Braunsche Röhre« heraus. Beide ahnten damals noch nicht, daß sie damit Prinzip und Grundlagen des Fernseh-Empfangsgerätes, der Fernsehübertragungen, gefunden hatten. Schon vor der Jahrhundertwende – in Berlin seit 1896 – gab es die ersten Kinos. Neben dem Franzosen Lumière traten der Deutsche Max Skladanowsky und sein Bruder in Berlin 1895 als Erfinder des Kinematographen hervor. Oskar Messter aus Berlin verbesserte das Aufnahme- und Vorführgerät. Die Filme waren natürlich ausschließlich schwarz-weiß und flimmerten noch stark. Der Inhalt der ersten Spielfilme war auf bescheidenste geistige Ansprüche ausgerichtet.

Die hier behandelte Periode war das Zeitalter der Dampfmaschine in jeder Form, die freilich allmählich schon durch den Elektromotor verdrängt wurde. Es gab im Jahre 1840 in Preußen 634 Dampfmaschinen mit 12 278 Pferdestärken, im Jahre 1875 waren es 35 648 Dampfmaschinen mit 2 519 513 Pferdestärken. Um 1883/84 wurden die ersten deutschen Dampfturbinen gebaut.

Der Handwerksbetrieb in der Stadt und der Gutsbesitzer auf dem Lande verwendeten zunehmend Dampf-, später elektrische Maschinen. Der Gutsbesitzer mußte freilich oft ein eigenes kleines Elektrizitätswerk bauen lassen, um den Strom für seine Motoren zu gewinnen.

Heinrich Hertz hatte im Jahre 1888 auf experimentellem Wege elektrische Wellen erzeugt, und als bahnbrechender Erfinder auf dem Gebiete der Elektrotechnik wirkte Werner von Siemens. Aus seiner Tätigkeit erwuchsen die damalige Firma Siemens und Halske A.G. in Berlin, später die Siemens-Schuckert-Werke A.G. in Berlin und die Siemens-Reiniger-Werke in Erlangen. Diese Unternehmen bauten Dynamos, Elektromotoren, Turbinen und später vor allem elektrische Lokomotiven (ab 1879), elektrische Straßenbahnen (ab 1881) und elektrische Bahnen für andere Zwecke, ferner Kabel. Große Bedeutung erlangte auch die Firma Allgemeine Elektricitätsgesellschaft (= AEG) in Berlin, die im Jahre 1883 gegründet wurde. Sie begann mit 6 Angestellten und beschäftigte 20 Jahre später 35 000 Angestellte und Arbeiter. Auch sie produzierte elektrische Lokomotiven und stellte elektrische Apparate (u. a. für den Wohnungs- und Küchenbedarf) sowie Glühlampen jeder Art her. Beide Firmen exportierten viel ins Ausland.

Die deutsche Chemie wußte aus Steinkohlenteer, auch aus Koksgasen synthetisch Bedeutendes zu entwickeln. Es wurden neue Farb-, Duft-, Süß-, Gerbstoffe, Arzneien, Gifte und Gewürze geschaffen – teils neuartige Materialien, teils billige, aber sehr gute Ersatzstoffe für früher teure Materialien (zum guten Teil aus exotischen Pflanzen), die man bisher aus dem Ausland importiert hatte. So entwickelte Emil Fischer im Jahre 1890 den künstlichen Frucht- und Traubenzucker.

Die deutschen Anilinfarben wurden berühmt. Adolf v. Baeyer stellte schon im Jahre 1878 auf synthetischem Wege den neuen Indigo (blau) her; andere neuartige Farbstoffe waren das Alizarin oder das Fuchsin (rote Farbe). Während ein Kilogramm des alten Fuchsin um 1866 noch 1200 Mark kostete, wurde ein Kilogramm des neuen Fuchsin um 1900 für 8 bis 9 Mark verkauft. Früher hatte man Chilesalpeter einführen müssen, nun aber wurde der Stickstoff, zu dem man vorher Salpeter gebraucht hatte, zum guten Teil aus der Luft gewonnen (Erfinder Fritz Haber). Dies war während des Ersten Weltkrieges zur Erzeugung von Pulver in der Rüstungsindustrie sehr bedeutsam. Seit 1910 wurde synthetischer Kautschuk hergestellt.

Im Jahre 1869 taten sich Professor Dr. Ernst Abbe und der Jenaer Universitätsmechaniker Carl Zeiss zusammen und begründeten durch ihre Arbeiten die optische Industrie in Deutschland; im Jahre 1879 trat der Glastechniker Otto Schott hinzu. Später haben diese Männer durch die Gründung der Carl-Zeiss-Stiftung großes soziales Verständnis für die Arbeiter gezeigt. Die Linsen und die optischen Instrumente, die die Firma Zeiss in Jena herstellte, wurden immer wichtiger: für Mikroskope, Fernrohre, Lupen, Brillen, Photoapparate usw. Sie entwickelten sich zu hervorragenden Exportartikeln.

Zu Zentren der chemischen und elektrotechnischen Industrie entwickelten sich vor allem Berlin, Ludwigshafen, Höchst, Frankfurt am Main, Elberfeld, Leuna in der Provinz Sachsen sowie verschiedene Ortschaften in Baden. Im Reich gab es um 1912 9147 chemische Betriebe mit 250 000 Arbeitern.

Wiederum verdeutlichen Zahlen den Aufschwung.

Aktiengesellschaften der chemischen Industrie und damit verwandter Zweige:

1901   135 Aktiengesellschaften   Kapital 358 520 000 Mark
1910   204 Aktiengesellschaften   Kapital 507 820 000 Mark

Aktiengesellschaften der elektrotechnischen Industrie:
1901   123 Aktiengesellschaften   Kapital   909 090 000 Mark
1910   195 Aktiengesellschaften   Kapital 1 188 690 000 Mark

Der Satz von Zeitungen und Büchern konnte durch neue Methoden verbessert und beschleunigt werden. Ottmar Mergenthaler konstruierte im Jahre 1884 eine moderne Setzmaschine. Auf großen Rotationsmaschinen konnten Zeitungen in gewaltigen Auflagen sehr rasch gedruckt werden, und in den Büros wurde immer häufiger die Schreibmaschine verwendet.

Mit Hilfe der modernen Erfindungen und Investitionen konnten manche unhygienischen Zustände und Gefahren beseitigt werden. Der elektrische Strom reduzierte die von den bisher verwendeten Petroleum- oder Gaslampen ausgehende Feuergefahr. Daß das Wasserklosett hygienischer war als die früheren Aborte, bei denen der Inhalt der Senkgrube von Zeit zu Zeit weggeführt werden mußte, versteht sich von selbst. Auch die Müllabfuhr wurde nun rationeller und hygienischer. Es gab bereits Lebensmitteluntersuchungsanstalten; das Vieh, das geschlachtet werden sollte, stand – stichprobenweise – unter tierärztlicher Kontrolle. Städtische Lagerhäuser und Schlachthöfe sowie Zentralviehmärkte entsprachen besser der Hygiene als in früheren Zeiten. Die Straßen in den Städten erhielten einen Belag – zuerst einen Holzbelag, dann Steinpflaster, nach und nach Asphalt –, der staubfrei sein und den Lärm der Fahrzeuge dämpfen sollte.

Die moderne Medizin hatte große Aufgaben zu bewältigen. Die rasche Vermehrung der Bevölkerung in den Städten, das Anwachsen der Industrie, die Landflucht, die Vermehrung des Proletariats mit seinem geringen Einkommen brachten es mit sich, daß man weit größere und modernere Krankenhäuser als bisher brauchte. Hamburg baute z.B. im Jahre 1889 ein Hospital mit 72 Einzelgebäuden. Die Ärzte mußten gegen die Säuglingssterblichkeit, gegen die Folgen des Alkoholismus (besonders bei Gewohnheitstrinkern) und der Geschlechtskrankheiten (durch ausgedehnte Geheimprostitution) ankämpfen; sie mußten Seuchen (besonders Cholera, Typhus, Paratyphus) einzudämmen suchen. Die Zahl der verwendeten Impfstoffe wurde immer größer; die Operationen wurden – nach alten Begriffen – immer risikoreicher, aber auch erfolgreicher. Immerhin konnte schon damals die Sterblichkeit der Frauen im Wochenbett und die der Säuglinge verringert, konnte die Lebensdauer des Menschen verlängert werden. Eine Neueinrichtung waren die Krematorien (zuerst 1878 in Gotha, dann 1891 in Heidelberg usw.), gegen die es Widerstand von kirchlicher Seite gab.

Die Auswahl der Medikamente, z.T. durch Entwicklungen aus Teerstoffen, wurde immer differenzierter. Deutsche Arzneimittel, die man in großen Mengen exportierte, erlangten Berühmtheit. Schon damals hatte der Apotheker immer weniger selbst zu mischen: Der Patient erhielt die Arznei in einer fertigen Fabrikpackung. Ich nenne nur das Pyramidon (Erfinder Stolz, 1897) und das Aspirin (Dreser, 1899), das Salvarsan (1909, P. Ehrlich, gegen Geschlechtskrankheiten), das Germanin (gegen die Schlafkrankheit, 1917, Erfinder O. Dressel, R. Kothe, W. Roehle), die Mittel der Anästhesie (z.B. Kokain) bei Operationen und die verschiedenen Impfstoffe (z.B. Emil v. Behring: Heilserum gegen die Diphtherie 1891/93; Tetanus-Heilserum gegen den Wundstarrkrampf).

Robert Koch fand im Jahre 1882 den Tuberkelbazillus und 1883 den Cholerabazillus. Er bekämpfte auch erfolgreich den Milzbrand bei Rindern und Schafen. Sein Schüler Georg Gaffky machte den Typhusbazillus ausfindig; ein anderer Schüler Kochs, Friedrich Löffler, entdeckte den Diphtheriebazillus im Jahre 1884. Albert Neisser stellte im Jahre 1879 den Erreger der Gonorrhoe

107. Robert Koch (1843–1910)   108. Rudolf Virchow (1821–1902)

(Tripper) fest. Die Entdeckung von Bazillen und die Erfindung der Impfstoffe kann nicht hoch genug eingeschätzt werden, denn gerade Cholera, Typhus und Diphtherie haben früher sehr zahlreiche Todesopfer, besonders unter Kindern, gefordert. Diese Zahlen gingen jetzt zurück. Wilhelm Röntgen wurde durch die Entdeckung der nach ihm benannten Strahlen berühmt (1895).

Mehrere Chirurgen kämpften um die Asepsis und Antisepsis (z. B. Ernst v. Bergmann 1886) und um Mittel der Anästhesie (u. a. Karl Ludwig Schleich, Lokalanästhesie, Kokain, 1894). Bedeutende Chirurgen waren u. a. Ernst v. Bergmann in Berlin und der aus Norddeutschland stammende, aber in Wien tätige Theodor Billroth. Die Wiener chirurgische und medizinische Schule war seinerzeit berühmt. Hermann Brehmer propagierte die Freiluftbehandlung bei Lungentuberkulose – eine Methode, durch die der Kurort Davos so berühmt geworden ist. Der Wiener Sigmund Freud machte seine Entdeckungen in der Psychoanalyse, in der Traumdeutung und in der Feststellung der Bedeutung des Sexuellen im Unterbewußtsein des Menschen. Der große Papst der Medizin war jedoch Rudolf Virchow in Berlin, ein Fachmann der Zellularpathologie und ein Herr, der andere Größen nicht gern neben sich aufkommen ließ.

Das Kehlkopfkrebsleiden, dem Kronprinz Friedrich Wilhelm (Kaiser Friedrich III.) erlag, hat als Fall Aufsehen erregt; sowohl deutsche Ärzte, wie Virchow, als auch der Schotte Mackenzie erkannten zuerst nicht, daß es sich um Krebs handelte. Die Deutschen haben als erste zu einer vielleicht weitere Folgen vermeidenden Operation geraten – allerdings umsonst –, während Mackenzie so lange zögerte, bis es zu einem Eingriff zu spät war. An diesen Fall knüpfte sich eine heftige Polemik zwischen den deutschen Chirurgen und Ärzten einerseits und Mackenzie auf der anderen Seite. Letzterer hat als Arzt und als Mensch nicht glücklich gehandelt. Bekanntlich hat das Leiden den Tod des Patienten – am 15. Juni 1888 – relativ rasch herbeigeführt.

DAS SCHULWESEN

Volks- und Mittelschulen

Der im Zuge des Liberalismus sich ausbreitende Kulturoptimismus verlor sich in den Jahren vor 1914 mehr und mehr und machte einer skeptischen, bis zu ausgesprochenem Pessimismus gehenden Stimmung Platz. Was das Schulwesen betraf, so hielten die Sozialisten an dem Wert einer höheren Schulbildung fest und forderten deren Verbesserung und Verbreitung. Mit einigem Spott wurde dazu von konservativer Seite erklärt, höhere Bildung fördere den Individualismus, während man auf sozialistischer Seite doch den Kollektivismus ausbreiten wolle. Tatsächlich verbarg sich hinter der Kritik konservativer Kreise z. T. jedoch die Besorgnis, daß durch eine Ausweitung der höheren und überhaupt besseren Schulbildung die sozialistischen Tendenzen gefördert und die überkommene ständestaatliche Ordnung gefährdet werden würden. Ihr Widerstand gegen zu viele Reformen hatte zum Teil Erfolg.

Die Volksschulen blieben ziemlich unverändert. Der alte militärische Zug blieb größtenteils erhalten: Der Schüler sollte Zucht, Gehorsam und Ordnung lernen. – Preußen hatte im Jahre 1906 84 980 Volksschullehrer und 17 784 Lehrerinnen in seinen Diensten. Eine Reform der Lehrerseminare sollte das Niveau der Volksschulen heben; durch Aufbesserung des Gehaltes und Titelverleihungen sollte der Rang der Lehrerschaft aufgewertet werden. Der Allgemeine Deutsche Schulverein in Berlin förderte diese Bestrebungen zu Gunsten der Volks- und Mittelschulen. Es ging zwar noch immer das irreführende Wort um: Der preußische Schulmeister habe im Jahre 1866 den österreichischen besiegt, das heißt, der preußische Soldat sei gebildeter und intelligenter gewesen als der österreichische. Man vergaß dabei aber, daß der preußische Schulmeister, von wenigen Polen abgesehen, nur deutsche Schulkinder zu unterrichten hatte, in Österreich dagegen, das sich aus zahlreichen, z. T. unterentwickelten, Nationalitäten zusammensetzte, das Schulwesen nie auf derselben Stufe wie das deutsche hatte stehen können. Nichtsdestoweniger hat dieses Wort noch durch Jahrzehnte das Selbstbewußtsein und die Selbstzufriedenheit der deutschen Lehrerschaft gesteigert.

Der größere Teil der Schullasten wurde den Gemeinden aufgebürdet; der Staat leistete nur Zuschüsse. Einzelne Bundesstaaten wie Baden oder Hessen strebten schon früh die allgemeine Simultanschule an – mit Lehrern und Schülern aus verschiedenen Bekenntnissen –, während z. B. das Zentrum streng abgesonderte konfessionelle Schulen wünschte, was sich nicht überall durchführen ließ. Der preußische Kultusminister Robert Graf Zedlitz-Trützschler stürzte bei der Vorlage eines Volksschulgesetzes (1892), das der Kirche größeren Einfluß gewähren wollte. Der Kaiser, der für das Zentrum keinerlei Sympathien hegte, setzte das Verschwinden des Gesetzes durch. Die Geschichte der Einführung neuer deutscher Schulen im Elsaß, teilweise in Lothringen, aber auch im Osten – in den polnischen Gebieten – würde hier zu weit führen. Zu erwähnen ist, daß die katholische Geistlichkeit im Interesse der Religion im Schulwesen nicht selten die Partei der fran-

109. »Die alte Schule: ›Wir wollen ihnen die freideutsche Jugendkultur schon austreiben!
Ich sperre jeden ein, der nach frischer Luft riecht‹.« Karikatur des Simplicissimus

zösischen und polnischen Opponenten ergriff. Der Schulstreik im Bezirk Wreschen (südlich von
Gnesen) um 1901, bei dem angeblich 40 000 Kinder in den Ausstand traten, ist berühmt geworden.
Er fiel jedoch in sich zusammen. Das Schulwesen – besonders im Osten, aber auch in völlig deutschen
Gebieten – stand auf keiner hohen Stufe. Die Söhne von Bauern, Agrararbeitern und anderen
Arbeitern, vor allem auf dem Lande, wurden oft schon nach wenigen Jahren Volksschulbesuch
faktisch entlassen, um möglichst früh zu Arbeit und einem wenn auch bescheidenen Verdienst kom-
men zu können.

Die Oberschulen jeder Art warfen große Probleme auf. Es wurde seit etwa 1871 bis 1900 ein
regelrechter Schulkrieg zwischen »Humanisten« und »Realisten« geführt. Die Vertreter der alten

Zeit verteidigten die humanistischen Gymnasien, die weiterhin Privilegien genießen sollten, sowie ein ziemlich umfangreiches Studium der antiken Sprachen und die Pflege der klassischen Bildung. Große Kreise der Naturwissenschaftler, Techniker, auch der Mediziner wandten sich jedoch gegen eine übermäßige Pflege des »unpraktischen« humanistischen Studiums in den Oberschulen und wünschten statt dessen für die Naturkunde jeder Art (vor allem Physik und Chemie), die Erdkunde, die modernen Sprachen, das Zeichnen, das Turnen und die Handfertigkeiten (bei Mädchen) mehr Unterrichtszeit. Über den antiken Sprachen, so wurde erklärt, werde versäumt, die Schüler ein wirklich gutes Deutsch zu lehren. Die Gefahr lag nahe, daß man beiden Forderungen gerecht werden wollte. Sollte die Zahl der Schulstunden und der Hausaufgaben erhöht werden? Die Kräfte der Lehrer und der Schüler konnten dabei überfordert werden.

Der Geschichtsunterricht hatte Patriotismus und Treue zur jeweiligen Dynastie – Hohenzollern; Wittelsbacher in Bayern – zu vermitteln und führte thematisch meist nur bis 1814/15.

Die Real- und die Reformgymnasien, die Oberrealschulen und Realschulen rangen um größere Rechte und mehr Geltung. Es wurde durchgesetzt, daß an Oberrealschulen und Realgymnasien die volle Reifeprüfung abgelegt werden konnte, die zum Studium an einer Universität oder an einer anderen Hochschule berechtigte. Die Einführung immer zahlreicherer Mittelschulen jeder Art (Handelsschulen, Handelsakademien, Gewerbeschulen, Fach- und Berufsschulen jeder Gattung) rief bei den Vertretern der konservativen Schulbildung die Klage hervor, daß man keine Schüler mit tieferer Bildung und weitem Horizont, sondern nur Fachleute, Spezialisten wünsche.

Von der Förderung der Mädchenschulbildung und von der Erhöhung des Ranges der Mädchenoberschulen, wodurch Schülerinnen auch das Studium an Universitäten beginnen konnten, war schon die Rede. Die Zahl der Schulen mit karitativen Zielen, also Sonderschulen für blinde, taubstumme, verkrüppelte oder nicht vollbegabte Kinder, wurde langsam vermehrt.

Es wurde einiges getan, um die Bildung im Volk zu verbreiten, besonders in den Städten mit Hilfe der liberalen und der sozialistischen Parteien. Es wurden Volksbüchereien, Volksbildungs-, sogenannte Fortbildungs- und Lesevereine sowie Buchgemeinschaften gegründet, Lesehallen eingerichtet, wo es Lese-Abende und Vorträge gab, und Studienfahrten organisiert. Man suchte zuerst, das Wissen breiterer Volksschichten zu vermitteln, noch nicht zu vertiefen: Billige Schriften sollten Grundlagen der Bildung unter das Volk bringen. Wie bereits erwähnt, waren allerdings viele Texte dieser Art oberflächlich; alle Probleme wurden populärwissenschaftlich sehr vereinfacht – etwa durch Zusammenfassungen der Lehren Darwins, Haeckels und Bölsches.

Die Hochschulen; die Universitätsprofessoren

Die meisten nationalliberal gesinnten Professoren der deutschen Universitäten hatten es als ihre Aufgabe betrachtet, an der Vorbereitung der deutschen Einigung mitzuwirken. Sie betrachteten die Reichsgründung z. T. als ihren Erfolg; die deutschen Universitäten sollten nach ihrem Willen von nun an für die Jugend »Brunnenstuben« des deutschen Patriotismus und der Staatsgesinnung sein.

Die »Geistesaristokratie« stand sozial auf einer hohen Stufe. Die preußischen Universitäten, später auch die technischen Hochschulen, delegierten je einen Vertreter ins preußische Herrenhaus.

Die Professoren gehörten zum überwiegenden Teil dem Bürgertum an; hoher und mittlerer Adel – oder ein Aufstieg aus dem vierten Stand – waren selten. Deutsche Professoren verkörperten alle guten und schlechten Seiten des Bürgertums: Sie waren in mancher Hinsicht konservativ, parteipolitisch betrachtet jedoch weitgehend liberal oder nationalliberal.

Die Kathedersozialisten hatten für soziale Fragen Verständnis, standen aber nicht den Sozialdemokraten nahe; sie wurden von diesen belächelt oder angegriffen. Die Lehr- und Forschungsfreiheit der Professoren war unbestritten, wurde aber fast nie mißbraucht. Die deutschen Universitäten und Hochschulen genossen Weltruhm: Der deutsche Professor und Gelehrte besaß im Ausland hohes Ansehen, und der Zustrom von Studenten aus dem Ausland war dementsprechend groß. Der berühmte Ministerialdirektor im preußischen Kultusministerium Friedrich Althoff (gest. 1909) sorgte im allgemeinen bei Berufungen nach Berlin u. a. für eine exzellente Auswahl.

Das Prestige der Universitäten und Professoren im Inland war bis zur Jahrhundertwende hin sehr hoch, sank danach jedoch allmählich ab, obwohl die Zahl der Hochschulen und Lehrstühle laufend weiter vermehrt wurde. Wohl unter dem Einfluß des Zentrums, der äußersten Linksliberalen und der Sozialdemokraten relativierte sich das Ansehen der Universitäten in der öffentlichen Meinung. Manchen Professoren wurde politische Weitsicht abgesprochen und Kriecherei vor dem Kaiser, den Bundesfürsten, den Reichskanzlern usw. sowie politischer Radikalismus (z. B. Mitgliedschaft bei den Alldeutschen) zum Vorwurf gemacht.

Kaiser Wilhelm I. interessierte sich wenig für die Wissenschaft; Kronprinz Friedrich Wilhelm und Wilhelm II., aber auch der Prinzregent Luitpold von Bayern, nahmen an Fragen des Hochschulwesens viel Anteil. Sie verkehrten gern mit Gelehrten, und namentlich Friedrich Wilhelm und seine Gemahlin Viktoria traten berühmten Gelehrten und Erfindern – ohne Herablassung – wie Gleichrangigen gegenüber. Wilhelm II. versammelte wohl einen Kreis von bekannten Gelehrten um sich (besonders aus Berlin), erwartete von ihnen aber doch die Haltung von Höflingen. Hochschulfeiern besuchte er in Husarenuniform; Militärkapellen mußten dabei ihre Repertoirestücke schmettern.

Ein Teil der deutschen Professoren schrieb noch einen glänzenden Stil, der heute manchmal etwas altmodisch erscheinen mag und oft an den Stil der Novellen von Heyse erinnert. Dennoch wurde stets dem deutschen Gelehrten vorgeworfen, daß er in seinen Werken den Inhalt über die Form stelle. Werke, die von vornherein gut lesbar waren und für ein breiteres Publikum gedacht sein sollten, waren den Kollegen des Autors verdächtig. Man traute ihnen keine wissenschaftliche Qualität zu. Das Spezialistentum mit gewiß verfeinerten Methoden griff allgemein um sich, und schon vor 1914 wurde der Vorwurf laut, es seien nur noch Epigonen am Werk. Dabei übersahen die Kritiker und die große Masse des Volkes, daß die an den Hochschulen gemachten Entdeckungen und Erfindungen, z. B. in der Chemie und der Physik, in der Medizin und in der Technik, dem allgemeinen Fortschritt entscheidend dienten.

Das Zweite Reich tat sehr viel für das Hochschulwesen: Der Föderalismus in Deutschland kam dem Universitätswesen zugute. Bundesstaaten wie Bayern oder Sachsen setzten ihren Ehrgeiz darein, mit Berlin zu konkurrieren und erstklassige Universitäten vorweisen zu können. Die Hörerzahlen nahmen stetig zu, und die ordentlichen Dotationen für die Universitäten stiegen von 1888 bis 1913 von 9,5 auf 20 Millionen, die außerordentlichen von 3 auf 5 Millionen Mark. Es wurden drei neue Universitäten errichtet, und zwar in Straßburg 1872, Münster 1902 und Frank-

110. Die Technische Hochschule in Berlin

furt/Main 1914 (auf frühere Vorbereitungen gingen die Gründungen in Hamburg und Köln 1919 zurück). Die Universität Straßburg wurde mit allen Mitteln gefördert; berühmte Gelehrte wurden dorthin berufen. Die Universität hätte jedoch nicht existieren können, wenn nicht zahlreiche Studenten aus dem Reich nach Straßburg gekommen wären – was als patriotische Pflicht galt. Innerhalb der schon bestehenden Universitäten mußte die Zahl der Lehrstühle, Institute und Seminare ständig vermehrt werden, da immer wieder alte Disziplinen geteilt wurden und neue Disziplinen entstanden; viele Neubauten wurden nötig.

Deutschland ging mit der Gründung von technischen Hochschulen voran, für die Wilhelm II. eine besondere Vorliebe hegte; im Jahre 1899 wurde der Grad eines Dr. ing. neu eingeführt; 1911 bestanden im Reichsgebiet 11 Technische Hochschulen – gegründet 1868 bis 1910 – mit über 15 000 Studenten.

Ferner wurde eine Reihe von Handelshochschulen errichtet, u. a. in Leipzig 1898, Köln 1901, Berlin 1906, München 1910. Es gab landwirtschaftliche Institute an Universitäten und technischen Hochschulen, landwirtschaftliche Hochschulen und Akademien (Berlin; 1874 Hohenheim bei Stuttgart), tierärztliche Schulen u. a. in Berlin, Dresden, Hannover, München, Stuttgart, Forstschulen und -hochschulen und seit 1914 eine Hotelfachschule in Düsseldorf. Immer mehr Studenten besuchten diese Hochschulen.

Während des Ersten Weltkrieges wurden viele Gelehrte nicht einberufen. Sie galten als unabkömmlich, nicht wenige allerdings waren wegen eines Gebrechens kriegsuntauglich. Dies hielt die meisten Gelehrten allerdings nicht davon ab, Kriegsbegeisterung an den Tag zu legen; sie hielten

Reden und gaben Publikationen heraus, die den Patriotismus stärken sollten. Es sei jetzt wichtiger, Kriegsbroschüren zu schreiben als, der grauen Theorie dienend, »unpraktische Forschungen« fortzusetzen. Sie kämpften – so wurde erklärt – »mit den scharfen Waffen des Geistes«. Gerade berühmte Historiker (vornehmlich in Berlin), Rechtshistoriker, überhaupt die Vertreter mancher Geisteswissenschaften taten sich hierin besonders hervor, während die Naturwissenschaftler und Techniker sich mehr zurückhielten. Ihre Konstruktionen und Erfindungen für die Rüstungsindustrie hatten dagegen praktischen Wert.

Es ist errechnet worden, daß in den Kriegsjahren 43 von 69 Historikern, 21 von 36 Nationalökonomen und 48 von 178 Philosophen und Theologen sich an der Kriegspublizistik – aus eigenem Antrieb – beteiligt haben. Nur wenige wandten sich gegen den Krieg. Der deutsche Professor erhob den Anspruch, über die Hörer das ganze Volk erziehen zu müssen, und etliche bezeichneten den Krieg als ein heilsames Stahlbad, was allerdings aus dem Munde von Männern, die nicht an die Front mußten, etwas merkwürdig klang. Die meisten erklärten den Kampf zum Verteidigungskrieg, der z. T. aus wirtschaftlichen Gründen entstanden sei. Deutschland müsse endlich Sicherheit, ja mehr noch: weltpolitische Gleichberechtigung erlangen. Andere forderten eine kontinentale Machterweiterung oder sogar die Hegemonie Deutschlands über Europa. Als Hauptgegner wurde England bezeichnet.

Einzelne Professoren waren schon vor 1914 Werkzeuge der Flottenagitation von Tirpitz oder des Alldeutschen Verbandes gewesen. Eine Anzahl unter ihnen hat übertriebene, ja unrealistische Programme der Alldeutschen und militaristischer oder wirtschaftlicher Kreise bejaht, gemäß denen Deutschland nach dem Siege große Gebiete im Westen und Osten annektieren sollte. Die Kathedersozialisten schließlich wollten den vierten Stand erst recht während des Krieges in das »corpus politicum« des deutschen Volkes integrieren.

DAS KULTURELLE LEBEN

Die Musik

Im deutschsprachigen Gebiet dominierten als Musikstädte Wien, Salzburg, München, Köln, Leipzig, Dresden, Bayreuth und Berlin. Das vielfältige Musikleben geriet allerdings zeitweilig in Gefahr, zur reinen Modesache zu werden: Es war die Zeit der vom Adel und Besitzbürgertum besuchten prunkvollen Opernhäuser mit ihren Foyers voll von Fresken und Statuen und mit ihren dekorativen Treppen. Im Zuschauerraum dominierten Samt, Plüsch, Vorhänge und Quasten. Bei Premieren traf sich ein glanzvolles Publikum: die Herren in Uniform oder Frack, die Damen in den kostbarsten Roben. Man sah, aber man wollte vor allem selbst gesehen werden.

Das Virtuosentum wurde verehrt, der namhafte Dirigent viel bewundert, etwa Blech, Bülow, Levi, Mahler, Mottl, Muck, Nikisch, Pfitzner, Richter, Schuch, Steinbach, R. Strauss und Weingartner. Es war aber auch die Zeit der großen Sänger und Sängerinnen, die schon damals eine internationale Elite bildeten und – zwischen Wien und New York – überall gefragt waren und längst nicht mehr exklusiv an ein Haus gebunden blieben. Es gehörte zu den Usancen, daß man den Sängern (besonders den Tenören) zahllose und den Sängerinnen große leidenschaftliche Liaisons nachsagte. Sudermann hat in seiner Novelle »Der verwandelte Fächer« die Verhimmelung eines solchen Tenors verspottet.

Das beherrschende Phänomen jener Zeit war Richard Wagner. Vom »Rheingold« abgesehen (1869), fallen die Uraufführungen aller Teile des Rings (1870, 1876) und des »Parsifal« (1882) in unsere Periode. Mit entscheidender Unterstützung durch König Ludwig II. von Bayern konnte das Festspielhaus in Bayreuth gebaut werden (1872–1876); das Haus »Wahnfried« wurde dort im Jahre 1874 vollendet. Im August 1876 wurden die Festspiele eröffnet, in deren Rahmen noch drei Uraufführungen Wagnerscher Werke stattfanden. Wilhelm II., der erst nach Wagners Tod die Regierung antrat, zog freilich Lortzing und italienische Opernkomponisten vor. Er schätzte an Wagners Stoffen nur das Heldische und Germanische, liebte seine Musik dagegen gar nicht (»Ein ganz gemeiner Kapellmeister«; »Macht zu viel Krach«). Ein großer Teil des Adels jedoch und vor allem das höhere und mittlere Bürgertum besuchten die Opern Wagners, der damals schon längst mit den konservativen Mächten seinen Frieden geschlossen hatte. Wagner hat verschiedene Gefühlsschichten im Bürgertum angesprochen: die Sentimentalen, vor allem die »Romantiker«, die Anhänger eines Heldenkults und auch die Freunde starker äußerlicher Effekte. Wagner hat aber die Germanomanie, den deutschen Nationalismus, manchmal sogar Chauvinismus und den Antisemitismus verstärkt, obwohl er Juden als seine Bewunderer und Werkzeuge – z. B. den Dirigenten Levi – wirken ließ. Wagner galt als ein Prunkstück des Zeitalters der deutschen Einigung; seine Geltung schmeichelte vielen Deutschen. Das Verhältnis des Bürgertums zu Wagner und seine

111. Richard Wagner
im Jahre 1877
112. Das Bayreuther Fest-
spielhaus nach der
Vollendung des Baus
im Jahre 1873

Bewunderung für den Komponisten beruhte teilweise auf einem grotesken Mißverständnis. Wagner verachtete den Menschen ohne Leidenschaft und Größe (also den Großteil seines Publikums), er hegte einen Kulturpessimismus, den die Bürger des endenden 19. Jahrhunderts nicht teilten, und er stellte die Herrschsucht und die Goldgier an den Pranger, er sprach vom Fluch des Goldes, prophezeite heroischen Untergang und Chaos. Welche bürgerlichen Wagnerianer aber wären bereit gewesen, Herrschsucht oder Goldgier völlig zu verwerfen oder an einen chaotischen Untergang zu glauben?

Jacob Burckhardt und Nietzsche haben Wagner abgelehnt; Nietzsche verzieh ihm den christlich gefärbten »Parsifal« nicht. Die Wagnerianer bildeten auch über 1918 hinaus eine ansehnliche Gemeinde, die eine kritiklose Anbetung des Meisters forderte. Mit dieser Heroisierung freilich forderten sie ihre Gegner heraus, die – unter anderem – erklärten, es werde in Bayreuth mehr Taumel als richtiger Kunstgenuß geboten.

Von Richard Wagner zu Richard Strauss führt ein weiter Weg: Strauss war der führende deutsche Opernkomponist der Vorkriegsjahre, er wirkte als Hofkapellmeister in Meiningen, München, Weimar und Berlin. Einige seiner bedeutendsten Opern, darunter »Salome« (1905), »Elektra« (1909), »Der Rosenkavalier« (1911), »Ariadne auf Naxos« (1912), erlebten vor 1918 ihre Uraufführung. Schon im Jahre 1901 gab es Richard-Strauss-Wochen und -Feste; seine Werke waren damals oft umstritten, sie setzten sich aber durch, und die Prophezeiungen, die Strauss einen baldigen Sturz in die Vergessenheit voraussagten, erwiesen sich als falsch. Richard Strauss gewann für einige Opern Hugo von Hofmannsthal als Textdichter, was den Erfolg der Werke mitentschied oder steigerte; schönstes Beispiel war »Der Rosenkavalier«.

Das Bürgertum jener Zeit liebte die z. T. nervenaufpeitschende Musik, die Erotik, den manchmal das Perverse streifenden Inhalt der Textbücher (Salome, Elektra), die Pracht der Bühnenbilder, den Glanz des Milieus im »Rosenkavalier«. Wilhelm II. jedoch lehnte die Musik seines eigenen Hofkapellmeisters ab: Er sei einer der Allerschlimmsten der modernen »Musikanten«. Es ist bezeichnend, daß die »Salome« in Berlin nur gegeben werden durfte, weil der Generalintendant von Hülsen am Schluß der Oper einen »Stern von Bethlehem« aufsteigen ließ, um die »Trostlosigkeit der Handlung« zu mildern und anzudeuten, daß der Aufstieg des Christentums bevorstehe.

Manche Freunde der Musik atmeten auf, wenn sie nach den Opern Wagners auf den Boden der Wirklichkeit zurückkehren und Werke mit unbefrachteten Textbüchern auf der Bühne erleben konnten. Man liebte neuere italienische Werke, etwa die Puccinis, sehr. Ein bezeichnendes Beispiel aus jener Zeit war die Umformung des sehr populären »Trompeters von Säckingen« von Scheffel in eine Oper durch Viktor Nessler (1884), die seinerzeit riesigen Erfolg hatte und heute völlig vergessen ist.

Viele Musikfreunde klagten über Neuerungssucht, Effekthascherei und immer virtuosere Technik: Die deutschen Komponisten dieser Jahrzehnte standen entweder im Bann Wagners, oder sie trachteten, durch das Beschreiten neuer Wege sich von seinem Erbe unabhängig zu machen. Der heftige Kampf Eduard Hanslicks in Wien gegen Wagner und alle, die sich als seine Schüler empfanden (vor allem Anton Bruckner), kann hier nicht geschildert werden.

Eine Reihe deutscher Komponisten hat vor 1914 ihren Aufstieg und den Erfolg ihrer wirksamsten Opernwerke erlebt: unter anderen Eugen d'Albert, Julius Bittner, Karl Goldmark, Engel-

113. Der junge Richard Strauss

bert Humperdinck, Wilhelm Kienzl, Viktor Nessler, Hans Pfitzner, Max v. Schillings, Siegfried Wagner (der Sohn Richard Wagners) und Hugo Wolf.

Als Symphoniker ragte noch Franz Liszt in diese Zeit hinein; andere gelangten damals auf den Höhepunkt ihres Schaffens und ihres Ruhmes, namentlich Johannes Brahms, der gegen die Wagnerianer ausgespielt wurde, Anton Bruckner, Gustav Mahler und Max Reger. Als bedeutende Liederkomponisten traten u. a. Hugo Wolf und Robert Franz hervor.

Die Anfänge der »modernsten« atonalen Musik, der Zwölftonmusik, reichen in die Jahre vor 1914 zurück; ich erinnere an die Jugendwerke von Alban Berg, Arnold Schönberg und Anton Webern. Es war, alles in allem genommen, eine große Zeit der deutschen Musik.

Von der Kontroverse um die Werke Richard Wagners abgesehen, entbrannte in der Musik der Streit zwischen »alter« und »neuer« Richtung nicht so scharf, und er warf nicht so weite Wellen wie die entsprechenden Auseinandersetzungen in der Dichtung und in der bildenden Kunst. Die Politik und die Meinungen der Parteien vermochten hier nicht so kraß hereinzuspielen: Über-ängstliche Staatsbürger trauten sich vielleicht nicht, in die Uraufführung eines Dramas von Gerhart

114. Paul Lincke (1866–1946) hatte
besonders mit »Frau Luna«
einen großen Publikumserfolg

Hauptmann zu gehen; die Uraufführung eines Musikwerkes jedoch konnte man jederzeit besuchen,
und es war mit keinerlei gesellschaftlichen Bedenken verbunden, wenn man sich für eine neue Oper
von Richard Wagner, später von Richard Strauss oder anderen Komponisten engagierte.

Die Operette war vor allem in Paris (Jacques Offenbach, gest. 1880) und in Wien zu Hause. Die
in Berlin oder im Reich wirkenden Operettenkomponisten traten an Geltung gegenüber den
Wienern etwas zurück. Immerhin hat Franz Lehár später in Berlin größere Erfolge als in Wien
erzielt. Hervorzuheben sind Paul Lincke, Walter Kollo und Eduard Künneke und nach ihnen die
Brüder Holländer, Jean Gilbert (Max Winterfeld), Leon Jessel, Rudolf Nelson und der von der
Wiener Schule beeinflußte Georg Jarno. In München wirkten Operettenkomponisten, die heute
vollkommen vergessen sind (z. B. Wilhelm Mauke, Theo Rupprecht, Richard Trunk und Franz
Werther). Die meistens sehr sentimentalen Operettentexte – am Ende des zweiten Aktes geht es
dem Liebespaar schlecht, am Ende des dritten Aktes geht alles gut aus – waren das Richtige für
den Geschmack des unterhaltungsbedürftigen Theaterpublikums, das sich mehr und mehr auch aus
Kleinbürgerkreisen rekrutierte. Seit 1905 wurden nach Pariser Muster – z. B. im Metropoltheater

zu Berlin – bereits Revuen mit Musik gegeben. Alle Großstädte besaßen Varietés, Kabaretts und Tingeltangelbühnen.

Die unteren Stände Deutschlands boten eine Unmenge von Liedertafeln und Männergesangvereinen jeder Art auf; Sängerfeste waren außerordentlich beliebt.

Getanzt wurde überall gern, in eigenen Tanzlokalen (in Berlin ein »Palais de danse«) und in Nachtlokalen jeder Art. Aus den Operetten erwuchsen beliebte Tanzmelodien und die überall gesungenen »Schlager« – Anzeichen einer Vermassung, einer »Demokratisierung der Musik«. Es gab noch die deutschen Tänze (Walzer, Rheinländer, auf großen Bällen die feierliche Quadrille), aber moderne Tänze begannen sich mehr und mehr durchzusetzen, vor allem der Tango, der Foxtrott und – auf der Bühne – der Cake Walk.

Die Museen

Die Ära nach 1871 brachte eine Blütezeit der Museen. Die Kunst wurde in ein Magazin gegeben – Ausdruck einer historisierenden und konservierenden Mentalität. Die Besucherzahlen waren beträchtlich und rekrutierten sich in erster Linie aus dem Bürgertum. Nicht immer bildete dabei wirkliches geistiges Interesse den Antrieb; oftmals stand hinter dem Gang in die Museen auch ein Bildungsbegriff, der vorwiegend im Besitzbürgertum – zum Teil unter den Parvenüs – verbreitet war und in der gehäuften Kenntnisnahme ausgestellter Kunstwerke den einfachsten und schnellsten Weg zu einer dem materiellen Aufstieg entsprechenden Bildungsstufe sah. Wie dem auch sei – der Museumsbesuch erfreute sich großer Beliebtheit, und eine Folge davon war das Entstehen einer reinen »Museumskunst«: Es gab eine Reihe berühmter Künstler, die ihre Werke nur für Museen oder für Wände von Gebäuden der öffentlichen Hand schufen und auf das Kaufangebot eines Museums warteten. Ihre Bilder waren so umfangreich, daß sie in keiner Privatwohnung Platz gefunden hätten (Werke von Piloty, Defregger, Feuerbach, spätere Werke von Menzel usw.). Bei vielen Bildern renommierter Künstler war der Preis der zunächst in Ausstellungen gezeigten Bilder so hoch, daß eine Privatperson ihn kaum bezahlen konnte oder wollte, sondern nur der Staat als Käufer in Frage kam. Die berühmtesten Museen mit Werken der neueren Kunst waren die Nationalgalerie und das Neue Museum in Berlin, die Neue Pinakothek und die Schackgalerie in München, die im Jahre 1908 im preußischen Gesandtschaftsgebäude neu eröffnet wurde.

Die Schwierigkeiten begannen, als sich in der Malerei neue Stile (Impressionismus, Naturalismus, Expressionismus, Symbolismus, Jugendstil usw.) durchzusetzen begannen, und die Museumsdirektoren vor der Frage standen, wie weit sie diesen Richtungen beim Ankauf neuer Werke Rechnung tragen sollten. Bei welchen modernen Künstlern sollte man beginnen, bei welchen bereits aufhören? Und zu welchem Preis? Sollte man dem »Allerhöchsten Willen« Kaiser Wilhelms II., der sich gegen den Ankauf von Werken modernster Kunst durch den Staat aussprach, entsprechend verfahren?

Es gab aber nicht nur Museen der bildenden Kunst, sondern auch historische (z. B. Hohenzollern- und Märkisches Museum in Berlin, Armeemuseum in München), kunstgewerbliche, technische, volkskundliche, ethnographische und vor allem naturhistorische Museen jeder Art. Kronprinz Friedrich Wilhelm war der Protektor der preußischen Museen, und er suchte dieser Stellung auch gerecht zu werden. Er hat einige neue Museen errichten lassen. Nach seinem Tode wurde das Kaiser-Friedrich-

Museum in Berlin geschaffen (1898–1904). U. a. waren das (schon erwähnte) Deutsche Museum unter Oskar v. Miller und das Bayerische Nationalmuseum (1896–1900) in München sowie das Germanische Nationalmuseum in Nürnberg wichtige und berühmte Neuschöpfungen. In Berlin gab es die »Museuminsel« mit drei Museen.

Die Denkmäler

Die Tatsache, daß Deutschland erst spät den Weg zur nationalen Einigung gefunden hatte, brachte es mit sich, daß ein erheblicher Nachholbedarf an Bekundungen von Nationalstolz und Patriotismus bestand. Den Nachbarstaaten nationaler Konvenienz, insbesondere Frankreich und England gegenüber, galt es als ebenbürtig aufzutreten, und man versuchte dies, besonders in Preußen, durch ein prononciert zur Schau gestelltes nationales Selbstbewußtsein. Das geeignetste Mittel dazu schien man in dem Bau von Denkmälern zu erblicken, von denen – meist in staatlichem Auftrag errichtet – Deutschland nach 1871 geradezu überschwemmt wurde. Wirft man nur einen Blick auf die Zahl dieser Bauten, so entsteht unvermeidlich der Eindruck von einer Nation, die sich vor Glück und naivem Stolz auf sich selbst kaum zu fassen weiß und sich die eigene Existenz stets von neuem vor Augen zu führen bestrebt ist – leider nicht immer in sehr geschmackvoller Form. Um 1902 soll es schon ungefähr 330 fertige oder im Bau befindliche patriotische Denkmäler gegeben haben, wovon allerdings nur etwa 40 auf Mittel- und Süddeutschland entfielen.

Hinter dieser Denkmalsflut verbarg sich jedoch auch ein durchaus politisches Moment: die von Kaiser und Regierung verfolgte Absicht, im Volk den borussisch-monarchischen Gedanken zu wecken bzw. zu vertiefen und es darüber hinaus zu »vaterländischem«, d. h. militant-patriotischem Denken zu erziehen. Unschwer lassen sich dabei zwei Motivgruppen in der Gestaltung der Denkmäler unterscheiden. Einmal die statuarische Hervorhebung von Ereignissen und Gestalten, die als besonders geeignet erschienen, die nationale Vergangenheit des neugeschaffenen Reiches zu dokumentieren – von Hermann dem Cherusker (Hermannsdenkmal im Teutoburger Wald von Ernst von Bandel, 1875) über die Beschwörung des Kyffhäusermythos (Kyffhäuserdenkmal von Emil Hundrieser und Nikolaus Geiger, 1896/97) bis zu den Befreiungskriegen (Völkerschlachtdenkmal bei Leipzig von Bruno Schmitz und Franz Metzner, 1913). Ungleich zahlreicher aber waren die Denkmäler, die den Siegen des Krieges 1870/71 und den Schöpfern der daraus hervorgegangenen Reichsgründung – Bismarck und den Hohenzollern also – galten. Zu den bekanntesten Denkmälern Kaiser Wilhelms I. oder, wie er auf Wunsch seines Enkels genannt wurde, Wilhelms »des Großen«, gehören das am Deutschen Eck bei Koblenz 1897 errichtete von Bruno Schmitz und Emil Hundrieser sowie das im gleichen Jahr von Reinhold Begas in Berlin erstellte. Aber auch Friedrich III. und selbst schon Wilhelm II. wurden dargestellt, letzterer etwa auf der Hohenzollernbrücke in Köln, 1910, von Louis Tuaillon.

Das bekannteste Denkmal Bismarcks ist wohl das riesige Monument von Hugo Lederer am Hamburger Hafen. Bismarck war überhaupt der Gegenstand besonderer Verehrung: in Norddeutschland entstanden allerorts »Bismarcktürme«, denen man noch heute in nicht geringer Zahl begegnet; bis 1914 sollen etwa 160 davon gebaut worden sein. Es gab ferner Germania-Gestalten (z. B. das Niederwalddenkmal von Johannes Schilling, 1883), Krieger-, Gefallenen-, Regiments-

115. Germanenideologie im neuen Kaiserreich:
das 1875 errichtete Hermannsdenkmal bei Detmold

118. Das Niederwalddenkmal bei Rüdesheim
aus dem Jahre 1883

denkmäler, Ruhmeshallen (z. B. 1902 in Görlitz), Säulen (Siegessäule in Berlin 1873), Türme und
Rolandgestalten. An vielen Denkmälern waren geflügelte Genien, Viktorien, symbolische Gestalten
aller Art, Löwen und Adler zu sehen. Zu manchen Kunstwerken wurde das Erz erbeuteter fran-
zösischer Geschütze verwendet (Siegessäule in Berlin 1873). Katholische Gebiete, auch solche, die
unter Preußen standen, machten den patriotisch-preußischen Denkmalrummel weniger mit. Das
Reich, ferner patriotische Verbände, Studentenkorporationen, Krieger-, Veteranen-, Sänger-,
Turner-, Schützenvereine und Auslandsdeutsche gaben für die zahlreichen Denkmäler Spenden.
Durch Lotterien sollte Geld aufgebracht werden.

Die Denkmäler mußten natürlich, besonders nach dem Willen Wilhelms II., im alten Stil geschaffen werden. In viele Statuen wurden Pose und Theatralik gelegt, Neubarock war beliebt. Es wirkte
eine Legion von Plastikern, die gute Aufträge erhielten und die meistens heute vergessen sind. Ich
hebe nur die damals angesehensten und am meisten beschäftigten hervor: Reinhold Begas, Adolf
v. Hildebrand, Max Klinger (auch Plastiker) und am Rande Franz v. Stuck; höhere Bedeutung hatten – mindestens damals – Adolf Brütt, Gustav Eberlein, Emil Hundrieser, Hugo Lederer, Fritz
Schaper, Johannes Schilling, Bruno Schmitz und der mit Aufträgen überhäufte Rudolf Siemering.
Wenn im folgenden eine große Zahl von deutschen Plastikern aufgezählt wird, so um zu dokumen-

119. Der Neptunsbrunnen auf dem Berliner Schloßplatz
(nach einem Entwurf von Reinhold Begas)

tieren, wie damals diese Sparte der bildenden Kunst, meistens durch Denkmalsaufträge, gefördert wurde.

Es gab innerhalb der alten Richtung wieder eine ältere und eine jüngere Schule, die damals die realistische genannt wurde. Zur älteren Schule gehörten Plastiker zweiter Garnitur, wie Max Baumbach, Christian Breuer, Carl Echtermeier, Nikolaus Geiger, Graf v. Görtz-Schlitz, Ernst Julius Hähnel, Ernst Herter, Bruno Kruse, Otto Lessing, Harro Magnussen, Ludwig Manzel, Walter Schott und Joseph Uphues. Zur jüngeren, sogenannten realistischen Schule, die man aber noch nicht zur »modernen« Kunst rechnen darf, zählen wir etwa Fritz Christ, August Drumm, Josef

Flossmann, Theodor von Gosen, Ludwig Habich, Hermann Hahn, Fritz Klimsch, Erwin Kurz, Hermann Lang, Rudolf Maison, Hubert Netzer, Georg Römer, Wilhelm Rümann, Karl Seffner, den besonders talentierten Louis Tuaillon, Arthur Volkmann, Heinrich Wagmüller und Georg Wrba.

Ausschreibungen von Denkmalsaufträgen, das Einsenden von Entwürfen und die Sitzungen der Juroren nahmen kein Ende. Wenn ein Künstler in Berlin oder München nicht »ankam«, konnte er mindestens Denkmäler in den zahlreichen Provinzstädten schaffen. München, wo z. B. der immerhin sehr begabte Adolf v. Hildebrand wirkte, war im allgemeinen etwas zurückhaltender in der Denkmalkonjunktur.

Diese Denkmalflut war gerade das Richtige für Wilhelm II., der den Künstlern hineinzureden und manches in der Gestaltung zu ändern trachtete, nicht stets zum Vorteil des Werkes. Er kam gern zur Enthüllung oder Einweihung des Denkmals und hielt meistens eine donnernde Rede. Bei der Einweihung des Völkerschlachtdenkmals bei Leipzig 1913 taten Kaiser und Gefolge, als hätte Preußen die Schlacht allein gewonnen, was z. B. dem österreichischen Erzherzog Franz Ferdinand argen Verdruß bereitete.

Es ist nur wenigen Plastikern gelungen, ein zeitlos schönes Denkmal zu schaffen, wobei allerdings zu berücksichtigen ist, daß bei manchen Aufträgen (für eine Germania, eine Viktoria usw.) sich der Künstler den Wünschen der Besteller kaum zu entziehen vermochte.

Der nüchterne Schweizer Jacob Burckhardt nannte folgende Gründe für die Erbauung der Denkmäler: Echte nationale Überzeugung und Dankbarkeit für die Schöpfer des Reiches; die herrschende blinde Denkmalsucht; die Wünsche der Plastiker, Aufträge zu erhalten und gut zu verdienen, die lokale städtische Dekorationsbegier, ja, das lokale Interesse bestimmter Viertel- und Straßenbewohner der Stadt. Skeptiker erklärten allerdings, daß das Denkmal nach dem Tag der Enthüllung von den Passanten nicht mehr betrachtet werde, höchstens von Fremden, die zum erstenmal in die Stadt kamen.

Die Siegesallee

Von dieser »Siegesallee« war schon kurz die Rede. Sie war ein bezeichnendes Produkt jener Zeit: 32 Standbilder (zu jeder noch 2 Büsten), die Persönlichkeiten aus der brandenburgischen und hohenzollerischen Geschichte vom Mittelalter an zeigten (Männer, die anscheinend immer nur Siege erfochten hatten), links und rechts entlang einer Allee im Berliner Tiergarten. Der Ruhm Brandenburgs, Preußens und besonders der Hohenzollern sollte dadurch gesteigert, dem Volk Patriotismus eingeflößt werden; das Ganze gedacht als eine Art Bilderbuch für den Geschichtsunterricht. Heute zumeist vergessene Künstler haben die Standbilder geschaffen (Begas, Böse, Brütt, Eberlein, Graf Görtz-Schlitz, Schaper, Siemering, Uphues usw.). Nur wenige Statuen waren künstlerisch von Belang.

Die letzte Gruppe wurde am 18. Dezember 1901 enthüllt. Die aus diesem Anlaß gehaltene Rede Kaiser Wilhelms II. wurde schon erwähnt: Er verglich die Berliner Bildhauerschule mit der großen Kunst im Zeitalter der Renaissance und stellte mit Genugtuung fest, daß kein Kunstwerk zur »modernen« Richtung gehöre.

120. Eine Lektion brandenburgischer Geschichte:
Die Berliner »Siegesallee« präsentierte allzu zahlreiche Denkmäler
(hier den Kurfürsten Johann Georg von Brandenburg)

Das Urteil des Publikums lautete freilich anders. Man sprach von einer »Puppenallee«, einem Panoptikum und einem »Reichsrenommierstil«. Der berühmte, für seinen Witz bekannte, impressionistische Berliner Maler Max Liebermann, der von seiner Wohnung aus die »Puppenallee« sehen konnte oder mußte, erklärte, das einzige, was er nun tun könne, sei, eine dunkle Schutzbrille zu tragen.

Die bildende Kunst

Hans Sedlmayr unterteilt die Kunstentwicklung des späteren 19. und frühen 20. Jahrhunderts in die folgenden Etappen:

1. Die Gründerzeit 1840–1885,
2. Fin de siècle 1885 bis 1905 oder 1910,
3. die große Kunstrevolution 1910–1925.

Die Entwicklung geht vom Eklektizismus, Realismus, der Romantik bzw. Neuromantik, von letzten Resten des Hanges zu einem Deutschrömertum, von einem mythisch-allegorisch-symbolistischen Stil zum Impressionismus und Naturalismus, zum Jugendstil, schließlich zum Expressionismus, Futurismus, Kubismus, zur abstrakten Malerei, zu Dadaismus, Fauvismus usw. Der Generation, die die Entwicklung der Kunst durch einige Jahrzehnte beobachtete, fehlte es nicht an Abwechslung und Aufregungen. Die Macht der Presse, der Kunstzeitschriften, der Museumsdirektionen und des manchmal skrupellosen Kunsthandels über das Schicksal der Künstler sei hervorgehoben. Wie schon erwähnt, schufen Künstler der alten Schule, soweit sie nicht Fresken malten, ihre Werke für Kunstausstellungen und hierauf für den Ankauf durch ein Museum. Wie so oft waren auch in dieser Zeit die besten Künstler nicht selten die untüchtigsten in der Jagd nach dem materiellen Erfolg: Viele fanden nur eine verspätete oder eine postume Anerkennung.

Die Gründung des Reiches und der Aufschwung Deutschlands erzeugten einen stark erhöhten Bedarf an Bauten. Man benötigte Amtsgebäude für die Reichsverwaltung und die der Bundesstaaten, passende Räume für die Landtage, Rathäuser, Kirchen, Schulen aller Stufen, Museen, große Säle für Ausstellungen, neue Theater, Opernhäuser, nicht zuletzt Krankenhäuser, große öffentliche Bäder und Kasernen. Neue Bahnhöfe wurden ebenso wie Hotels, Warenhäuser, Börsen, Fabriken, Schlachthäuser, Speicher, Werften und Brücken gebaut – von den Wohnbauten, großen Stadthäusern und Villen für reiche Familien sowie Mietskasernen nicht zu reden. Den Architekten bot sich somit ein reiches Feld von Möglichkeiten und Aufträgen.

Historismus und Eklektizismus hießen die Gesetze, denen man folgte. Man bemühte in der Nachahmung die griechische und römische, die romanische und gotische, die maurische Kunst, altvenezianische Fassaden, die italienische und deutsche Renaissance, das Barock und Rokoko. Zu höchst modernen Zielen und Bauten paßten die Stile des Mittelalters und der früheren Neuzeit freilich schlecht. Die Fassaden waren überladen. Ohne Karyatiden tat man es nicht. Es wurden eigens italienische Handwerker nach München berufen (z. B. Gipsgießer). Moderne Architekten begannen allerdings mehr Eisenbeton, Chrom, Stahl, Nickel zu verwenden und die Bauten mit großen Glasflächen auszustatten. Eine großzügige Stadtplanung, wie sie z. B. Camillo Sitte propagierte, gab es selten. In der Innenarchitektur wollten die »altdeutschen« Bier- und Weinstuben altnürnbergerisch sein, mit Butzenscheiben, Täfelungen, schweren Vorhängen und Halbdunkel.

Wilhelm I. hat wenig in Bauaufträge hineingeredet; ganz anders Wilhelm II.: Er liebte den romantischen Stil und das Neubarock und mischte sich oft in die Planungen bewährter Architekten ein – auch hier selten zum Vorteil der entstehenden Gebäude. Hofbaumeister Wilhelms II. war der heute vergessene Ernst v. Ihne, während zu seinen Lieblingsbildhauern der neubarocke Reinhold Begas und zu seinen Lieblingsmalern Hermann Knackfuß gehörten. Ein Blatt von Knackfuß gegen die »gelbe Gefahr« (»Völker Europas, wahrt eure heiligsten Güter!«) wurde unter der Ägide des Kaisers massenhaft für 6 und 9 Mark verkauft.

Die Einigung Deutschlands hat der Kunst keinen Auftrieb zu qualitativem Aufstieg gegeben. Das teils gehaßte, teils verachtete Frankreich schien in der Entwicklung der Kunst rascher voranzugehen und größere Erfolge zu haben, was gerade die Künstler der alten Schule in Deutschland oft etwas krampfhaft nicht zur Kenntnis nehmen wollten. Die Massenhaftigkeit der Aufträge und der oft geringe Kunstanspruch der Besteller hat viele Künstler zweiten und dritten Ranges zu Wort kommen lassen. So kam es zur patriotischen Historienmalerei, die vor allem von Anton

121. Dieses Porträt Wilhelms II. von M. Koner (1890)
wurde in Paris als »gemalte Kriegserklärung« verstanden

v. Werner, Georg Bleibtreu und Wilhelm Camphausen gepflegt wurde. Weitere Maler der Eini-
gungskriege, vor allem des Kampfes 1870/71, waren: Carl Becker, Ferdinand Graf Harrach, Emil
Johannes Hünten, Georg Koch, Louis Kolitz, Carl Röchling, Christian Sell, Carl Wagner und
Hermann Wislicenus usw. Alle diese Künstler waren des Wohlwollens der Hohenzollern sicher.
Ihre Bilder sollten erzieherisch wirken – doch gerieten die staatlichen Museen in Gefahr, patriotische
Bilderspeicher zu werden, wovor schon im Jahre 1884 gewarnt wurde.

Natürlich gab es eine Unmenge von Porträtaufträgen für Maler (auch für Plastiker), die der
Kaiser, Prinzen, Staatsmänner und Generale sowie Industrielle vergaben. Wilhelm II. ließ sich unzählige Male porträtieren, meistens in der Garde-du-Corps- oder in Admiralsuniform. Seine Lieb-
lingsporträtisten waren Hermann Prell und Max Koner. Es ist charakteristisch, daß das Porträt des
Kaisers von Koner in der deutschen Botschaft zu Paris 1890 von einem französischen General als
gemalte Kriegserklärung bezeichnet werden konnte. Franz v. Lenbach, sonst der Spezialist für
Bismarckbildnisse (auch nach dessen Sturz), hat es verstanden, zahlreiche Köpfe seiner Zeit dem

122. Von K. v. Piloty, dem Maler »historischer
Unglücksfälle«, stammt dieses Gemälde, das ein
Ereignis aus dem Dreißigjährigen Krieg erzählt:
Die Äbtissin Magdalena bewahrt ihr Kloster vor
schwedischen Marodeuren (oben)
123. Anton v. Werner: Selbstporträt (1885)

Betrachter in ihrem Wesen nahezubringen. Andere erfolgreiche und sehr beschäftigte Porträtmaler im Deutschen Reich waren: Heinrich v. Angeli, Hubert v. Herkomer, Fritz August v. Kaulbach, Albert v. Keller, Ferdinand Keller, Arpad v. Koppay, Philipp László, Leo Samberger, Karl Stauffer-Bern, Franz v. Winterhalter und Friedrich Wasmann, ein heute total vergessener Norddeutscher, der besonders in Südtirol wirkte.

Die »alte Schule« verfügte über routinierte Künstler und genoß die Protektion der Höfe: ein bezeichnendes Beispiel war Karl v. Piloty – ein guter Lehrer und Kolorist, der Maler der »historischen Unglücksfälle«, Direktor der Akademie in München –, der im Jahre 1886 starb. Der bayerische Staat subventionierte z.B. 1873 die Schaffung des Riesengemäldes »Thusnelda im Triumphzug des Germanicus«.

Anton v. Werner, der im Alter von 27 Jahren im Gefolge des Kronprinzen den Feldzug von 1870/71 mitmachte, stand in der Gunst der Hohenzollern und machte eine rasche Karriere. Er war u.a. der Maler der Kaiserproklamation von 1871, des Berliner Kongresses von 1878 und der Reichstagseröffnung von 1888. Er reorganisierte bereits im Jahre 1873 die Berliner Akademie, wurde mit 32 Jahren (1875) deren Direktor und im Jahre 1887 Vorsitzender des konservativen »Berliner Künstlervereins« und der »Deutschen Kunstgenossenschaft«. Er war bestrebt, moderne Künstler nicht aufkommen zu lassen und lehnte den französischen Impressionismus und den Ankauf französischer Werke für die Berliner Nationalgalerie ab. Werner wandte sich z.B. gegen eine Ausstellung von Edvard Munch (1892), worauf drei Akademieprofessoren aus Protest ausschieden. Er übte zeitweilig eine förmliche Diktatur aus, seine Kunst aber überlebte sich rasch. Man kolportierte damals das Wort, Werner sei ein großer Malermeister, Menzel aber ein großer Meistermaler.

Die Malerkönige von München waren Franz v. Lenbach und später Franz v. Stuck, deren große und schöne Villen ein Stolz Münchens und ein Zentrum vornehmer Geselligkeit waren.

Die ältere Generation der Maler, die zum guten Teil »künstlerhaft« mit Bärten, Samtjacken, prangenden Krawatten und Baretts auftrat, war es, die gut dotierte Aufträge und Goldmedaillen auf den Ausstellungen erhielt; ihre Mitglieder empfingen den einfachen Adel, Orden und mindestens den Titel »Professor«. Künstler dieser Kategorie beherrschten noch die in Deutschland gezeigten internationalen und deutschen Kunstausstellungen, in denen einzelne, wie Lenbach, große Ehrensäle allein für ihre Bilder beanspruchen durften. Es war für Wilhelm II. bezeichnend, daß bei seinem Erscheinen selbst Kunstausstellungen unter schmetternden Märschen des Musikkorps eines Garderegiments eröffnet wurden. Natürlich durften ein paar Porträts des Kaisers niemals fehlen.

Die Künstler alten Stils hatten auf die Presse, die Kunstliteratur und -zeitschriften, den Kunsthandel und die Museumsdirektionen großen Einfluß, und so wurden ihre Werke regelmäßig angekauft. Der Staat mit seinen Museen war ihr Mäzen. Jedes neu geschaffene wichtigere Werk eines berühmten lebenden Künstlers wurde alsbald in den großen Zeitschriften (vor allem in der »Gartenlaube«) reproduziert.

Man ist heute geneigt, diese alte Richtung stark zu unterschätzen. Einige ihrer Vertreter waren jedoch immerhin Könner, gebildete Männer, die vom Publikum zum Verständnis ihrer Bilder auch Bildung forderten, gute »Erzähler«, die ihre Gestalten zu charakterisieren wußten. Freilich mangelte es den meisten an Verständnis für modernere Richtungen, wobei zweifellos auch die Besorgnis eine Rolle spielte, der vielen lukrativen Aufträge verlustig zu gehen, wenn das Publikum sich den Vertretern der neu aufkommenden Stile zuwenden würde. Lenbach glaubte geistreich zu sein,

124. Wilhelm von Kaulbach: Allegorie auf die Reformation.
Fresken im Treppenhaus des Neuen Museums in Berlin

als er in einer impressionistischen Ausstellung einmal sagte: »Wenn man sich denken könnt', daß das Zeug alles erhalten bliebe, und es ging' nach ein paar hundert Jahren einer durch eine solche Galerie, hernach müßt' er meinen, daß das alles von einem und demselben ungeheuer produktiven Rindvieh gemalt wär'!«

In Frontstellung gegen die Künstler alter Richtung wurden die Sezessionen gegründet, die bald selbst wiederum zu altmodisch zu sein schienen und von denen sich »Neue Sezessionen« und neue Künstlervereinigungen abspalteten. Die Münchner Künstler der alten Schule mußten erstaunt feststellen, daß »moderne« Bilder aus München nicht sabotiert werden konnten, sondern von Berliner Kunsthändlern und Sammlern angekauft wurden. Der deutsche Föderalismus wirkte hier vorteilhaft. Düsseldorf verlor freilich als Kunststadt seine alte Bedeutung; München behielt seine Geltung, während Berlin Kunststadt und Kunstmarkt zugleich war. Daneben seien Dresden, Leipzig, Weimar, Karlsruhe, die Malerkolonien in Worpswede und Neu-Dachau und, jenseits der Grenze, in Wien genannt. Der Großherzog Ernst Ludwig von Hessen bemühte sich seit etwa 1899, auch Darmstadt zu einer Kunststadt zu machen.

Die Historienmalerei blühte in diesen Jahrzehnten, besonders in Düsseldorf, München und Berlin (Peter v. Cornelius, Arthur Kampf, Wilhelm v. Kaulbach, Karl Friedrich Lessing, Adolf

125. Franz von Defregger: »Die Brautwerbung« (1877)

126. Immer wieder für deutsche Wohnzimmer reproduziert: Arnold Böcklins »Toteninsel« (1884)

127. Ein »Salonstück« von
Friedrich August von Kaulbach (1900)

128. Franz von Stuck: »Salome« (1906)

v. Menzel, Karl v. Piloty, Anton v. Werner –, moderner Wilhelm Diez u. a.). »Ruhmeshallen«, etwa
im Berliner Zeughaus, Rathäuser, Festräume und die großen Auditorien der Hochschulen wurden
mit großen Fresken ausgestattet, die Motive aus Sagen oder Historien zeigten. Friedrich Geselschap
war ein damals gefragter Vertreter dieser Richtung. Hermann Prell schuf u. a. in der Deutschen
Botschaft in Rom im Palazzo Caffarelli einen Zyklus von urgermanischen Sagen, den die Italiener
verständnislos betrachtet haben dürften. Die Schlachtenmalerei stand, wie erwähnt, in voller Blüte;
Wilhelm II. hat selbst ein Bild »Kampf der Panzerschiffe« gemalt, das ausgestellt und von Lenbach
angekauft wurde (1899). Andere Maler entnahmen ihre Sujets gern deutschen Dichtungen und
Sagen, so besonders Moritz v. Schwind. Auch Ludwig Richter und Karl Spitzweg wirkten noch in
diese Zeit herein. Eine kleinere Gruppe von »Deutschrömern« lebte im Süden und suchte dort ihre
Motive (Arnold Böcklin, Anselm Feuerbach, Hans von Marées, der Bildhauer Adolf v. Hildebrand).
Ich verweise ferner auf die Künstler, die religiöse Motive bevorzugten (u. a. Josef v. Führich,
Eduard v. Gebhardt, Rudolf und Matthäus Schiestl, Wilhelm Steinhausen, Eduard v. Steinle,
Fritz v. Uhde).

Die Genremaler waren besonders beliebt; nur die Wichtigsten seien hier genannt: Eduard Grütz-
ner, Ludwig Knaus, Benjamin Vautier, auch Franz v. Defregger. Motive aus dem bäuerlichen Leben
wählten u. a. Hans Thoma und Wilhelm Leibl, der zu den wenigen gehört, die zu Recht noch heute
ihren Platz in den Museen behaupten – seine »Drei Frauen in der Kirche« (Kunsthalle Hamburg)
sind ein unvergängliches Meisterwerk. Landschaftsbilder waren äußerst beliebt, gleichgültig, ob sie
die Natur zur Vorlage hatten oder aber den Typus der Ideallandschaft repräsentierten, wie z. B.
die berühmte »Toteninsel« von Arnold Böcklin. Aus der großen Zahl der Landschaftsmaler seien
genannt: Andreas und Oswald Achenbach, Rudolf v. Alt, Arnold Böcklin, Eugen Bracht, Erich
Erler, Harl Haider, Graf Stanislaus v. Kalckreuth, Max Klinger, Walter Leistikow, Karl Friedrich
Lessing, Jakob Emil Schindler, Eduard Schleich (Vater und Sohn), Karl Schuch, Johann Sperl, Toni
Stadler, Hans Thoma, Fritz v. Uhde, Hans Beatus Wieland und Heinrich v. Zügel. Die seinerzeit
so beliebten »saftigen« Stilleben mit Wild, Geflügel, Fischen, Obst, Blumen usw. (z. B. von Karl
Schuch) kamen aber selbst bei konservativen Auftraggebern aus der Mode.

Eine gedanklich-symbolistische Richtung vertraten Arnold Böcklin, Max Klinger, Hans v. Marées, Franz v. Stuck, Hans Thoma, Albert Welti; auch Ferdinand Hodler und Gustav Klimt können
in etwa zu dieser Gruppe gezählt werden.

Die sogenannte Salonmalerei wurde von Künstlern ersten, aber auch oft minderen Ranges
bevorzugt, die oft unverhüllt auf Publikumswirksamkeit ausgingen und an verdrängte Neigungen
appellierten. Erotik, Frauenakte, manchmal ein Kokettieren mit orientalischer Grausamkeit – das
war die Welt dieser »Salonstücke«, die immer gern gekauft wurden. Albert v. Keller, Hugo
v. Habermann und Friedrich August v. Kaulbach waren Frauenmaler; Hans Makart zeigte unter
allen möglichen Vorwänden die schöne Wienerin als Akt, und Franz v. Stuck verstand es meister-
haft, für seine Frauenakte originelle Titel zu finden.

Abseits von jeder Gruppierung und jeder Richtung muß der sehr vielseitige Adolf v. Menzel
besonders hervorgehoben werden: Er war der geniale Historienmaler der Zeit Friedrichs des Großen
von Preußen, wobei er in seinem Patriotismus niemals aufdringlich wirkte. Aus der Zeit Wilhelms I. stammten seine impressionistisch angehauchten Gemälde über das Leben auf Hofbällen in
Berlin (1870–1888). Er hat lange vor den berühmten Impressionisten selbst impressionistische

129. Max Klinger: »Bär und Elfe«

Bilder geschaffen (z. B. das »Théâtre Gymnase« 1856, die »Berlin-Potsdamer Bahn« 1847 und das »Balkonzimmer« 1845). Er griff mit seinem »Eisenwalzwerk« von 1875 schon die Welt der Arbeiter und die soziale Frage auf. Es waren aber wohl die Bilder über Friedrich II. und Wilhelm I., die Wilhelm II. veranlaßten, Menzel den Adel, den Schwarzen Adlerorden, den Titel eines Wirklichen Geheimen Rates und einer Exzellenz zu verleihen: Hier traf seine Ehrung einmal einen Würdigen.

Eine eigene Gruppe bildeten die Karikaturisten, die teils »harmlos« waren wie der Berliner Theodor Hosemann, die Münchner Adolf Hengeler, Adolf Oberländer, Wilhelm Schulz, teils sehr bissig und kritisch zeichneten (besonders im »Simplicissimus«) – so u. a. Karl Arnold, Olaf Gulbransson, Thomas Theodor Heine, Bruno Paul, Ferdinand Frh. v. Reznicek, E. Schilling, Hans Schlittgen, Hermann Sinsheimer, Eduard Thöny und Rudolf Wilke. Die packendsten Sozialkritiker mit dem Zeichenstift waren George Grosz und Heinrich Zille; der großartigste Karikaturist der Zeit aber war Wilhelm Busch, dessen Bücher starke Verbreitung fanden. Das Bürgertum verschlang seine Werke – vielleicht weil es sich darin, wenn auch verspottet, wiedererkannte.

130. Adolf von Menzel als Gast des Kaisers vor dem Eingang des Schlosses Sanssouci; dem Maler zu Ehren präsentieren zwei historisch kostümierte Soldaten das Gewehr

131. Menzel zeichnete diese Szene im Salon der Frau von Schleinitz (1874); unter den Gästen Kronprinz Friedrich Wilhelm, der spätere Kaiser Friedrich III. (unten)

132. Bitterer Humor: »Der Kaviar soll nu ooch teirer wer'n!« schrieb Zille unter diese Zeichnung

Der Xaviar soll nu oońh teiter wer'n !

Die oppositionellen Künstlergruppen, die zum Sammelbecken der modernen Richtungen wurden, waren in Berlin 1892 die Vereinigung der XI, 1893 die Freie Künstlervereinigung, 1898/99 die Sezession, 1908/10 die Neue Sezession und 1913/14 die Freie Sezession.

In München spielten die Sezession 1892/93, 1893 der Verein bildender Künstler (= Sezession), 1909 die Neue Münchner Künstlervereinigung (mit Franz Marc) und 1911/12 die Gruppe des »Blauen Reiters« (mit Franz Marc) eine Rolle. Erwähnenswert sind ferner die Münchner Künstlergruppe der 24, die Gruppe »Die Scholle« und die heitere Künstlervereinigung »Allotria«.

Wichtig daneben besonders die Wiener Sezession 1897, die Darmstädter Künstlerkolonie 1901, die Dresdner Gruppe »Die Brücke« (mit Umformungen 1905–1913; später in Berlin), der Kölner Sonderbund und in Weimar der Deutsche Künstlerbund (um 1905).

Bedeutende Kunstzeitschriften jener Zeit – manche Zeitschriften setzten sich sowohl für die moderne bildende Kunst als auch für die moderne Dichtung ein – waren »Der Kunstwart« (seit 1887, Hg. Ferdinand Avenarius), »Die Aktion« (seit 1911, Berlin, Hg. Franz Pfemfert), »Der Sturm« (seit 1910, Berlin, Hg. Herwarth Walden), »Deutsche Kunst und Dekoration« (München), »Dekorative Kunst«, »Innendekoration« (Darmstadt), »Kunst für alle«, »Zeitschrift für bildende Kunst«, »Die Kunsthalle« (seit etwa 1895, Berlin), »Kunst und Künstler« (seit 1903, Berlin), »Monatshefte für Kunstwissenschaft« (seit 1908, Berlin), »Das Kunstblatt« (seit 1917) und »Ver sacrum« (Kreis um den Maler Gustav Klimt, Wien).

Ausgehend von Frankreich, gewannen der Impressionismus (mit ihm verbunden der Pleinairismus) und der Naturalismus in Deutschland seit dem Ende des 19. Jahrhunderts an Bedeutung und

Umfang acht Seiten   Einzelbezug 40 Pfennig

DER STURM

HALBMONATSSCHRIFT FÜR KULTUR UND DIE KÜNSTE

Redaktion und Verlag	Herausgeber und Schriftleiter	Ausstellungsräume
Berlin W 9 / Potsdamer Straße 134 a	HERWARTH WALDEN	Berlin W 9 / Potsdamer Straße 134 a

VIERTER JAHRGANG 1914   BERLIN-PARIS ERSTES FEBRUARHEFT   NUMMER 196/197

133. Kopf der expressio-
nistisch orientierten Zeitschrift »Der Sturm« (1914)

134. Max Liebermann:
»Selbstbildnis«

Einfluß, und für einen modernen Künstler schien nun eine Fahrt nach Paris wichtiger als eine nach Rom zu sein. Der bedeutendste Maler unter den deutschen Impressionisten blieb lange Max Liebermann in Berlin. Neben ihm seien erwähnt Lovis Corinth, Max Slevogt, Wilhelm Trübner, z. T. Fritz v. Uhde. Weite Kreise forderten, daß die bildende Kunst sich in die bestehende Gesellschaftsordnung integrieren und sie erhalten müsse – eine Forderung, der die neu entstehenden Kunstgattungen nicht entsprachen. Wilhelm II. bekundete Ignoranz, indem er von der »Rinnsteinkunst« sprach, die in die »Gosse« steige. Den Arbeitern – so seine Meinung – müßten durch die Kunst alter Richtung das Schöne und die alten bewährten Ideale nahegebracht werden, nicht aber dürfe die Kunst in die Elendsbereiche des 4. Standes herabsteigen. Aber auch das kaiserliche Verdikt konnte den Aufstieg der, wie er es nannte, »Armeleutmalerei« nicht verhindern. Mit ihr und durch sie fanden die Forderungen des Sozialismus ihre künstlerische Entsprechung. Nicht um die Werke der obengenannten Genremaler handelte es sich dabei, die keine sozialen Ziele hatten und das Leben der unteren Klassen eher verniedlichten; vielmehr bildete die Welt der Technik und damit bis zu einem gewissen Grade die des Arbeiters das neue Motiv. Das »Eisenwalzwerk« von Adolf v. Menzel (1875) wurde schon erwähnt; weitere Künstler, die schon früh Themen aus dem sozialen Bereich aufgriffen, waren Karl Blechen und Friedrich Keller (daneben gelegentliche Bilder von Johannes Gehrts, Johann Peter Hasenclever und Robert Köhler). Paul Meyerheim schilderte in sieben Bildern die Lebensgeschichte einer Lokomotive (1878).

Zu den »Armeleutmalern« gehörten der große Max Liebermann, ferner u. a. Max Beckmann, Otto Dix, Käthe Kollwitz und Heinrich Zille. Ihr soziales Engagement hatte Folgen. Max Liebermann durfte schon im Jahre 1889 den Orden der Ehrenlegion nicht annehmen; Käthe Kollwitz wurde im Jahre 1896 eine ihr zugesprochene Goldmedaille nicht ausgehändigt.

Der Impressionist Wilhelm Trübner verfaßte eine Kampfschrift »Über das Kunstverständnis von heute«, in der er sich gegen die Akademien und die dort vertretene Kunstauffassung wandte. Die Berliner Nationalgalerie, auch andere staatliche Museen wollten oder durften durch lange Zeit von modernen deutschen Künstlern nichts ankaufen. Konservative Abgeordnete forderten im Jahre 1898 im preußischen Abgeordnetenhaus sogar, daß ein staatliches Museum Werke moderner Kunst in einem Saal sammeln solle, um daraus eine Art »Schreckenskammer« zu bilden. Hugo v. Tschudi, der Direktor der Berliner Nationalgalerie, wurde am Ankauf französischer und moderner deutscher Werke vom Kaiser selbst gehindert, so daß er im Jahre 1909 verärgert nach München abwanderte.

Eine Debatte im Deutschen Reichstag im Jahre 1904 brachte Argumente für und wider die moderne Kunst, wobei auch der Kaiser und der Kunstpapst Anton v. Werner angegriffen wurden.

Gegen die herkömmliche Ausstattung der Wohnungen nach dem Stil von Hans Makart mit Plüsch, Schilf, Disteln, dunklen Blättern, Kürbissen, Schoten, Palmen, Fruchtschnüren usw. wandte sich der um 1896 aufkommende Jugendstil, der seinen Namen von der Münchner Zeitschrift »Jugend« ableitete. Der Name sollte ein Programm sein und unterstrich den Willen, neue Formen der künstlerischen Gestaltung zu suchen bei deutlicher Distanzierung, ja Frontstellung gegenüber dem überkommenen Kunstgeschmack. Der Üppigkeit der vorigen Periode begegnete man mit vereinfachenden, stilisierenden, dekorativ und ornamental wirkenden Formen. Motive wie formale Kriterien entnahm man den Linien der Blumen und anderer Pflanzen sowie der Tierwelt. Wichtigstes Betätigungsfeld für den Jugendstil bildete die Außen- und Innendekoration: Hausrat jeder Art,

135. Die Jugendstil-Fassade des Ateliers
Elvira in München
(1896 von August Endell)

136. Ein Jugendstil-Kamin (um 1900)

137. Bucheinband im Jugendstil von
Peter Behrens (Deutsche Werkbund-
Ausstellung 1917)

Möbel, Wandschmuck, Tapeten, Teppiche, Stickereien, Keramik, Silbergegenstände, Beleuchtungs-
körper boten reiche Möglichkeiten zur Anwendung der neuen Formen; darüber hinaus weitete der
Stil sich auf Stoffe, Damenmode, Plakate und besonders auf den Buchschmuck (Vignetten und
Illustrationen in Büchern) aus. Es war dies die Reaktion auf bisherige illustrierte Klassikerausgaben,
die sich oft geschmacklos als sogenannte Prachtwerke gaben und im Salon zur Schau gestellt wurden.
Bedeutende Vertreter des Jugendstils waren Peter Behrens, Otto Eckmann, August Endell, Hermann Obrist, Bernhard Pankok, Bruno Paul, Richard Riemerschmid, Waldemar v. Seidlitz, Henry
van de Velde und die Architekten Dülfer und Theodor Fischer. Ein Prunkstück des Stils war das
Foto-Atelier Elvira (1896) in München, das der Nationalsozialismus als »entartete Kunst« nieder-
reißen ließ. Die Mathildenhöhe bei Darmstadt, München, Dresden und Weimar waren Zentren der
neuen Richtung, die der Gefahr, einem uneingeschränkten Manierismus zu verfallen, nicht immer
widerstand. Immerhin brachte der Jugendstil auch in die Wohnungen Durchsichtigkeit und Helle.

Zu den besonderen Verdiensten des Jugendstils gehört sein belebender Einfluß auf das Kunstgewerbe, das in München eine besondere Stätte hatte. Die Zahl der Kunstgewerbemuseen, -ausstel-

139. Die neue funktionelle Architektur: das von Walter Gropius entworfene Gebäude einer Schuhleistenfabrik in Alfeld a. d. Leine

lungen, -hallen, -schulen und -vereine wuchs. In München befaßten sich mit der Entwicklung des Kunstgewerbes der »Deutsche Werkbund« (1907), der Handwerks- und Industrieprodukte vereinheitlichen wollte (unter Hermann Muthesius), die »Vereinigung für angewandte Kunst« (später »Münchner Bund«), die »Vermittlungsstelle für angewandte Kunst« (1908) und die »Bayerische Gewerbeschau« (1912). Es gab ferner die Dresdener (später »Deutsche Werkstätten«) und die Wiener Werkstätten. Der Fachverband für die wirtschaftlichen Interessen des Kunstgewerbes war dagegen eher konservativ, wie überhaupt die genannten Organisationen bei weitem nicht allein den Jugendstil vertraten.

Auch in der Architektur setzten sich Neuerungen durch, die der eklektizistischen Nachahmung alter Stile ein Ende bereiteten. Die neue Richtung berücksichtigte den wahren Zweck des Baues: Sie verzichtete auf überflüssiges Ornament und Dekoration und auf überladene Fassaden und verwendete Stahl und Glas bevorzugt als Baumaterial. Alfred Messel wurde durch sein Warenhaus Wertheim in Berlin berühmt (1896); Richard Riemerschmid baute u. a. moderne Theater und Fabriken; Peter Behrens wurde durch die neue Deutsche Botschaft in Petersburg und Industriebauten bekannt; Walter Gropius erregte durch eine Fabrik in Alfeld 1911 sofort Aufsehen, Adolf Loos in Wien baute moderne Verwaltungs- und Wohnhäuser.

Die Malerei aber war das Gebiet, auf dem das Kunstgeschehen seit der Jahrhundertwende in geradezu frappierendem Tempo immer wieder neue Entwicklungen und Ausformungen zeitigte. Es kamen der Expressionismus, Surrealismus, Kubismus, seit ungefähr 1910 der Futurismus und die abstrakte Malerei. Um 1905 hatten sich die neuen Stile neben der alten Schule sowie dem Impressionismus und Pleinairismus durchgesetzt.

140. August Macke: »Selbstbildnis«

141. Neue Wege der
Malerei:
»Die gelbe Kuh« von
Franz Marc

Die neuen Richtungen und Künstlervereinigungen setzten immer häufiger die Organisation eigener Kunstausstellungen durch, und auch ihr geschäftlicher Erfolg steigerte sich zum Verdruß der Künstler der alten Richtung. 1911 wurde die erste juryfreie Kunstschau in Berlin eröffnet. Sammelpunkte der modernen Künstler waren die Vereinigung »Die Brücke« in Dresden, später in Berlin (u. a. mit Fritz Bleyl, Erich Heckel, Ernst Ludwig Kirchner, Emil Nolde, Max Pechstein und Karl Schmidt-Rottluff) sowie der Bund »Der Blaue Reiter« in München (erste Anfänge seit 1909), in dem Franz Marc eine besondere Rolle spielte (neben Heinrich Campendonk, Wassilij Kandinsky, Paul Klee und August Macke). Einige Expressionisten wie Paul Klee oder Otto Dix vertraten bereits vor 1918 eine pazifistische Gesinnung und kämpften mit ihrer Kunst gegen den Krieg, in dem dann einige ihrer bedeutendsten Kollegen als Soldaten ein zu frühes Ende finden sollten – so August Macke und Franz Marc. (Da die entscheidenden Werke der neuen Kunst zum guten Teil erst nach 1918 entstanden, haben wir uns hier auf Andeutungen zu beschränken.)

Die Literatur

Die Entwicklung der Literatur ähnelte in mancher Hinsicht der auf dem Gebiete der bildenden Kunst. Das ausklingende patriotische Nacherleben von 1871 wurde gegen das Jahr 1914 hin von Pessimismus und schreckensvollen Vorahnungen des kommenden Krieges abgelöst.

Der Krieg von 1870/71 und die Einigung Deutschlands haben keine große Dichtung hervorgebracht. Natürlich wurden Motive aus dem Krieg von 1870/71 in zahlreichen Romanen und Novellen verwendet – so in Walter Bloems Trilogie »Das eiserne Jahr«, »Volk wider Volk«, »Schmiede der Zukunft«, ferner im »Verlorenen Vaterland«, bei Gustav Frenssen (»Jörn Uhl«) und bei Hans v. Zobeltitz (»Sieg«). Es fehlte bis 1914 auch nicht an zahlreichen patriotischen Dichtern, etwa Karl Bleibtreu, Paul Ernst, Walter Flex, Hermann Löns und Friedrich Lienhard aus dem Elsaß. Nicht wenige »nationale« oder »volkhafte« Dichter haben mit den besten Absichten gewirkt, wurden aber später von national-konservativen oder radikalen Richtungen und Parteien für ihre Ziele in Anspruch genommen und entsprechend gefeiert – und auch mißbraucht.

Kaiser und Kanzler zeichneten sich nicht besonders durch Literaturverständnis aus: Wilhelm I. interessierte sich wenig für Literatur; Bismarck liebte u. a. die Werke von Wilhelm Busch, Fritz Reuter und Joseph Viktor v. Scheffel; Kronprinz Friedrich Wilhelm soll z. B. Karl Bleibtreu, Gustav Freytag, Klaus Groth und Friedrich Spielhagen sehr geschätzt haben; Wilhelm II. zeigte auch hier nur teilweise Geschmack: Er soll hier und da sogar manchen ihm bekannten Autoren befohlen haben, bestimmte »nationale« Stoffe zu behandeln. Seine Lieblingsdichter auf der Bühne waren Ernst v. Wildenbruch – er erhielt auf Betreiben des Kaisers zweimal den Schillerpreis, nahm ihn aber beim zweitenmal taktvollerweise nicht an – und Joseph Lauff mit bestellten Dramen aus der Hohenzollerngeschichte; als Romanciers schätzte er, wie erwähnt, Felix Dahn, Georg Ebers und Ludwig Ganghofer. Manche Autoren haben Wilhelm II. gepriesen und ihm geschmeichelt, unter ihnen Otto Ernst, Ludwig Ganghofer und Rudolf Herzog, während andere – bessere – wegen Majestätsbeleidigung mitunter ins Gefängnis wanderten (z. B. Frank Wedekind).

Wilhelm II. wünschte, daß die Literatur – wie die bildende Kunst – nur Ideales, Schönes, die Lichtseiten des Lebens zeige. Er war ein heftiger Feind des Naturalismus, der die »heiligsten

142. Im Kaiserreich viel gelesen, mit dem
Nobelpreis ausgezeichnet – heute vergessen:
Paul Heyse

143. Theodor Fontane,
porträtiert von Max Liebermann (1896)

Güter« der Nation beleidige und den »gesunden Sinn« des Volkes verletze. Wie schon erwähnt,
kündigte später der Herrscher die Hofloge des »Deutschen Theaters« in Berlin, weil dort die
Frühdramen Gerhart Hauptmanns gegeben wurden, und verweigerte Hauptmann im Jahre 1896
den Schillerpreis.

Romane und Novellen waren in der wilhelminischen Zeit sehr beliebt. Lyrik, darunter viel heute
vergessene »Butzenscheibenlyrik«, fand dagegen relativ wenige Leser; eine gewisse Berühmtheit
erlangte seinerzeit immerhin Rudolf Baumbach. Volksbüchereien, Leseabende und aufkommende
Buchgemeinschaften verbreiteten die neue Literatur in weiten Kreisen des Volkes, und immer mehr
Zeitungen brachten gerngelesene Fortsetzungsromane, die man später in Buchform kaufen konnte.
Zu diesem Überangebot gehörten allerdings sehr viele Kitsch- und Abenteuerromane. Immerhin
wurden die Werke der meisten bedeutenden zeitgenössischen Autoren, daneben freilich auch die
historischen Professorenromane, von denen noch die Rede sein soll, in einer Zahl gekauft, die dem
Bildungshunger des deutschen Publikums alle Ehre machte.

Ein weitgehender Liberalismus, hier und da mit behutsamer Sozialkritik vermischt, später eine
Hinneigung zum Sozialismus – im Naturalismus und Expressionismus – beherrschten die deutsche
Literatur. Die konfessionell eingestellte, besonders katholische Literatur trat quantitativ sehr
zurück (zu nennen hier nur: Konrad v. Bolanden, Heinrich Federer, Enrika v. Handel-Mazzetti,
Paul Keller). Paul Heyses Werke sowie Ganghofers Romane und die Zeitschrift »Die Gartenlaube«
blieben indessen noch lange die am meisten verbreitete Lektüre. Ein im Jahre 1885 gegründeter
»Allgemeiner deutscher Sprachverein« scheint unter der Wucht der kommenden »Richtungen« in
der Literatur nicht vollkommen durchgedrungen zu sein.

Ein Zeichen der Zeit war übrigens die häufige Verwendung von Zitaten, besonders aus Werken der deutschen Literatur. Der Reichskanzler Fürst Bülow z. B. war für seine Zitierfreudigkeit berühmt, und eigene Zitatenlexika, die manche fast auswendig lernten (Büchmann, »Geflügelte Worte«), wurden viel gekauft.

Betrachten wir zunächst die »alte Schule« in der deutschen Literatur des späten 19. Jahrhunderts. Die ihr – cum grano salis – angehörenden Dichter erlebten nach 1871 den Höhepunkt ihres Schaffens und z. T. ihres Ruhmes. Ich denke, um nur die wichtigsten zu nennen, an Ludwig Anzengruber, Marie v. Ebner-Eschenbach, Max Eyth, Theodor Fontane, Luise v. François, Gustav Freytag, Paul Heyse, Gottfried Keller, Conrad Ferdinand Meyer, Eduard Mörike, Wilhelm Raabe, Fritz Reuter, Ferdinand v. Saar, Joseph Viktor v. Scheffel und Theodor Storm.

Fontane, der in hohem Alter seine besten und ganz unverwechselbaren Werke schrieb, nimmt eine Sonderstellung ein: ein Urpreuße, freilich mit französischer Erbmasse, der zu einer kritischen Haltung gegenüber Bismarck und Wilhelm II. gelangte, der Schattenseiten des Preußentums, namentlich des preußischen Adels, verdeutlichte und Kritik am deutschen Bürgertum übte, der in seinen Romanen eine Reihe von menschlich hervorragenden Gestalten des vierten Standes dargestellt hat. Ebenso erstaunlich ist die Aufgeschlossenheit des alten Mannes (und Theaterkritikers) gegenüber modernen literarischen und anderen künstlerischen Richtungen, z. B. gegenüber dem Frühwerk Gerhart Hauptmanns.

So wie es, gerade in München, Malerfürsten der alten Schule gegeben hat, so hatte im literarischen Bereich Paul Heyse über einige Zeit hin die Stellung eines anscheinend überragenden Dichterfürsten inne. Als ein Meister erlesenen Stils ist er später wiederum zu stark unterschätzt worden. Heyse erhielt im Jahre 1910 den Nobelpreis für Literatur; er hat bis zu seinem Tod (1914) und darüber hinaus noch viele Bewunderer und Leser gefunden, was nicht verbergen konnte, daß er seine Zeit überlebt hatte. Zwischen ihm und den Naturalisten gab es keine Berührungspunkte, ja man stand sich feindselig gegenüber.

In Deutschland waren zeitweilig die sogenannten »Professorenromane« sehr beliebt: Von Professoren geschriebene, für akademisch gebildete, vor allem historisch interessierte Kreise bestimmte Romane und Erzählungen über Themen aus der Geschichte, oft beeinflußt von Walter Scott. Die Hauptvertreter dieses Romantyps waren Felix Dahn, der Autor des zählebigen »Ein Kampf um Rom«, Georg Ebers, Isolde Kurz, Hermann v. Lingg (mit historischen Epen), Wilhelm Heinrich Riehl (der außerdem wertvolle volkskundliche Forschungen betrieben hat), später Wilhelm Schäfer, Friedrich Wilhelm Weber und Julius Wolff. Sie fanden sehr viele Leser, nicht zuletzt Jugendliche, die sich oft mit den heroisiert dargestellten historischen Romangestalten à la Totila (»Ein Kampf um Rom«) identifizierten.

Zur alten Schule gehörte auch eine Legion von Schriftstellern, die – heute zum guten Teil vergessene – mehr oder weniger »gehobene« Unterhaltungsromane schufen. Sie standen der Welt des Zweiten Reiches positiv gegenüber, übten kaum Kritik an Adel und Bürgertum und übergingen zumeist die sozialen Probleme. Die Handlung ihrer Romane war vor allem in den Kreisen des Adels, des höheren Bürgertums, der Industriellen, der Offiziere angesiedelt. Die folgende Übersicht kann natürlich nicht vollständig sein; zu nennen sind immerhin Rudolf Hans Bartsch, Otto Julius Bierbaum, Rudolf Georg Binding, Walter Bloem, Waldemar Bonsels, Otto Ernst, Paul Ernst, Hanns Heinz Ewers, Ludwig Ganghofer, Friedrich Karl v. Gerok, Friedrich Gerstäcker, Otto

144. Ludwig Thoma. *Zeichnung von Karl Bauer (1911)*

v. Gottberg, Rudolf v. Gottschall, Paul Grabein, Jakob Christoph Heer, Rudolf Heer, Rudolf Herzog, Paul Oskar Hoecker, Hans Hopfen, Wilhelm Jordan (u. a. Epen), Paul Keller, Paul Lindau, Georg Frh. v. Ompteda, Rudolf Presber, Hermann v. Schmid, Heinrich Seidel, Friedrich Spielhagen, Adolf Stahr, Julius Stettenheim, Julius Stinde, Rudolf Stratz, Johannes Trojan, Richard Voss, Adolf v. Wilbrandt, Ernst Zahn, Hans und Fedor v. Zobeltitz.

Franz Adam Beyerlein wagte in seinem Roman »Jena oder Sedan?« (1903) die deutsche Heeresherrlichkeit anzuzweifeln. Von den, zum Teil sehr erfolgreichen, dichtenden Damen der Epoche ist schon die Rede gewesen.

Vor der Unruhe und dem Gärungsprozeß, die vor 1914 das geistige Leben mehr und mehr erschütterten, flüchteten sich manche Dichter und Schriftsteller in die sogenannte Heimatkunst, um das Bild einer engen, aber heilen, ungefährdeten Welt zu beschwören. Die Grenzen der Heimatkunst lassen sich nicht immer scharf umreißen. Gemeinsam ist ihr der Umstand, daß ein Romancier die Handlung seiner Werke im Gebiet eines bestimmten deutschen Stammes spielen läßt, aus dem er selbst stammt, mit dessen Menschen er sich verbunden fühlt und in dem er sich gut auskennt. Es können hier nur wenige Beispiele genannt werden: Bayerische Heimatdichtung schufen Arthur Achleitner, Michael Dengg, Ludwig Ganghofer, Pauli Kiem, Georg Queri, Josef Ruederer, Ludwig Steub und Ludwig Thoma, der ohne Zweifel der beste – und kritischste – Erzähler gewesen ist, in der Breitenwirkung aber von Ganghofer übertroffen wurde. Dieser hat in seinen zahlreichen und erfolgreichen Romanen alle Ingredienzien gemischt, die das breite, vor allem bürgerliche Publikum wünschte: ein Zusammenklingen von nationalistischen und monarchistischen Elementen mit sehr zurückhaltender Sozialkritik, mit Sentimentalität und Humor, mit Naturverbundenheit und einem Schwärmen für Heimat und Volkstum.

Die Lüneburger Heide hat Hermann Löns beschrieben, Ostpreußen und das Memelland wurden durch Fritz Skowronnek und Hermann Sudermann, das Rheinland durch Rudolf Herzog und Clara Viebig, Schlesien durch Paul Keller und Hermann Stehr, Schwaben durch Berthold Auerbach vertreten. In der Schweiz handeln die Werke von Heinrich Federer, Jakob Christoph Heer und Ernst Zahn; der Steiermark verhaftet waren Rudolf Hans Bartsch und Peter Rosegger, der Landschaft Tirols Rudolf Greinz, Adolf Pichler und Karl Schönherr. Unter den Mundartdichtern sind Klaus Groth und Fritz Reuter besonders berühmt geworden. Der Naturalismus gebrauchte ebenfalls oft den Dialekt; namentlich Gerhart Hauptmann läßt seine Bühnengestalten oft in schlesischer Mundart sprechen.

Eine ganz eigenartige Erscheinung war der schon mehrfach erwähnte Wilhelm Busch, der in seinen Versen und Zeichnungen das Bürgertum verspottete, aber auch den hannoveranischen Partikularismus mit seiner Welfenideologie und die katholische Kirche.

Es erscheint heute kaum glaublich, daß unter den Autoren, die erotische Motive aufgriffen, damals selbst Fontane, Heyse oder Sudermann als »unsittlich« galten – von Arthur Schnitzler natürlich zu schweigen. Sexuelle Fragen – der »Dämon Weib« – tauchten sehr viel deutlicher bei Frank Wedekind auf; Peter Altenberg, Karl Kraus (beide in Wien) und Heinrich Mann verteidigten die oft in tiefstem Elend lebenden Prostituierten, und ungescheut griffen Thomas Mann, Stefan George und andere Fragen der Homosexualität auf.

Thomas Mann hat wie kaum ein anderer das Brüchige der Welt vor 1914 erkannt. Darin wie in der psychologischen Durchdringung der Gestalten erwies sich seine Meisterschaft. Schon sein erster Roman »Die Buddenbrooks«, den er im Alter von 26 Jahren herausgab (1901), wurde ein Welterfolg. Thomas Mann gilt heute unbestritten als Klassiker der Moderne, während seinem sozialistisch stärker engagierten älteren Bruder Heinrich Mann längere Zeit die volle Anerkennung versagt blieb.

Das Unbehagen an der Welt vor 1914 hat die Dichter aller im folgenden skizzierten Richtungen mehr oder weniger bestimmt, selbst die unpolitischen und schönheitsdurstigen Vertreter der gegen den Naturalismus gerichteten Strömungen. Es kann hier nicht erörtert werden, wie weit der deutsche Naturalismus von ausländischen, also französischen, skandinavischen und russischen Dichtern angeregt wurde und z. T. diese Vorbilder überbot. Der deutsche, zuerst von Arno Holz vertretene Naturalismus, dessen große Zeit von etwa 1889 bis 1900 reichte, setzte sich am stärksten auf der Bühne durch. Die Naturalisten wollten bewußt unpatriotisch sein und sich von der ewigen Hohenzollern- und Heldenverehrung der Kriege von 1866 bis 1871, von der Lobpreisung einer morsch gewordenen Gesellschaft lösen. Statt immer nur das Schöne und Gefällige auf die Bühne zu bringen, wandten sie sich den Nachtseiten des Lebens und der damaligen Gesellschaftsordnung zu: Sie wollten schockieren, und ihre Erfolge beruhten darauf, daß sie soziale Mißstände kraß zeigten und für den vierten Stand eintraten – wobei ihnen Teile des Bürgertums Beifall zollten, weil sie hier auch Opposition gegen die noch immer herrschenden Stände fanden. Die Hauptstärke der Naturalisten blieb das Drama, während sie auf dem Gebiet des Romans und der Lyrik weniger hervortraten.

145. Thomas Mann. *Radierung von Max Liebermann*

Wie erwähnt, vermochte sich der Naturalismus als Dominante nicht lange zu behaupten, weil gegen das oft als platt empfundene Abschildern der Natur bald Gegenströmungen aufstanden.

Der wichtigste naturalistische Dichter ist der junge Gerhart Hauptmann gewesen, dessen »Vor Sonnenaufgang« im Jahre 1889 ungeheures Aufsehen erregte. Fontane hatte das Drama Otto Brahm, dem Leiter der »Freien Bühne« in Berlin, empfohlen. Als eine noch größere Sensation wurden »Die Weber« empfunden, in denen der vierte Stand gleichsam in toto die Hauptrolle spielte. Die Aufführung wurde im Jahre 1893 an öffentlichen Bühnen polizeilich verboten, konnte aber im Jahre 1894 im »Deutschen Theater« in Berlin doch durchgesetzt werden. Hauptmann hat danach noch eine Reihe naturalistischer Dramen geschrieben, wandte sich aber später auch romantischen, Märchen- und antiken Themen zu.

Nicht weniger berühmt als Hauptmann war zu seiner Zeit Hermann Sudermann, ein formal und technisch routinierter Verfasser bühnenwirksamer Dramen, der sich jedoch im Gegensatz zu den engagierten Naturalisten in der Sozialkritik sehr zurückhielt. Er hat durch seine nicht unberechtigte Schrift über die Verrohung der Berliner Theaterkritik später einen Boykott gegen sich heraufbeschworen. Seine »Ehre« (1889) und seine »Heimat« (1893) machten seinerzeit Furore, Stücke, die auch viel auf ausländischen Bühnen gegeben worden sind. Die zum guten Teil natura-

146. Gerhart Hauptmann.
Gemälde von Lovis Corinth (1900)

147. Hermann Sudermann.
Zeichnung von H. Fechner (1896)

148. Zeitgenössische Karikatur auf das polizeiliche Vorgehen gegen die »anstößigen« Dramatiker Hauptmann, Ibsen, Wildenbruch und Sudermann

listische Kunst von Max Halbe hat nach seiner »Jugend« (1893) und nach seinem »Strom« (1903) bald an Wirkung verloren.

In ihrer teilweise unduldsamen Kritik an der deutschen Literatur des 19. Jahrhunderts schossen die Naturalisten manchmal über das Ziel hinaus. Karl Bleibtreu schrieb seine »Revolution der Literatur« 1885, Michael Georg Conrad gab seit 1885 in München die Zeitschrift »Die Gesellschaft« heraus und machte vor allem gegen das Dichterfürstentum Heyses und die »Gartenlaube« Front. Die Brüder Heinrich und Julius Hart erregten mit den »Kritischen Waffengängen« in Berlin (1882) Aufsehen, denen die »Modernen Dichtercharaktere« (1884), die »Berliner Monatshefte für Literatur, Kritik und Theater« (1885) und das »Kritische Jahrbuch« (ab 1889) folgten. Arno Holz schrieb im Jahre 1899 über die »Revolution der Lyrik«. Eine andere Literatengruppe gründete einen Verein »Durch« (1886), der sich später »Das jüngste Deutschland« nannte (1886 auch eine »Freie literarische Vereinigung«). Der Friedrichshagener Dichterkreis (bei Berlin, seit 1890) und eine »Gesellschaft für modernes Leben« in München (1890) waren weitere Naturalistenvereinigungen. Der Verein »Freie Bühne« in Berlin unter Otto Brahm, dessen Theater nicht von der Zensur überwacht werden konnte, später das »Deutsche Theater« in Berlin wurden zur Szene des jungen Naturalismus.

Die wichtigsten Autoren des Naturalismus waren neben Gerhart Hauptmann Conrad Alberti, Karl Bleibtreu, Michael Georg Conrad, Hermann Conradi, Heinrich und Julius Hart, Karl Henckell, Arno Holz, Wilhelm v. Polenz, Johannes Schlaf und Bruno Wille. Der Naturforscher Wilhelm Bölsche, der Verfasser des Werkes »Die naturwissenschaftlichen Grundlagen der Poesie« (1887), spielte in diesen Kreisen als Anreger eine Rolle. Es war bezeichnend, daß die Lehren Darwins und Haeckels bei den Naturalisten begeisterten Anklang fanden.

Einen »Nachnaturalisten« könnte man Richard Dehmel nennen. Andere Dichter, die bewußt die soziale Frage aufwarfen, die Gesellschaft der Gründerjahre und den Kapitalismus angriffen und den Aufstieg des vierten Standes forderten oder voraussagten, waren Helene Böhlau, Max Kretzer, Wilhelm v. Polenz, Ernst Toller und eine Reihe weiterer expressionistischer Dichter.

Eine so radikale und intolerante Bewegung wie der Naturalismus mußte rasch eine Gegenströmung herausfordern, die die Neuromantik, die Neuklassik und den Symbolismus in sich vereinte und eine idealistische Geisteshaltung bejahte. Auch die schon genannte Heimatkunst ist zum guten Teil als eine Gegenbewegung zu begreifen. Diese Gegenströmungen übten nicht soziale oder ökonomische Kritik, sie wandten sich bewußt von den Schattenseiten des Lebens ab; ihr Weg, fern vom Materialismus, führte nun zum Irrationalen und zur Mystik. Diese Gegenströmungen lassen sich nicht auf einen Nenner bringen, sie entsprachen in manchem dem Jugendstil in der bildenden Kunst und prägten sich besonders in der Lyrik aus, weniger im Drama.

Unter den Dichtern, die die Gegenströmung gegen den Naturalismus trugen, hebe ich vor allem Stefan George und seinen Kreis hervor, der allerdings zugleich auch gegen Berlin, gegen das Preußentum und gegen den Militarismus Front machte. Wichtige Akzente setzten daneben Sprachkünstler wie Hugo v. Hofmannsthal und Rainer Maria Rilke, ferner Hermann Bahr, Rudolf Georg Binding, Paul Ernst, Ricarda Huch, Arthur Schnitzler, Wilhelm v. Scholz, Karl Spitteler, Anton Wildgans und Stefan Zweig. Der George-Kreis gab die »Blätter für die Kunst« heraus. Die niveauvolle Zeitschrift »Kunstwart« unter Ferdinand Avenarius mit hervorragenden Mitarbeitern sowie die Zeitschrift »Die Insel« standen den Gegenströmungen gegen den Naturalismus offen. Hermann Bahr schrieb schon im Jahre 1890 eine »Kritik der Moderne« und ein Jahr später die »Überwindung des Naturalismus«.

Auf den Naturalismus und seine Gegenströmungen folgte der Expressionismus in der Literatur – ungefähr 1910–1925 –, der den seelischen Ausdruck, die seelisch erfahrbaren Werte in den Mittelpunkt aller künstlerischen Schöpfungen zu stellen suchte. Gerade die Expressionisten sahen das Erlebnis des Ersten Weltkrieges und den Zusammenbruch des bestehenden Weltbildes besonders deutlich voraus. Während der Naturalismus da und dort doch auf eine Besserung, vor allem auf eine praktische Lösung der sozialen Frage hoffte, gelangten die Expressionisten »an den Punkt des allgemeinen Negierens«. Sie erkannten die tiefe Disharmonie der bestehenden Welt und verwarfen die Zustände um die Wende des 19. zum 20. Jahrhundert vollkommen. Die Expressionisten bekämpften den lautstarken Patriotismus des Bürgertums und vertraten während des Ersten Weltkrieges, aber auch schon vorher, die Ideen des Pazifismus. Ihre politische Weltanschauung war oft ein sehr radikaler Sozialismus oder bereits der Kommunismus. Eine Gruppe von Expressionisten vereinigte sich seit 1904 um die Zeitschrift »Charon«. Weitere mehr oder minder expressionistisch ausgerichtete Zeitschriften waren »Die Aktion« (seit 1910/11, Berlin), »Der Sturm« (seit 1910, Berlin), »Die weißen Blätter«, »Das neue Pathos« (seit 1913), »Die Revolution« (München). Einer der bedeutendsten expressionistischen Dichter der älteren Generation war der Dramatiker Ernst

149. Stefan George. *Holzschnitt von R. Lepsius* (oben links)
150. Georg Heym. *Radierung von E. L. Kirchner*
151. Georg Trakl (unten links)
152. Carl Sternheim

Barlach, der auch als Bildhauer zu den Großen der Zeit gehört. Als Hauptrepräsentanten sind neben Barlach zu nennen: der epochemachende Lyriker Gottfried Benn, Theodor Däubler, Alfred Döblin, Leonhard Frank, Walter Hasenclever, Georg Heym, Georg Kaiser, Paul Kornfeld, Else Lasker-Schüler, Carl Sternheim, später Ernst Toller, der heute sehr herausgestellte Georg Trakl, Fritz v. Unruh und Franz Werfel.

Ein kulturgeschichtliches Phänomen war der Erfolg des Trivialschriftstellers Karl May, dessen Abenteuer- und Indianerromane schon damals und bis in unsere Zeit einen ungeheuren Absatz fanden. May war ein phantasievoller Vielschreiber, der in seinen Darstellungen den Leser durch effektvolle Handlungsführung zu fesseln vermochte, ohne ihn jemals durch Überschreiten der Grenzen bürgerlicher Moralbegriffe zu schockieren: Die heile Welt des Bürgertums blieb unangetastet, auch wenn ihr Schauplatz zu den Indianern Amerikas oder unter räuberische Beduinenstämme verlegt wurde. Nicht zuletzt aber beruhte – und beruht noch? – Karl Mays Erfolg darauf, daß seine Protagonisten den Typus des »guten Deutschen« darstellten, der all die positiven Eigenschaften zur Schau trägt, die der nationalbewußte Leser für spezifisch deutsch hielt: eine Identifikation wurde dem Publikum dadurch besonders leicht gemacht und immer wieder gern vollzogen.

Der Appell an das deutsche Kulturbewußtsein, wie er unausgesprochen in Karl Mays Werken enthalten ist, wurde auch zum Hauptziel der nationalen Schriften von Paul Anton de Lagarde; ähnlichen Zwecken diente das seinerzeit außerordentlich verbreitete Buch »Rembrandt als Erzieher« von Julius Langbehn (1890).

Der Erste Weltkrieg schied die Dichter und Schriftsteller in zwei Lager. Gottfried Benn, Leonhard Frank, Hermann Hesse, Karl Kraus, Heinrich Mann und Stefan Zweig und eine Reihe naturalistischer Dichter bekannten sich zum Pazifismus; einige von ihnen emigrierten; Georg Trakl endete aus Verzweiflung über die Schrecken des Krieges durch Selbstmord. Andere Dichter entzogen sich der patriotischen Begeisterung, zumindest anfangs, nicht – darunter Ernst Jünger, Hermann Löns, Ludwig Ganghofer, ja selbst Thomas Mann hielt die publizistische Unterstützung der »nationalen Ziele« für seine Pflicht und überwarf sich in dieser Frage mit seinem Bruder Heinrich, der auch in der Zeit der Kriegsbegeisterung seiner Rolle als schärfster Kritiker des wilhelminischen Reiches treu blieb.

Die Bühnen

Berlin entwickelte sich zur ersten Theaterstadt Deutschlands. Neben dem traditionsreichen Königlichen Schauspielhaus gab es das im Jahre 1883 gegründete »Deutsche Theater« (später unter der Leitung von Otto Brahm), das »Residenztheater«, das im Jahre 1888 gegründete »Lessingtheater«, seit 1890 die »Deutsche Bühne«, das »Berliner Theater« unter Ludwig Barnay, seit 1889 den Verein »Freie Bühne«, der von Maximilian Harden und Theodor Wolff gegründet worden war und unter der Leitung von Dr. Paul Schlenther und Otto Brahm stand – er tarnte sich gegenüber der Zensur als »Verein« mit Aufführungen offiziell nur für Vereinsmitglieder; ferner die im Jahre 1890 von Bruno Wille gegründete sozialistisch eingestellte »Freie Volksbühne«, die im Jahre 1894 gegründete »Neue Freie Volksbühne«, seit 1894 das »Schillertheater«, das ältere »Viktoriatheater« für Ausstattungsstücke und seit 1892 das »Theater unter den Linden«. Mit diesen

153. Otto Brahm, Theaterleiter
und Vorkämpfer der neuen
Literaturbewegung

154. Abkehr vom Hoftheaterstil:
Das Kleine Theater in Berlin
bringt 1903 die deutsche Erst-
aufführung von Gorkis
»Nachtasyl« (mit Max Reinhardt,
rechts im Bild)

Verein Freie Bühne.

Sonntag, den 20. October 1889.

Vor Sonnenaufgang.

Soziales Drama in fünf Aufzügen von Gerhart Hauptmann.

Krause, Bauerngutsbesitzer	Hans Pagay.
Frau Krause, seine zweite Frau	Louise von Pöllnitz.
Helene, Krause's Tochter erster Ehe	Elsa Lehmann.
Hoffmann, Ingenieur, verheirathet mit Krause's anderer Tochter erster Ehe	Gustav Kadelburg.
Wilhelm Kahl, Neffe der Frau Krause	Carl Stallmann.
Frau Spiller, Gesellschafterin bei Frau Krause	Ida Stägemann.
Alfred Loth	Theodor Brandt.
Dr. Schimmelpfennig	Franz Guthery.
Beibst, Arbeitsmann auf Krause's Gut	Paul Pauly.
Guste, ⎫	Sophie Berg.
Liese, ⎬ Mägde auf Krause's Gut	Clara Hayn.
Marie, ⎭	Antonie Ziegler.
Baer, genannt Hopslabaer	Ferdinand Meyer.
Eduard, Hoffmann's Diener	Edmund Schmasow.
Miele, Hausmädchen bei Frau Krause	Helene Schüle.
Die Kutschenfrau	Marie Gundra.
Golisch, genannt Gosch, Kuhjunge	Georg Baselt.

Ort der Handlung: ein Dorf in Schlesien.

Regie: Hans Meery.

Nach dem ersten Akt findet eine Pause statt.

155. Aufbruch der naturalistischen Dramatik:
Hauptmanns »Vor Sonnenaufgang«
verursacht bei der Uraufführung in Berlin
1889 zwar einen Theaterskandal, wird
aber von Fontane begrüßt und macht
den jungen Gerhart Hauptmann
rasch bekannt

156. Ernst von Wildenbruch erfreute sich
der Gunst des Kaisers; sein Schauspiel
»Die Rabensteinerin« wurde 1907 mit
Matkowsky in der Hauptrolle
im Berliner Königl. Schauspielhaus
uraufgeführt

Nennungen ist die Liste der Berliner Theater jener Jahrzehnte noch keineswegs erschöpft: Mehrere kleinere Bühnen und Musiktheater vermochten sich daneben, wenigstens zeitweilig, zu profilieren.

Lustspiele und Possen wurden besonders in Vorstadtbühnen und kleineren Theatern aufgeführt; sie fanden ein großes Publikum und erzielten oft Serienerfolge. Die bekanntesten Autoren des leichten Genres waren Oskar Blumenthal, Ludwig Fulda, Gustav Kadelburg, Adolf L'Arronge, Gustav v. Moser, Carl Rössler und Franz v. Schönthan. Einen sensationellen Erfolg hatte besonders das sentimentale Rührstück »Altheidelberg« von Wilhelm Meyer-Förster (1901).

Wilhelm II. interessierte sich natürlich für die Aufführungen der königlichen Bühnen; er nannte die Mitglieder »meine Schauspieler«, besuchte mitunter die Proben und wachte darüber, ob auf der Bühne alles stilgerecht zuging. Die Zensur brauchte hier nicht nach Unschicklichkeiten oder politischen Spitzen zu fahnden: Das Kaiserpaar, das regelmäßig in der Hofloge erschien, wünschte die Dramen in einer Zubereitung, die jedes junge Mädchen sehen konnte – was damals ein sehr eng gezogener Begriff war. Das Wort »schwanger« durfte nach Möglichkeit nicht vorkommen.

Es ist schon erwähnt worden, daß der Kaiser historische, Hohenzollern- und patriotische Dramen, daß er Ernst v. Wildenbruch und Joseph v. Lauff bevorzugte. Die nationale Moral des Publikums sollte auch durch das Theater gehoben werden, und aus diesem Grund befahl Wilhelm gelegentlich auch Vorstellungen zu ermäßigten Preisen für Arbeiter, die freilich kaum zahlreich gekommen sein dürften, und für Schüler.

Die neuen Impulse im Theaterleben gingen nicht vom Kgl. Schauspielhaus, sondern von den Privattheatern aus. Dort wurden zuerst die bedeutendsten zeitgenössischen Dramen in adäquaten Inszenierungen gegeben, russische, norwegische, schwedische und französische. Erwähnt seien die Schauspiele Ibsens und Strindbergs sowie die literarisch allerdings schwächeren französischen »Sittenstücke«, in denen sehr oft Ehebruchverwicklungen vorkamen.

Die Wendejahre waren 1889 und 1890: Die »Freie Bühne«, das »Deutsche Theater« und das »Lessingtheater«, alle in Berlin, übernahmen die neuen deutschen naturalistischen Dramen; sie lösten Theaterskandale aus, machten die Theater aber zugleich attraktiv und zogen sehr zahlreiche Besucher an. Kaiser Wilhelm II. indessen ließ indigniert seine Loge im »Deutschen Theater« nach der Aufführung der »Weber« abbestellen.

Das »Lessingtheater« brachte die zumeist erfolgsträchtigen Schauspiele von Hermann Sudermann, und beide Dichter, Hauptmann und Sudermann, entwickelten sich zu Kassenmagneten. Sie standen bei »Freisinn und Fortschritt«, bei den Linksliberalen und -intellektuellen hoch im Kurs.

Andere Städte traten im Theaterleben hinter Berlin zurück. In München herrschte der konservative Generalintendant Ernst R. v. Possart, während ein eigentlich provinzielles Theater paradigmatischen Rang erlangte: Die Meininger Bühne unter der persönlichen Leitung Herzog Georgs II. von Sachsen-Meiningen machte besonders seit 1874 von sich reden: Das Zusammenspiel des Ensembles und von der Regie sorgfältig durchgeformte Massenszenen wurden sehr gelobt; insbesondere aber erregte die bislang nicht gekannte historische Treue bei der Ausstattung und in den Kostümen überall, namentlich bei den Gastspielen der Meininger, Aufsehen. Die Meininger brachten vor allem Werke von Schiller, Kleist und Shakespeare.

Buchproduktion und Pressewesen

Nach 1871 wuchs die Zahl der publizierten Bücher, Zeitschriften und Zeitungen sehr rasch. Deutschland stand vor 1914 in der Bucherzeugung an der Spitze aller Staaten der Erde. Im Jahre 1850 sind 9053 Bücher in Deutschland herausgekommen, im Jahr 1890 waren es 19 000, 1900 26 000 und im Jahr 1909 bereits 31 000. Von 1886 bis 1888 wurde das Buchhändlerhaus in Leipzig gebaut. Der Börsenverein des deutschen Buchhandels in derselben Stadt hatte im Jahre 1900 2891 Mitglieder im In- und Ausland. In Leipzig fand auch stets die »Ostermesse« des Buchhandels statt. Die dortige »Deutsche Bücherei«, die alle ab 1. Januar 1913 erschienenen Publikationen sammelte, wurde 1913 geschaffen. Dem Publikum standen in den Residenzen der deutschen Bundesstaaten große Staatsbibliotheken zur Verfügung. Daneben wurden Lesehallen, Volksbüchereien (seit den neunziger Jahren) und Volksbildungsvereine besonders für die unteren Stände errichtet. Für diese Vereine setzten sich vornehmlich die Sozialdemokraten ein. Das Lesepublikum erweiterte sich in diesen Jahrzehnten erheblich. Es gab preiswerte Buchreihen und Lieferungen: Die billigen Hefte der Universal-Bibliothek des Verlages Philipp Reclam in Leipzig wurden viel gekauft, desgleichen die preiswerten Bände der Reihen »Sammlung Göschen«, »Aus Natur und Geisteswelt« und »Wissenschaft und Bildung«.

Angeboten wurden, wie früher erwähnt, viele Bücher mit popularisierter Wissenschaft, besonders Naturwissenschaft. Die Sozialisten, die betonten, daß Bildung kein Klassenvorrecht sein dürfe,

158. Illustration von C. Schweninger
aus einem damals im Salon aufliegenden
»Prachtwerk«

159. Titel des Familienblattes »Daheim«,
der eine beschauliche und unproblematische
Lektüre verheißt

betrieben gerade die Herausgabe solcher Bände. Andererseits wurden zahlreiche Bücher verlegt, die – häufig ziemlich kitschig – patriotische Tendenzen und die borussische Geschichtsauffassung vertraten. Es wurden fast bis zum Überdruß, bis über 1900 hinaus, immer wieder neue Darstellungen des Krieges von 1870/71, Jubiläumswerke und Lebensbeschreibungen Wilhelms I. und seiner Generale verfaßt. Die Flut der Unterhaltungsromane, von besserer Art bis zum seichten Genre, stieg, und auch die Honorare und Tantiemen waren nun teilweise so hoch, daß Journalisten, Schriftsteller, ja einzelne Dichter gut, manchmal sehr gut davon leben konnten. Der große Theodor Fontane brachte es allerdings nie zu überdurchschnittlichem Wohlstand, während Gerhart Hauptmann und Hermann Sudermann zu reichen Männern wurden. Die Schriftsteller gaben ihre Romane gern zum Vorabdruck an eine Zeitung, und wenn später das Werk in Buchform herauskam, war das Honorar verdoppelt. Sudermann erhielt an Tantiemen für sein Drama »Ehre« bis 1900 100 000 Mark, für den ersten Abdruck seines Romans »Es war« 20 000 Mark.

Die Bücher wurden oft sehr aufwendig ausgestattet: Berühmte Künstler schufen nicht selten den Bucheinband und die Illustrationen. Ein Dichter wie Stefan George legte Wert darauf, seine Bände nur in schönster Ausstattung erscheinen zu lassen, und berühmte Werke wie Scheffels »Ekkehard« wurden später in Prachtausstattung mit vielen Illustrationen herausgebracht. In der Qualität der Buchherstellung (Einband, Papier, Schmuck usw.) übertraf Deutschland die Buchproduktion der romanischen oder slawischen Völker bei weitem.

In Deutschland erschienen niveauvolle, manchmal freilich kurzlebige, oft aber sehr populäre und weit verbreitete Zeitschriften (um 1900 ungefähr 8000). Die immer beliebteren illustrierten Zeitungen kamen vor allem in Berlin und München, zum Teil auch in Leipzig und Stuttgart heraus, während die Zeitschriften, in denen Humor und Satire dominierten, meistens in München erschienen. Die meisten Blätter waren in verschiedenen Abstufungen liberal, aber überwiegend doch patriotisch orientiert. Nur wenige Blätter waren konfessionell und antiliberal eingestellt (Protestantisch: »Daheim« seit 1864, Berlin, »Der Türmer« seit 1898, Berlin; Katholisch: »Heimat« seit 1900, »Hochland« seit 1903, München).

Ein großer Teil der Zeitschriften bewahrte eine konservative Einstellung gegenüber der modernen Dichtung und bildenden Kunst. Es gab aber auch avantgardistische Blätter, die die neuen Richtungen propagierten; sie haben dies zuerst mit finanziellen Schwierigkeiten – bei kleinen Auflagen – erkauft, sind aber später berühmt geworden. Die Reproduktionsverfahren waren relativ weit entwickelt, so daß ziemlich getreue Illustrationen geboten werden konnten. Viele Zeitereignisse wurden jedoch durch Zeichner dargestellt, da die Fotoreportage noch zu wenig entwickelt war. Neue Werke von damals berühmten bildenden Künstlern wurden rasch nach ihrem Entstehen in einer Zeitschrift dem Publikum vorgestellt, und die literarischen Revuen brachten Erstlingswerke von jungen, noch unbekannten Dichtern. Manche haben mit Hilfe einer solchen Zeitschrift ihren Aufstieg begonnen.

Das verbreitetste Blatt – heute als kitschig belächelt – war noch immer die liberale, aber nationalloyale »Gartenlaube« in Leipzig (gegründet 1853), das Blatt »des satten Bürgertums«, das moderne Richtungen in der Kunst ablehnte. Die Zeitschrift wollte einerseits belehren – sie bot eine Art Volkshochschule leichtester Art; andererseits wollte sie unterhalten. Das Tragische wurde mit Tränenfluten verwässert, das Schöne mit Sacharin übersüßt. Immerhin hat die »Gartenlaube« die neu geschaffenen Bilder der berühmtesten deutschen Maler der Zeit (Böcklin, W. v. Kaulbach, Len-

160. Symbol einer Epoche: »Die Gartenlaube« (Titelblatt 1897)

bach, M. Liebermann, Makart, Menzel, Piloty, Preller d. J., H. Thoma usw.) in Abbildung gezeigt. Sie hat zahlreiche Romane und Gedichte, die später berühmt wurden, im Erstabdruck gebracht, bereits Bekanntes nochmals publiziert (Dahn, Fontane, Ganghofer, Geibel, Gerstäcker, Heer, R. Herzog, Heyse, Raabe und Spielhagen usw.). Jakob Christoph Heer war für einige Zeit Schriftleiter der Zeitschrift. Die »Gartenlaube« hat nicht zuletzt die Produktion der Schriftstellerinnen gefördert (Birch-Pfeiffer, Heimburg, Hillern, Marlitt), aber auch berühmte Gelehrte wie der Zoologe Alfred Brehm kamen zu Wort. Die »Gartenlaube« übte Kritik an sozialen Zuständen, am Sport, am Mangel an Geschmack in den Wohnungseinrichtungen und in der Mode, an der Titelsucht; sie war keineswegs nur hoffnungslos rückständig, aber ihre Kritik war so zurückhaltend, daß man kaum einem Leser wehe tat.

Von der »Zukunft« Maximilian Hardens in Berlin (seit 1892), die durch Enthüllungen über den Kreis um Kaiser Wilhelm II. bekannt wurde, und von Karl Kraus' »Fackel« in Wien (seit 1899)

161. Maximilian Harden, der Herausgeber der »Zukunft«. *Zeichnung von Emil Orlik*

war schon die Rede. Fortschrittliche, zum Teil expressionistische Zeitschriften, die sich der bildenden Kunst und der Dichtung widmeten, waren »Die Aktion« (seit 1910/11), »Der Sturm« (seit 1910), »Die weißen Blätter«, »Pan« (1894/95–1900), der neue »Pan« (seit 1910), »Theater« (von Alfred Kerr), »Die Freie Bühne« (seit 1890), »Die Insel« (1899–1902), alle in Berlin verlegt, »Die Gesellschaft« (1885–1902, München), »März« (seit 1906/07, München), ferner das »Tribunal« in Darmstadt und der »Brenner« (seit 1910, Innsbruck). Der Stefan-George-Kreis gab die »Blätter für die Kunst« heraus. Über diese seinerzeit zum Teil in bescheidener Auflage publizierten Zeitschriften ist später eine umfangreiche Literatur erschienen. Die »Deutsche Rundschau« (seit 1874, Berlin), die »Neue Rundschau« (Berlin), »Die Gegenwart« (seit 1872), die »Berliner Monatshefte«, die »Freistatt« (München), »Die Tat«, »Der Stürmer« (seit 1902, Straßburg), »Der Merker« (seit 1903, Straßburg), »Westermanns Monatshefte« (seit 1864, Braunschweig) und »Velhagen und Klasings Monatshefte« (Bielefeld–Leipzig) sowie die »Süddeutschen Monatshefte« (seit 1908,

162. Titelblatt der »Berliner Illustrirten« vom 13. Mai 1900 mit einem Bericht von den »Berliner Kaisertagen«; Kaiser Franz Josef von Österreich besucht Berlin

München) standen auf einer hohen Stufe. Zu nennen sind ferner »Schorers Familienblatt« und als Zeitschrift für die Musik Richard Wagners die »Bayreuther Blätter«; die zahlreichen »Literaturkalender« und »Musenalmanache« können hier nicht aufgezählt werden. Friedrich Naumann gab »Die Hilfe« (1895) heraus. »Die Jugend« in München (gegründet um 1895) ist schon kurz charakterisiert worden.

Unter den satirischen Zeitschriften zeichneten sich der »Kladderadatsch« in Berlin (seit 1848), der später die Politik Bismarcks verteidigte, und die – allerdings harmlosen – »Fliegenden Blätter« in München (seit 1844/45) aus; dazu die »Lustigen Blätter« und die »Meggendorfer Blätter« sowie vor allem der berühmte »Simplicissimus« (München, seit 1896). Alle diese Blätter hatten einen Stab von ausgezeichneten Malern und Zeichnern (vgl. das Kapitel über die bildenden Künste). Es trug zum Ruhm des »Simplicissimus« bei, daß er Ludwig Thoma (»Peter Schlemihl«) als Mitarbeiter beschäftigen konnte. Die Zeitschrift war antipreußisch: Sie verspottete Wilhelm II. und seine Politik, das Offizierskorps und vor allem die konservativen Parteien und das Zentrum bzw. die

163. Eine Anzeigenseite aus der
»Berliner Illustrirten« (1910)

Bayerische Volkspartei – man denke an den »Briefwechsel des Abgeordneten Josef Filser« von Ludwig Thoma – und die Prüderie in sexuellen Dingen. Es ist erstaunlich, welche (relative) Freiheit die Kritik damals genoß. Einzelne Mitarbeiter mußten allerdings zeitweilig ins Ausland gehen oder Gefängnisstrafen absitzen.

Auch die ersten illustrierten Blätter entstanden in dieser Zeit, z. B. die »Berliner Illustrirte« (seit 1891) und die »Leipziger Illustrirte« (seit 1843) sowie »Das Interessante Blatt« (seit 1882) und »Die Wiener Bilder« (seit 1895). Modezeitschriften fanden in der Damenwelt guten Absatz (»Modezeitschrift« seit 1887; »Bazar«, Berlin, seit 1855).

Im Jahre 1874 gab es in Berlin 26 Zeitungen, rund zwei Jahre später schon 83. Nach der offiziellen Postzeitungsliste von 1902 existierten im Reich 10 888 Zeitungen. Die Statistik zählte im Jahre 1907 8753 »Journalisten, Schriftsteller und Privatgelehrte« auf. Bessere Zeitungen hatten einen Redaktionsstab, der aus festen Angestellten, ständigen Berichterstattern und unabhängigen Mitarbeitern bestand. Durch Telegraph und Telefon konnten die Neuigkeiten aus aller Welt immer schneller übermittelt werden.

№ 157. Morgen-Ausgabe.   Berlin.   Sonnabend, 29. März 1913.

Vossische Zeitung

Begründet 1704.

Königlich privilegirte Berlinische Zeitung von Staats- und gelehrten Sachen.

Die Vossische Zeitung erscheint täglich zweimal (morgens und abends), an Sonn- und Festtagen nur einmal. Beilagen und Seiten-Rubriken: Grundstücks-, Hypotheken- und Geldverkehr (täglich), Sport-Nachrichten (Montags früh), Literarische Umschau, Für Reise und Wanderung, Gross Berlin, Wissenschaftliche Sonntagsbeilage, Aus der Frauenwelt. Man abonniert für auswärts bei allen Postanstalten Deutschlands, Oesterreich-Ungarns etc. (Post-Zeitungspreisliste S. 229), für Gross Berlin bei allen Zeitungsspediteuren sowie in der Haupt-Expedition und in den nebenstehend aufgeführten Filialen. Telephon-Anschlüsse: (Telephon-Zentrale im Hause) Amt Zentrum 1955., 1543., 7462., 7990., für Ferngespräche Amt Zentrum 10640., 10641.

Bezugspreis: für Gross Berlin durch die Zeitungsspediteure monatlich 2 M. 70 Pf. bei täglich zweimaliger freier Zustellung, durch die Post monatlich 2 M. 50 Pf. oder vierteljährlich 7 M. 50 Pf. ausschl. Bestellgebühr. Anzeigenpreis pro Zeile: Für die Morgenausgabe 50 Pf. (Stellengesuche sowie amtliche Anzeigen staatlicher oder städtischer Behörden 40 Pf.), Montagsausgabe und „Für Reise und Wanderung" 60 Pf., Abendausgabe 70 Pf., im übrigen Berechnung nach Schriftarten laut Tarif. — Haupt-Expedition: C.2. Breite Str. 8/9. Filial-Expeditionen: W.9. PotsdamerStr. 134a., W. 50. Tauentzienstr. 7., W. 62. Lutherstr. 21., S. 14. Neue Roßstr. 18., O. 27. Holzmarktstr. 13.

Im Verlage Vossischer Erben.   Haupt-Geschäftsstelle Breite Straße 8/9., Berlin C.   Verantwortl. Redakteur (mit Ausnahme des Handelsteils) Hermann Bachmann in Berlin.

164. Kopfleiste der Vossischen Zeitung vom 29. März 1913

Manchen Redaktionen wurde vorgeworfen, daß sie nach der Pfeife ihrer – manchmal geheimen – Protektoren und Geldgeber zu tanzen hätten. Bismarck z. B. benützte die »Norddeutsche Allgemeine Zeitung«, nach seinem Sturz die »Hamburger Nachrichten« als Sprachrohr. Caprivi errichtete im Jahre 1892 ein eigenes Pressebüro; später ebenso Tirpitz, um für seine Flotte Propaganda zu machen. Vom Reichskanzler Bülow war bekannt, daß er großen Wert darauf legte, bei der Presse in Gunst zu stehen.

Andererseits waren aber auch die Zeitungen von der Regierung abhängig, die ihnen wertvolle Informationen geben oder vorenthalten konnte. Das Niveau der Zeitungen war sehr unterschiedlich. Manche führten neben der Berichterstattung zur großen Welt- und Parteipolitik Ressorts mit Informationen über die Wirtschaft, den Handel, das kulturelle Leben, die Mode usw. In der bürgerlichen und konservativen Presse dagegen nahm die Berichterstattung über den kaiserlichen Hof bzw. die Höfe der Landesfürsten einen unverhältnismäßig breiten Raum ein. Eine ergiebige Einnahmequelle für Zeitungen und Zeitschriften waren die Annoncen, deren Zahl und Bedeutung immer mehr anwuchsen.

Gewisse Schattenseiten der Presse wurden schon damals sichtbar, wenn auch nicht in dem Umfang wie im späteren 20. Jahrhundert. Es waren das Haschen nach Sensationen und eine gewisse Oberflächlichkeit der Berichterstattung, die aus dem Zeitdruck, unter dem geschrieben werden mußte, zu erklären ist. Die Macht der Presse, ihr Einfluß auf die öffentliche Meinung wuchsen. Parteipolitisch mehr rechts engagierte Zeitungen haben in der Aufpeitschung der feindseligen Stimmung des deutschen Volkes gegen die halbe Welt, gegen England, gegen Rußland, von Frankreich nicht zu reden, mit dem unermüdlich wiederholten Hinweis darauf, daß Deutschland nun »Weltmacht« sei und »Weltpolitik« betreiben müsse, in der Unterstützung des ehrgeizigen Flottenbaues unter Tirpitz usw. viel Schaden angerichtet. Manche Zeitungen und Zeitschriften, wie die »Zukunft« unter Maximilian Harden und die sozialdemokratische Zeitung »Vorwärts« unter Wilhelm Liebknecht, machten durch Enthüllungen, manchmal auch Verleumdungen, Sensation. Die sozialdemokratische Presse wurde allerdings von 1878 bis 1890 durch das Sozialistengesetz behindert. Sonst genossen die Zeitungen eine beträchtliche Freiheit. Selbst die zunächst nicht seltenen Anzeigen wegen Majestätsbeleidigung wurden zahlenmäßig geringer. Von diktatorischen Maßnahmen oder einer zentralen Lenkung durch die Regierung war jedenfalls keine Rede.

Ich lasse hier eine Übersicht zu den Zeitschriften folgen, die nicht im Text genannt worden sind, aber überdurchschnittliche Bedeutung hatten:

Christliche Welt; Vom Fels zum Meer (Stuttgart, seit 1881); Über Land und Meer (Stuttgart, seit 1858); Die Woche (Berlin, seit 1899); Nord und Süd; Pfennig-Magazin (seit 1833); Grenzbote (Berlin, seit 1841); Deutsche Revue (Stuttgart, seit 1877); ferner als humoristische Blätter in Berlin: Narrenschiff; Münchhausen; Ulk (seit 1870); Berliner Dorfbarbier (seit 1879); Humoristische Blätter (seit 1884); in München: Neuer Kikeriki (seit 1882); Hofbräuhauszeitung (seit 1880); Neue Fliegende Blätter (seit 1881); Punsch (seit 1874); Allotria (seit 1882); Süddeutscher Postillon (mit humoristischen Einlagen, sozialistisch); in Stuttgart: Schalk (seit 1878); Krokodilsthräne (seit 1884); schließlich der Leipziger Puck (seit 1876) und der Dresdner Cricri (seit 1877).

Manche dieser Zeitschriften stellten allerdings bereits nach wenigen Jahren ihr Erscheinen wieder ein.

Eine entsprechende Übersicht zu den Zeitungen: In Berlin erschienen die Vossische Zeitung (freisinnig), das Berliner Tageblatt (freisinnig), die Berliner Morgenpost (liberal), die Nationalzeitung (nationalliberal), die Volkszeitung (fortschrittlich), die Berliner Zeitung (fortschrittlich), die Freisinnige Zeitung (fortschrittlich), die Post (freikonservativ), die Neue preußische (Kreuz-)Zeitung (konservativ), der Reichsbote (konservativ), die Tägliche Rundschau (neukonservativ), die Germania (dem Zentrum nahestehend), der Sozialdemokrat, der Vorwärts, die Staatsbürgerzeitung, die Deutsche Zeitung (oft antisemitisch), das Berliner Fremdenblatt, der Berliner Lokalanzeiger, der Berliner Börsencourier, die Spenersche Zeitung und die Tribüne.

Eine wichtige Rolle spielten auch die demokratisch orientierte Frankfurter Zeitung, die nationalliberale Kölnische Zeitung und die Augsburger Allgemeine Zeitung.

Aspekte des Geisteslebens. Friedrich Nietzsche

Ein Hinweis auf Nietzsche und seine Wirkung darf in einer deutschen Kulturgeschichte dieser Zeit nicht fehlen, ohne daß eine Lebensbeschreibung und eine eingehende Würdigung seines Werkes gegeben werden können.

Der Dichter, »Prophet« und Philosoph Friedrich Nietzsche, dessen Werke erst in den letzten Jahren des 19. Jahrhunderts und nach 1900 verstärkt wirkten, hat eine rasch ansteigende Zahl von Anhängern, besonders unter der Jugend, gefunden – ein Umstand, der ihm von seinen Kritikern die Bezeichnung »Rattenfänger« eintrug. Nietzsche hat als sprachmächtiger Kritiker vor allem die Schattenseiten des neuen deutschen Reiches, des damaligen deutschen Volkes, der innenpolitischen, sozialen und wirtschaftlichen Entwicklung gesehen: Kulturferne Elemente hätten Deutschland zum Sieg von 1870/71 und zur Einigung verholfen, und diese Einigung sei daher mit einem Verlust an kulturellen Werten bezahlt worden. Erfolge und Wohlstand seien den Deutschen allzusehr zu Kopf gestiegen. Nietzsche war bei aller Scharfsichtigkeit in manchem unkonsequent: Er hätte gerade in Bismarck einen der von ihm geforderten Übermenschen erkennen können, aber er war weit von dieser Einstufung entfernt. Nietzsche bejahte ja den Krieg, den Mut, die Rücksichtslosigkeit, aber er war zugleich ein Gegner des preußischen Militarismus. Er verwarf das – für ihn – lebensverneinende Christentum, jede Art von Romantik und Sentimentalität, auf der anderen Seite aber auch die Aufklärung und den Liberalismus. Er wandte sich vom damals sehr mächtigen Historismus und von jeder Tradition ab; er erkannte das damalige Schulwesen nicht an und spottete über die »Bildungsphilister«. Nietzsche bekämpfte den Machtstaat, die damalige – in seiner Einschätzung scheinheilige – bürgerliche Welt, den sturen deutschen Nationalismus, den preußischen Geist, aber auch den Kapitalismus, das Maschinenzeitalter und den Industrialismus.

Indessen hat der große Philosoph aber auch im Aufsteigen begriffene Kräfte früh erkannt und vor ihnen deutlich gewarnt: Dies war das Zeitalter der Masse, und in seinem Gefolge gab es die Gleichmacherei, die Erzeugung eines »Pöbelmischmaschs« ohne Auslese, die »Mediokrität« und die »Vulgarität«. Nietzsche sah mit Ablehnung auf den Marxismus – obwohl er selbst sozial gesinnt war und in ziemlich ärmlichen Verhältnissen lebte –, die anschwellende Demokratisierung, die Versklavung des Menschen durch die Partei, den Militärdienst, die Maschine, die Mode und die Herdenmoral. Er glaubte nicht an das automatische Vordringen des Fortschritts und war weit vom Optimismus des 19. Jahrhunderts entfernt. Dieser angeblich so verfaulten Welt seiner Zeit stellte er den Über- und Herrenmenschen, die Herrenmoral, die aus wenigen Menschen bestehende, zum Herrschen erkorene Elite entgegen. Er hat religiöse und sittliche Grundsätze als bloße »Gewohnheiten« verurteilt und stets gegen die christliche, auf das Jenseits gerichtete, angebliche Kleinleute-, Herden- oder Sklavenmoral gekämpft, die mit viel Heuchelei verbunden sei. Er propagierte eine diesseitige, ungebundene »Moral«, die dem Herrenmenschen gebühre. So übten seine Werke streckenweise auch einen unheilvollen Einfluß aus: seine jungen Anhänger hielten sich nun für berechtigt, ihre Individualität sich ausleben zu lassen; es entstand eine politische und kulturelle Bohème. Manche junge Menschen glaubten, selbst zur Elite der Übermenschen zu gehören und sich alles erlauben zu dürfen.

Nietzsche ist oft unbewußt oder bewußt mißverstanden worden. Es wurden – wie so oft – Zitate aus dem Zusammenhang gerissen oder in ein falsches Licht gerückt, und nicht selten wurde auch zuviel in seine Werke hineingelegt. Seine Breitenwirkung vor 1914 war zweifellos beträchtlich, aber man darf sie doch auch nicht überschätzen. Nietzsches Wirkung nach 1918 oder gar in der Zeit des Nationalsozialismus ist nicht mehr Gegenstand dieses Buches.

Unter den Warnern und Kulturkritikern hebe ich neben Nietzsche vor allem den Baseler Kulturhistoriker Jacob Burckhardt hervor, dessen Befürchtungen damals freilich nur einem relativ kleinen Kreis von Freunden und Lesern bekannt waren. Er sah die Schattenseiten des überall so angestaunten Zweiten Reiches, die Umwandlung der Mentalität des deutschen Bürgertums und der deutschen Intellektuellen, ihre blinde Bewunderung des Machtstaates und ihr Sehnen nach einer neuen Machtpolitik mit größtem Unbehagen. Burckhardt, der im Jahre 1897 starb, blickte der Zukunft mit Sorge entgegen, da sie nichts Gutes bringen könne.

Männer wie er waren jedoch sehr selten. Eine völlig konträre Haltung vertrat der strikt preußisch, bismarckisch und nationalistisch gesinnte – brillante – Historiker Heinrich v. Treitschke (gest. 1896), der sich 1871 in der Stimmung eines glücklichen Kindes fühlte, dem alle Wünsche erfüllt worden sind und das nichts mehr zu erbitten hat. Dennoch hat auch Treitschke später vor allzu krassem Materialismus und vor der Verflachung der Kultur im wilhelminischen Deutschland gewarnt.

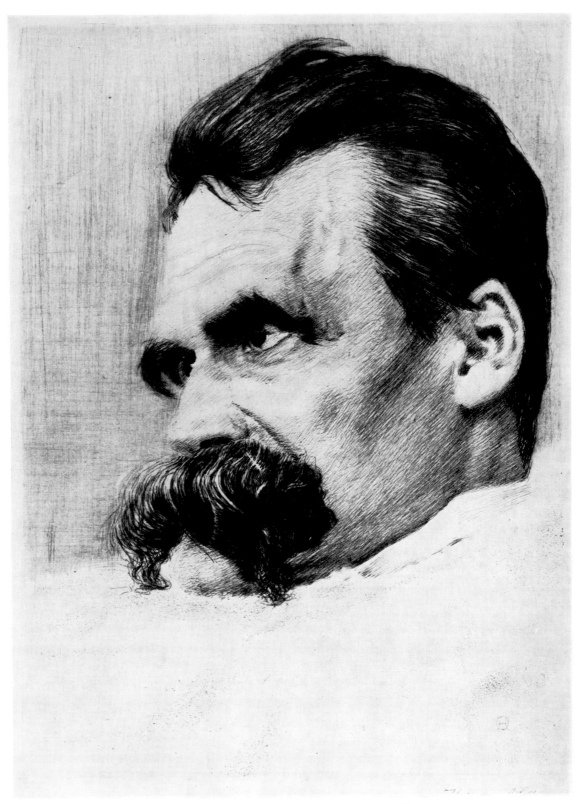

165. Friedrich Nietzsche. *Radierung von Hans Olde*

166. Friedrich Naumann, der Gründer
des Nationalsozialen Vereins.
Lithographie von Max Liebermann

Julius Langbehn (gest. 1907) ist vor allem durch sein Buch »Rembrandt als Erzieher« (1890) berühmt geworden. Langbehn wollte die Deutschen von einer Verpreußung zurückhalten und sie auf das Bodenständige hinlenken. Er mahnte zur Mäßigung und klagte über den um sich greifenden Materialismus und die Mechanisierung selbst des geistigen Lebens. Die Deutschen seien trotz aller Bildung Barbaren geworden; ihnen wieder kulturelles Bewußtsein zu vermitteln, war das Ziel seines Buches, das in kurzer Zeit viele Auflagen erlebte. Rassistische und antisemitische Gedanken in seinem Denken und Werk traten später zurück, als Langbehn sich dem Christentum zuwandte.

Andere »warnende« Stimmen haben sich als unheilvoll erwiesen: Über Houston Stewart Chamberlain (gest. 1927), den Schwiegersohn Richard Wagners, der im Jahre 1899 »Die Grundlagen des 19. Jahrhunderts« veröffentlichte, braucht nur wenig gesagt zu werden. Wilhelm II. war von seinem Werk begeistert. Hier tritt uns der verschwommene, aber später verhängnisvolle Rassegedanke und der offene Antisemitismus entgegen; nach Chamberlain und anderen kann Christus nur ein Arier gewesen sein, wenn man ihn überhaupt verehren will.

Paul de Lagarde (eigentlich Bötticher, gest. 1891) forderte eine soziale Gesetzgebung und eine vernünftige Kulturerziehung des Volkes. Er pflegte eine hyperkonservative Germanophilie und trat für die Rückkehr zum alten Deutschtum ein. Er war ein Verehrer Richard Wagners und wetterte gegen die Bildungsflut, die jedoch Geschmack- und Kulturlosigkeit nicht ausschließe, gegen die Spuren des Römischen Rechts und der Aufklärung sowie gegen den Liberalismus in Deutschland, gegen die alten Konfessionen, besonders gegen die katholische Kirche, aber auch gegen die Juden, gegen die Unterdrückung jeder Originalität, gegen die Zentralisation, die Bürokratisierung, die Verstädterung, den Parlamentarismus, die Demokratie und den Kapitalismus. Er kritisierte die Formen des Unterrichts und die Presse; er wünschte die Schaffung einer deutschen Nationalkirche, neben der die bisherigen Konfessionen nur als Sekten gelten sollten. Lagarde sah mit düsteren Ahnungen in die Zukunft. Dieser Mann forderte aber zugleich auch eine maßlose Außenpolitik: Man solle Expansion im südöstlichen Europa betreiben, sich die Völker der österreichisch-ungarischen Monarchie einverleiben, ja man solle sich bis nach Asien ausbreiten. Er warnte vor den Slawen, vor allem vor den Russen, auch vor den USA. Wie von Chamberlain, führt auch von ihm eine Linie zum Nationalsozialismus.

Der Pfarrer Friedrich Naumann (gest. im Jahre 1919) gründete im Jahre 1896 den national-sozialen Verein (1896–1903) und gab die Wochenzeitschrift »Die Hilfe« heraus. Er postulierte Gottes-, Selbst- und Bruderhilfe und schrieb im Jahre 1900 das Buch »Demokratie und Kaisertum«: Einerseits wollte er den Kaiser und führende Kreise für eine Demokratisierung Deutschlands, für Verständnis für die Arbeiterschaft und für ein soziales Volkskaisertum gewinnen; Naumann wünschte eine konservative Demokratie mit monarchischer Spitze. Andererseits hoffte er, die Arbeiter vom Marxismus, dem Materialismus, von revolutionären Gedanken, von der Verneinung des Staates und der Nation und von der sozialdemokratischen Partei abziehen zu können. Die Arbeiter sollten mit dem Staat versöhnt, reichsfreudig, national gesinnt und wahrhaft patriotisch sein; sie sollten in die Gesellschaft integriert werden; der Sozialismus sollte national werden. Naumann fand jedoch bei den Arbeitern nur wenig Anklang, weil er nicht zuletzt den Sozial-demokraten auswich und sich den liberalen und eher sozial denkenden Freisinnigen anschloß. In mancher Hinsicht stand er also ziemlich weit rechts: Er begrüßte z. B. den Bau der Tirpitzflotte und eine rege Kolonialpolitik. Zugleich aber war es klar, daß Reformen undurchführbar waren, solange das Dreiklassenwahlrecht in Preußen galt; dieses Wahlrecht mußte abgeschafft werden.

Nicht wenige Männer in Deutschland dachten ähnlich wie Naumann, der einen kleinen Kreis von geistig hochstehenden Freunden und Schülern um sich sammelte, unter ihnen auch der spätere Bundespräsident Theodor Heuss.

DIE WIRTSCHAFT

Allgemeines

Das Reich war – vergröbert ausgedrückt – in einen ostdeutschen Agrarstaat unter der Herrschaft eines Land- und Militäradels, dessen Bevölkerung überwiegend konservativ war, und in einen west- und mitteldeutschen, westeuropäisch geprägten und mehr bürgerlichen und liberalen Industriestaat unter der Führung der Großbourgeoisie gespalten. Im Osten überwogen Agrar-, im Westen Industriearbeiter. Natürlich existierten auch im Westen Landwirtschaft, im Osten Industrie, aber beide spielten dort eine geringere Rolle.

Der industrialisierte Westen war der wirtschaftlich aktivere Teil und trug mit seinen Steuererträgen entscheidend zum Finanzhaushalt des neuen Reiches bei, während der landwirtschaftliche Osten ständig vom Staat wirtschaftliche und steuerliche Erleichterungen forderte. Allerdings konnte der Osten darauf verweisen, daß das Reich in der Versorgung mit einheimischen Nahrungsmitteln einen Rest von Autarkie bewahren müsse.

Preußen und das Reich haben dem ostelbischen Land- und Militäradel eine weit über die Zeitverhältnisse und die wirtschaftliche Bedeutung der Aristokratie hinausreichende Bedeutung belassen. Man nahm auf die agrarische Vergangenheit Preußens und auf ein vorindustrielles Gesellschaftsideal über Gebühr Rücksicht. Der agrarische Osten wurde nicht selten romantisch verklärt; man hob die Bedeutung von »Heimat« (die offenbar erst zur Heimat wurde, wenn dort Agrarwirtschaft bestand) und »Scholle« hervor und stellte diesen Werten die bekannten Nachteile der Industrialisierung gegenüber: Die Entpersönlichung des Menschen durch die Maschine, die Zusammenballung sozial unzufriedener Arbeiter in Groß- bzw. in häßlichen Vorstädten, die Nachteile der Wohnungsbeschaffung, das Anschwellen der Industriestädte, die Hast des Lebens, Rauch, Staub, Lärm usw. Man habe dort nicht die Kraft und die Mittel, diese Nachteile zu verringern oder aufzuheben, während man vom Osten glaubte, daß dort die Lösung der sozialen Frage unter Kontrolle bleiben könne. Warnende Zeichen gab es freilich auch hier: Die Landflucht, die Notwendigkeit der Anstellung von nicht-deutschen Saisonarbeitern und manche daraus erwachsende Feindseligkeiten.

Während sich der ostelbische Adel fast zu aktiv an der Innenpolitik beteiligte, verharrte das westelbische Bürgertum oft in politischer Abstinenz. In Kreisen dieser Bourgeoisie bekundete man einerseits Unzufriedenheit mit der Bevorzugung des ostelbischen Adels, mit der zu geringen Anerkennung der Leistungen des industriellen Bürgertums, mit seinem zu geringen Einfluß – andererseits die Sorge vor der Feindschaft und den anscheinend revolutionären Zielen der in Partei und Gewerkschaften organisierten Arbeiter, die in der Opposition gegenüber der bürgerlichen Gesellschaft verharrten. Das industrielle Bürgertum, das sich große Verdienste in der bedeutenden

Entwicklung von Wirtschaft und Handel und bei der Hebung des Wohlstands im Reich erworben hatte, schwankte zwischen Optimismus – im Glauben an den ununterbrochenen Aufstieg von Technik und Wirtschaft – und Pessimismus angesichts eines scheinbar drohenden Umsturzes der bestehenden Gesellschaftsordnung. Auch die ostelbischen Gutsbesitzer dürften freilich hier und da empfunden haben, daß sie mehr und mehr in eine Verteidigungsstellung manövriert wurden.

Die französische Kriegsentschädigung in Höhe von 5 Milliarden Francs in Gold wurde binnen 3 Jahren gezahlt. Preußen und die deutschen Bundesstaaten konnten ihre Staatsschulden tilgen, soweit die Rückzahlung nicht auf längere Zeit festgelegt war.

Die Reichsbank wurde im Jahre 1875 gegründet. Das Reich führte nach dem Krieg von 1870/71 die Goldwährung ein, die später zum Teil mit der Silberwährung kombiniert wurde, so daß man von einer »hinkenden« Goldwährung sprechen konnte. Der Goldzufluß wirkte sich auf den verschiedensten Gebieten aus: die Ausrüstung des Heeres wurde erneuert, und die Festungen wurden verstärkt; die Flotte wurde zunächst nicht übermäßig vergrößert, so daß sich keine Macht bedroht fühlte; ein Kriegsschatz von 120 Millionen in Gold wurde in Spandau hinterlegt. Die innerdeutschen Kriegsanleihen und -kosten wurden zurückgezahlt, die Kriegsschäden in den neuen »Reichslanden« Elsaß und Lothringen beseitigt und die dortigen Eisenbahnen angekauft. Aus Frankreich vertriebene Deutsche und geschädigte deutsche Reedereien erhielten Entschädigungen, ein gut ausgestatteter Reichsinvalidenfonds wurde eingerichtet. Nicht zuletzt wurden Bismarck und verdienten Generalen große Dotationen zugewandt.

Man hat der französischen Kriegsentschädigung Schuld an der Hektik der Gründerjahre und am großen Krach von 1873 gegeben. Sie sei ein Danaërgeschenk gewesen; »der Fluch des Goldes« habe die Krisenerscheinungen der Folgezeit herbeigeführt. Gewiß hat der Goldzustrom aus Frankreich zu dieser Entwicklung beigetragen – aber ähnliche Erscheinungen waren auch in Staaten festzustellen, die keine Kriegsentschädigung erhalten haben, etwa in Österreich-Ungarn oder Italien. Dennoch war es immerhin verblüffend, daß die Wirtschaft des Reiches schon zwei Jahre nach dem Siege teilweise in Schwierigkeiten geriet.

Die wirtschaftlichen Erscheinungen der Gründerjahre können hier nur skizziert werden. Nach der Goldzufuhr suchten die Kapitalien eine Anlage, und es kam zu einer Konjunkturüberhitzung, zu einer Überproduktion und zu einem »Aufblühen« der Spekulation. Der Freihandel vermehrte z. T. den Schaden. Eine Welle von Geld- und Erwerbsgier, Sucht nach hohem Lebensstandard, Schwindelgeist, Leichtfertigkeit und Korruption breiteten sich aus. Manche Leute gingen von einem bescheidenen Leben abrupt zu großem Luxus über, und zahlreiche neue Unternehmungen standen auf einer sehr unsicheren Grundlage. Um Kunden anzulocken, gewannen manche Unternehmen Adlige oder andere renommierte Persönlichkeiten, die sich dazu hergaben, als »Präsidenten« aufzutreten – später wurden diese dann in den Wirbel mit hineingerissen. Die Gründung von Aktiengesellschaften war freigegeben worden, es bestand kein Konzessionszwang – und das erwies sich als ein großer Fehler. Preußen hatte im Jahre 1867 225 Aktiengesellschaften, bis 1872 kamen mindestens 847 hinzu, die später zum guten Teil in den Krach hineingezogen wurden. Aktiengesellschaften, Konsortien, Sozietäten, Syndikate, Banken, industrielle Betriebe und Unternehmungen zum Bau von Eisenbahnlinien wurden gegründet, nicht wenige darunter ohne genügende Basis. Die Spekulation mit Grundstücken in den Städten oder an deren Rande, ebenso die Spekulation der Baufirmen, die blindlings große Häuser errichteten, wurde immer ungezügelter, und ein besonders reges Treiben entwickelte sich an den Börsen. Die Kurse der Aktien stiegen vorderhand, und daß auch die Preise der Waren in die Höhe schnellten, erschien den Spekulierenden nicht bedenklich.

Der große Krach kam in Berlin im Oktober 1873. Zahlreiche Unternehmungen machten Konkurs; viele Wertpapiere wurden wertlos; eine große Zahl von Privatpersonen verlor ihr Vermögen. Es kam zu Kapitalarmut, zu Konsumrückgang, zu einem zwar vorübergehenden, aber doch einschneidenden Stillstand in Industrie und Handel. Viele Betriebe mußten stillgelegt oder eingeschränkt werden. Die Unternehmer mußten die Löhne kürzen oder Arbeiter entlassen; Arbeitslosigkeit griff um sich. Manche Arbeitgeber glaubten, sich und ihren Betrieb nur durch hartes Auftreten halten zu können. Das soziale Klima wurde schlechter, und die Sozialisten sahen ihre Kritik am System des Kapitalismus bestätigt.

Die Gefahren der Krise waren mit dem Ablauf des Jahres 1873 noch nicht überwunden. Die Montanindustrie steckte noch 1874, die Textilindustrie auch 1875 noch in einer Krise. Die Wirtschaft verzeichnete von 1873 bis 1879 eine Abschwächungsphase. Die Schutzzollgesetzgebung von 1879 wirkte sich zwar in vielem günstig aus, doch sind manche Historiker der Meinung, daß die Folgen der Krise von 1873 noch bis 1895/96 spürbar blieben.

Die Depression der Wirtschaft fand also spätestens um 1896 ihr Ende. Die sich nun anschließende Blüte dauerte – von Schwankungen abgesehen – bis 1914. Die Handelsverträge des Reichskanzlers Graf Caprivi vornehmlich mit den Nachbarstaaten (aber auch mit weiter entfernten europäischen Staaten) in den Jahren 1891 und 1893/94 haben einen Aufstieg der Industrie, des Handels und der städtischen Wirtschaft bewirkt. Caprivis These war es, daß das Reich Waren exportieren müsse, um nicht Menschen (also Auswanderer) exportieren zu müssen. Der Reichskanzler Bülow sorgte seit 1902 für eine Gesundung der z. T. darniederliegenden Landwirtschaft.

Die meisten deutschen Großbanken sind um 1873 intakt geblieben und unterstützten den neuen Aufschwung in der Industrie. Die deutschen Waren waren künftig nicht mehr »billig, aber schlecht«, sondern fanden zunehmend Anerkennung. Der Begriff »Made in Germany« wurde zum werbewirksamen Qualitätsausweis. In der Industrie und im Export prägten sich die guten deutschen Eigenschaften aus: straffe Ordnung, gute Arbeitsleistung, Pünktlichkeit und Organisationsgabe. Gerade die Industriegebiete (u. a. Sachsen, das nördliche Rheingebiet, die Ruhr, Württemberg usw.) vermochten einem beträchtlichen Prozentsatz der wachsenden Bevölkerung im Deutschen Reich Arbeit zu geben.

Um 1893 stand Deutschlands Industrieproduktion nach England und den USA an 3. Stelle in der Welt; im Jahre 1913 wurde England bereits überholt. Das kohlenreiche Deutschland war selbst noch zum Ankauf von Kohlen aus England gezwungen, um den Ansprüchen nachkommen zu können. Der deutsche Außenhandel wurde von 1870 bis 1913 vervierfacht und kam dem Volumen des englischen nahe. Die Handelsflotte war in den Jahren vor 1914 die zweitgrößte der Welt; die Währung war stabil; die Sparkasseneinlagen, aber auch die Auslandsguthaben stiegen. Das Volksvermögen wuchs jährlich um 6 bis 8 Milliarden Mark. Das Vermögen des Deutschen Reiches betrug um 1913 0,3 bis 0,4 Billionen Mark. Der Staat stand nun in der ersten Reihe der wirtschaftlich führenden Völker: Welcher Wandel gegenüber dem Desaster von 1873!

Allerdings war das Reich gezwungen, sehr viele Rohstoffe, auch Lebensmittel, zu importieren; man konnte sich politisch so nur auf den Frieden oder höchstens auf einen kurzen Krieg einstellen:

167. Gelassenheit und Aufregung an der Börse.
Gemälde von F. Brütt (1888)

Das Reich und seine Wirtschaft, in der Mitte Europas gelegen und »eingekreist«, mußten im Falle eines langen Krieges weit anfälliger als andere Staaten sein. Dennoch vermochte man das Ausmaß und die furchtbaren Folgen der Blockade während des Ersten Weltkrieges nicht vorauszuahnen.

Der Wirtschaftsliberalismus

Die Grundsätze und Ziele des Wirtschaftsliberalismus wurden vom fortschrittsgläubigen Bürgertum getragen und erstrebt. Im Inneren des Reiches und im wirtschaftlichen Verkehr der Staaten untereinander herrschte die freie Konkurrenz, der Wettbewerb aller gegen alle. Man erhoffte »prosperity«, den Aufstieg von Handel und Wandel und auf Grund der Vervollkommnung der Technik eine sich mehrende Güterproduktion – die später oft überwucherte –, eine immer größere Kapitalanhäufung, kurz: den unaufhaltsamen wirtschaftlichen Fortschritt. Der Wirtschaftsliberalismus bevorzugte den Freihandel, und zu Gunsten des Wirtschaftsliberalismus wurde angeführt, daß sich Feindseligkeit zwischen Staaten und Völkern beim Abbau von Schutzzöllen vermeiden lasse – und daß die Staatsgrenzen immer bedeutungsloser würden.

Aber der Wirtschaftsliberalismus hatte auch Schattenseiten. Es soll hier nicht weiter darüber reflektiert werden, wie auf diese Weise das Geld vergöttert und mit den anfänglich steigenden Erfolgen auch das Selbstbewußtsein hochgetrieben wurde – während die Fähigkeit zur Selbstkritik dagegen schwand. Die Wirtschaft wurde zum Schlachtfeld. Der Sieger konnte große Vorteile erringen, dem Unterlegenen fehlten der soziale Schutz und jegliche Sicherung. Bei Wirtschaftskrisen konnte der liberale Unternehmer zu rücksichtslosen Methoden greifen, um sich halten zu können, und nur bei einer Wirtschaftsblüte konnte der Lebensstandard des Arbeitnehmers verbessert werden. Die Anhänger des Wirtschaftsliberalismus ließen sich oft von einer scheinbaren Windstille in der sozialen Frage täuschen: Ihr Mangel an sozialem Verständnis ließ sie die steigende Bedeutung der sozialen Probleme verkennen oder unterschätzen. Sie wandten sich gegen jede Art von Staatssozialismus und hörten auch die Mahnungen der Kirchen nicht gern. Immerhin gab es Unternehmer (u. a. Krupp und Stumm), die zwar Herr im eigenen Hause bleiben und sich von niemandem hineinreden lassen wollten, dabei aber doch bereit waren, auf sozialem Gebiet innerhalb des eigenen Betriebes einiges für die Arbeitnehmer zu tun.

Die Prinzipien des wirtschaftlichen Liberalismus konnten im kontinentalen Europa – in England war das anders – auf die Dauer nicht ungeschmälert befolgt werden.

Die Zölle

Die Textil- und Stahlindustrie, aber auch die Kreise der deutschen Landwirtschaft forderten immer dringender Schutzzölle, und Bismarck, der als Großgrundbesitzer die Nöte der Landwirtschaft besonders ernst nahm, führte seit 1879 eine protektionistische Schutzzollpolitik ein. Die Möglichkeit, das Reich selbst, das über zu geringe Einnahmen verfügte, aus den Erträgnissen der Schutzzölle zu sanieren, wurde jedoch verpaßt: Alle Einnahmen aus Zöllen und der Tabaksteuer, die über 130 Millionen Mark hinausgingen, sollten an die Bundesstaaten verteilt werden. Bismarcks Nachfolger Graf Caprivi (1890–1894) schloß eine Reihe von Handelsverträgen mit auswärtigen Staaten (meistens auf 12 Jahre) und begünstigte mehr die Industrie und die städtische Wirtschaft. Der Reichskanzler Fürst Bülow (1900–1909), in dessen Regierungszeit eine Serie von neuen Handelsverträgen abgeschlossen wurde (1905/06), förderte durch erhöhte Schutzzölle wiederum mehr die Landwirtschaft (seit 1902). Insgesamt wirkte sich die Politik der Handelsverträge sehr günstig aus: Die Zahl der Arbeitslosen ging fast vollständig zurück.

Die Schutzzölle bedingten natürlich auch Nachteile. Durch sie erhöhten sich im Inland die Preise mancher Industrieprodukte und der einheimischen Lebensmittel. Sie begünstigten einseitig die Großindustrie und deren Aktionäre, ferner die ostelbischen Grundbesitzer und das Bauerntum in Westfalen, im übrigen Nordwestdeutschland sowie in Süddeutschland. Man hat nicht zu Unrecht behauptet, daß die Landwirtschaft die – eigentlich fällige – Rationalisierung der Betriebe mit Hilfe der Zölle zurückstellen konnte und oft auch aufgeschoben hat. Die Schutzzölle – so behaupteten die Gegner dieser Maßnahmen – besiegelten den Bund der Besitzenden mit der Regierung. Als eine Belastung für die Städter, für die Kaufleute, die Angestellten, die mittleren und kleinen Beamten sowie für die Arbeiter seien sie ihrem Wesen nach antidemokratisch und antisozial. Die Sozialdemokraten sprachen von »Brotverteuerern« und von »Brotwucher«; sie wollten eher die Industrie, nicht aber die Landwirtschaft durch Zölle begünstigt wissen – nicht zuletzt, weil sie in den Kreisen der Landwirtschaft ohnehin nur wenige Wähler hatten. Die Erhöhung der Getreidezölle unter Bülow im Jahre 1902 trug den Sozialdemokraten eine Million neuer Wähler aus dem Kreis der Unzufriedenen ein.

Die wirtschaftlichen Verbände

Mächtige Verbände vertraten die Interessen bestimmter Gruppen in der Wirtschaft. Im Interesse der Landwirtschaft gründete der Ingenieur und Dichter Max v. Eyth um 1884/85 die »Deutsche landwirtschaftliche Gesellschaft«, neben der es auch katholische Bauernbünde, Darlehenskassen und Raiffeisenkassen und -vereine zur Stützung der Bauern gab. Der im Jahre 1907 gegründete freisinnige »Deutsche Bauernbund« erlangte nur geringe Bedeutung. Ein Vorläufer des »Bundes der Landwirte« war die den Kreisen der Landwirtschaft nahestehende »Vereinigung der deutschen Steuer- und Wirtschaftsreformer«, die sich im Jahre 1876 konstituierte.

Eine mächtige Stellung gewann dann der seit 1893 bestehende »Bund der Landwirte«. Er hatte eine ansehnliche Mitgliederzahl, verfügte über bedeutende Geldmittel und entfaltete eine rege Agitation. Die Wirksamkeit des Bundes nahm manchmal radikale und demagogische Züge an; die Schärfe seines Auftretens erklärte sich aus der Tatsache, daß es der Landwirtschaft seit etwa 1875, im Zeitalter des Wirtschaftsliberalismus und des Freihandels, immer schlechter ging. Man bezeichnete die Landwirtschaft in romantischer Verklärung gern als die Urquelle der physischen und moralischen Gesundheit des Volkes; nur die Landwirtschaft könne das Volk im Kriegsfall ernähren. Der Bund war unausgesprochen antisemitisch orientiert. Er wandte sich gegen eine übertriebene »Weltpolitik« Deutschlands, gegen den Bau der großen Kriegsflotte und forderte im Gegenteil die Vergrößerung des Landheeres zur Verteidigung der Ostgrenzen. Der »Bund der Landwirte« postulierte natürlich Schutzzölle gegen den Import ausländischen Getreides (wodurch die Erhöhung der Lebensmittelpreise im Reich möglich wurde) und engagierte sich politisch für, wirtschaftlich gegen Rußland. Hinter dem Bund standen hauptsächlich die ostelbischen Junker und Gutsbesitzer, obwohl die Führer des Bundes für sich in Anspruch nahmen, auch die Interessen der mittleren und kleinen Bauern zu vertreten, und zwar auch der Bauern im Westen des Reiches. Der »Bund der Landwirte« arbeitete eng mit der konservativen Partei zusammen, obschon diese Wert darauf legte, daß der Bund und die Partei sich nicht völlig deckten, um nicht andere Wählergruppen abzuschrecken.

Der Ostmarkenverein (vgl. das Kapitel über die Polen im Reich) hatte das Ziel, eine stärkere Etablierung der deutschen Grundbesitzer im Osten, vornehmlich in den von Polen besiedelten Gebieten, zu ermöglichen. Ferner existierte auch ein bayerischer Bauernbund. – Landwirtschaftskammern wurden im Jahre 1894, die landwirtschaftliche Zentralgenossenschaftskasse 1895 gegründet.

Die Vereine, hinter denen die Industrie stand, waren meistens nationalliberal orientiert, von katholischen Unternehmergruppen abgesehen. Der im Jahre 1876 gegründete »Zentralverband deutscher Industrieller« trat für Schutzzölle und erhöhte Preise im Inland, zugleich für niedrige Preise der zum Export bestimmten Waren ein, um sich gegen die Konkurrenz des Auslands behaupten zu können. Aber ein Teil der Industrie, besonders die chemische, wünschte doch auch, daß bestimmte ausländische Rohstoffe billig eingeführt werden könnten.

Der Zentralverband geriet im Jahre 1895 in organisatorische Schwierigkeiten. Es wurde ein eigener »Bund der Industriellen« (deutscher Industrieller) mit besonderen Interessen konstituiert, der u. a. Verbindungen zur Textil- und chemischen Industrie pflegte. Die deutsche Industrie hatte sich so verzweigt, daß sich divergierende Interessen nicht mehr einheitlich vertreten ließen.

Im Jahre 1906 wurde ein liberaler »Hansabund« für Gewerbe, Handel und Industrie ins Leben gerufen. Dieser Verband und die Industriellenverbände verfochten selbstverständlich völlig andere Ziele als der »Bund der Landwirte« und die konservative Partei – wenn auch die Sozialdemokraten oft kritisch das Wort vom »Bund von Hochofen und Rittergut« gebrauchten. Die genannten Bünde begrüßten im Gegensatz zu den Landwirten die Weltpolitik des Reiches – z. B. die wirtschaftliche Durchdringung der Türkei und des Nahen Ostens – und den Bau der großen Kriegsflotte, bei dem man gut verdiente.

Die Landwirtschaft

Von der Landwirtschaft ist bereits verschiedentlich die Rede gewesen. Das Landleben galt vor 1914 vielen Deutschen noch als Quelle von Gemütskräften und als ein Weg zur Verinnerlichung des Lebens – und eine »Blut-und-Boden«-Gesinnung ist schon damals proklamiert worden. Die Landbevölkerung galt als weitgehend monarchistisch, staatserhaltend und konservativ gestimmt. Allerdings wurde die Wahl der konservativen Kandidaten durch die Landbevölkerung oft unter Druck durchgesetzt, und manche Landarbeiter hätten anders gewählt, wenn sie es hätten wagen können. Überhaupt war vieles nicht so intakt, wie es – romantisierend – hingestellt wurde: Die bäuerlichen Gebräuche und die bäuerlichen Trachten verschwanden nach und nach; schon vor 1914 hatte die Wissenschaft der Volkskunde ihre liebe Not, bäuerliches Brauchtum noch eben zu registrieren, bevor es vollkommen versank. Man trug nicht mehr die alten selbstgefertigten Gewänder, sondern kaufte in der Stadt billige, eher städtische Kleider »von der Stange«. Die Rekruten vom Lande waren keineswegs stets gesünder und stärker – wie es die Legende will – als die aus der Stadt, und man braucht nicht eigens darzulegen, daß es auch auf dem Lande moralische Verfallserscheinungen (Trunksucht usw.) gab.

Die deutsche Landwirtschaft vermochte nicht mehr das gesamte deutsche Volk zu ernähren, das gewaltig anwuchs. Vor 1914 wurden jährlich Lebensmittel im Wert von ungefähr 3 Milliarden Mark eingeführt. Der Prozentsatz der Bevölkerung, die in der Land- und Forstwirtschaft tätig war, wurde immer geringer.

Die Landbevölkerung umfaßte:

Um 1800   70 bis 80 % der Bevölkerung
  1871   63,9 %,
  1880   44 %,
  1882   42,52 %,
  1895   ca. 36 bis 38 % (die Angaben schwanken),
  1907   ca. 29 %,
  1913   wieder ca. 33 %.

Die Landwirtschaft im Reich konnte ebensowenig wie die Industrie auf einen Nenner gebracht werden. Das Wirtschaften in Ostelbien unterschied sich stark von der Landwirtschaft in West- und Süddeutschland; es gab Groß-, mittlere und Kleinbauern, und es gab ferner Industrie- und Bergarbeiter, die nebenher einen kleinen ländlichen Besitz bewirtschafteten, was unter der Industrie-Arbeiterschaft als besonders günstig galt (z. B. in Württemberg). Das Bauerntum war sozial und nach politischen Parteien völlig zersplittert. Welten lagen etwa zwischen einem freien behäbigen Großbauern in Holstein und dem Typ des Agrararbeiters in Pommern.

Die mittleren und kleinen Bauern traf die Landflucht besonders hart. Immer seltener wollten die Brüder und Schwestern des Hofbesitzers als Arbeitskräfte auf dem väterlichen Hof bleiben; es zog sie in die Stadt, und der Bauer trieb immer schwerer Gesinde auf. Wenn der mittlere oder kleine Bauer in finanzielle Schwierigkeiten geriet, bot der Besitz an Wald oft den einzigen Ausweg. Die Wälder wurden in einer oft radikalen Weise abgeholzt, damit aus dem Erlös des Holzverkaufs die Schulden bezahlt werden konnten.

Durch die Bauernbefreiung des frühen 19. Jahrhunderts hatte der Großgrundbesitz eine weitere Ausdehnung erreicht. Das selbständige freie Bauerntum in Ostelbien war dadurch, so paradox es klingt, geschwächt und der freie mittlere und kleine bäuerliche Besitz vermindert worden. Nicht wenige reiche Bürger aus Westdeutschland oder aus Berlin erwarben alte Rittergüter oder überhaupt Gutsbesitz im Osten. Teils wollten sie nur ihr Geld in Immobilien anlegen, teils zogen sie selbst auf ihr neues Gut, weil sie glaubten, dort das Leben eines großen Herrn führen zu können. Sie wurden freilich in den Kreisen der adligen Rittergutsbesitzer selten leicht akzeptiert und suchten sich früher oder später durch Heiratsverbindungen in die Schicht der ostelbischen Junker einzufügen – wenn etwa ihre heiratsfähigen Kinder eine attraktive Mitgift vorweisen konnten.

Die Güter wurden nur teilweise vom Besitzer selbst bewirtschaftet, oft wurden sie von ihm verpachtet. Manche Güter wurden Verwaltern übergeben, einem Inspektor oder Vogt, der freie Taglöhner, Gutstaglöhner oder gebundene Deputatarbeiter beschäftigte. Die Agrararbeiter traten dem Gutsbesitzer oder Inspektor oft mit geradezu militärischer Unterwürfigkeit entgegen; es gab kaum jemals Streiks, lediglich hier und da aber Brandstiftung aus Rache.

Der bürgerliche Romanschriftsteller Rudolf Stratz schildert in einem Roman (»Stark wie die Mark«, 1915) Wahlen in Ostelbien: Am Wahltag rückten ganze Scharen von Gendarmen, darunter auch solche zu Pferde, an. Brachen Krawalle in der Menge aus, so ritten sie Attacken wie in einer Schlacht. Militärpatrouillen gingen durch die Straßen der Kleinstädte. Alles war gut organisiert: Aufrufe anderer, nicht-konservativer Parteien wurden überklebt, Agitatoren der »linken« Parteien aus Berlin mit allen Mitteln in ihren Aktionen behindert. Das bäuerliche Gesinde wurde auf Leiterwagen zur Wahl gekarrt; der Inspektor ritt daneben. Man drückte den Leuten den Wahlzettel der Konservativen in die Hand und zeigte ihnen, wie man ihn in die Urne warf. Nach brav vollzogener Wahl wurde Freibier für alle ausgeschenkt.

Die Arbeitszeit der Agrararbeiter im Osten war lang, der Lohn gering, das Essen natürlich einfach und eintönig; den Arbeitern wurden freie, allerdings meistens schlechte Unterkünfte überlassen, Deputatland und Naturalien. Die Frauen verblühten rasch; die Männer begannen oft zu trinken. Die alte Generation fand sich im allgemeinen mit den Zuständen ab, ein guter Teil der jungen nicht mehr. Die ländliche Hausindustrie, die Heimarbeit (z. B. die Weberei) erlahmte weitgehend, da mehr und mehr billige Fabrikware auch auf dem Lande angeboten wurde.

Als Ausweg aus dem Agrararbeiterleben in Ostelbien bot sich nur die Flucht in die Stadt oder auf ein landwirtschaftliches Gut im westlichen Deutschland, wo die Löhne höher und die Arbeitsverhältnisse freier waren. Der Agrararbeiter aus dem Osten hatte oft den Glanz der Stadt als Rekrut kennengelernt; er vergaß aber, daß in der Truppe für ihn gesorgt worden war und daß die Landflucht viele Risiken mit sich brachte: Manche gerieten in größeres Elend als vorher. Ein weiterer Grund für die Landflucht war die Meinung der Landarbeiter, daß sie ihren Kindern auf dem Lande weniger Ausbildung und sozialen Aufstieg bieten könnten als in der Stadt – allerdings nur auf der Basis einer halbwegs gesicherten Existenz.

Die Auswanderung aus Ostpreußen betrug:

1840–1905   633 600 Abwanderer
1905–1910   96 900 Abwanderer
1910–1925   164 500 Abwanderer
1840–1933   überhaupt aus dem Osten (nicht nur aus Ostpreußen) 4,5 Millionen Abwanderer.

Die Gutsbesitzer waren durch diese Fluktuation gezwungen, immer mehr slawische Wander- und Saisonarbeiter – Polen, Masuren, Kaschuben, Litauer, Wenden, Tschechen – aufzunehmen. 454 000 ausländische Arbeiter kamen allein im Jahre 1905 nach Preußen. Viele der slawischen Saisonarbeiter blieben trotz der ungünstigen sozialen Verhältnisse für Agrararbeiter in Deutschland oder wanderten auch nach Westdeutschland ab und erhielten später die deutsche Staatsbürgerschaft; es kam immer häufiger zu Mischehen mit Deutschen. Besonders in konservativen Kreisen, aber nicht nur dort, fürchtete man die Gefahr einer Überfremdung.

Die Rittergutsbesitzer haben noch bis in die Jahre nach 1871 ein patriarchalisches Regiment geführt und traten bis etwa gegen Ende der achtziger Jahre noch als Gegner des Kapitalismus auf. Dann änderte sich vieles sehr rasch. Im Jahre 1872 wurde endlich der Anachronismus einer gutsherrlichen Polizei überwunden, auch das Amt des Erbschulzen wurde in den östlichen Provinzen (außer in Posen) abgeschafft. Es kam zu offiziell freien Gemeindewahlen; der Landrat im Osten hatte nun endlich eine juristische Vorbildung nachzuweisen. Die Übermacht der Gutsbesitzer wurde wenigstens auf dem Papier eingeschränkt; weitere Landgemeinde-Ordnungen für die östlichen Provinzen wurden im Jahre 1891, für Schleswig und Holstein im Jahre 1892 erlassen.

Der Gutsbesitzer fühlte sich nun allerdings auch nicht mehr zu patriarchalischer Fürsorge verpflichtet, er wandelte sich jetzt mehr und mehr selbst zum kapitalistischen und z. T. auch industriellen Unternehmer. Auf den Gütern wurden Ziegeleien, Schnapsbrennereien, Brauereien, Rübenzuckerfabriken, Mühlen und Sägewerke errichtet. Man begann, auf dem Gut mit Kraftwagen, Dampf- und elektrischen Maschinen, mit Dynamos, mit Dampfpflügen, mit Maschinen zum Säen, Mähen, Dreschen und Häckseln sowie mit Elevatoren zu arbeiten. Im Jahre 1880 waren 440 000 landwirtschaftliche Maschinen, im Jahre 1895 bereits 1 050 000 im Einsatz.

Man ging vom extensiven zum intensiven Wirtschaften über. Zur Verwendung kamen mineralischer Kunstdünger, Chilesalpeter, Kalisalze und Thomasmehl. Durch Phosphorsäure und Kali wurden früher unfruchtbare Sandböden ertragreich gemacht. Moore konnten jetzt bebaut werden. Von 1885 bis 1912 stieg der Ertrag des Brotgetreides um 53 % (absolute Steigerung der Ernten von

168. Ein »ostelbisches« Gutshaus: Stammgut des Generalfeldmarschalls
von Hindenburg in Neudeck bei Freystadt in Westpreußen

Weizen, Roggen, Gerste, Hafer, Kartoffeln, Spelz und Wiesenheu). Der Ertrag der Viehzucht und der tierischen Erzeugnisse stieg um 100 % (Steigerung der Zucht von Rindern, Pferden, Schafen und Schweinen usw.); die Produktion des Rübenzuckers konnte erhöht werden. Landwirtschaftliche Hoch- und mittlere Schulen, Akademien, Lehrkurse, Versuchsstationen, Führungen durch Musterwirtschaften, landwirtschaftliche Ausstellungen, Vereine und Zeitschriften aller Art suchten die Rationalisierung der Landwirtschaft voranzutreiben.

Trotz aller Fortschritte ging es der Landwirtschaft nicht immer gut. Sie hatte bis etwa 1875 eine Blütezeit, in der sie u. a. Getreide nach England exportierte und sich noch für den Freihandel einsetzte, da sie Eisengeräte, Maschinen usw. ohne Schutzzoll importiert wissen wollte. Dann wurde mehr und mehr Getreide aus Nordamerika und Rußland, argentinisches Fleisch, Gemüse und Obst in immer größerer Menge nach Deutschland eingeführt. Diesen Importen folgte dann die Einführung von Schutzzöllen im Jahre 1879, die aber von der Landwirtschaft als zu gering empfunden wurden. Die zahlreichen Handelsverträge der Regierung Caprivis nützten vor allem der Industrie, dem Handel und der städtischen Wirtschaft, und sie schadeten im allgemeinen der Landwirtschaft, da nun wiederum viel Getreide, besonders aus Rußland, billig importiert wurde. In den achtziger und neunziger Jahren litt die Landwirtschaft: Die Preise der Produkte waren niedrig, die Kosten und die Löhne stiegen, Verschuldung griff um sich. Die Kredite wurden verteuert, und manche Güter mußten versteigert werden, obwohl Darlehenskassenvereine (z. B. Raiffeisen) taten, was sie zur Stützung der Güter und Höfe tun konnten.

169. Technisierung der Landwirtschaft: Arbeit mit einem
Dampfpflug in der Lüneburger Heide (1912)

Seit 1902, seit der Erhöhung der Schutzzölle für landwirtschaftliche Erzeugnisse, besonders für
Korn – unter Reichskanzler Fürst Bülow –, ging es der deutschen Landwirtschaft wieder besser. Sie
nahm bis 1914 einen Aufschwung. Ein Moorschutzgesetz für Hannover und Pommern (1913/14)
kam der Landwirtschaft zugute. Die ostelbischen Gutsbesitzer haben – wie erwähnt – um 1899 den
vollständigen Ausbau des Mittellandkanals verhindert, so daß ein Weg, Güter billig in den
deutschen Osten einzuschleusen, abgeblockt wurde.

Die Grundsteuer blieb sehr gering, und auch in der Frage der Erbschaftssteuer wußten die ostelbischen Junker ihre Ziele im wesentlichen zu erreichen. In manchen Teilen Deutschlands entstanden sogenannte »Industriedörfer«, also Dörfer mit Fabrikanlagen, in denen der alte Dorf-
charakter verlorenging, obwohl die Arbeiter oft nebenher eine kleine Landwirtschaft betrieben. Die
Landwirte traten, vor allem im Rahmen der konservativen Partei und des »Bundes der Landwirte«, kontinuierlich mit massiven Pressionen auf: Die Preise der Lebensmittel in den Städten
wurden auf ihr Betreiben hin erhöht.

Im Deutschen Reich arbeiteten im Jahre 1907 5 736 082 landwirtschaftliche Betriebe; davon

Betriebe bis	2 ha	3 378 509
	2–5 ha	1 006 277
	5–20 ha	1 065 539
	20–100 ha	262 191
	100 ha und darüber	23 566
	200 ha und darüber	12 887

Während des Ersten Weltkrieges zeigte es sich, daß die Landwirtschaft quantitativ und organisatorisch ihren Aufgaben nicht gewachsen war. Deutschland war von Übersee abgeschnitten, und aus den benachbarten Mittel- und Kleinstaaten war nur ein geringer Lebensmittelimport möglich. Die deutsche Landwirtschaft litt natürlich unter dem Mangel an Arbeitern, die eingerückt waren. Zahlreiche Pferde mußten an das Heer abgeliefert werden. Immer höhere Quoten von Lebensmitteln wurden angefordert, obwohl nichts mehr investiert werden konnte. Die Ernteerträge sanken, auch unter Berücksichtigung der jährlichen Schwankungen, weit unter die Ergebnisse der Vorkriegszeit. Gegenüber der Ernte von 1913 (100 %) wurden im Jahre 1917 nur mehr geerntet: an Weizen 50 %, an Roggen 58 %, an Hafer 38 %, an Kartoffeln 65 %, an Zuckerrüben 59 %.

So kam es zu der furchtbaren Lebensmittelnot, besonders unter der städtischen Bevölkerung, in den späteren Kriegsjahren. Durch den Frieden von Versailles verlor Deutschland weitere wertvolle landwirtschaftliche Gebiete. Gleichwohl konnten die ostelbischen Junker im wesentlichen ihren Besitz halten, soweit er im Deutschen Reich verblieb.

Unternehmer, Aktiengesellschaften, Kartelle und Konzerne

Die Industrie wurde von 1871 bis 1914 in einem Ausmaß verstärkt, das man früher für unmöglich gehalten hätte. In der ersten Periode nach 1871 führten die Besitzer und Arbeitgeber das Unternehmen zumeist noch selbst; Vergesellschaftung war selten. Die Unternehmergeneration, die aus der Zeit vor 1870 stammte, konnte nicht auf vornehme Geburt oder ein ererbtes Vermögen verweisen, wenn man von den Adligen absieht, die sich z. B. in Schlesien oder Westfalen an der Industrialisierung beteiligten. Nun aber entwickelte sich eine Schicht von Großbürgern, Großkapitalisten und von Geldaristokraten, bestehend aus Großindustriellen, Großkaufleuten, Grubenherren, Fabrikanten, Bankiers, später Generaldirektoren von Aktiengesellschaften, Direktoren von Konzernen und Syndikaten. Nur einige Persönlichkeiten und Familien seien stellvertretend genannt: Ballin, Borsig, Fürstenberg, Gutmann, Gwinner, Haniel, Hansemann, Harkort, Henckel v. Donnersmarck, Kirdorf, Krupp, Mannesmann, Mevissen, Rathenau, Siemens, Stinnes, Stumm und Thyssen. Sie hatten durch ihre Leistung und ihre Erfolge eine privilegierte Stellung erlangt und bildeten ein Willens- und ein Machtzentrum in Deutschland, das gleichzeitig eine Basis für das bestehende Staatsgefüge bildete.

Es gab einerseits vornehme und kultivierte Unternehmer, z. B. sogenannte »königliche« Kaufleute, und andererseits, vor allem bis zum Krach von 1873, nicht wenige Spekulanten, Glücksritter, Parvenüs, die aber mit der Zeit verschwanden.

Die Unternehmerschicht stand überwiegend den Nationalliberalen, den Freikonservativen, den Konservativen, auch dem Zentrum nahe. Sie unterstützte, nicht selten in bedenklicher Weise, eine imperialistische deutsche »Weltpolitik«, u. a. den – lukrativen – Bau einer großen Kriegsflotte. Deutsche Unternehmer stiegen auch in Betriebe (besonders Erzlager, Bahnbauten usw.) in Schweden, auf dem Balkan, in Frankreich, in Tunis, Algier, Marokko, in der Türkei (Bagdadbahn) und in Böhmen und Mähren ein. Ihre zum großen Teil bemäntelte Einwirkung auf Minister, Parteigrößen und Mitglieder des Reichstages ist bis heute nicht völlig erforscht.

170. Eingangstor der Firma Borsig
in Tegel bei Berlin

171. August Thyssen, Techniker und
Kaufmann, Gründer der Thyssen-
Stahlwerke. *Gemälde von F. J. Klemm*

172. Werner von Siemens –
Industrieller, Erfinder, Konstrukteur

Einzelne Unternehmer wurden besonders unter Wilhelm II. nobilitiert, ihre Söhne und Enkel traten in vornehme und teure Kavallerieregimenter (wenn möglich in die Garde), in die Diplomatie und in die Verwaltung ein. Unternehmerfamilien erwarben großen Grundbesitz. Man verband sich durch Heiraten mit dem Altadel, und man nahm die Lebensformen und das gesellschaftliche Auftreten des Adels an.

Den Unternehmern wurden von der Gegenseite materialistische Gesinnung, ungesunde Förderung des Kapitalismus, Spekulationsgeist, hemmungsloses Gewinnstreben, Mißachtung ethischer Grundsätze und rücksichtsloser Konkurrenzkampf vorgeworfen. Die sozialdemokratische Presse schwelgte, oftmals in unzulässiger Verallgemeinerung, in Enthüllungen aus dem Privatleben der Unternehmer. Ungeachtet dessen erschien die Industrie in ihrer Blüte so anziehend, daß viele begabte junge Deutsche ihren Beruf in der Wirtschaft und nicht in der Politik suchten, was ein Verlust mindestens für die Innenpolitik des Reiches war. Die Initiative, der Wagemut und die Leistungen der Unternehmer kamen in einiger Hinsicht mittelbar – durch Erreichung der Vollbeschäftigung und Hebung des Lebensstandards – auch der Arbeiterschaft zugute.

Man betonte die Überzeugung, im Dienst der Allgemeinheit zu stehen. Die Unternehmer pflegten neben ihrem Patriotismus den Glauben an einen ununterbrochenen Fortschritt und an das große

173. »Der Bourgeois«, tendenziös anprangernde
Karikatur von R. Langa

Zeitalter der Technik und der Erfindungen fast wie eine Religion; ihre konfessionellen Bindungen waren nicht allzu stark entwickelt.

Manche Industrielle waren Anhänger des Prinzips einer Sozial- und Leistungsaristokratie und eines Sozialdarwinismus: Man müsse die Ungleichheit der Menschen zur Kenntnis nehmen; das Leben sei ein Ausmerzungsprozeß und eine Auslese der Lebensfähigen; nur die Begabten und Tüchtigen seien für einen Aufstieg prädestiniert. Mit dieser Sicht wandte man sich z. T. gegen die Humanität der christlichen Konfessionen; Arbeitslosigkeit, so argumentierte man, sei eine Erscheinung dieses Ausmerzungsprozesses.

Besonders wichtig war die Stellung und Haltung der Unternehmer im Rahmen der sozialen Frage. Man sprach sich oft für eine patriarchalische Fürsorge für die Arbeiter aus, aber man wollte Herr im eigenen Hause, im eigenen Besitztum bleiben. Eine autoritäre Führung im Betrieb wurde für selbstverständlich gehalten. Der staatlichen Sozialpolitik oder der Einmischung des Klerus in die soziale Frage stand man kritisch gegenüber.

Ein exemplarischer Vertreter des alten Systems war der Eisenhüttenbesitzer Ferdinand Frh. v. Stumm-Halberg aus Neunkirchen im Saarland (gest. 1901), der in persönlichen Beziehungen zu Kaiser Wilhelm II. stand. Er war bereit, für seine Arbeiter patriarchalisch zu sorgen – aber als unbeschränkter Herr im Hause. Stumm war ein Gegner der Kathedersozialisten, der sozialen Theorien Friedrich Naumanns und Adolf Stöckers, er wandte sich gegen eine staatlich gelenkte Sozialpolitik, die Aufhebung des preußischen Dreiklassenwahlrechts und bekämpfte vor allem die Sozialdemokraten und die Gewerkschaften. Die Sozialisten seien Rebellen, ja nahezu Verbrecher, die man nötigenfalls unschädlich machen müsse. Arbeiter seines Betriebes, die im Verdacht standen, Mitglieder der sozialistischen Partei zu sein, wurden entlassen. Die Arbeiter, so fand Stumm, hätten ihm auch politisch Gefolgschaft zu leisten. Er forderte in seinem Unternehmen militärische Disziplin, die der Arbeiter aus seiner Dienstzeit im Heer mitgebracht haben müsse.

Es war die Meinung nicht nur Stumms, sondern auch vieler anderer Unternehmer, daß der Arbeiter durch den Kampf um den Lohnvertrag und um eine Sozialpolitik die frühere patriarchalische Fürsorge verwirkt habe, daß erst durch derartige Aktivitäten eine Entfremdung, ja oft soziale Feindschaft zwischen Arbeitgeber und -nehmer entstanden sei.

Diese Entfremdung entstand allerdings zwangsläufig auch durch die Entpersönlichung der Unternehmen, von der noch die Rede sein wird.

In den Großbetrieben standen die Unternehmer einer kleinen Armee von Arbeitnehmern höheren und niederen Grades vor. Die Fabrikdirektoren, Ingenieure, Techniker, Chemiker, Physiker, kaufmännischen Angestellten, Vertreter und Handlungsreisenden gehörten noch dem Bürgertum an; hinzu kam die Masse der Arbeiter in der Fabrik, am Hochofen oder im Bergwerk, hinter denen immer mehr die Sozialdemokraten und die Gewerkschaften – als aktive Vertreter des vierten Standes – standen. Auch die Zahl der Angestellten wurde stets größer: Die Unternehmen wurden bürokratisiert, ihr Apparat wurde erweitert, oft aufgebauscht. Die Intuition und die Improvisation der Unternehmer, die Aufstiegschancen des technisch begabten Dilettanten wurden nun eingeschränkt. Jetzt mußte jeder, der Karriere machen wollte, Absolvent einer Fach- oder Hochschule (Universität, Technische oder Handelshochschule usw.) sein.

Systematische Planung und ständige Investitionen waren vonnöten, um auf dem modernen Stand zu bleiben; Rationalisierung, neue Finanzierungsmethoden und eine neue Art, das Kapital anzulegen, waren die Parolen. Bald wurden Klagen laut, daß der einzelne Unternehmer in seiner Individualität immer mehr zurücktrete, daß er sich als bloßer Aktionär oder Empfänger einer Rente zurückziehe. Die Entwicklung ging vom Kapitalindividualismus zum Kapitalkollektivismus, vom Großbetrieb zur Kapitalgesellschaft. In Preußen wurden zwischen 1870 und 1874 857 neue Aktiengesellschaften mit einem Kapital von 3307 Millionen Mark gegründet.

Zu dieser Tendenz weitere Daten:

1894 entstanden 92 neue Aktiengesellschaften mit 88 Millionen Mark Kapital,

1897 254 neue Aktiengesellschaften mit 380 Millionen Mark Kapital,

1899 364 neue Aktiengesellschaften mit 544 Millionen Mark Kapital.

1902/03 existierten in Preußen insgesamt 2554 Aktiengesellschaften mit einem Kapital von 6622 Millionen Mark;

1909 bestanden 4579 Erwerbsgesellschaften jeder Art mit einem Kapital von 15,86 Milliarden Mark.

Eine Aktiengesellschaft wurde von Generaldirektoren, Aufsichtsräten, Generalversammlungen der Aktionäre und zahlreichem Verwaltungspersonal geführt. Selbst den Aktienbesitzern blieben manche Zusammenhänge und Vorgänge verborgen, vor allem aber den Arbeitern erschien das Unternehmen wie ein Moloch. Der Aktionär und die Funktionäre wurden eine unpersönliche Erscheinung; Unternehmer, Direktoren und andere leitende Angestellte hatten kaum noch Kontakt zu den anderen Angehörigen des Betriebes. Der Arbeiter und kleine Angestellte gewann den Eindruck, daß eine kleine Gruppe von Menschen unsichtbar im Hintergrund sitze und die Drähte ziehe.

Die neue Machtzusammenballung wurde durch die Gründung von Kartellen, Trusts, Konzernen, Ringen und Syndikaten deutlich. Es gab Produktions-, Gebiets- und Preiskartelle, manchmal auch Zwangskartelle. Großunternehmer traten zusammen und kartellierten; veraltete Unternehmen wurden mitübernommen. Die Gewinne waren so hoch, daß man solche Nachteile auf sich nehmen konnte.

Das Kartell suchte monopolähnlich den Markt zu beherrschen. Die Preise wurden für einen großen Bereich festgesetzt, und kein Unternehmer durfte die anderen in den Preisen unterbieten. Es zeichnete sich die Tendenz ab, die Preise der Waren im Inland zu erhöhen und die der exportierten Waren zu senken, um gegenüber der Auslandskonkurrenz bestehen oder sie überspielen zu können. Die Kartelle wurden eine Macht: Der einzelne Unternehmer, der Konsument, ja selbst bis zu einem gewissen Grade der Staat waren ihnen ausgeliefert. Nach Werner Sombart gab es in Deutschland vor 1865 4, vor 1875 8, vor 1885 90, im Jahre 1890 210 und zu Ende des Jahres 1905 366 Industriekartelle, von denen etwa 200 den Charakter eines Syndikats trugen.

Kartelle bestanden in folgenden Industriebereichen: Kohle, Eisen, Metall (außer Eisen), chemische Industrie, Textilien, Leder- und Kautschukwaren, Holz, Papier, Glas, Ziegel, Industrie der Steine und Erden, Tonwaren, Nahrungs- und Genußmittel, Elektro-Industrie. Eine besondere Rolle spielten die Konzerne der Rüstungsindustrie, auf die noch einzugehen sein wird.

An diesen Kartellen waren rund 12 000 Betriebe beteiligt. Die deutschen Grundstoffindustrien waren vor 1914 zu 60 bis 90 % kartelliert.

Der Staat unternahm nach Meinung weiter Kreise nichts oder zu wenig gegen Kartelle, Konzerne usw., ja an manchem Unternehmen, wie am Kalisyndikat von 1910, war der Staat selbst beteiligt. Verschiedentlich spielten das Reich, die Bundesstaaten und die Gemeinden selbst die Rolle großer Unternehmer, die stattliche Betriebe jeder Art führten und aus ihnen z. T. große Gewinne zogen. So besaßen das Reich oder die Bundesstaaten Domänen, Eisenbahnlinien, Kasernen, Staatsgebäude jeder Art, Sägewerke, Ziegeleien, Bergwerke, Steinbrüche, Mühlen, Brennereien, Zuckerfabriken, Molkereien usw. Ferner lag beim Staat die Verwaltung der meisten Eisenbahnen, der Post, des Telegraphen- und des Telefonwesens.

Der industrielle Aufschwung, der der Zeit zwischen 1871 und 1914 in Deutschland das Gepräge gab, wurde in erster Linie von der Großindustrie getragen. Während die Zahl der Kleinstbetriebe um 23 % abnahm, sah der Zuwachs der Großindustrie wie folgt aus: Großbetriebe mit 50 bis 200 Personen nahmen um 61,6 % zu; Großbetriebe mit 200 bis 1000 Personen um 62,62 %; Großbetriebe mit über 1000 Personen um 89,42 %.

Der rasche Aufstieg der Industrie und der Bergwerke veränderte oft das Gesicht der Landschaft und der Städte. Hauptgebiete der Industrie waren das Ruhrgebiet, das Land am Niederrhein, Westfalen, das Saargebiet, Lothringen, Württemberg, Sachsen und Schlesien, besonders Oberschlesien. Es entstanden reine Industrie-Städte, wie z. B. Essen oder Schweinfurt; in anderen Städten wie Augsburg, Nürnberg oder Stuttgart (Cannstatt) entstanden neue ausgedehnte Industrieviertel. Während anfangs auch bei den Industriebauten Historismus und Eklektizismus die architektonischen Grundlagen bildeten, entwickelte sich nach 1900 ein neuer Industriebaustil mit viel Stahl und Glas, dem Zweck angemessen, praktisch und nüchtern. Die rasche Zunahme der Industrialisierung bedingte eine Ausweitung des Transportvolumens und eine Erhöhung der Transportgeschwindigkeit. Der Abtransport der Kohlen und der Halb- und Ganzfabrikate erforderte erweiterte Bahnhöfe, eine größere Zahl von Eisenbahnwaggons, mehr Dampfer auf den Flüssen und auf den Meeren, und zu Land neue Straßen und Kanäle. Manche Firmen (z. B. Stinnes, Haniel) kombinierten die Förderung der Kohlen, den Handel und die Verschiffung. Der Transport mußte gegenüber früheren Jahren verbilligt werden, um mit dem Ausland konkurrieren zu können. Die deutsche Handelsflotte wurde von 1896 bis 1913 um 160 % vergrößert, erreichte allerdings noch nicht die britische Tonnage. Rationalität und Modernisierung in der Betriebsführung sowie Erweiterung des angebotenen Warenkatalogs waren die Gesichtspunkte, unter denen sich die Entwicklung der Großindustrie vollzog.

Von der soziologischen Struktur der Großbetriebe war bereits die Rede. Drei Schichten bildeten sich heraus: eine Oberschicht, der Unternehmer und Direktoren angehörten, eine ständig wachsende mittlere Schicht von Angestellten sowie, als Unterschicht in dieser Betriebshierarchie, die Arbeiter. Kennzeichnend für diesen Typus des Großbetriebes war ferner seine wachsende finanzielle Verflechtung mit den Großbanken, was zu einer nach außen hin anonymen Kapitalverteilung führte.

Es können hier nicht alle Produktionszweige der deutschen Industrie aufgezählt werden. Deutschland verfügte in manchen Branchen über ein Monopol, in anderen hatte es mindestens eine führende Stellung inne. Führend war das Reich in der chemischen (künstliche Farben usw.), in der pharmazeutischen, in der optischen (Linsen jeder Art, photographische Apparate usw.) und in der elektrotechnischen Industrie (Glühbirnen, Leitungen, elektrische Verkehrsmittel, elektrische Haushaltsgeräte usw.). Die Maschinenbau-Industrie war äußerst vielseitig; man produzierte Motoren, auch Dieselmotoren, Turbinen, Kugellager, landwirtschaftliche Maschinen, wissenschaftliche Apparate u. a. für Laboratorien, Näh-, Schreibmaschinen usw. Die vom Reich benötigten Verkehrsmittel – Lokomotiven, Waggons, Eisenbahnmaterial jeder Art, Schienen, Trambahnen, Automobile, Motorräder, Fahrräder, später auch Flugzeuge und die Luftschiffe Zeppelins – wurden in Deutschland selbst hergestellt. Deutsche Werften bauten eine große Anzahl von Schiffen für den Übersee- und für den Flußverkehr. Die Stahlwaren für den täglichen Bedarf waren berühmt – man denke an den Markenbegriff Solingen.

Ein anderer Zweig war die Textil- und Konfektionsindustrie jeder Art: Es gab Spinnereien und Webereien – die Weberei in Heimarbeit wie früher in Schlesien hörte fast völlig auf –, die Verarbeitung von Wolle und importierter Baumwolle, die Erzeugung von Stoffen entsprechend der damaligen Mode, darunter solchen aus Samt, echter Seide und Kunstseide. Es gab eine beachtliche Glasproduktion, das deutsche Porzellan (Meissen) war berühmt, und für den praktischen Bedarf wurden in Massen Bakelitwaren (Kunstharz) hergestellt. Einen guten Namen hatte die deutsche Spielwarenindustrie, deren Hauptobjekt die Produktion von Zinnsoldaten bildete. Auch der große Bedarf an Papierwaren konnte befriedigt werden. Der Landwirtschaft wurde Kunstdünger geliefert. Die Lebensmittelindustrie schließlich entwickelte sich vielseitig: man produzierte Kunstfette jeder

Art, Schokolade, Zuckerwaren, diverse Konserven und das berühmte deutsche Bier aus Dortmund, München usw.

1871 waren rund 5 Millionen Menschen in Bergbau und Industrie beschäftigt, im Jahre 1907 8,5 Millionen, im Jahre 1914 9,5 Millionen. Im Jahre 1895 arbeiteten 1,5 Millionen Frauen und Mädchen, 1907 waren es 2 Millionen.

In der Kohleförderung hatte Preußen das Übergewicht. In Schlesien und Westfalen partizipierte auch der Adel am Betrieb und Gewinn der Bergwerke und Hütten (z. B. Henckel v. Donnersmarck). Der Bedarf an Kohlen stieg gewaltig, zumal die Kohle auch das wichtigste Hausbrandmittel in den wachsenden Großstädten war: Berlin soll im Jahre 1840 30 000 t, im Jahre 1870 dagegen schon 800 000 t verbraucht haben. Erhebliche Mengen von Kohle wurden für den Betrieb der Dampfmaschinen im Gewerbe, in der Industrie und bei der Eisenbahn benötigt. Mehr als die Hälfte der deutschen Kohleförderung bestritt allein das Ruhrgebiet.

Die Kohleförderung Deutschlands ist von 1890 bis 1914 um etwa 240 % gestiegen. Oberschlesien lieferte um 1900 25 Millionen t Kohlen, um 1913 44 Millionen t. Der Steinkohlenbedarf wuchs rascher als die Nachfrage nach Braunkohle. Man fabrizierte größere Mengen des hochwertigen Brennstoffs Koks, der bei der Versorgung der Hochöfen an die Stelle der Holzkohle trat. Aus 1000 kg Kohle wurden im Mittel etwa 750 kg Koks, 28–40 kg Teer, 8–12 kg schwefelsaures Ammoniak und 5–6 kg Benzol gewonnen. Das Ausbringen an Gasen belief sich auf rund 300 cbm für 1 Tonne trockener Kokskohle. Aus Teer wurden Farb-, Duft-, Reiz-, Gift- und Gerbstoffe sowie Arzneien, Kunstgewürze und Süßstoffe erzeugt. Die Zahlen, die die Statistiken liefern, sind nicht immer einheitlich; es ergibt sich jedoch ungefähr folgendes Bild:

Kohle (allgemein)

1871	37,9	Millionen t
1880	59,1	Millionen t
1885	73,7	Millionen t
1890	89,1	Millionen t
1900	149,3	Millionen t
1910	192,3	Millionen t (nach anderen Angaben 222 Millionen t)
1913	279	Millionen t

Steinkohle

1875	34	Millionen t
1895	74	Millionen t
1900	109	Millionen t
1910	150	Millionen t

Auf die zahlreichen Gesetze und Verordnungen über Bergbau und Industrie kann hier nicht näher eingegangen werden. Der größte Kohleproduzent Deutschlands war Preußen, das auch eine Kontrolle über den Kohlenbergbau auszuüben suchte (z. B. in Oberschlesien und im Saargebiet). Es handelte sich dabei vor allem um die Preisbildung und um den staatlichen Einfluß auf die Kohlensyndikate, ohne daß freilich das unabhängige Kapital und der private Unternehmergeist zu sehr eingeschränkt wurden.

Man sah im Jahre 1871 noch nicht ab, welchen wirtschaftlichen Gewinn man aus dem annektierten Lothringen würde ziehen können. Seit 1879 jedoch konnte in Lothringen durch das »Thomasverfahren« der Phosphor dem lagernden Minette-Erz entzogen und dieses dadurch verwendbar gemacht werden. Die Gewinnung der Eisenerze, ihr Wert und die Zahl der in der Eisenerzgewinnung Beschäftigten nahmen dadurch von 1871 bis 1914 stark zu. Trotzdem war Deutschland seit 1887 gezwungen, zusätzlich Eisenerze zu importieren. Die Hochöfen zur Gewinnung des Roheisens aus den Erzen und die Hütten-Anlagen zur Gewinnung von Metallen aus den Erzen spielten eine bedeutende Rolle. Roheisen wurde zu Gußeisen oder Stahl (Schmiede-Eisen) weiterverarbeitet. Deutschland entwickelte sich nun zum größten Roheisen-Produzenten der Erde. Das Produktionsvolumen belief sich im Jahre 1871 auf 1,6 Millionen t (nach anderen Angaben um 1870 schon 2 Millionen t), im Jahre 1910 auf 14,8 Millionen t. Von 1887 bis 1913 wuchs die Zahl der Eisenhütten um etwa 50 %, der Umfang der Belegschaften um etwa 100 %, die Produktion um fast 400 % (nach anderen Angaben 340 %). Die Zusammenarbeit von Bergwerken, Zechen, Hochöfen, Hüttenwerken, Stahl- und Walzwerken wurde modernisiert, verkürzt und daher verbilligt; man war bemüht, die Technik stets auf den neuesten Stand zu bringen.

Die Stahlproduktion war noch bedeutsamer. Die Rüstungsindustrie ging von Bronze auf Stahl über, und namentlich die neue große Kriegsflotte benötigte Stahlplatten und zahlreiche Schiffsgeschütze. Der Schiffsbau hatte sich schon längst der Verwendung von Eisen und Stahl – statt Holz – zugewandt. Deutschland produzierte an Stahl:

1880	1 548 000 t
1890	2 195 000 t
1900	6 260 000 t
1908	10 900 000 t
1913	18 654 000 t

Damit überholte das Reich sogar England in der Stahlproduktion.

Kali wurde in Deutschland aus Vorkommen in Nord- und Mitteldeutschland und im damals zum Reich gehörenden Elsaß gewonnen. Aus Kali gewann man Düngemittel, Kalilauge, Kaliseife, Kali-Natron-Gläser und Chloratsprengstoffe. Die deutsche Kaligewinnung und -industrie nahm bis 1914 in der Welt eine Monopolstellung ein.

Der Krupp-Konzern

Der Name Krupp und die deutsche Rüstungsindustrie sind untrennbar miteinander verbunden. Alfred Krupp (gest. 1887) brachte die Firma zu Geltung und Einfluß. Nach einer Krise um 1873, die durch eine Anleihe von 10 Millionen Talern bei der Firma »Seehandlung« auf 10 Jahre überbrückt wurde, ging es seit 1881 wieder kontinuierlich bergauf. Alfreds Sohn Friedrich Alfred (gest. 1902) führte die Firma mit Erfolg weiter: Er richtete in seinem Werk u. a. Versuchsanstalten und Laboratorien für wissenschaftliche Stahlkunde ein. Nachdem der Adel zunächst über die emporstrebenden »Schmiede« die Nase gerümpft hatte, wurde Friedrich Alfred Krupp später bei Besuchen an ausländischen Fürstenhöfen fast wie ein Monarch empfangen – und auch Wilhelm II. bewahrte

174. Die Kruppwerke in Essen; das alte Stammhaus inmitten der neuen Hallen

ihm eine dauerhafte Freundschaft. Nach dem Tod Friedrich Alfred Krupps wurde die Firma in eine Familien-AG umgewandelt. Seine Tochter Bertha vermählte sich mit dem Legationsrat Gustav v. Bohlen und Halbach, der im Jahre 1909 Vorsitzender des Aufsichtsrates wurde.

Die Firma Krupp vereinigte Kohlenbergwerke, Eisenerzlager, Hochöfen, Eisenhütten, Schmiede-werke, Stahlwerke, Werften und verschiedene Werkstätten in ihrer Hand; Essen wurde vor allem durch diese Firma eine typische Industriegroßstadt. Die Krupps schöpften auch aus Erzlagern in Schweden, Luxemburg, Frankreich, Spanien, am Balkan und in Nordafrika, sie suchten alle ein-schlägigen Erfindungen auszunützen – z. B. das Bessemerverfahren, das die Massenherstellung von Flußstahl ermöglichte –, und suchten ständig zu investieren und zu modernisieren. Die Familie Krupp verfügte im Jahre 1895 über ein Vermögen von mindestens 119 Millionen Mark, während der Umsatz der Firma, der sich in den zehn Jahren vor 1913 vervierfachte, im Jahre 1913 441, im Jahre 1914 516 Millionen Mark betrug.

Krupp produzierte u. a. Eisenbahnmaterial, darunter Achsen, Räder, Schienen usw., vor allem aber Rüstungsmaterial, u. a. Stahlgeschütze für das Heer, Riesenschiffsgeschütze, Stahlgranaten, Panzerplatten und Panzertürme, Maschinen und Kessel für die Kriegsschiffe, das Material für die neuen U-Boote, später für die Tanks usw. Die Firma verkaufte allein zwischen 1889 und 1902 rund 16 000 Geschütze aller Kaliber. Sie lieferte die Angriffswaffen und die Schutzmittel dagegen

175. Alfred Krupp (1812–1887)

(Stahlplatten); beide wurden laufend an Wirkung gesteigert, was immer weitere Aufträge nach sich zog.

Die neue große deutsche Kriegsflotte war eine besondere Quelle für ergiebige Aufträge. Die Krupps unterstützten die Propaganda für den Bau der Flotte sowie den Deutschen Flottenverein und finanzierten bis 1919 die »Berliner Neuesten Nachrichten«, die aber keinen großen Leserkreis fanden. Auch an der »Süddeutschen Korrespondenz« war die Firma beteiligt. Das Unternehmen verkaufte bis 1914 Rüstungsmaterial an verschiedene Staaten in Europa, nicht zuletzt an potentielle Gegner Deutschlands – aber auch an Staaten in anderen Erdteilen (nach Willi A. Boelcke an: Ägypten, Argentinien, Belgien, Brasilien, Chile, China, Italien, Marokko, Mexiko, Österreich-Ungarn, Rumänien, Rußland, Siam, Spanien, Türkei, selbst an die USA). Mitunter, wie etwa im russisch-türkischen Krieg von 1877/78, soll die Firma Material an beide gegnerische Staaten verkauft haben. Ihre großen Konkurrenten waren die Rheinische Metallwaren- und Maschinenfabrik Heinrich Ehrhardt in Düsseldorf-Derendorf, die französische Rüstungsfirma Schneider in Le Creusot und die britische Rüstungsfabrik Withworth and Comp., Elswick, unter Sir William George Armstrong. Die Krupp-Produkte waren nicht billig, standen aber im Ruf, stets Qualitätswaren zu sein. Manchen kleineren Staaten wurde allerdings auch veraltetes Rüstungsmaterial verkauft.

Die wichtigsten Kunden der Firma waren natürlich das deutsche Heer und die deutsche Kriegsflotte. Krupp pflegte viele Verbindungen zur Reichsregierung, zu Ministern, zur Bürokratie, zum General-stab, zu einflußreichen Generalen und Admiralen. Beziehungen bestanden zu konservativen Parteien und Abgeordneten im Reichstag, obwohl gerade die ostelbischen Landjunker den Bau der Kriegsflotte ablehnten. Friedrich Alfred Krupp war von 1893 bis 1898 Reichstagsabgeordneter der konservativen Partei. Er hielt im Reichstag keine einzige Rede, wirkte aber einflußreich hinter den Kulissen. Auch im preußischen Staatsrat und im preußischen Herrenhaus war er vertreten. Die Botschafter und Gesandten des Reiches hatten die Bestrebungen der Firma Krupp, mit auswärtigen Staaten ins Geschäft zu kommen, zu unterstützen und gelegentlich, wie in der Türkei, einflußreichen Männern »Handsalben« zu geben. Bei Krupp erfuhr man von neuen Rüstungsplänen des deutschen Heeres sehr früh und konnte sich darauf einrichten. Die Firma galt als eine Art Reichsinstitution, vor der die amtlichen militärischen und zivilen Stellen in Berlin kaum ein Geheimnis zu haben brauchten. Wilhelm II., der oft nach Essen fuhr und sich mit großem Gefolge bei Krupp einladen ließ, spielte den Hausfreund der Familie, die ihn devot, aber sehr geschickt zu behandeln wußte. Der Kaiser suchte Krupp stets gegen Angriffe abzuschirmen.

Eine – in trauriger Weise – große Zeit der Firma Krupp brachte der Erste Weltkrieg. Es kamen natürlich zwischen 1914 und 1918 keine Aufträge aus dem Ausland, höchstens von den Bundes-genossen des Reiches; dafür aber hatte Krupp das riesenhaft angewachsene deutsche Heer an allen Fronten zu beliefern. Es gelang die Konstruktion einiger neuer Waffen, wie des 42-cm- sowie des Fernfeuergeschützes, das Paris beschießen konnte, ferner neuer Haubitzen und Mörser. Andererseits kritisierte man Krupp auch wegen mancher Versäumnisse; vor allem wegen der Tatsache, daß Deutschland in der Produktion der Tanks (Panzer) sehr nachhinkte und die Alliierten nie einholte.

Krupp beschäftigte im Jahre 1871 10 000 Arbeiter, im Jahre 1873 16 000; von 1903 bis 1905 stieg die Belegschaft von 41 500 auf über 60 000 Arbeiter; im Jahre 1913 zählte sie rund 77 500 Mann. 1914 waren 82 000 Arbeiter beschäftigt, im Jahr 1918 150 000 (darunter 20 000 Frauen). Die Familie Krupp verband, wie die Stumms im Saarland, manche modernen sozialen Ideen mit einem altertümlich-patriarchalischen Stil. Autoritäre Führung galt als selbstverständlich. Immerhin baute man seit 1871 Arbeitersiedlungen mit Kirchen, Schulen, Büchereien, mit Haushaltsschulen für Frauen und Mädchen, mit Grünflächen und Spielplätzen für Kinder, mit Verkaufsstellen und Suppenküchen (Werkessen), mit einer Weinhandlung, einer Metzgerei, einer Brotfabrik und mit Erholungsheimen. All das war für die bei Krupp angestellten Arbeiter bestimmt. Die »Kruppianer« hatten eigene Gesangs- und Sportvereine aller Art. Es gab Fonds für die Auszahlung von Pensionen an alte Arbeiter, für Unterstützung in Krankheitsfällen und bei unverschuldetem Not-stand (Invalidenversorgung). Diese Vorteile sollten allerdings nur Arbeitern zugute kommen, die diszipliniert, gut brauchbar und nicht rebellisch waren. Man sah es gern, wenn mehrere Genera-tionen derselben Arbeiterfamilie ständig bei Krupp arbeiteten. Der Sohn oder Enkel konnte schon zum höher bezahlten Spezialarbeiter aufsteigen. Die Entlohnung war im allgemeinen für die damalige Zeit gut. Es wurden allerdings hohe Leistungen gefordert. In Krisenzeiten suchte man möglichst wenige Arbeiter zu entlassen. Man produzierte »auf Vorrat« und konnte so die Mehrzahl der Arbeiter behalten. Die Arbeiter sollten zu Hingabe an das Werk, Sinn für Ordnung, Disziplin und Treue sowie deutschem Patriotismus erzogen werden. Die Firma Krupp – so hieß es – diene

176. Die von den Kruppwerken für »Kruppianer« errichtete Siedlung Kronenberg

dem Vaterlande, es sei das Verdienst des Unternehmens, daß Deutschland von auswärtigen Rüstungsfirmen völlig unabhängig sei.

Das Unternehmen stützte sich zumeist auf sehr erfahrene Verwaltungsbeamte. Die Direktoren kamen oft aus der hohen zivilen oder militärischen staatlichen Bürokratie. Nicht wenige intelligente und bewährte Beamte traten vom Staatsdienst zu Krupp über. Ein charakteristisches Beispiel war Alfred Hugenberg, der früher Geheimer Finanzrat im preußischen Finanzministerium gewesen war und von 1909 bis 1918 als Vorsitzender im Vorstand der Krupp AG, von 1912 bis 1918 auch als Generaldirektor des Kruppkonzerns wirkte. Später wurde Hugenberg als nationalistischer Pressemagnat Vorsitzender der Deutschnationalen Volkspartei.

Auch bei Krupp lehnte man jede staatliche oder von Parteien betriebene Sozialpolitik ab, die die Verfügungsgewalt des Unternehmens beschränkte. Die gesamte soziale Fürsorge sollte allein bei der Firma selbst verbleiben. Die Arbeiter sollten sich nicht mit Politik befassen; sie durften nicht der sozialdemokratischen Partei beitreten und keine sozialistischen Zeitungen und Flugblätter lesen. Sozialistische Konsumvereine und -geschäfte wurden nicht zugelassen. Eigene Aufsichtsbeamte hatten die Aufgabe, in den Arbeitersiedlungen auszukundschaften, ob und welche Arbeiter Verbindung zur sozialdemokratischen Partei pflegten. Streikende Arbeiter wurden nach Möglichkeit bestraft. Da die sozialdemokratischen Führer (besonders im Reichstag und in Preußen, weniger in Süddeutschland) ständig vom Umsturz der bestehenden Gesellschaftsordnung, von der Verstaatlichung der Werke, vom Anteil der Arbeiter am Gewinn eines Unternehmens usw. sprachen, war für die damalige Zeit eine Abwehrhaltung seitens der Familie Krupp nicht unverständlich, die das Unternehmen als ihr persönliches Werk und Eigentum ansah. Es verwundert nicht, daß die Familie

Krupp Angriffen von Mitgliedern und Organen der sozialdemokratischen Partei ausgesetzt war. Mit Bezug auf homosexuelle Verfehlungen Friedrich Alfred Krupps brachten die »Welt am Montag« vom 17. November 1902 und der »Vorwärts« vom 15. November 1902 sensationell aufgemachte enthüllende Artikel. Friedrich Alfred Krupp hat daraufhin im Alter von 48 Jahren – wahrscheinlich – Selbstmord begangen. Kaiser Wilhelm II. kam zum Begräbnis nach Essen und hielt am 28. November 1902 eine impulsive, unklug vehemente Rede, in der er von der »unantastbaren Integrität« des Verstorbenen, vom »indirekten Mord« und von »Verleumdungen« sprach. Die Folge des Ganzen war u. a. ein großer sozialdemokratischer Stimmengewinn bei der bald folgenden Reichstagswahl von 1903, wenn auch der Kandidat des Zentrums die Spitzenposition behielt: Trotz aller Mahnungen und Warnungen der Arbeitgeber hatte über ein Viertel, wahrscheinlich annähernd die Hälfte aller im Wahlkreis Essen wohnenden Krupp-Arbeiter und Krupp-Pensionäre, von denen eine große Zahl in Kruppschen Werkswohnungen lebte, seine Mündigkeit bewiesen und sozialdemokratisch gewählt.

Mit der Niederlage von 1918 mußte Krupp viele Arbeiter entlassen und die Erzeugung von Waren der Rüstungsindustrie einstellen bzw. auf die Versorgung des 100 000-Mann-Heeres begrenzen. Die Firma hat aber auch diese Krise überwunden und sich in die Weimarer Zeit hinübergerettet, indem sie vor allem Erzeugnisse für den zivilen Bedarf herstellte.

Die Warenhäuser

Die in diesen Jahrzehnten entstehenden Warenhäuser richteten immer mehr Abteilungen ein und vergrößerten ihr Angebot ständig. Die Warenhäuser, die auf einen Massenabsatz angewiesen waren, führten zuerst meist ausgesprochen schlechte, allerdings sehr billige Ware. Die Qualität der Waren stieg später, ohne daß der Vorteil des günstigen Preises wesentlich vermindert wurde. Die große Auswahl verlockte das Publikum zu vermehrten Einkäufen und trug so zur Steigerung des Umsatzes bei. Das Warenhaus Wertheim in Berlin beschäftigte z. B. schon im Jahre 1895 4670 Angestellte (um 1907 38 Abteilungen mit 2281 männlichen und 5957 weiblichen Angestellten). Sowohl der Staat als auch die Gemeinden standen den Warenhäusern anfänglich nicht wohlwollend gegenüber und erhoben von ihnen Sondersteuern (z. B. eine kommunale Steuer 1900). Man wollte die mittleren und kleineren Kaufleute schützen, die meist nur eine Warengattung verkauften.

Die Versandgeschäfte in Berlin oder in größeren Städten entwickelten sich neben den Warenhäusern zu einem wichtigen Faktor und zu einer Konkurrenz für die Geschäfte in kleinen Städten und auf dem Lande. Eine verwandte Einrichtung waren die sozialdemokratischen Konsum-Vereine, -geschäfte und -magazine, in denen der Arbeiterschaft Gelegenheit geboten werden sollte, billig einzukaufen.

Die Banken

Die Verbindung zwischen der aufsteigenden Industrie und den deutschen Großbanken wurde immer enger. Die kleinen Banken wurden mehr und mehr aufgesogen: die Provinzialbanken waren im Jahre 1911 zu 84 % in den Händen der Berliner Großbanken. Die Privatbanken vergesell-

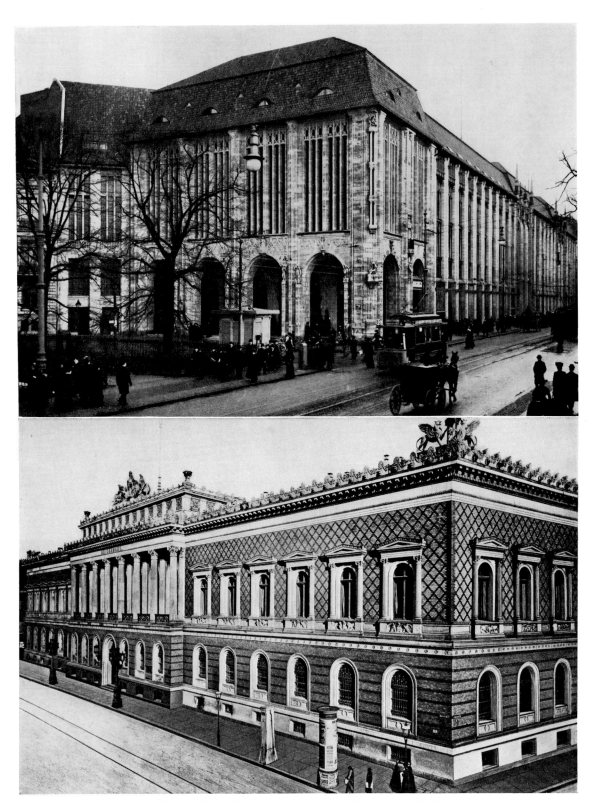

177. Das Kaufhaus Wertheim in der Leipziger Straße zu Berlin (1904)

178. Das Gebäude der Reichsbank in Berlin um 1900 (unten)

schafteten sich; sie spielten, wenn sie Privatbanken blieben, keine entscheidende Rolle mehr. Immer mehr schwand der Typ des selbständigen Bankiers, der allein »seine« Bank in der Hand hatte. Manche Großbanken übersiedelten nach 1870 von Frankfurt am Main nach Berlin. Die alten soliden Banken überstanden den Krach von 1873 ziemlich gut.

Deutsche Aktienbanken:

	Anzahl der Banken	Aktienkapital in Millionen Mark	Reserven in Millionen Mark
1885	113	1272,2	181,8
1911	203	3990,2	1316,4

Deutsche Kreditbanken:

1885	71	723,95	93,24
1911	158	2929,89	801,66

Die Reichsbank wurde im Jahre 1875 gegründet; sie hatte später zeitweilig einen Jahresumsatz von 420 Milliarden Mark. Ihr Kapital stieg von 1900 bis 1912 von 60 auf 90 Millionen Mark. Einige Großbanken erlangten fast so etwas wie eine Monopolstellung. Das Verwaltungspersonal im Geld- und Kredithandel stieg allein im Staat Preußen von 1895 bis 1907 von 16 126 auf 36 538 Personen. Intelligente junge Männer und Hochschulabsolventen gingen gern zu Banken oder in die Industrie, wo sie meist besser bezahlt wurden als Staatsbeamte.

Die folgenden – um 1850 gegründeten – Banken stiegen zum Teil erst nach 1870 zu großer Bedeutung auf: Diskonto-Gesellschaft in Berlin, gegründet 1851, Bank für Handel und Industrie in Darmstadt, gegründet 1853, Mitteldeutsche Kreditbank in Meiningen, gegründet 1856, Berliner Handelsgesellschaft, gegründet 1856, Schaaffhausenscher Bankverein zu Köln, gegründet 1848, später in Interessengemeinschaft mit der Dresdner Bank.

Um 1910 gab es vier große Machtgruppen in der deutschen Bankwelt, die sogenannten »D-Banken«. Zunächst die Deutsche Bank: Sie verfügte nach 1900 über 200 Millionen Mark Kapital und Reserven. Im Jahre 1895 beschäftigte sie in Berlin 1008 Angestellte, in den Provinzen 617. Diese Bank hatte einen Jahresumsatz von 134 Milliarden Mark. Sie war an 30 Banken beteiligt, indirekt sogar an 50 Banken. Die Deutsche Bank hatte besonderen Einfluß auf die chemische Industrie und die Verkehrsmittelindustrie und erwirkte im Jahre 1888 von der türkischen Regierung die Konzession zum Bau einer Eisenbahn vom Bosporus nach Kleinasien. Die Strecke nach Ankara wurde im Jahre 1892 eröffnet, die nach Konia im Jahre 1896. Die Bahn sollte bis Bagdad und bis zum Persischen Golf reichen (Konzession von 1902); sie wurde aber bis 1914 nicht vollendet. Das Projekt der Bagdadbahn war ein eminentes Politikum, weil Rußland und England hier diese wirtschaftliche Einflußnahme Deutschlands nicht unwidersprochen hinnehmen wollten. Die Deutsche Bank unterstützte auch die Installierung von Telefonkabeln vom Bosporus nach Rumänien sowie den Bau der Schantungbahn in China.

Die Dresdner Bank erhöhte von 1900 bis 1912 ihren Betrag an Kapital und Reserven von 130 auf 200 Millionen Mark. Sie hatte starken Einfluß auf die Stahl- und elektrotechnische Industrie. Die Darmstädter Bank steigerte ihr Kapital und die Reserven von 1900 bis 1912 von 105 auf 160 Millionen, und die Diskonto-Gesellschaft in Berlin schließlich konnte ihre Kapitalien und Reserven zwischen 1900 und 1912 von 130 auf 200 Millionen bringen.

Die großen Banken übten einen starken Einfluß auf eine Reihe von Industrien, wie besonders auf die Montan-, die Eisen- und Stahl-, die Maschinen-, chemische, elektrotechnische Industrie und auf die Werften aus. Sie gewährten Kredite; sie übernahmen Wertpapiere, Aktien und Obligationen. An den Kämpfen zwischen den Industrieunternehmungen und -konzernen waren die Banken wesentlich beteiligt; anderseits übertrugen die Banken ihren eigenen Konkurrenzkampf z. T. auf das Feld der Industrie. Schließlich kam zumeist eine ziemlich reinliche Scheidung und Abgrenzung der beiderseitigen Einfluß-Sphären zustande: bestimmte Banken errangen eine absolute Vorherrschaft über diese oder jene Industrie. Industrielle Unternehmer, die äußerlich eine große Rolle spielten, waren manchmal nichts anderes als Vollzugsorgane einer großen Bank. Die Bankiers und Industriellen bildeten die führende Schicht des deutschen Bürgertums, die sich – in ihren besseren Teilen – die Devise »Mehr sein als scheinen« zum Grundsatz gemacht hatte.

Der Außenhandel

Der Außenhandel des Reiches wuchs zwischen 1871 und 1914 gewaltig an: Das Reich erlangte wirtschaftlich die Stellung einer Weltmacht; Deutschland war nach England die zweitgrößte Handelsmacht der Erde.

Statistische Zahlen verdeutlichen diese Entwicklung:

Deutschlands Anteil am Welthandel   in Millionen Mark

1870	4 240
1880	5 976
1890	7 472
1900	10 376

Deutscher Export:

1872	im Werte von	2 492 195 000 Mark
1902	im Werte von	4 812 833 000 Mark
1910	im Werte von	7 474 700 000 Mark
1913	im Werte von	10 097 000 000 Mark

Deutscher Import:

1872	im Werte von	3 464 622 000 Mark
1902	im Werte von	5 805 776 000 Mark
1910	im Werte von	8 934 100 000 Mark
1913	im Werte von	10 770 000 000 Mark

Einfuhr von Nahrungsmitteln:

1890	1,4 Milliarden Mark
1913	3,0 Milliarden Mark

Einfuhr von Rohstoffen:

> 1890   1,8 Milliarden Mark
> 1913   5,0 Milliarden Mark

Während noch im Jahre 1876 Franz Reuleaux, der deutsche Reichskommissar bei der Welt-ausstellung von Philadelphia, die deutschen Erzeugnisse als »billig, aber schlecht« bezeichnete, stachen die deutschen Waren später durch ausgesprochene Qualität hervor. »Made in Germany« wurde, wie erwähnt, zum Qualitätsbegriff; der deutsche Export erwies sich als anpassungsfähig und vielseitig. Es ist schon darauf verwiesen worden, daß die deutsche Industrie gern der Tendenz folgte, die Preise im Inland relativ zu überhöhen und dafür die Preise der Exportwaren zu senken, um der ausländischen Konkurrenz möglichst die Stirn bieten zu können. Man führte Rohstoffe, trotz des Rückgangs der Landwirtschaft selbst Lebensmittel (Getreide), Halb- und Fertigwaren aus. Man exportierte besonders die berühmten deutschen Waren, in deren Produktion Deutschland führend war, also u. a. Stahlwaren, chemische (u. a. Farben) und optische Artikel und Arzneimittel.

Man importierte ausländische Rohstoffe (z. B. Baumwolle), verarbeitete sie zu Fertigwaren und exportierte die Produkte. In Deutschland wurden z. B. »echtes« chinesisches Porzellan und »echte« orientalische Gewebe (darunter Teppiche) hergestellt und exportiert. Nach einer allmählich ab-flauenden Depression zwischen 1873 und etwa 1896 gelangte man wieder in eine Zeit der Hoch-konjunktur. Es gab in dieser Phase der Hochkonjunktur faktisch keine Arbeitslosigkeit in Deutsch-land, ja, wie verschiedentlich erwähnt, man warb ausländische Arbeiter an, vorzüglich für die Landwirtschaft; von diesen wanderten jedoch viele zur Industrie ab.

Der Markt der deutschen Exportwaren war besonders Europa, in erster Linie die unmittelbaren Nachbarländer des Reiches. Die Wirtschaftsstrukturen Deutschlands und Englands ergänzten sich in vielem: Einer war ein guter Abnehmer des anderen – und aus wirtschaftlichen Gründen hätte es nicht zum Krieg zwischen den beiden Staaten zu kommen brauchen. Dennoch war die Stimmung in Deutschland gegenüber England schlecht, sowohl auf seiten der deutschen Agrarier, die grollten, daß England Nahrungsmittel aus anderen Ländern bezog, als auch auf seiten der deutschen In-dustrie, die in England den stärksten Konkurrenten auf den ausländischen Märkten erblickte.

Die wirtschaftlichen Beziehungen zu Rußland waren belastet durch das russische Bestreben, Getreide nach Deutschland zu exportieren. Um 1893 kam es zu einem »Zollkrieg« mit Rußland, und der deutsche Handelsvertrag mit Rußland von 1904 erschien den Russen als sehr ungünstig: Er verschärfte die antideutsche Stimmung im Zarenreich.

Nicht zuletzt durch seinen ansehnlichen Export verfügte das Reich über hohe Auslandsguthaben – im Jahre 1914 rund 31 Milliarden Mark Auslandskapital –, die während des Ersten Weltkrieges von den Feindstaaten gesperrt bzw. beschlagnahmt wurden.

Die Handelsbilanz des Reiches war passiv. Die deutsche Landwirtschaft hat zwar Getreide exportiert (auch nach England), und sie suchte bis 1914 zu exportieren; ungeachtet dessen war Deutschland schon in der Friedenszeit gezwungen, immer mehr Lebensmittel einzuführen, und zwar von den einfachsten Nahrungsmitteln (Getreide, Zucker usw.) bis zu Luxusartikeln und selbstver-ständlich Kolonialwaren, da die eigenen Kolonien zur Deckung des Bedarfs bei weitem nicht aus-reichten. Diese Abhängigkeit von der Einfuhr fremder Nahrungsmittel wurde während des Krieges als besonders gravierend empfunden, da man lediglich aus wenigen benachbarten Kleinstaaten noch importieren konnte.

DIE WISSENSCHAFTEN

Die Epoche von 1871 bis 1914 kann trotz mancher unausbleiblicher Schattenseiten eine Blütezeit der deutschen Wissenschaft genannt werden. In einzelnen Sparten stand Deutschland an der Spitze, in vielen anderen Disziplinen nahm es mindestens den gleichen Rang wie die bedeutendsten Kulturnationen Europas ein. Deutschland stellte von 1901 bis 1918 allein 18 Nobelpreisträger in den Gebieten Physik, Chemie und Medizin. Manche Gelehrte dieser Disziplinen forschten vor 1918, erhielten aber erst nach 1918 den Nobelpreis für ihre Leistungen.

Es ist in diesem Rahmen unmöglich, über die Forschung in sämtlichen Wissenschaftszweigen zu berichten und deren zahlreiche Vertreter in der deutschen Gelehrtenwelt zu charakterisieren. Einzelne Wissenschaften mußten kürzer behandelt werden, als sie es nach ihrer Bedeutung verdienen. Andere Wissenschaften mußten überhaupt ausgelassen werden. Der Verfasser ist sich der Lücken dieses Kapitels bewußt.

Überblick

Die Jahrzehnte vor 1914 waren noch die Zeit eines freien Gelehrtentums, in der allein der eigene Forschungsdrang und persönliches Prestigestreben den Antrieb zu wissenschaftlichen Leistungen bildeten; der Wissenschaftler erarbeitete noch nicht im heutigen Sinne im Auftrag staatlicher oder industrieller Institutionen eng zweckgebundene Auftragswerke. Freilich war auch damals die wissenschaftliche Laufbahn oftmals von Zufällen abhängig – Berufungen oder Ehrungen waren keineswegs immer das Resultat effizienter wissenschaftlicher Arbeit. So kam es, daß die Leistungen mancher großen Forscher erst nach dem Tode der Gelehrten die verdiente Anerkennung fanden; andere – nicht selten sehr eitle – Gelehrte dagegen, die es verstanden hatten, sich zu Lebzeiten einen Platz in der ersten Reihe der Wissenschaftler zu sichern, fielen nach ihrem Ableben sehr rasch der Vergessenheit anheim.

Charakteristisch für die Zeit war der Gegensatz zwischen den Vertretern der Geisteswissenschaften und den Professoren, die die neuen Disziplinen in Naturwissenschaften und Technik vertraten. Jene verteidigten ihre alte Stellung und pochten auf ihre akademischen Traditionen, diese setzten dem den praxisbezogeneren und für die modernen Entwicklungen nützlicheren Gehalt ihrer Fächer entgegen. Nicht zu Unrecht, wie die steigenden Hörerzahlen bewiesen. Die öffentlichen Vorlesungen des Physikers Hermann von Helmholtz etwa hatten großen Zulauf, und als Emil du Bois-Reymond in Berlin Vorträge über die Fortschritte in der Naturerkenntnis hielt, hatte er »eine vielhundertköpfige Zuhörermenge. Man saß zusammengepfercht auf den Bänken, man stand eingekeilt in den Gängen«. Während bei den Vertretern der Geisteswissenschaften der »Tanz um das Goldene Kalb«, das Rangeln um Honorare und Subventionen als etwas Unziemliches galt, suchten – was verständlich war – Chemiker, Physiker und Nationalökonomen mehr und mehr die Verbindung mit der Industrie und mit großen Männern der Wirtschaft und trachteten, in ihren Forschungen finanziell unterstützt oder nachträglich honoriert zu werden.

Die Wissenschaften wurden immer stärker in Teilgebiete aufgefächert, für die es Spezialisten gab; dementsprechend stieg die Zahl der Lehrstühle und Institute an den Universitäten. Dieses Spezialistentum stieß mancherorts auf Kritik: die Gelehrten, so hieß es, würden zu »Kärrnern« der Wissenschaft, zu geschäftigen Kleinarbeitern; ihr Selbstbewußtsein stehe in keinem Verhältnis zu ihrem engen Horizont. Auch der Historismus, der allerdings im Abflauen war, wurde verurteilt; man warf ihm – nicht immer ganz zutreffend – vor, daß er jede Wissenschaftsdisziplin nur unter historischem Aspekt betrachte, beispielsweise statt wissenschaftlicher Sprachforschung eine »Geschichte der Sprachen« betreibe.

Ohne Frage war in dieser Epoche die Freiheit der Forschung weitgehend erreicht, der Mitspracheanspruch der christlichen Kirchen zurückgewiesen worden. Kritische Stimmen bemängelten indessen die wachsende Allmacht des Staates, der zudem den Professor ungebührlich beanspruche, wenn er von ihm Lehre, Forschung und Verwaltungsarbeit zugleich verlange. Die Auffassung, daß Lehre und Forschung, die Erziehung der akademischen Jugend, eine nationale und patriotische Aufgabe seien, war vielfach verbreitet, besonders unter konservativen Kreisen. Kritik am Hochschulwesen ging dagegen viel von den Linksliberalen und den Sozialdemokraten aus, denen die Professoren zu »verbürgerlicht« waren. Sie unterstützten die »Rebellen« der Wissenschaft, die alte Dogmen in dieser oder jener Wissenschaft stürzen wollten und die den »Einbruch« des Liberalismus und Materialismus in die Wissenschaft begrüßten. In diesem Zusammenhang muß noch einmal an die von der Sozialdemokratie angestrebte Popularisierung der Wissenschaften erinnert werden. So verdienstvoll diese Absicht war, so war sie doch nicht frei von Problematik: Die Flut von leicht verständlichen Schriften, die die Ergebnisse der wissenschaftlichen Forschungen dem breiten Publikum darbieten sollten, tat dies oft in zu vereinfachender Form, zudem waren manche Thesen häufig schon längst ins Wanken geraten, während sie noch immer als letzte Erkenntnis der Wissenschaften verbreitet wurden. Nietzsche sah in dieser Popularisierung der Forschungsergebnisse »nur das berüchtigte Zuschneiden des Rocks der Wissenschaft auf den Leib des gemischten Publikums«.

Neben den Universitäten und anderen Hochschulen gab es gelehrte Gesellschaften, Akademien der Wissenschaften, Kommissionen, Beobachtungsstationen und wissenschaftliche Institute (auch im Ausland) in großer Zahl. Bereits im Jahre 1858 entstand z. B. auf Anregung Rankes die Historische Kommission der Bayerischen Akademie der Wissenschaften, im Jahre 1911 wurde die Kaiser-Wilhelm-Gesellschaft zur Förderung der Wissenschaften in Berlin gegründet. Wilhelm II. hat sich auf diesem Gebiet unleugbare Verdienste erworben; auf seine Anregung kam z. B. das große Sammelwerk »Die Kultur der Gegenwart«, hg. von Paul Hinneberg, heraus. Die genannten und andere Organisationen förderten Studienreisen oder Ausgrabungen, insbesondere aber veröffentlichten sie die Erträge ihrer Arbeit in Sammelwerken, immer neuen Zeitschriften, Lexika, Enzyklopädien, »thesauri«, Katalogen, Bibliographien und riesigen Editionen, deren Publikation sich über Jahrzehnte erstreckte. Manche dieser an Zeit und Geld außerordentlich aufwendigen Werke mußten sich den Vorwurf gefallen lassen, quasi »unter Ausschluß der Öffentlichkeit« verfaßt und gedruckt zu werden und nur für einen kleinen Kreis von Forschern bestimmt zu sein. Man bekomme nunmehr auch bei geisteswissenschaftlichen Werken »den Laboratoriumsgeruch in die Nase«, hieß es spöttisch.

An diesen wissenschaftlichen Großunternehmungen arbeiteten sich ablösende, relativ starke Teams von jungen Gelehrten. Dies brachte für den jungen Wissenschaftler Vorteile und Nachteile: Einerseits erhielt er als junger Mann früh ein Stipendium oder ein Gehalt, anderseits drohte sein Name in einer großen Liste von anderen Mitarbeitern zu versinken; er konnte nicht als selbständiger Forscher auftreten. Es gab auch wissenschaftliche Richtungen, die diktatorisch ihre Lehrmeinungen verkündeten und an ihnen festhielten. Ein junger Wissenschaftler durfte dann nicht ohne Gefahr für seine Karriere aus der Reihe tanzen. Man begann allerdings, wie in vielen anderen Sparten, vor 1914 die alte Selbstsicherheit mehr und mehr einzubüßen. Manche wissenschaftlichen Thesen oder gar Sätze, die als Dogmen gegolten hatten, wurden angezweifelt und nicht mehr als unumstößlich betrachtet.

Es ergibt eine recht aufschlußreiche Bilanz, wenn man die Nobelpreisträger des deutschen Volkes von 1901 bis 1925 einmal Revue passieren läßt. Den angesehensten internationalen Preis erhielten: W. C. Röntgen, München (Physik, 1901), E. v. Behring, Marburg (Medizin, 1901), E. Fischer, Berlin (Chemie, 1902), Th. Mommsen, Berlin (Literatur, 1902), P. Lenard, Heidelberg (Physik, 1905), A. v. Baeyer, München (Chemie, 1905), R. Koch, Berlin (Medizin, 1905), E. Buchner, Berlin (Chemie, 1907), P. Ehrlich, Frankfurt (Medizin, 1908), R. Eucken, Jena (Literatur, 1908), F. Braun, Straßburg (Physik, 1909), W. Ostwald, Leipzig (Chemie, 1909), O. Wallach, Göttingen (Chemie, 1910), A. Kossel, Heidelberg (Medizin, 1910), P. Heyse, München (Literatur, 1910), W. Wien, Würzburg (Physik, 1911), G. Hauptmann, Agnetendorf/Schlesien (Literatur, 1912), M. v. Laue, Frankfurt (Physik, 1914), R. Willstätter, München (Chemie, 1915), M. Planck, Berlin (Physik, 1918), F. Haber, Berlin (Chemie, 1918); einige Forscher schufen ihre entscheidenden Arbeiten bereits vor 1918, sie erhielten aber erst nach 1918 den Nobelpreis: J. Stark, Greifswald (Physik, 1919), W. Nernst, Berlin (Chemie, 1920), A. Einstein, Berlin (Physik, 1921), O. Meyerhof, Kiel (Medizin, 1922), F. Pregl, Graz (Chemie, 1923), J. Franck, Göttingen (Physik, 1925), G. Hertz, Halle (Physik, 1925), R. Zsigmondy, Göttingen (Chemie 1925).

Einzelne Wissenschaften

In der katholischen *Theologie* gelang es der Kirche, ihren Einfluß auf die meisten Gelehrten zu behaupten. Der katholische Theologe stand mehr als der protestantische vor dem Problem: Dogma und Wissenschaft – Dogma oder Wissenschaft? Der Kirchenhistoriker Ignaz Döllinger in München glaubte, auf Grund seiner Forschungen das Dogma von der Unfehlbarkeit des Papstes in geistlichen Dingen nicht anerkennen zu können (nach 1870). Nur sehr wenige Gelehrte folgten ihm darin offen, wenn auch bei vielen die Unterwerfung unter das Dogma nur ein äußerliches Lippenbekenntnis gewesen sein dürfte. Fast alle haben nach 1907/10 den Antimodernisteneid geleistet. Wer es nicht tat, wie der bekannte Historiker Josef Schnitzer (München), galt nicht mehr als legaler Priester. Rom hat allerdings manche Katholiken durch Dispense von der Ablegung des Eides befreit, um sie nicht in eine schwierige Situation inmitten weltlicher Kollegen an derselben Universität zu bringen. Die kirchlichen Stellen haben überhaupt hier und da ein Auge zugedrückt, und wenn sie die Forscher in den eigenen Reihen zwangen, sich von Teilen der Lehren Darwins und Haeckels deutlich zu distanzieren, so dürften sie damit fast immer offene Türen eingerannt haben. Einige liberale Theologen scheuten trotz mancher Skepsis den Bruch mit der Kirche, und später gab es sogar eine orthodoxe Schule der Neuscholastik, der auch einige Kirchenhistoriker nahestanden (Heinrich Denifle, Franz Ehrle, Martin Grabmann). Der berühmte Sebastian Merkle war zwar Anhänger einer aufgeklärten Geschichtsforschung, suchte aber dennoch den von der Kirche gesteckten Rahmen nicht zu verlassen.

Hingegen war innerhalb der protestantischen Kirche Deutschlands dem Liberalismus Tür und Tor geöffnet, so daß schon von einer Säkularisierung der Theologie gesprochen wurde. Bei manchen Theologen blieb z. B. von der Göttlichkeit Jesu Christi nicht mehr sehr viel übrig, ein Ergebnis, das innerhalb der katholischen Kirche und Theologie undenkbar gewesen wäre. Der bedeutendste Vertreter der protestantischen theologischen Wissenschaft war Adolf v. Harnack, der eine bedeutende Position innehatte und von Kaiser Wilhelm II. sehr geschätzt wurde. Andere liberale protestantische Theologen waren Friedrich Delitzsch, Hermann Gunkel, Heinrich Holtzmann, Theodor Keim und Julius Wellhausen.

Führer der protestantischen theologischen Forschung war Albrecht Ritschl mit zahlreichen Schülern, darunter W. Herrmann, deren Richtung von den »Altgläubigen« für eine gefährliche Aushöhlung der protestantischen Kirche gehalten wurde. Die Gegenspieler auf der »Rechten« waren die Theologen Frank und Chr. E. Luthardt.

Zur Reihe der namhaften protestantischen Forscher gehörten Feine, Heim, Jeremias, Jordan, Seeberg und Sellin. Das Haupt der kirchlich-geschichtlichen Schule war neben Harnack Ernst Troeltsch, der erklärte, »daß jede konsequente historische Forschung die bisherige christliche Dogmatik aufhebe und zu einer völligen Umgestaltung und Neubegründung einer christlich bestimmten Weltanschauung auf philosophischer Grundlage nötige«.

Die *Philosophie* hatte ihre klassische Periode hinter sich. Der Philosoph, dessen Lehre über seinen Tod (1900) hinaus die größte Wirkung erzielte, war Friedrich Nietzsche (vgl. den Abschnitt S. 247). Dagegen sind die meisten, zum Teil in ihrer Zeit berühmten Philosophen und Lehrstuhlinhaber heute weitgehend vergessen. Vertreter des jüngeren Materialismus waren Ludwig Büchner (dessen berühmtes Werk »Kraft und Stoff« schon 1855 erschien), Emil Dubois-Reymond, Eugen Düring, Ludwig Knapp und Karl Vogt. Eine eigene Stellung nahmen die von jeder Konfession abgewandten Ludwig Feuerbach und David Friedrich Strauss (»Der alte und der neue Glaube«, 1872) ein. Dem Materialismus war der Positivismus verwandt. Die Pflege der Naturwissenschaften und die philosophische Richtung des Materialismus führten zum Monismus – Richtungen, die vom Darwinismus her viele Anregungen empfingen. Darwins Fortsetzer in Deutschland war Ernst Haeckel; sein Buch »Die Welträtsel« erschien im Jahre 1899. Aber schon vor 1914 rückte man von Darwin, Haeckel, den anderen Darwinisten und der zu engen Verbindung naturwissenschaftlicher Forschung mit der Philosophie ab. Haeckel überlebte sich selbst.

Gegen die Überbetonung der Naturwissenschaften und die materialistische Richtung in der Philosophie erhob sich eine Opposition: Die eine Gegenrichtung stellten die Neukantianer (Richard

Avenarius, Hermann Cohen, Karl Göring, Ernst Laas, Friedrich Albert Lange, Otto Liebmann, Paul Natorp, Heinrich Rickert, Alois Riehl, Christian Sigwart und Wilhelm Windelband); eine andere die Herbartianer (Nachfolger des Johann Friedrich Herbart). Diesen standen zum Teil Gustav Theodor Fechner und Rudolf Eucken (1908 Nobelpreis) nahe. Für die Verbindung der Geistes- und nicht der Naturwissenschaften mit der Philosophie kämpfte der berühmte Wilhelm Dilthey; auch Eucken, Münsterberg, Rickert, Windelband und W. Wundt postulierten eine Philosophie des Geistes.

Einer der bedeutendsten Philosophen jener Zeit und Schüler Schopenhauers war Eduard v. Hartmann; Hans Driesch lehrte den sogenannten Neovitalismus. Eduard Husserl machte sich einen Namen als Begründer der Phänomenologie, und in der Philosophie der Ethik traten Franz Brentano und Max Scheler hervor (auch Cohen, Unold und Wundt). Das Mit- und Gegeneinander von Seele und Geist erforschte Ludwig Klages, auf den man in der nationalsozialistischen Ära zurückgriff. Wilhelm Windelbands Philosophie der Werte und die Lehre vom »Absoluten als Gesetz« der Marburger Schule (Cohen, Natorp) machten seinerzeit Aufsehen. Unter den Geschichtsphilosophen sind Oswald Spengler, dessen »Untergang des Abendlandes« erst 1922 erschien, und Ernst Troeltsch zu nennen.

Eine Reihe von Gelehrten widmete sich der Geschichte der Philosophie (Adicke, Bäumker, Cohen, Deussen, Dyroff, B. Erdmann, Eucken, K. Fischer, Th. Gomperz, Hertling, H. Maier, Natorp, Riehl, Vaihinger, Volkelt, Windelband, E. Zeller). Weitere Akzente in der Philosophie jener Zeit setzten Jakob Friedrich Fries, Karl Christian Planck, Georg Simmel, Eduard Spranger und Rudolf Steiner. Als Forscher in der *experimentellen Pädagogik* ist E. Meumann hervorzuheben.

Neue Methoden in der *vergleichenden Sprachwissenschaft* (Laut- und Sprachgesetze) fanden Franz Bopp, Karl Brugmann und Eduard Sievers.

Meister der *klassischen Archäologie* waren Heinrich Schliemann, der sein Privatvermögen in spektakuläre Ausgrabungen investierte (Troja, Mykenä, Ithaka, Orchomenos, Tiryns), ferner Karl Humann und Wilhelm Dörpfeld, der Wilhelm II. bei seinen Ausgrabungen auf Korfu unterstützte. Weitere erfolgreiche Ausgrabungen wurden in Pergamon, Priene und Milet vorgenommen.

Unter den Erforschern des klassischen Altertums ragen die Historiker Eduard Meyer, Theodor Mommsen und der Philologe Ulrich v. Wilamowitz-Möllendorf hervor, daneben auch Wilhelm Meyer und Ludwig Traube. Ein großer Aufgabenbereich fiel der *Germanistik* zu, in der sich eine neue, an den Naturwissenschaften orientierte Methodik durchzusetzen begann: Man bemühte sich um unvoreingenommene, faktenbezogene und wissenschaftlich-kritische Sprach- und Literaturforschung. Zu den Arbeiten, mit denen man jetzt begann, gehörten Studien in Phonetik, eine zusammenfassende moderne Grammatik (W. Wilmanns), ein deutscher Sprachatlas (G. Wenker), eine Lexikographie der Mundarten, Wörterbücher der Sprachen und Mundarten deutscher Stämme sowie die kritische Edition von Werken deutscher Dichter des Mittelalters und der Neuzeit.

In der deutschen Altertumskunde und in der alt- und mittelhochdeutschen Philologie wurden Karl Müllenhoff, Wilhelm Braune und Hermann Paul bekannt, sowie Moritz Heyne, Rochus v. Liliencron, Anton E. Schönbach und Edward Schröder. Es wurde damals als eine heikle Frage empfunden, wieweit ein Literarhistoriker in der Darstellung und Wertung der deutschen Dichtung über den Tod Goethes hinaus, wieweit er bis zum Ende des 19. oder gar bis zum Beginn des

179. Die letzte Aufnahme des Historikers
und Altertumsforschers Theodor Mommsen
kurz vor seinem Tode

20. Jahrhunderts vordringen durfte. Die Behandlung der neuesten Zeit galt bei einer guten Zahl der damaligen Gelehrten als nicht mehr seriös.

Eine große Rolle spielte der Germanist Erich Schmidt, den Wilhelm II. sehr schätzte. Die deutschen Literaturgeschichten von Wilhelm Scherer und Oskar Walzel fanden Anerkennung und Verbreitung: eine literaturgeschichtliche Darstellung der damals neuesten Entwicklung schrieb Albert Soergel. Zu erwähnen sind noch die bedeutenden Germanisten Friedrich Gundolf, Berthold Litzmann, Jakob Minor und August Sauer. Max Herrmann war der erste, der dem Fach Theaterwissenschaft Konturen gab.

Die *Anglistik* war in einem raschen Aufstieg begriffen: Ihre Forschungen mußten sich jetzt auch auf die englischsprechenden Teile Amerikas erstrecken; eine Reihe von neuen anglistischen Instituten wurde an den Universitäten gegründet. Gerade die deutschen Anglisten haben sich um die Shakespeareforschung verdient gemacht. Aber auch engere Probleme wurden behandelt: Alois Brandl hat z. B. Dialekt- und andere Sprachstudien im Kontakt mit englischen Kriegsgefangenen während des

Ersten Weltkrieges unternommen. Ungeachtet der politischen Spannungen wuchs das Interesse an England, dessen Sprache und Geschichte Gegenstand einer großen Zahl von Vorlesungen war. Als namhafte Anglisten sind außer Brandl Bülbring, Luick, Morsbach und Ed. Sievers (der auch germanistisch arbeitete) zu nennen.

Die *romanische Philologie* in Deutschland blieb unbelastet von der sogenannten deutsch-französischen »Erbfeindschaft«. Es bestanden zahlreiche enge Beziehungen zu französischen Gelehrten. Einer der berühmtesten deutschen Romanisten war Karl Vossler, dessen Werke z. T. noch heute als grundlegend betrachtet werden. Weitere bedeutende Vertreter dieses Faches waren Baist, Birch-Hirschfeld, Fr. Diez, W. Foerster, G. Gröber, Horning, Levy, Meyer-Lübke, Morf, H. Schneegans, Schuchhardt, Schwan-Behrens, K. Vollmöller und K. Voretzsch.

Der Aufschwung der *Orientalistik* war beachtlich: Die Forschungen deutscher Orientalisten bezogen sich auf den Vorderen Orient, auf Afrika, Ostindien (Sanskrit – Friedrich Max Müller), auf Mittel- und Ostasien bis hin zum Pazifik. Die Türkei und ihr altes Staatsgebiet waren durch das gute Einvernehmen mit dem Deutschen Reich und den Plan zum Bau der Bagdadbahn in den Blickpunkt des allgemeinen Interesses gerückt. Neue Lehrstühle, darunter nun auch solche für Sinologie, wurden geschaffen. Die Forschungen umfaßten Sprachen, Ausgrabungen, die Erschließung schriftlicher Quellen und die Religionsgeschichte; namhafte deutsche Orientalisten waren u. a. C. H. Becker und O. Franke.

Slawistische Forschungen wurden oft von deutschsprechenden und -schreibenden Gelehrten betrieben, die selbst slawischer Abstammung waren. Solche Männer wirkten vor allem in der österreichisch-ungarischen Monarchie. Dem ständig steigenden Interesse an russischer Literatur und Geschichte trug u. a. Theodor Schiemann mit seiner Geschichte Rußlands Rechnung.

Die *Kunstgeschichte* hatte sich in den siebziger Jahren des vorigen Jahrhunderts endgültig als selbständige geisteswissenschaftliche Disziplin durchgesetzt. Nachdem sich lange der Einfluß Jacob Burckhardts ausgeprägt hatte, setzte sich gegen Ende des 19. Jahrhunderts eine Betrachtungsweise durch, die das Hauptaugenmerk auf formale Kriterien legte; wichtigster Vertreter und eigentlicher Initiator dieser Richtung war Heinrich Wölfflin, neben ihm Alois Riegl und Franz Wickhoff. Stärker den geistesgeschichtlichen Aspekt betonten Max Dvořák und seine Schule. – Die Zahl der Lehrstühle für Kunstgeschichte an den Universitäten nahm ständig zu, und mit ihr wuchs die Reihe namhafter Kunsthistoriker, von denen manche auch als Museumsdirektoren tätig waren. Neben den schon genannten seien erwähnt: Wilhelm v. Bode, Georg Dehio, Rudolf Eitelberger, Hermann Grimm, Friedrich Haack, Carl Justi, Alfred Lichtwark, Wilhelm Lübke, Wilhelm Pinder, Julius v. Schlosser, Max Semrau, Anton Springer.

Auch die Begründung der *Musikwissenschaft* als Lehrfach an den Universitäten fällt in den hier behandelten Zeitraum. Das deutschsprachige Gebiet, Heimat vieler großer Komponisten, bot für diesen Bereich große Aufgaben: es gab eine Vielzahl schlecht gedruckter oder ungedruckter Kompositionen, Denkmäler der Tonkunst großer Meister, die es in einwandfreien Ausgaben zu edieren galt. Es waren Spezialzeitschriften zu gründen, die Musikgeschichte harrte der Erforschung. Musiklehre und Musikgeschichte verband Hugo Riemann in seinem Werk, der Historismus machte sich geltend in den Forschungen W. Gurlitts, der sich für die Verwendung alter Instrumente einsetzte. Zu den führenden Musikhistorikern jener Zeit gehörten ferner Guido Adler, Friedrich Chrysander, Rochus v. Liliencron, Hermann Kretschmar und Philipp Spitta.

Die *Volkskunde* verfügte nur über wenige Vertreter oder gar Lehrstühle. Der große Altmeister dieser Wissenschaft war Wilhelm Heinrich Riehl, der mit der Fülle seiner Werke vielfältige Anregungen gab. Karl Weinhold gründete um 1891 die Gesellschaft für Deutsche Volkskunde, deren Zeitschrift später von Johann Bolte geleitet wurde. Er gab damit den Anstoß zur Gründung einer ganzen Reihe von volkskundlichen Vereinen, die sich 1904 im »Verband deutscher Vereine für Volkskunde« zusammenschlossen. Lange Zeit fehlten diesem Fach die wissenschaftlichen Grundlagen, eine Definition und die Abgrenzung gegenüber den historischen Disziplinen. Oftmals und nicht immer zu ihrem Vorteil verband sich mit ihr der Begriff der »Heimatforschung«, deren Anhänger zwar über viel guten Willen verfügten, aber häufig zu wenig wissenschaftliche Qualifikation mitbrachten. Zweifellos hat sich die Volkskunde Verdienste in der Erforschung bäuerlicher Lebensformen erworben, die sie registrierte und deren historischer Entwicklung sie nachging, bevor sie endgültig verschwanden. Auf der anderen Seite hat sie der städtischen Bevölkerung zu wenig Aufmerksamkeit geschenkt.

Heinrich v. Srbik behandelt in seiner großen deutschen Historiographie in der Nachbarschaft der Volkskunde auch die *Rassenlehre,* ein unerschöpfliches, aber durch die nationalsozialistischen Verzerrungen sehr heikles, ja verfemtes Thema. Auch hier waren die Grenzen der Wissenschaft verschwommen. Zu den deutschen Gelehrten, die sich im 19. Jahrhundert mit der Rassenkunde beschäftigten, gehören Johann Friedrich Blumenbach, Carl Gustav Darus, Gustav Klemm, Wolfgang Menzel, Ludwig Schemann und Ludwig Woltmann. Das Werk von Arthur Graf Gobineau hat viele deutsche Forscher beeinflußt, nicht minder Houston Stewart Chamberlains »Grundlagen des 19. Jahrhunderts« (1899). Chamberlain war der Schwiegersohn Richard Wagners und genoß die Atmosphäre des Hauses Wahnfried in Bayreuth; Wilhelm II. gehörte zu seinen Anhängern. Gemeinsam war diesen Rassentheoretikern, zu denen auch Paul de Lagarde und Hans F. K. Günther gehörten, die bedenkliche These von der Überlegenheit der germanischen Rasse, verbunden mit einem stark ausgeprägten Antisemitismus, den man wissenschaftlich zu kaschieren suchte.

Die Zeit von 1871 bis 1918 ist nicht zuletzt für die deutsche *Geschichtsschreibung* und die Forschung in verwandten oder benachbarten Wissenschaftszweigen eine Zeit des Aufschwunges gewesen, wie es sie vorher und auch danach nicht mehr gegeben hat. Srbik behandelt in seinem großen Werk »Geist und Geschichte vom deutschen Humanismus bis zur Gegenwart« allein rund 240 Historiker dieser Periode. Um einen Überblick zu gewinnen, sei es zunächst gestattet, der Kapitelfolge Srbiks entsprechend die wichtigsten Gelehrten und Unternehmen zu nennen, die in den dort charakterisierten Sparten der Forschung vorkommen:

»Der Aufstieg der deutschen Geisteswissenschaften« (u. a. der Althistoriker Ernst Curtius); »Geschichte des deutschen Mittelalters« (Arbeit an den Monumenta Germaniae Historica und Regesta Imperii); »Die Reife der kritischen Mittelalterforschung und das Anwachsen der Hilfswissenschaften« (Harry Bresslau, Julius v. Ficker, Wilhelm v. Giesebrecht, Georg Heinrich Pertz, Theodor v. Sickel, Georg Waitz, Wilhelm Wattenbach. Zur Rechtsgeschichte: Heinrich Brunner, Richard

Schröder, Karl Zeumer); »Leopold v. Ranke«; »Kulturgeschichte im Bund mit der politischen Geschichte« (Ferdinand Gregorovius, Heinrich Leo, Alfred v. Reumont); »Altliberale politische Doktrin und Übergang zum politischen Realismus« (Georg Gottfried Gervinus); »Der kleindeutsche nationalstaatliche Realismus« (u. a. Johann Gustav Droysen, Max Duncker, Heinrich v. Sybel, Heinrich v. Treitschke); »Der Wiederbeginn wissenschaftlichen Ebenmaßes und die Ranke-Renaissance im Zweiten Deutschen Reich« (Erich Brandenburg, Hans Delbrück, Alfred Dove, Bernhard Erdmannsdörffer, Karl Hampe, Otto Hintze, Reinhold Koser, Max Lehmann, Max Lenz, Erich Marcks, Hermann Oncken, Moritz Ritter, Dietrich Schäfer. Für Bayern: Karl Theodor v. Heigel, Sigmund v. Riezler); »Die katholische und großdeutsche Geschichtsschreibung im Deutschen Bund und im Zweiten Reich« (Ignaz Döllinger, Julius v. Ficker, Heinrich Finke, Constantin Frantz, Hermann v. Grauert, Johannes Janssen, Onno Klopp, Ludwig v. Pastor, Aloys Schulte); »Historiographie in Österreich« (Alfred v. Arneth, Hermann Ignaz Bidermann, Alfons Dopsch, August Fournier, Heinrich Friedjung, Anton Gindely, Ottokar Lorenz, Oswald Redlich, Anton Springer, Heinrich v. Srbik, Hans v. Zwiedineck-Südenhorst); »Die Realistik in der Geschichte des Altertums« (Eduard Meyer, Theodor Mommsen); »Die idealistisch-künstlerische Bildhaftigkeit in der deutschen Kulturgeschichtsschreibung« (Friedrich v. Bezold, Jacob Burckhardt, Gustav Freytag, Walter Goetz, Eberhard Gothein, Paul Joachimsen, Wilhelm Heinrich Riehl, Georg Steinhausen); »Die ökonomische (materialistische) Geschichtsauffassung, die Wirtschafts- und Verfassungsgeschichte, die Soziologie« (Georg v. Below, Gustav Schmoller, Werner Sombart, Max Weber); »Naturalismus und Positivismus« (Kurt Breysig, Karl Lamprecht); im Kapitel über historische Kulturmorphologie führt Srbik unter anderen Stefan George in seiner Einwirkung auf die Geschichtswissenschaft und Oswald Spengler an. – Soweit eine Übersichtsskizze nach Srbik.

Die deutsche Geschichtsschreibung befand sich in den Jahren nach 1871 zunächst nahezu vollständig im Banne der Reichsgründung und Wiedergewinnung der nationalen Einheit unter preußischer Vorherrschaft. Es schien, wie Srbik sich ausdrückte, der kleindeutsche nationalstaatliche Realismus zu siegen. Die Hauptwerke dieser Richtung waren Heinrich v. Treitschkes »Deutsche Geschichte im 19. Jahrhundert« (1879–1894) und Heinrich v. Sybels »Begründung des Deutschen Reiches durch Wilhelm I.« (1889–1894). Sybel, früher ein Gegner Bismarcks, wandelte sich angesichts des Bismarckschen Erfolges zu seinem Anhänger und lieferte die offizielle Darstellung für die der Reichsgründung vorangehenden Ereignisse. Bismarck öffnete ihm die Archive, und so konnte Sybel ausführlich die diplomatischen Verhandlungen schildern und daran eine Darstellung der kriegerischen Ereignisse schließen.

Brillanter geschrieben und trotz aller nationalen Voreingenommenheit noch heute interessant ist Treitschkes großes Werk, in dem er den Versuch unternahm, die deutsche Geschichte als eine konsequente Entwicklung zu schildern, an deren Endpunkt die Reichsgründung stand. Es blieb unvollendet; im Jahre 1847 bricht die Darstellung ab. – Zu nennen ist als Historiograph des brandenburgischen Hauses daneben Johann Gustav Droysen, der freilich auch bedeutende, bis heute lesenswerte Werke zur alten Geschichte geschrieben hat.

Die alte großdeutsche Geschichtsschreibung stand gegenüber den »Kleindeutschen« auf verlorenem Posten, und Forscher wie Onno Klopp schienen nur mehr Denkmäler aus vergangener Zeit zu sein. Die österreichischen Historiker widmeten sich nun vor allem der Geschichte des Habsburgerstaates, eine gesamtdeutsche Geschichtsauffassung im alten Sinne verschwand. Nur Constantin Frantz und der bayerische Politiker Josef Edmund Jörg waren gegen den über seine alten Grenzen hinausbrandenden zentralistisch regierten Machtstaat unter preußischer Führung eingestellt. Frantz trat für ein föderalistisches Staatensystem in der Mitte Europas ein: nur eine unter sich einige europäische Föderation könne gegenüber den bedenklich emporwachsenden wirklichen Großmächten, gegenüber den USA, England und Rußland, bestehen.

Der kleindeutsche nationalstaatliche Realismus, wie ihn Treitschke vertrat, konnte sich jedoch auf die Dauer auch in Norddeutschland nicht behaupten. Um noch einmal Srbik zu zitieren: »Ein wissenschaftliches Ebenmaß« mußte wiedergewonnen werden. In dieser Richtung wirkten Max Lenz, Erich Marcks und Hermann Oncken, die die Geschichtsschreibung von politischer Tagesbezogenheit freizuhalten und zu strenger Wissenschaftlichkeit zurückzuführen suchten. Marcks trat besonders durch seine meisterhaften Biographien hervor, so über Wilhelm I., Elisabeth von England und Bismarck.

Aber auch neue Richtungen begannen sich in der Geschichtswissenschaft durchzusetzen, so unter dem Einfluß des historischen Materialismus besonders die Wirtschafts- und Sozialgeschichte (Gründung der »Zeitschrift für Sozial- und Wirtschaftsgeschichte«, 1893). K. Lamprecht setzte sich besonders für die Kulturgeschichte ein und gründete 1909 in Leipzig das »Institut für Kultur- und Universalgeschichte«, das die vergleichende Betrachtung der verschiedenen Kulturen betrieb. Die antifranzösische Richtung in der Geschichtsschreibung trat allmählich zurück, gleichzeitig verstärkten sich die gegen England gerichteten Akzente.

Karl Ritter in Berlin (gest. 1859) war der Neubegründer einer wissenschaftlichen *Erdkunde*. Die Geographie teilte sich immer klarer in eine naturwissenschaftliche Seite (Morphologie mit starker Anlehnung an die Geologie) und eine anthropogeographische Seite, die vor allem in den Werken Friedrich Ratzels vertreten wurde. Ich verweise am Rande auf die Ozeanographie von Otto Krümmel und auf die Werke von Albrecht Penck.

Das wachsende Interesse an der *Astronomie* führte zur Errichtung mehrerer neuer Sternwarten. Der hohe Stand der optischen Werkstätten von Carl Zeiss in Jena, deren wissenschaftlicher Leiter der berühmte Physiker Ernst Abbe war, hat die entsprechende Ausstattung für die Sternwarten (optische Linsen usw.) geboten. Der berühmte Chemiker Robert Bunsen und der nicht minder bekannte Physiker Gustav Robert Kirchhoff betrieben Forschungen über die Zusammensetzung der Himmelskörper und begründeten neben Ernst Kohlschütter die Wissenschaft der Astrophysik. Im Bereich der astronomischen Forschung machten sich v. Auwers, Berberich, Brendel, Fr. Cohn, Fauth, W. Foerster, E. Goldstein, Kempf, Kobold, Küstner, G. Müller, J. E. Plassmann, K. Schwarzschild, H. v. Seeliger, R. Vogel und W. F. Wislicenus einen Namen.

Die Erfolge der deutschen *Physiker* und *Chemiker* jener Epoche sind ja bereits z. T. im Abschnitt über die Erfindungen (vgl. S. 167 ff.) skizziert worden. Genannt seien hier noch einmal die wichtigsten Forscher und ihr jeweiliges Arbeitsgebiet: In der Physik Julius Robert Mayer (Gesetz von der Erhaltung der Energie oder Kraft), Hermann v. Helmholtz (der die Forschungen in diesem Bereich fortsetzte), Rudolf Clausius (Wärmelehre), Heinrich Hertz (elektrische Wellen), Wilhelm Conrad Röntgen, Max v. Laue (Fortführung der Forschungen über die Röntgenstrahlen), Max Planck (Quantentheorie, elektromagnetische Strahlung), Albert Einstein (Relativitätstheorie, Nach-

180. Der brillante, aber umstrittene
Historiker Heinrich v. Treitschke
(1834–1896)

weis der sprunghaften Energie-Änderung bei Atomen und Ionen), Arnold Sommerfeld (Fortsetzung
dieser Forschungen) und Hermann Minkowski (Forschung zur Zeitkoordinate).

Im Bereich der Chemie traten Friedrich Wöhler als Entdecker des Aluminiums und mit der
synthetischen Herstellung des Harnstoffes, Justus v. Liebig mit Arbeiten zur Ackerbauchemie, zu
den Naturgesetzen des Feldbaues, zur Mineraldüngung, zur Produktion von Fleischextrakt usw.,
Adolf v. Baeyer mit der Synthese des Indigo, Konstantin Fahlberg, Emil Fischer mit der Synthese
des Zuckers, Friedrich August Kekulé v. Stradonitz, Josef Loschmidt und Christian Friedrich Schön-
bein hervor.

Ich kann nur andeuten, was teils die Physiker, teils die Chemiker erfanden: Es waren zum Beispiel künstliche Edelsteine, Riechstoffe, Farbstoffe, neue »künstliche« Arzneimittel, Lebensmittel
in Konserven, Glühlampen u. v. a.

In der *Biologie* entdeckte Wilhelm Pfeffer 1877 die Osmose, Karl Camillo Schneider 1873 die
Zellvermehrung durch Kernteilung. Ein Schüler Haeckels, Hans Driesch, versuchte zuerst durch
Experimente an Seesternen die Lehre seines Meisters zu bestätigen, kam aber in unerwarteter Weise
zu Ergebnissen, die den mechanischen Materialismus widerlegten (Entelechie, Neovitalismus). Der
deutschmährische Augustinerpater Johann Gregor Mendel hat bereits im Jahre 1865 sehr bedeutende Forschungen über die Vererbung veröffentlicht, die erst nach Jahrzehnten neu entdeckt und
voll gewürdigt worden sind. Durch Forschungen von Erich v. Tschermak-Seysenegg und Karl Erich
Correns haben die Vererbungsgesetze Mendels ihre Bestätigung gefunden und wurden nun auch
nach Mendel benannt. Auch sie widersprachen bis zu einem gewissen Grade den Maximen des
Darwinismus.

181. Hermann von Helmholtz (1821–1894),
Physiker, Arzt und Physiologe.
Gemälde von Ludwig Knaus (1881)

182. Wilhelm Konrad Röntgen (1845–1923)
entdeckte 1895 die nach ihm benannten Strahlen.
Photo von 1905

Das allgemeine Interesse für *Zoologie* wurde durch die Einrichtung vieler zoologischer Gärten und Tierparks geweckt. Der Tierpark Stellingen bei Hamburg, den Karl Hagenbeck begründete, ist durch seine Freigehege berühmt geworden. Der Erwerb von Kolonien durch Deutschland – sonst ein eher passives Unternehmen –, war für die deutschen Zoologen bedeutsam. Dort konnten sowohl biologische und zoologische Stationen errichtet als auch Tiere für die zoologischen Gärten Deutschlands eingefangen werden. Das berühmte Hauptwerk von Alfred Brehm (»Brehms Tierleben«) erschien 1864–1869 in sechs Bänden und wurde immer wieder neu aufgelegt. Neben ihm hat auch Wilhelm Bölsche durch zahlreiche populäre Bücher das Interesse für die Tierwelt geweckt und verbreitet.

Die deutschen *Juristen* sahen sich nach der Bildung des Reiches vor neue Aufgaben gestellt. Die Parole »Ein Reich – ein Recht« konnte allerdings nicht völlig realisiert werden, und nicht nur die Gründung des Reiches, auch die neue gesellschaftliche und industrielle Entwicklung forderte neue Gesetze, Novellen zu alten und vollkommene Neufassungen bisheriger Gesetze (vgl. dazu u. a. die (S. 115). Es liegt auf der Hand, daß hier konservative, liberale und sozialistische Auffassungen aufeinander stießen. – Von den Errungenschaften und Leistungen der Medizin ist bereits berichtet worden (vgl. S. 185 f.).

DER ERSTE WELTKRIEG IM ÜBERBLICK

Eine Welle von Begeisterung und von Einigung ging im August 1914 durch das deutsche Volk. Auch die Abgeordneten der Sozialdemokraten stimmten für die Kriegskredite, wobei sie vornehmlich an den Kampf gegen das zaristische Rußland dachten und den Krieg als Verteidigungskrieg verstanden.

Es kam jedoch nicht zu dem erhofften Blitzkrieg; man war zu Weihnachten 1914 nicht wieder zu Hause, wie viele geglaubt hatten. Alle Phrasen vom »reinigenden Stahlbad« und die Überzeugung, daß der Deutsche erst durch den Krieg von einem unheimlichen Druck befreit worden sei, daß jetzt Deutschland wieder zu sich selbst finden werde, zerflossen in nichts. Viele der Enthusiasten, die sich, von Idealen erfüllt, mit einer Art Todeslust in den Krieg stürzten, sind schon im Jahre 1914 gefallen (vor allem bei Langemarck am 11. Nov. 1914). Alle Romantik des Krieges, die Vorstellungen von flatternden Fahnen, zündender Militärmusik und glänzenden Kavallerie-Attacken schwanden rasch. Die alte »Ritterlichkeit« lebte höchstens noch in den Zweikämpfen der deutschen und alliierten Jagdflieger an der Westfront.

Die Zeppeline enttäuschten die in sie gesetzten Hoffnungen, während die Anzahl der Flugzeuge immer mehr zunahm. Verwendet wurden auch Fesselballons für Beobachter. Rasch wuchs die Zahl der Automobile im Kriegseinsatz, jedoch gab es im allgemeinen noch keine motorisierten Truppenteile. Handgranaten, Flammenwerfer, Minenwerfer, immer schwerere Geschütze, Mörser, Haubitzen, Giftgas, Gasmasken und schließlich die Tanks (Panzer) waren daneben die neuen »Errungenschaften« der Kriegstechnik.

Aus dem vorgesehenen Bewegungskrieg ist vor allem im Westen der Graben- und Stellungskrieg und die »Materialschlacht« geworden. Die Qualität des deutschen Heeres im Jahre 1914 war ausgezeichnet, wenn auch die Schulung oft den modernen Anforderungen und Waffen nicht mehr völlig entsprach. Aber dies war zu Beginn des Krieges bei den Franzosen und Engländern nicht anders, vom damaligen zaristischen Heer zu schweigen. Mit zunehmender Kriegsdauer jedoch machten sich Verfallserscheinungen bemerkbar, nicht zuletzt dadurch, daß immer jüngere und schwächere Männer eingezogen wurden – bis zu 17 Jahren herunter – und die Ausbildungszeit immer kürzer sein mußte. Dadurch erhöhten sich die Verluste an der Front.

Während des Ersten Weltkrieges sind ungefähr 11 Millionen deutsche Männer einberufen worden. Die Verluste betrugen fast 2 Millionen Tote (nach anderen Angaben mindestens 1,8 Millionen Tote); dazu kamen ungefähr 800 000 Menschen, die an den Auswirkungen der Blockade, an den Folgen von Hunger und Entbehrung, starben.

Kaiser Wilhelm II. gewann bei Kriegseintritt vorübergehend an Popularität, vor allem durch sein Wort: »Ich kenne keine Parteien mehr, ich kenne nur noch Deutsche!« Während des Krieges zeigte sich dann endgültig, daß er weder ein Staatsmann noch ein Feldherr war. Er hat sich von Beginn an von der Obersten Heeresleitung vollkommen beherrschen lassen. Er trat hinter seinen Generalen zurück, lebte inmitten der Ereignisse wie auf einer Insel; ein Statist – zwar mit kaiserlichen Rechten ausgestattet, doch ohne den Willen und die Initiative, davon Gebrauch zu machen. Er besichtigte Truppen in der Etappe und war der Kriegsgefahr höchstens durch Luftangriffe ausgesetzt. Das kaiserliche Hauptquartier war keine Entscheidungszentrale, sondern nur ein Ballast für die, die es aufzunehmen hatten. Nicht einmal das Kommando über sein »Lieblingsspielzeug«, die Kriegsflotte, behielt Wilhelm; er überließ auch dort alles den leitenden, nicht stets glücklich ausgewählten Männern. Obwohl er seine Hilflosigkeit und Isolierung durchaus empfand, machte er keinen Versuch, sie zu durchbrechen.

Von der Stimmung im Volke und von sozialen Problemen hatte er keine Ahnung; dem Kontakt mit führenden Männern der Innenpolitik und der Wirtschaft wich er aus, er wünschte keine eingehende Erörterung der brennenden Probleme. Deswegen weigerte er sich auch, auf längere Zeit nach Berlin zu übersiedeln, wo mehr Regierungsarbeit auf ihn gewartet hätte. Von einem kaiserlichen Autokratentum war keine Rede, wie es z. B. in der amerikanischen Propaganda behauptet wurde. Es zeigte sich höchstens darin, daß Wilhelm II. hemmend wirkte, daß er, soweit es an ihm lag, keine der fälligen Reformen zuließ. So kam es, daß später der Großteil der jüngeren aktiven, der Reserve- und Landwehroffiziere wohl national, aber kaum mehr kaisertreu gesinnt und keineswegs gewillt war, das Leben ihrer Soldaten oder ihr eigenes für die Erhaltung der Monarchie einzusetzen. Selbst in monarchisch gesinnten Kreisen tauchte der Gedanke auf, dem Kaiser die Regierungsgeschäfte aus der Hand zu nehmen; für die deutsche Öffentlichkeit wurde er eine immer bedeutungslosere Gestalt, die man fast vergaß.

Kronprinz Wilhelm wirkte als Oberbefehlshaber einer Heeresgruppe ebenfalls fast nur repräsentativ. Auch während des Krieges setzte er seine privaten Eskapaden unbekümmert fort und trug so dazu bei, daß das kaiserliche Haus bei der Bevölkerung mehr und mehr in Mißkredit geriet. Die deutschen Bundesfürsten sanken zur vollkommenen Bedeutungslosigkeit herab. Einige von ihnen dachten nur daran, in den geplanten Satellitenstaaten Deutschlands nach einem Siegfrieden für ihre Dynastie einen neuen Thron, eine Sekundogenitur zu ergattern. Angesichts dieses Versagens in der Stunde der Bewährung verwundert es nicht, daß die Herrschaft der Hohenzollern und sämtlicher Bundesfürsten im Jahre 1918 wie ein Kartenhaus zusammenbrach.

Während in England und Frankreich die zivilen Politiker stets die volle Kontrolle über ihre Generale behielten, haben in Deutschland die Militärs, die Generale entscheidend in die Außen-, Innen- und Wirtschaftspolitik hineingeredet. Besonders Ludendorff hatte sehr viel Einfluß und wurde in der Endphase des Krieges zu einer Art Diktator über Deutschland. Er hat mehrere zivile Politiker und Beamte gestürzt; und nicht zuletzt seine Unnachgiebigkeit verhinderte es, daß sich in Deutschland die Kräfte durchsetzten, die einen Verständigungsfrieden anstrebten, so lange noch Zeit dazu war. Kaiser Wilhelm beugte sich vor seinem starren Willen, Hindenburg geriet in immer größere Abhängigkeit von ihm und wurde mehr und mehr zur Repräsentations-, zur Galionsfigur.

Ich bestimme hiermit: Das Deutsche Heer und die Kaiserliche Marine sind nach Maßgabe des Mobilmachungsplans für das Deutsche Heer und die Kaiserliche Marine kriegsbereit aufzustellen.

Der 2te August 1914 wird als erster Mobilmachungstag festgesetzt. Berlin, den 1. August 1914

Wilhelm
J.R.

v. Bethmann Hollweg

An den Reichskanzler (Reichs. Marineamt) und den Reichsmin.
ister.

183. Der Mobilmachungsbefehl vom 1. August 1914

184. Schau- und Übungs-Schützengräben während des 1. Weltkrieges
in Berlin. Nur wenige der Schaulustigen dürften eine Vorstellung
davon gehabt haben, was sich in den Schützengräben der Westfront tat

Beide, Hindenburg und Ludendorff, waren in großen Kreisen des deutschen Volkes populär, wobei man den ersteren überschätzte – »den hölzernen Titanen« –, Ludendorff dagegen in seiner Gewaltsamkeit unterschätzte. Gerade Ludendorff hat in der Endphase des Krieges sowie später als Verfechter der »Dolchstoßlegende« verhängnisvoll gewirkt.

Viele Dichter und bildende Künstler, darunter auch Thomas Mann und bis zu einem gewissen Grade Gerhart Hauptmann, nahmen gegenüber dem Krieg zunächst eine positive Haltung ein. Selbst satirische und humoristische Zeitungen, die, wie etwa der »Simplicissimus«, vor 1914 Kaiser und Regierung auf das schärfste verspottet und kritisiert hatten, stellten sich im Jahre 1914 über Nacht um. Sie bejahten den Krieg und gingen dabei bis zum hemmungslosen Chauvinismus. Zur Erklärung für diese Haltung muß man darauf hinweisen, daß sehr viele Deutsche – so wie man es ihnen suggerierte – das Reich als den hinterhältig eingekreisten, herausgeforderten, zur Verteidigung gezwungenen Staat ansahen, der um seine Existenz kämpfen mußte.

1347 Intellektuelle, darunter 352 Universitätsprofessoren, überreichten am 8. Juli 1915 der Regierung eine Denkschrift, worin sie die Kriegspolitik bejahten und sich hinter die übertriebenen

Annexionsforderungen vor allem der Alldeutschen stellten. Eine gemäßigtere Denkschrift des Historikers Hans Delbrück und des Kirchenhistorikers Adolf v. Harnack erreichte dagegen nur 80 Unterschriften von Professoren. Die beiden Kirchen in Deutschland, die protestantische und die katholische, nahmen in der Frage der Kriegspolitik eine bejahende oder neutrale, aber keine oppositionelle Haltung ein.

Die modernen, jüngeren Literaten und Künstler wandten sich zum großen Teil gegen den Krieg. Die Pressezensur unterband die Veröffentlichung einer ganzen Reihe literarischer Werke, die dann erst nach 1918 erscheinen konnten. Einige Dichter und bildende Künstler gingen in die Emigration, zumeist in die Schweiz. Zu denen, die während des Krieges fielen, gehörten Hermann Löns, Gorch Fock, Ernst Stadler, August Macke, Franz Marc, Albert Weisgerber; Georg Trakl schied 1914 freiwillig aus dem Leben.

Der Krieg schuf neue Gegensätze oder ließ alte schärfer hervortreten: zwischen den Soldaten und den Zivilisten, die zu Hause bleiben konnten, zwischen den Front- und den Etappensoldaten, zwischen dem Städter und dem Landbewohner, dem das Ernährungsproblem nicht unüberwindbare Sorgen bereitete, zwischen der Provinz vor allem im Süden und dem gesteigerten Berliner Zentralismus, zwischen dem Staatsbürger, der alles willig auf sich nehmen wollte oder mußte, der die Teuerung und die Not arg spürte, und dem gewissenlosen Kriegsgewinnler, Schieber, Spekulanten, Schleich- und Schwarzhändler, der zum Stand der »Neureichen« gehörte. Die Kluft zwischen reich und arm (darunter viele »Neuarme«) wurde noch größer.

Andererseits fielen auch manche sozialen Gegensätze. Der gemeinsame Wehrdienst erwies sich als ein einendes Band; Menschen, die sich im Zivilleben niemals getroffen hätten, fanden jetzt zueinander. Der Krieg verwischte die sozialen Unterschiede; im fürchterlichen Nahkampf, im Schützengraben, im Trommelfeuer, und selbst manchmal in der Etappe wurde es bedeutungslos, welcher Gesellschaftsschicht man entstammte, welche Ausbildung man erhalten hatte, welchen Beruf man im Zivilleben ausübte. Ja, selbst die in Friedenszeiten stets sorgfältig betonten Unterschiede zwischen den militärischen Rängen, zwischen Offizier, Unteroffizier und Mannschaft, begannen in den Frontstellungen viel von ihrer Strenge und Schärfe zu verlieren. Von oben her wurde Derartiges nicht gefördert oder gern gesehen, aber verhindert werden konnte es nicht. Die früheren aktiven, gewiß oft tapferen, Offiziere vom Hauptmann bis zum Leutnant, die noch Adels- und Kastenstolz kultiviert hatten, waren zum guten Teil bereits 1914 oder 1915 gefallen oder nach einer Verwundung als kampfunfähig in die Etappe abkommandiert. Die neuen aktiven Reserve- und Landwehroffiziere wollten oder konnten diesen Kastenstolz nicht mehr pflegen. Erbitternd wirkte allerdings, daß sehr bewährte Soldaten aus der Mannschaft oder dem Unteroffizierskorps es nur zum »Feldwebelleutnant« bringen konnten, da die sozialen Schranken ihnen noch immer den Aufstieg in das Offizierskorps verwehrten. In der Kriegsflotte wurde die Klassendistanz zwischen Offizieren und Mannschaften, die oft schlecht behandelt wurden, übermäßig betont. Dies war einer der Gründe für die spätere Matrosenmeuterei.

In den Lazaretten kamen Damen aus Adel und Bürgertum, die sich freiwillig als Pflegerinnen gemeldet hatten, und Frauen aus dem Volke zusammen. Auch beim »Schlangestehen« vor den Lebensmittelläden, in den Gemeinschafts- und Volksküchen fielen soziale Gegensätze.

185. Frauen mußten nachrücken:
Berliner Omnibuskutscherin während des
Ersten Weltkrieges
186. Frauenarbeit in einer Geschoßfabrik
während des Krieges (rechts)

Vor solchen Wandlungen wurden die alte Wahlkreiseinteilung, das Dreiklassenwahlrecht oder das Herrenhaus in Preußen immer sinnloser. Die konservativen Kreise weigerten sich jedoch nach wie vor, die für sie mit diesen Institutionen verbundenen Privilegien aufzugeben; erbittert wiesen sie daher jeden Reformversuch von sich oder suchten zumindest die Diskussion darüber auf die Zeit nach dem Kriegsende zu verschieben. Der Reichskanzler v. Bethmann Hollweg war manchen dieser Forderungen aufgeschlossen, konnte sich aber gegen die Rechtsparteien und gegen die Oberste Heeresleitung nicht durchsetzen. Den Sozialdemokraten und den Angehörigen des Heeres, die etwa sozialdemokratische Zeitungen lesen wollten, wurden einige kleine Konzessionen gewährt; bisher verbotene Dinge, die noch aus dem Sozialistengesetz resultierten. Der Kaiser versprach in seiner »Osterbotschaft« vom 7. April 1917 für die Zeit nach dem Kriege die Reform des preußischen Herrenhauses und das direkte und geheime, aber nicht das gleiche Wahlrecht in Preußen, womit eine wesentliche Forderung unberücksichtigt blieb. Denn Demokratisierung der Verfassung und der Volksvertretungskörper sowie Parlamentarisierung der Regierung gehörten zu den wesentlichen Reformpunkten, die von den Parteien der Mitte und der Linken vertreten wurden. Dies auch aus außenpolitischen Gründen, denn nur so konnte man der Feindpropaganda der Westmächte, auch der USA, den Wind aus den Segeln nehmen. Aber erst am 22. Oktober 1918 wurden die nötigen Verfassungsänderungen (mit Umänderung des preußischen Herrenhauses und Kündigung des Dreiklassenwahlrechts) beschlossen – am 30. September von Wilhelm II. zugesagt – und am 24. Oktober auch vom preußischen Herrenhaus genehmigt; sie wurden dann am 28. Oktober vom Kaiser unterzeichnet und am 29. Oktober publiziert. Doch inzwischen war es viel zu spät geworden; die

Monarchie und das Gefüge des alten Staates konnten durch diese Zugeständnisse nicht mehr gerettet werden. Wilhelm II., bis an sein Lebensende uneinsichtig, mußte abdanken.

Der Krieg hat die Frauenemanzipation stark vorangetrieben. Nicht wenige männliche Berufe mußten nun von Frauen ausgeübt werden, sowohl auf dem Lande, wo zahlreiche Bauern und Knechte einberufen worden waren, als auch in den Städten, wo Frauen als Schaffnerinnen, Bedienungspersonal in den Gaststätten usw. arbeiteten. Vor allem aber kamen immer mehr Frauen in die Fabriken, besonders in die Rüstungsindustrie. Die Kinder der dort arbeitenden Frauen wurden in Kriegskindergärten untergebracht. Die Arbeit in den Fabriken war schwer. Die Erzeugung von Giftgasmunition konnte mit gesundheitlichen Schädigungen verbunden sein: Die Haut wurde safrangelb, die Frauen husteten oder spuckten Blut.

Doch die Frau begann sich unabhängig und unentbehrlich zu fühlen, sie war nicht länger gewillt hinzunehmen, daß ihr das Wahlrecht vorenthalten blieb. – Durch die hohen Verluste an Männern an der Front stieg der Frauenüberschuß; er betrug 1910 150 000, im Jahre 1919 1 550 000.

Vom verschlechternden Einfluß des Krieges auf die Moral war schon die Rede (vgl. S. 137). Es sei hier nur noch einmal verwiesen auf die vermehrten Fälle von Ehebruch, die zahlreichen Scheidungen, die Vielzahl der außerehelichen Geburten, die Abtreibungen, die verstärkte Verbreitung von Geschlechtskrankheiten, die vermehrten Fälle von Homosexualität und lesbischer Liebe, das Anwachsen der Prostitution.

Auf dem Rohstoffsektor verfügte Deutschland wenigstens über genügende Mengen von Kohle und Erz; hinzu kamen nun die Produkte der belgischen und nordfranzösischen Gruben. Wenn es trotzdem zu Versorgungsschwierigkeiten kam, so lag das besonders am akuten Personalmangel – auch bei den Eisenbahnen – und am Ausfall von Transportmitteln.

Das Reich konnte noch aus Skandinavien, Holland, bis 1915 aus Italien sowie aus der Schweiz importieren, und zwar überwiegend Lebensmittel, obwohl die Entente alles tat, um solche Einfuhren zu unterbinden. Über den Atlantik kam nichts mehr; der alte Begriff von Konterbande galt nicht mehr. Die Kriegsschiffe der Entente fingen sämtliche Waren ab, die zu Schiff nach Deutschland gebracht werden sollten – von der durch die deutsche Kriegsflotte beherrschten Ostsee abgesehen. Die Form der Blockade Deutschlands durch die britische Flotte, unter der auch die deutsche Zivilbevölkerung litt, war etwas Neues in der Geschichte Europas. Das Hinterland des Reiches sollte damit ausgehungert werden. Wegen des großen Mangels an Arbeitskräften, an Geräten, an Vieh jeder Art, an Kunstdünger usw. ging der Ertrag der Ernten stark zurück (vgl. auch S. 263), wie die folgenden Zahlen verdeutlichen:

	1913	1917
Weizen und Roggen	16,5 Millionen t	9,5 Millionen t
Gerste	3,6 Millionen t	2 Millionen t
Hafer	9,5 Millionen t	3,6 Millionen t
Kartoffeln	54 Millionen t	34,4 Millionen t

Selbstverständlich versiegte das Angebot von Kolonialwaren völlig, desgleichen wurden Textilien und Wolle sowie Leder Mangelware. Schlechte Ernten wie die von 1916 trafen jetzt doppelt schwer. Kohlrüben mußten Ersatz für vieles andere sein, so während des berüchtigten »Kohlrübenwinters« 1916/17. Das Reich ging wirtschaftlich völlig unvorbereitet in den Krieg, von dem es ja nur eine kurze Dauer erwartete. Es war im beträchtlichen Umfang Walther Rathenau, der schon sehr früh – im August 1914 – die Kriegsrohstoffabteilung gründete, zu verdanken, daß kein Chaos entstand und Deutschland nicht schon nach den ersten Kriegsmonaten wirtschaftlich zusammenbrach. Erst im Mai 1916 wurde dann das Kriegsernährungsamt eingerichtet, mit eigenen Abteilungen für Getreide, Fleisch, Speisefette, Bekleidung usw. Andere Verteilungs- und Überwachungsämter – alle Zentralen amtierten in Berlin – folgten. Natürlich mußte sich die Arbeit dieser Ämter, die etwas völlig Neues waren, erst einspielen: Das ging nicht ohne Fehler ab. Der Berliner Zentralismus wuchs erneut. Das Volk klagte über die wachsende bürokratische Bevormundung, die mit der Rationierung verbunden war. Daneben gab es die halb staatlichen, halb privaten »Gesellschaften« (Reichsweizengesellschaft usw.), die zum Teil gut verdienten.

Der Städter erhielt statt 2600 nur mehr 1100 Kalorien täglich, und die Rationen sanken im Verlauf des Krieges weiter. Pro Kopf und Tag wurden 1914 320 g Mehl, 140 g Fleisch und 56 g Fett ausgegeben. 1918 nur noch 116 g Mehl, 18 g Fleisch und 7 g Fett. Auch Kleider, Wäsche, Schuhe, Sandalen, Wolle, selbst Zwirn und Fadenspulen waren rationiert und wurden jetzt zu sehr begehrten Artikeln.

Trotz aller staatlichen Überwachung stiegen die Preise. Es gab allerdings für Fabrikarbeiter und -arbeiterinnen Schwer- und Schwerstarbeiterkarten, die etwas vermehrte Zuteilungen vorsahen. Volks- und Gemeinschaftsküchen, Fabrikküchen und Volksspeisungen aus der Gulaschkanone ersparten den Hausfrauen Holz und Kohlen für den Herd zum Kochen und manche Arbeit. Es gab auch eigene Wärmestuben, so daß ärmere Leute zu Hause nicht zu heizen brauchten. Der Großteil der städtischen Bevölkerung war in den letzten Kriegsjahren unterernährt; er hungerte und fror.

187. Die Versorgungsschwierigkeiten werden immer krasser;
Aufrufe mit törichten Slogans bleiben 1918 ohne Wirkung

Im Hinterland waren die Verhältnisse in den einzelnen Provinzen, in den Groß- und Kleinstädten sowie auf dem Lande, verschieden. Von wenigen Fällen im Westen abgesehen, hatte man
allerdings noch nicht unter Luftangriffen zu leiden. Die Unterstützung für die Familien eingerückter
Soldaten war, wie allgemein empfunden wurde, unzureichend. Hier mußte private Caritas viel
nachhelfen. Beamte, Professoren und Lehrer im Ruhestand wurden in die Aktivität zurückgebeten,
und viele folgten dem Ruf gerne. Aktive (diese nebenamtlich) und pensionierte Beamte setzte man
auch in den Ämtern der Postzensur ein.

Das kulturelle Leben stand noch auf einer beachtlichen Höhe, wenn man einmal von der ausgesprochenen Kriegsliteratur absieht. Die Gelehrten konnten ihre wissenschaftlichen Forschungen bis 1918 veröffentlichen. Auch die allgemeine Publizistik hielt ein gewisses Niveau; sie sank nicht zum bloßen Propagandasprachrohr herab, wie es während des 2. Weltkrieges der Fall sein sollte. Selbstverständlich wurden die Heldentaten der eigenen Soldaten an der Front verherrlicht, wobei schon damals Flieger und U-Bootleute besonders beliebt waren. Aber alles behielt noch ein halbwegs erträgliches Maß. Die kleinen Kriegsbändchen des Ullstein-Verlages in Berlin waren sehr verbreitet.

Staat und Kirche erlaubten nun selbstverständlich die Arbeit an Sonn- und Feiertagen, da ja trotz Personalmangels die Arbeit beschleunigt durchgeführt werden sollte. Für Industrie und Handel wurde es häufig zur existenzentscheidenden Frage, wieweit sie kriegswichtige oder für das tägliche Leben notwendige Waren produzierten bzw. vertrieben. War dies der Fall, so erhielten sie ausreichend Rohstoffe und Personal zugeteilt, und ihre Gewinnspanne überstieg oft die der Vorkriegszeit. Anders dagegen konnte es den Produzenten von »Luxuswaren« gehen, wobei dieser Begriff oft ebenso willkürlich wie weit gezogen wurde. Diese Betriebe hatten unter Schwierigkeiten zu leiden und mußten oft die Arbeit einstellen. Verlage und Druckereien haben kaum unter Mangelerscheinungen gelitten, von der Verschlechterung des Papiers abgesehen.

Der Fremdenverkehr aus dem Ausland hörte völlig auf. Die Bewohner der Kurorte, in die allerdings immer mehr verwundete oder kranke Offiziere und Soldaten kamen, die Besitzer von Hotels und Gasthäusern klagten zuerst darüber. Die Gaststätten erhielten immer weniger Personal und vor allem weniger Lebensmittel. Das Bedienungspersonal mußte für die Speisen Lebensmittelmarken verlangen. Dennoch erlebte der Fremdenverkehr eine merkwürdige neue Blüte. Die Städter (besonders aus den Großstädten) strebten nun erst recht in die Sommerfrische auf dem Land, eventuell zu Bauern, um dort während des Urlaubs besser leben und bei der Heimreise recht viele Hamsterwaren nach Hause bringen zu können. Es konnte sie auch nicht abschrecken, daß die geringe Zahl der Züge das Reisen immer schwieriger machte und häufig Polizei die Züge nach Hamsterwaren kontrollierte.

Die Eisenbahnen waren durch Transporte von Truppen und Rüstungsmaterial an die Fronten aufs höchste beansprucht. Man hatte alle Mühe, wenigstens die nötigsten Lebensmittel und Kohlen in die Städte zu liefern. Es konnten nicht genügend Lokomotiven und Waggons als Ersatz produziert werden. Die fahrplanmäßigen Züge sowie die Schiffahrt auf den Flüssen wurden eingeschränkt, teils wegen Personalmangels, teils um Kohlen zu sparen.

Trotz der reichen Kohlenreserven in Deutschland wurde die Versorgung mit Heizmaterial ein schweres Problem. Die Eisenbahnen konnten nicht stets rechtzeitig und genügend Kohlen anliefern, und so konnten die Privathaushalte nicht mehr genügend geheizt werden. Es erging die Weisung, Amts- und Schulräume zum Ende des Herbstes und bei Beginn des Frühlings möglichst nicht oder wenig zu heizen. Die Bevölkerung in den Randsiedlungen der Großstädte sowie in den Kleinstädten suchte in den nahen Wäldern Holz oder fällte illegal Bäume, um sich das nötige Heizmaterial zu verschaffen.

Selbstverständlich wurden Automobile, Motorräder, natürlich auch Pferde, konfisziert. Der Mangel an Rohstoffen führte ferner zur Ablieferungspflicht von Gegenständen aus Gold, Silber,

188. Städtischer Kartoffelverkauf am Alexanderplatz in Berlin während des Ersten Weltkrieges

25 Gramm 2. Woche	**25** Gramm 2. Woche	**250** Gramm 2. Woche	**250** Gramm 2. Woche	**50** Gramm 2. Woche	**50** Gramm 2. Woche
25 Gramm 2. Woche	**25** Gramm 2. Woche	Nicht übertragbar	Nicht übertragbar	**50** Gramm 2. Woche	**50** Gramm 2. Woche
25 Gramm 2. Woche	**25** Gramm 2. Woche	**Berlin und Nachbarorte.** **Ausweis** für die Entnahme von Brot und Getreidemehl.		**50** Gramm 2. Woche	**50** Gramm 2. Woche
25 Gramm 2. Woche	**25** Gramm 2. Woche	Gilt nur für die 2. Woche vom 1. bis 7. März 1915. Rückseite beachten! VII 86389		**50** Gramm 2. Woche	**50** Gramm 2. Woche
100 Gramm 2. Woche	**100** Gramm 2. Woche	**250** Gramm 2. Woche	**250** Gramm 2. Woche	**100** Gramm 2. Woche	**100** Gramm 2. Woche

189. Eine Lebensmittelkarte für Brot und Getreidemehl vom März 1915

Kupfer, Messing, Zinn, Nickel und Blei. Die Kirchen wurden aufgefordert, Kirchenglocken und -seile sowie Orgelpfeifen abzugeben.

Das schwierigste Problem war die Ernährung. Die zum Teil unterernährten und schlecht gekleideten Hausfrauen mußten auch in der kalten Jahreszeit regelmäßig vor den Kaufläden Schlange stehen. Für die Kaufleute brachte die Buchhaltung über die Lebensmittelmarken und Bezugsscheine eine erhebliche Mehrbelastung mit sich. Das geschlachtete Vieh war sehr mager und halb verhungert (man nannte es in Süddeutschland »Beinlvieh«); Schaf- und Ziegen-, ja selbst Pferdefleisch waren sehr begehrt. Mindestens drei fleischlose Tage in der Woche waren vorgeschrieben, Unterernährung bewirkte größere Anfälligkeit gegen Krankheiten, die Zahl der Todesfälle stieg.

Die Propaganda verwandte all ihr Geschick, um aus der Not eine Tugend zu machen. Zu viel Fleischgenuß sei ohnehin ungesund, hieß es. Die gesundheitlichen Gefahren des Bohnenkaffees, des echten Tees und des echten Tabaks wurden beschworen, Schüler und Schülerinnen aufs Land und in die Wälder geschickt, um Heilkräuter, Brennesseln (für Stoffe), Himbeer- und Brombeerblätter (für Ersatztee) und Wiesenklee (als Gemüseersatz) zu sammeln. Den Kindern wurde erklärt, daß barfuß gehen gesund sei; so versuchte man den Mangel an Schuhwerk zu überspielen.

Die Bevölkerung griff zur Selbsthilfe: auf den Balkons züchtete man diverses Kraut, das als Tabakersatz dienen sollte und meistens fürchterlich stank. Wer immer konnte, mietete oder kaufte ein kleines Stück Boden und legte einen Schrebergarten an, in dem er Gemüse anbaute. Er mußte nur Sorge tragen, daß es nicht gestohlen wurde. Das angebotene Mehl war oft Kartoffelmehl und mit dem Friedensmehl nicht zu vergleichen. Brot wurde aus Mais- und Kartoffelmehl gebacken und zerbröselte sehr leicht; Marmelade produzierte man aus Rübenabfall. Statt Zucker wurde Sacharin verwendet. Die Ärmsten, die keine Mittel hatten, ihre Kost oder Kleidung aufzubessern, lebten zum nicht geringen Teil von Kraut und Rüben, die man früher den Schweinen gegeben hätte, von Speisen, denen Kartoffelschalen beigemischt waren, und von einem Ersatzkaffee, der zum Teil aus Eicheln hergestellt wurde. Man trug Kleider aus Brennesselstoff und Schuhe oder Sandalen mit Holzsohlen.

Gerade aber an diese darbende Bevölkerung wurde mehr als während der Friedenszeit appelliert, karitativ zu wirken und damit die Lücken, die die militärischen und zivilen Behörden offenließen, zu schließen. Liebespakete an die eigenen Angehörigen, die als Soldaten an der Front standen, waren selbstverständlich. Man schickte Lebensmittel, die man von der geringen Kost abgespart hatte, oft Wäsche und Strümpfe in guter Friedensqualität, während die Familie zu Hause sich mit schlechter Kriegsware begnügte. Die Bevölkerung wurde immer wieder aufgefordert, für die Verwundeten in den Lazaretten, für dortige Weihnachtsbescherungen oder für Soldatenbibliotheken zu spenden. Geldspenden wurden geringer geschätzt, lediglich bei den Kriegsanleihen wurde die Bevölkerung aufgerufen, dem Staat ihr Geld zur Verfügung zu stellen, wobei jeder der Zahlenden wußte, daß er im Falle einer Niederlage sein Geld einbüßen würde. Dennoch wurden insgesamt 8 Kriegsanleihen getätigt – mit ständig wachsendem Erfolg. Im Frühjahr 1918, in Erwartung der großen Westoffensive, erreichten die Zahlungen die Höhe von 14,8 Milliarden Mark; insgesamt sind etwa 95 Milliarden Mark aufgebracht worden.

Die Landwirtschaft litt, wie erwähnt, unter großem Personalmangel. Es wurden den Gutsbesitzern und Bauern Kriegsgefangene zur Verfügung gestellt, die auf dem Lande arbeiten mußten und dies oft nicht ungern taten, weil sie dort besser verpflegt, ja manchmal wie ein Mitglied der Familie behandelt wurden. Die Gutsbesitzer und Bauern mußten die Pflicht auf sich nehmen, den im Verlauf des Krieges ständig wachsenden Anforderungen der Behörden nach Ablieferung von Vieh und Nahrungsmitteln gerecht zu werden. Wie aber sollten die Ernte-Erträgnisse wachsen, wenn immer mehr Personal, Zugvieh und Geräte fehlten, von Kunstdünger und anderen Mitteln nicht zu reden? Dennoch lebten der Gutsbesitzer, der Agrararbeiter und der Bauer auf dem Lande noch immer besser als der Städter, ja der Krieg verschaffte ihm sogar die Möglichkeiten, seine finanzielle Situation zu erleichtern. Zu Beginn des Krieges fuhren viele Bauern in die Stadt und verkauften Lebensmittel oder Holz zu erhöhten Preisen. Bei derartigen Aktionen nahmen sie so viel Geld ein, daß sie bald ihre Hypotheken löschen und ihre gesamten Schulden abzahlen konnten. Die Städter fuhren ihrerseits auf das Land, um zu »hamstern«. Gegen Ende des Krieges nahm der Bauer für seine Lebensmittel kein Bargeld mehr, und es entwickelte sich, wie in alten Zeiten, ein Waren-Tauschverkehr. Der Städter mußte Wertgegenstände anbieten können, wenn er Nahrungsmittel erhalten wollte.

Die Polizei vermochte natürlich nicht das gesamte »Hamstern« sowie den Schwarz- und Schleichhandel zu hemmen oder zu überwachen. Wenn einmal ein Bauer oder ein Kaufmann in der Stadt eine Geldstrafe erhielt, fand er Wege genug, diese Einbuße beim nächsten illegalen »Geschäft« wieder auszugleichen. Alle Strafen bei Übertretung der Vorschriften über die Lebensmittelversorgung waren weit milder als während des Zweiten Weltkrieges. Die Behörden hatten von vornherein kein Interesse, die Gefängnisse zu füllen, weil man ja auch die Häftlinge verpflegen mußte. Eine große Plage für die Bauern waren allerdings die Flurdiebstähle und die häufigen Einbrüche in die Viehställe; die Diebe und Einbrecher kamen meistens aus den Städten. Soweit die Bauern Personal hatten, stellten sie Wachen aus; die Bestrafung der Diebe wurde meist in eigener Regie vollzogen: Wer ertappt wurde, erhielt eine furchtbare Tracht Prügel.

In den Städten entwickelte sich der Schleich- und Schwarzhandel mit weit erhöhten Preisen. Eine üble Kategorie von verantwortungslosen Wucherern, Schiebern, Spekulanten, Schwarzhändlern, Kriegsgewinnlern und Neureichen machte sich breit, ohne daß die Polizei gründlich Abhilfe schaffen konnte.

Man hatte zu Beginn des Krieges allzu viele Arbeiter zum Wehrdienst eingezogen und an die Front geschickt: Der Arbeit in der kriegswichtigen Industrie drohte dadurch eine zu starke Einschränkung, und so mußten noch im Jahre 1914 rund 600 000 Arbeiter zurückgestellt werden. Am Ende des Krieges waren etwa 2 400 000 Männer in der Rüstungsindustrie beschäftigt, von denen ungefähr 1 180 000 Männer kriegsverwendungsfähig gewesen wären, von den militärischen Stellen aber nicht für den Wehrdienst eingezogen werden konnten. Es gab stets eine Divergenz zwischen den Anforderungen der Front und denen der Rüstungsindustrie. Die militärischen Dienststellen – das Kriegsministerium und andere – versuchten sich, manchmal über den Kopf der Unternehmer und Arbeitgeber hinweg, mit den Gewerkschaften möglichst gut zu stellen, um den Produktionsprozeß störende Arbeitskämpfe zu vermeiden.

Mit Hindenburg und vor allem Ludendorff kam jedoch ein neuer Zug in die Oberste Heeresleitung. Viele Generale und Offiziere hatten vom wirtschaftlichen und sozialen Leben keinerlei Vorstellung und glaubten, mit dem Kommando »Durchhalten«, mit Befehlen, mit der Mahnung zur Willensstärkung und der Androhung hoher Strafen selbst das moderne Wirtschaftsleben lenken zu können. Ludendorff wollte sogar alle deutschen Universitäten schließen lassen, um sämtliche Studenten dem Heer einzugliedern. Das Hindenburgprogramm vom Herbst 1916 und das am 2. Dezember 1916 im Reichstag durchgedrückte Hilfsdienstgesetz sollten zu einer gewaltigen Steigerung in der Produktion von Rüstungsmaterial führen. Alle männlichen Deutschen zwischen 16 und 60 Jahren, die nicht zum Militärdienst eingezogen waren, wurden dienstpflichtig und konnten zur Arbeit in der Rüstungsindustrie zwangsverpflichtet werden. Die Frauen waren in das Hilfsdienstgesetz nicht einbezogen.

Die Oberste Heeresleitung und die Schwerindustrie haben allerdings keinen vollen Sieg errungen. Die Gewerkschaften bewahrten sich einen beträchtlichen Einfluß und setzten manche Rechte für die Arbeiter durch. So konnte ein Arbeiter nicht an ein bestimmtes Unternehmen gefesselt werden, sondern behielt die Möglichkeit – wenn auch nur unter triftigen Gründen und unter formalen Schwierigkeiten –, den Arbeitsplatz zu wechseln. Mangelhafte Organisation verhinderte es, daß das Hindenburgprogramm vollständig durchgeführt wurde. Fertige neue Fabriken konnten wegen Kohlenmangels oder wegen Mangels an Arbeitskräften nicht produzieren. Dennoch wurde die Rüstungsproduktion, die gegen die riesenhafte Materialüberlegenheit der Westmächte, insbesondere der USA, aufkommen sollte, erheblich gesteigert.

Die zahlreichen Kriegsgefangenen wurden jetzt nicht, wie in früheren Kriegen, in Lagern interniert, sondern zum großen Teil für Arbeiten auf dem Lande oder in Fabriken eingesetzt. Sehr geschadet hat dem Reich in der öffentlichen Meinung des Auslandes die Zwangsdeportation belgischer Zivilarbeiter nach Deutschland – eine Maßnahme, die von der Obersten Heeresleitung veranlaßt worden war.

Die Sozialdemokraten bildeten im Jahre 1914, bei Kriegsausbruch, mit 4,2 Millionen Stimmen – mehr als ein Drittel aller Wähler – und 110 von 397 Reichstagsabgeordneten die stärkste Reichstagsfraktion. Um sich ihre Unterstützung für die Kriegführung und ihre Zustimmung zu den Kriegskrediten zu sichern, sah sich die Reichsregierung zu Konzessionen genötigt: Die Lektüre sozialistischer Zeitungen wurde im Heer erlaubt. Diese Zugeständnisse konnten nicht verhindern, daß sich zu Ostern 1917 eine Minderheit von den Sozialdemokraten abspaltete und die Unabhängige Sozialdemokratische Partei (USPD) gründete, der sich auch der frühere Parteivorsitzende Hugo Haase, der Parteitheoretiker Karl Kautsky und der Reformer Eduard Bernstein anschlossen. Die Unabhängigen Sozialdemokraten haben den Verteidigungskrieg gebilligt, wollten auch – wie sie erklärten – keine revolutionäre Agitation und Gesetzwidrigkeiten betreiben; andererseits lehnten sie es ab, sich von der Regierung durch geschickte Taktik und mit Kompromissen hinhalten zu lassen. Seit 1916 kristallisierte sich dann immer deutlicher der Spartakusbund unter Karl Liebknecht und Rosa Luxemburg heraus, die den internationalen Klassenkampf, den Kampf gegen den Krieg und die offene Revolution propagierten. Ihr Vorbild waren die russischen Kommunisten. Der Spartakusbund war der Keim der späteren KPD.

Seit 1916 kam es häufiger zu Streiks, deren Teilnehmerzahlen und Ausbreitung immer mehr anwuchsen. 1917 gab es 561 Streiks mit fast 1,5 Millionen Teilnehmern (gegenüber knapp 50 000 im Jahre 1915). Zuerst wurde nur eine Besserung der Ernährung und der wirtschaftlichen Lage der Arbeiter verlangt; später wurden diese Forderungen mit allgemein politischen und parteipolitischen Argumenten gekoppelt. Man verlangte einen annexionslosen Frieden, gleiches Wahlrecht in Preußen, Freilassung der politischen Gefangenen u. a. Die im Grunde keineswegs radikalen Gewerkschaften gerieten zwischen die Regierung und die Arbeiter; auch die Mehrzahl der Arbeiter war trotz des Einflusses der Unabhängigen Sozialdemokraten und der Spartakisten nicht eigentlich radikal. Man ließ sich meistens mit Zusagen über eine Besserung der Ernährung, über Lohnerhöhungen und Arbeitszeitverkürzungen beschwichtigen. In Offizierskreisen jedoch, in denen man nur in den Kategorien strengsten Gehorsams zu denken vermochte, war man fassungslos: Ludendorff wollte auf Streikende die Paragraphen über Hochverrat angewandt wissen, was in der Praxis die Verhaftung Hunderttausender bedeutet hätte und undurchführbar war. Immerhin konnte bei einer Reihe von Streiks die Wiederaufnahme der Arbeit durch militärische Maßnahmen erzwungen werden.

Die konservativen Parteien – das Zentrum war allerdings gespalten – fürchteten die soziale Revolution und den gesellschaftlichen Umsturz für den Fall, daß man die »Zügel aus den Händen ließe«. Der Adel, der Rest des alten aktiven Offizierskorps, die meisten Unternehmer der Schwerindustrie, die grundbesitzenden ostelbischen Junker, ein beträchtlicher Teil der staatlichen Bürokratie jeder Art, ein guter Teil der arrivierten Gelehrten und das höhere Bürgertum traten mehr oder minder offen für die Beibehaltung der überkommenen sozialen Gegebenheiten ein – ohne ein Gespür dafür, daß sie sich damit einer Lawine in den Weg stellten. Besonders aber die Alldeutschen und radikale Rechtskreise haben mit ihren hybriden Annexionswünschen, die weit über die deutschen Sprachgrenzen hinausgingen, den Friedensmöglichkeiten stark geschadet.

Ein Teil der Mehrheitssozialisten wollte noch im Jahre 1918 die monarchische Staatsform erhalten, wenn auch auf streng konstitutioneller Basis. Dies erwies sich als unmöglich. Verdienst der Mehrheitssozialisten aber war es, daß sie Deutschland vor Formen des Bolschewismus bewahrten. Die nun zum Zug kommenden früheren Oppositionsparteien mußten die Sünden des Wilhelminischen Reiches und Regimes auf sich nehmen, obwohl sie großenteils keine Schuld an dem Desaster trugen; sie mußten sich noch dafür von den – keine Verantwortung akzeptierenden – Rechtskreisen beschimpfen lassen.

Der Friede von Versailles war in vielem hart und unklug: Das deutsche Volk spürte manche Folgen des schweren Krieges erst nach dem Ende des Kampfes 1918 – und weil ein guter Teil des Volkes seelisch, geistig, wirtschaftlich mit dem Ersten Weltkrieg auch nach 1918 nicht fertig wurde, ist unter anderem daraus später neues Unheil erwachsen.

LITERATURÜBERSICHT

Eine Bibliographie der deutschen Geschichte von 1871 bis 1918 würde einen eigenen Band bilden; im folgenden kann daher nur eine Auswahl gegeben werden. – Bewußt wurden manche ältere Werke aufgenommen: wenn sie auch dem heutigen Forschungsstand nicht mehr entsprechen, so sind sie wegen ihres Inhaltsreichtums nach wie vor lesenswert und geben häufig ein besseres Bild vom Geist der damaligen Zeit, als es in der moderneren Literatur der Fall ist. Im übrigen sei auch auf die ausführliche Literaturübersicht im Vorgängerband verwiesen: Karl Buchheim, Deutsche Kultur zwischen 1830 und 1870, 1966, S. 247 ff.

Bildwerke

Athenaion – Bilderatlas zur deutschen Geschichte (Handbuch der deutschen Geschichte, 5. Bd., Frankfurt 1968), hg. v. Herbert Jankuhn, Hartmut Boockmann u. Wilhelm Treue, S. 542 ff.

Cattani, Alfred: Das ist unser Jahrhundert, Profil einer Epoche in Bildern und Dokumenten (Zürich–Stuttgart 1966, bis S. 39).

Dahms, Hellmuth Günther: Deutsche Geschichte im Bild (Berlin 1969, S. 223–259).

Die großen Deutschen – im Bild, hg. v. Alfred Hentzen u. Niels v. Holst (Berlin 1936, ab S. 324).

Görlitz, Walter: Griff in die Geschichte, Brennpunkte der Vergangenheit (Stuttgart 1965, S. 77–156).

Haas, Willy: Die Belle Epoque, Große Kulturepochen in Texten, Bildern und Zeugnissen (München 1967, S. 255–369).

Jacobsen, Hans Adolf, u. Dollinger, Hans: Hundert Jahre Deutschland 1870–1970, Bilder, Texte, Dokumente (München 1969).

Johann, Ernst, und Junker, Jörg: Illustrierte deutsche Kulturgeschichte der letzten hundert Jahre (München 1970, bis S. 113).

Propyläenweltgeschichte, Bilder und Dokumente zur Weltgeschichte (Berlin–Frankfurt–Wien 1965), hg. v. Karl Danz, Wolfram Mitte und Hans Freyer, S. XIII, S. 470 ff.

Viktoria Luise, Herzogin: Bilder aus der Kaiserzeit (Göttingen 1969).

Zentner, Christian: Deutschland 1870 bis heute, Bilder und Dokumente (München 1970).

Zentner, Kurt: Kaiserliche Zeiten, Wilhelm II. und seine Ära in Bildern und Dokumenten (München 1964).

Ders.: Die ersten fünfzig Jahres des XX. Jahrhunderts (3 Bde., 3. A., Offenburg 1950).

Darstellungen in den bekanntesten Handbüchern und Sammelwerken

Handbuch der Deutschen Geschichte, von Bruno Gebhardt und Herbert Grundmann; 3. Bd., (9. A. Stuttgart 1970), S. 224 ff.: Karl Erich Born: Von der Reichsgründung bis zum 1. Weltkrieg, S. 377 ff.: Wilhelm Treue: Gesellschaft, Wirtschaft und Technik Deutschlands im 19. Jahrhundert.

4. Bd., (8. A. Stuttgart 1959), S. 4. ff.: Karl Dietrich Erdmann: Der erste Weltkrieg, S. 329 ff., Tabellarischer Anhang.

Handbuch der Deutschen Geschichte, hg. von Leo Just. 3. Bd., 2. Teil, Walter Bußmann: Das Zeitalter Bismarcks (4. A., Frankfurt 1968).

4. Bd., 1. Teil, Werner Frauendienst: Das Deutsche Reich von 1890 bis 1914 (Konstanz 1964).

Historia Mundi, 10. Bd. (Bern–München 1961) S. 53 ff.: Franco Valsecchi, Das Zeitalter Napoleons III. und Bismarcks 1854–1878 – S. 93 ff.: Hans Herzfeld, Die Reichsgründung. Europa von 1878 bis 1914 – S. 142 ff.: Ludwig Zimmermann, Der Erste Weltkrieg und die Friedensschlüsse – S. 473 ff.: Fritz Valjavec, Das kulturelle und geistige Leben – S. 514 ff.: Hans Sedlmayr, Die Kunst im demiurgischen Zeitalter 1760 – 1960 – S. 546 ff.: Wilhelm Treue, Das wirtschaftliche und soziale Gefüge – S. 653 ff.: Wilhelm Röpke, Die Weltwirtschaft im 19. und 20. Jahrhundert.

Deutsche Geschichte im Überblick, hg. v. Peter Rassow (2. A. Stuttgart 1962) S. 523 ff.: Theodor Schieder, Das Reich unter der Führung Bismarcks – S. 572 ff.: Werner Conze, Die Zeit Wilhelms II.

Propyläenweltgeschichte, 8. Bd. (Berlin 1930) Liberalismus und Nationalismus 1848–1890. S. XVII: Walter Goetz, Die geistige Struktur des Zeitalters – S. 73 ff.: Friedrich Luckwaldt, Das europäische Staatensystem 1850–1890 – S. 387 ff.: Heinrich Herkner, Volkswirtschaft und Arbeiterbewegung 1850–1890 – S. 457 ff.: Walter Goetz, Die geistige Bewegung im 19. Jahrhundert.
10. Bd. (Berlin 1933) Das Zeitalter des Imperialismus 1890–1933. S. 3 ff.: Walter Goetz, Die geistige Entwicklung um die Jahrhundertwende – S. 45 ff.: Kurt Wiedenfeld, Die Weltmarkt-Wirtschaft – S. 133 ff.: Erich Brandenburg, Die Jahrzehnte vor dem ersten Weltkrieg – S. 375 ff.: Max Graf Montgelas, Militärische und politische Geschichte des Weltkrieges. Ferner der Band »Der deutsche Osten, seine Geschichte, sein Wesen, seine Aufgabe« (Berlin 1936), Kapitel über das Volk, die Wirtschaft und die Kultur.
Propyläenweltgeschichte, hg. v. Golo Mann, 8. Bd. (Berlin–Frankfurt–Wien 1960). S. 193 ff.: Richard Benz, Die romantische Geistesbewegung – S. 235 ff.: Walter Gerlach, Fortschritte der Naturwissenschaft im 19. Jahrhundert – S. 279 ff.: A. R. L. Gurland, Wirtschaft und Gesellschaft im Übergang zum Zeitalter der Industrie – S. 337 ff.: Max Rychner, Der Roman im 19. Jahrhundert.
9. Bd. (Berlin–Frankfurt–Wien 1960). S. 75 ff.: Hans Herzfeld, Erster Weltkrieg und Friede von Versailles – S. 459 ff.: Neue Wissenschaft (Beiträge von Gerlach, Kienle, Bargmann, Portmann und Weber über Physik, Chemie, Astronomie, Medizin, Biologie, Anthropologie und Soziologie).
Zu erwähnen ist ferner das große Werk »Deutschland unter Kaiser Wilhelm II.«, hg. v. Philipp Zorn und Herbert v. Berger, 3 Bde. (Berlin 1914), zusammen 1771 Seiten (Großformat).
Summa Historica (Berlin–Frankfurt–Wien 1965). S. 447 ff.: Golo Mann, Die europäische Moderne.

Allgemeines

Barraclough, Geoffrey: Tendenzen der Geschichte im 20. Jahrhundert (München 1967).
Bornhak, Conrad: Deutsche Geschichte unter Kaiser Wilhelm II. (4. A., Leipzig–Erlangen 1922).
Brinton, Crane: Ideen und Menschen (Stuttgart 1950, S. 358 ff.).
Buchheim, Karl: Das Deutsche Kaiserreich 1871–1918 (München 1969); Deutsche Kultur zwischen 1830 und 1870 (Handbuch der Kulturgeschichte, 1. Abt., Frankfurt 1966).
Bühler, Johannes: Deutsche Geschichte, 6. Bd., Vom Bismarck-Reich zum geteilten Deutschland (Berlin 1960, S. 3 ff.).

Conze, Werner: Die Zeit Wilhelms II. u. die Weimarer Republik (Tübingen–Stuttgart 1964).
Deuerlein, E., Hg.: Die Gründung des Deutschen Reiches in Augenzeugenberichten (Düsseldorf 1970).
Eyck, Erich: Bismarck, Leben und Werk, 3 Bde. (Zürich 1941–1943); Das persönliche Regiment Wilhelms II. (Zürich 1948).
Fehrenbach, Elisabeth: Wandlungen des deutschen Kaisergedankens 1871–1918 (München–Wien 1969).
Franzel, Emil: 1870–1950, Geschichte unserer Zeit (München 1951, auch spätere Auflagen).
Friedell, Egon: Kulturgeschichte der Neuzeit (3. Bd., München 1931, S. 328 ff.).
Gleichen-Russwurm, Alexander v.: Das Kulturbild des 19. Jahrhunderts, die geistige Entwicklung des modernen Europa (Hamburg um 1910).
Haas, Willy: Die Belle Epoque (München 1967, S. 255 ff.).
Helbok, Adolf: Deutsche Volksgeschichte, Wesenszüge und Leistungen des deutschen Volkes (2. Bd., Tübingen 1967).
Höfele, Karl Heinrich: Geist und Gesellschaft der Bismarckzeit 1870–1890 (Göttingen 1967).
Holborn, Hajo: Deutsche Geschichte der Neuzeit, 3. Bd. 1871–1945 (München 1971).
Johann, Ernst, und Junker, Jörg: Illustrierte deutsche Kulturgeschichte der letzten hundert Jahre (München 1970).
Lohmeyer, Hans: Die Politik des Zweiten Reiches 1870 bis 1918 (2. Bd., Berlin 1939).
Mann, Golo: Deutsche Geschichte des 19. und 20. Jahrhunderts (Frankfurt 1958).
Morazé, Charles: Das Gesicht des 19. Jahrhunderts, die Entstehung der modernen Welt (Düsseldorf–Köln 1959).
Richet, Charles: Allgemeine Kulturgeschichte, 2. Bd., Die Herrschaft der Wissenschaft 1789–1914 (München–Berlin 1920).
Röhl, John C. G.: Deutschland ohne Bismarck. Die Regierungskrise im zweiten Kaiserreich 1890–1900 (Tübingen 1969).
Rössler, Hellmuth: Deutsche Geschichte (Gütersloh 1961, S. 543 ff.).
Salis, Jean Rudolf v.: Weltgeschichte der neuesten Zeit (1. Bd., Zürich 1951).
Schieder, Theodor, und Deuerlein, Ernst: Reichsgründung 1870/71 (Stuttgart 1970).
Schönfeldt, Sybil Gräfin: Kulturgeschichte des Herrn (Fischerbücherei Bd. 1008, 1969).
Stegmann, Dirk: Die Erben Bismarcks, Parteien und Verbände in der Spätphase des wilhelminischen Deutschland 1897–1918 (Köln 1970).
Steinhausen, Georg: Kulturgeschichte der Deutschen in der Neuzeit (2. A. Leipzig 1918, S. 95 ff.). – Die

deutsche Kultur vom 18. Jahrhundert bis zum (1.) Weltkrieg (Leipzig–Wien 1920, S. 135 ff.). – Geschichte der deutschen Kultur, 2. Bd., (2. A. Leipzig–Wien 1913, S. 473 ff.). – Deutsche Geistes- und Kulturgeschichte von 1870 bis zur Gegenwart (Halle 1931).

Stürmer, Michael (Hg.): Das kaiserliche Deutschland, Politik und Gesellschaft 1870–1918 (Düsseldorf 1970).

Treue, Wilhelm: Kulturgeschichte des Alltags (Fischerbücherei Bd. 419, 1961, S. 170 ff.).

Tuchmann, Barbara W.: Der stolze Turm. Ein Porträt der Welt vor dem Ersten Weltkrieg 1890–1914 (München–Zürich 1969, S. 349 ff.).

Valentin, Veit: Deutsche Geschichte, 2. Bd. (Knaur-Taschenausgabe 104, 1965, S. 540 ff.).

Vietsch, Eberhard v.: Die Tradition der großen Mächte (Stuttgart 1950, S. 250 ff.).

Wehler, Hans Ulrich: Krisenherde des Kaiserreiches 1871–1918 (Göttingen 1970).

Zeitgeist im Wandel, Das Wilhelminische Zeitalter, hg. v. H. J. Schoeps (Stuttgart 1967).

Ziegler, Theobald: Die geistigen und sozialen Strömungen Deutschlands im 19. Jahrhundert (Berlin 1911, S. 389 ff.).

Ziekursch, Johannes: Politische Geschichte des Neuen Deutschen Kaiserreiches (2. Bd. 1871–1890, Frankfurt 1927, 3. Bd. 1890–1918, Frankfurt 1930).

Zoepfl, Friedrich: Deutsche Kulturgeschichte (2. Bd., Freiburg 1930, S. 659 ff.).

Taschenbuchausgaben

Engelmann, Bernt: Die goldenen Jahre, die Sage von Deutschlands glücklicher Kaiserzeit (dtv 624, 1969).

Das Wilhelminische Deutschland, Stimmen der Zeitgenossen, hg. v. G. Kotowski, W. Pöls, G. A. Ritter (Fischer Bd. 611, 1965).

Die Zerstörung der deutschen Politik, Dokumente 1871 bis 1933, hg. v. H. Pross (Fischer Bd. 264, 1961).

Historisches Lesebuch 1871–1914, hg. v. G. A. Ritter (Fischer Bd. 834, 1967) – dass. 1914–1933, hg. v. G. Kotowski (Fischer Bd. 852, 1968).

Das Zeitalter des Imperialismus, Kaiserreich und Erster Weltkrieg 1871–1918, Lesewerk zur Geschichte, hg. v. R. Eckart (Goldmann Bd. 1819).

Deutsche Geschichte des 20. Jahrhunderts, Das Kaiserreich, die Weimarer Republik, mit Dokumenten, v. G. Binder (Goldmann Bd. 2330).

Kaiser Wilhelm I.

Marcks, Erich: Kaiser Wilhelm I. (9. A., Leipzig 1943, noch immer ein klassisches Werk).

Oncken, Wilhelm: Unser Heldenkaiser, Festschrift zum 100jährigen Geburtstag (Berlin 1897).

Kaiser Friedrich III.

Richter, Werner: Kaiser Friedrich III. (Leipzig 1938).

Kaiser Wilhelm II.

Balfour, Michael: Der Kaiser. Wilhelm II. und seine Zeit (Berlin 1964).

Cowles, Virginia: Wilhelm der Kaiser (Ullsteinbuch 589/90, 1963).

Gisevius, Hans Bernd: Der Anfang vom Ende. Wie es mit Wilhelm II. begann (Zürich 1971).

Helfritz, Hans: Wilhelm II. als Kaiser und König (Zürich 1954).

Kürenberg, Joachim: War alles falsch? Das Leben Kaiser Wilhelms II. (Bonn 1951).

Meinhold, Paul: Wilhelm II. 25 Jahre Kaiser und König (Berlin 1912).

Reden des Kaisers, Ansprachen, Predigten und Trinksprüche, hg. v. E. Johann (dtv 354, 1966).

Reventlow, Graf E.: Kaiser Wilhelm II. und die Byzantiner (5. A., München 1906).

Schüssler, Wilhelm: Kaiser Wilhelm II. (Persönlichkeit und Geschichte 26/27, 2. A., Göttingen 1970).

Smith, Alson J.: In Preußen keine Pompadour, Wilhelm II. und die Gräfin Waldersee (Stuttgart 1965).

Thoma, Ludwig: Die Reden Kaiser Wilhelms II. und andere zeitkritische Stücke (München 1965).

Kronprinz Wilhelm

Herre, Paul: Kronprinz Wilhelm, seine Rolle in der deutschen Politik (München 1954).

Bayerische Könige

Achleitner, Arthur: Luitpold, Prinzregent von Bayern (Volksbücher d. Geschichte 12, Bielefeld–Leipzig 1911).

Hacker, R.: Ludwig II. in Augenzeugenberichten. (2. A. Düsseldorf 1966).

Richter, Werner: Ludwig II., König von Bayern (Zürich–Leipzig 1939).

Sailer, Anton: Bayerns Märchenkönig. Das Leben Ludwigs II. in Bildern (München 1961).

Schrott, Ludwig: Der Prinzregent (Luitpold), ein Lebensbild aus Stimmen seiner Zeit (München 1962).

Berlin

Berlin in Photographien des 19. Jahrhunderts, hg. v. Fr. Terveen (Berlin 1968).

Herzfeld, H., und Heinrich G., Hg.: Berlin und die Provinz Brandenburg im 19. und 20. Jahrhundert (Veröff. d. Histor. Kommission zu Berlin 25/3, 1968).

Kastan, J.: Berlin, wie es war (2. A., Berlin 1919).

Kindler, Helmut: Berlin, Brandenburger Tor, Brennpunkt deutscher Geschichte (3. A., München 1958).
Oettingen, Wolfgang v.: Berlin. Stätten der Kultur I. (Leipzig um 1905).

München

Franz, Eugen: München als deutsche Kulturstadt im 19. Jahrhundert (Berlin–Leipzig 1936, S. 155 ff.).
Proebst, H., und Ude, K., Hg.: Denk ich an München. Ein Buch der Erinnerungen (München 1966).
Roth, Eugen: München so wie es war (Düsseldorf 1965).
Wolf, G. J., Hg.: Münchner Künstlerfeste, Münchner Künstlerchroniken (München 1925).

Preußen

Feuchtwanger, E. J.: Preußen – Mythos und Realität (Frankfurt 1971).
Hintze, Otto: Die Hohenzollern und ihr Werk (Berlin 1915).
Schoeps, Hans Joachim: Preußen, Geschichte eines Staates (8. A., Berlin 1968, S. 273 ff.); Ders.: Das war Preußen, Zeugnisse der Jahrhunderte (Honnef 1955).

Bayern

Doeberl, M.: Entwicklungsgeschichte Bayerns, 3. Bd., hg. v. M. Spindler (München 1931, S. 361 ff.).
Hubensteiner, Benno: Bayerische Geschichte, Staat und Volk, Kunst und Kultur (4. A., München 1963).
Schindler, Herbert (Hg.): Bayerische Symphonie (2 Bde., München 1967/68).

Elsaß-Lothringen

Wentzcke, Paul: Der deutschen Einheit Schicksalsland (München 1921, S. 88 ff.).

Das Bürgertum

Glaser, Hermann: Spießer-Ideologie. Von der Zerstörung des deutschen Geistes im 19. und 20. Jahrhundert (Freiburg 1964).
Gmelin, Otto: Naturgeschichte des Bürgers (Jena 1929).
Kofler, Leo: Zur Geschichte der bürgerlichen Gesellschaft. Versuch einer verstehenden Deutung der Neuzeit (Neuwied–Berlin 1966).
Kohn, Hans: Wege und Irrwege. Vom Geist des deutschen Bürgertums (Düsseldorf 1962, S. 192 ff.).
Maurer, Emil H.: Der Spätbürger (Bern–München 1963).
Nitsche, Roland: Der häßliche Bürger. Leistungen, Versagen, Zukunft (Wien 1969).

Antisemitismus

Frank, Walter: Hofprediger Adolf Stoecker (Hamburg 1928).
Pulzer, Peter G. J.: Die Entstehung des politischen Antisemitismus in Deutschland und Österreich, 1867 bis 1914 (Gütersloh 1966).

Katholiken und Protestanten

Barth, K.: Die protestantische Theologie im 19. Jahrhundert (Zürich 1947).
Frieling, Reinhard: Die Bewegung für Glauben und Kirchenfassung 1910–1937 unter bes. Berücksichtigung der deutschen evangelischen Theologie und der evangelischen Kirche in Deutschland (Kirche und Konfession 16, Göttingen 1970).
Kupisch, Karl: Quellen zur Geschichte des deutschen Protestantismus 1871–1945 (Göttingen um 1968).
Lortz, Joseph: Geschichte der Kirche in ideengeschichtlicher Betrachtung (9./10. A., Münster 1941, ab § 111/C und ab 3. Teil).
Veit, Ludwig Andreas: Kirchengeschichte, hg. v. J. P. Kirsch (4. Bd., 2. Hälfte, Freiburg 1933, S. 281 ff.).
Vigener, F.: Ketteler, ein deutsches Bischofsleben (München 1924).

Die Parteien

Bergsträsser, Ludwig: Geschichte der politischen Parteien in Deutschland, hg. v. W. Mommsen (München–Wien 1965).
Mommsen, Wilhelm: Deutsche Parteiprogramme (München 1964).
Tormin, Walter: Geschichte der deutschen Parteien seit 1848 (Stuttgart 1966, S. 46 ff.).
Treue, Wolfgang: Die deutschen Parteien (Wiesbaden 1961). – Ders.: Deutsche Parteiprogramme 1861–1954 (Göttingen–Frankfurt–Berlin 1954).

Konservativismus

Stolberg-Wernigerode, Otto Graf zu: Die unentschiedene Generation, Deutschlands konservative Führungsschichten am Vorabend des 1. Weltkrieges (München–Wien 1968).
Westarp, K. Graf v.: Konservative Politik im letzten Jahrzehnt des Kaiserreiches (2 Bde., 1935/36).

Der deutsche Osten

Archenholz, Bogislav von: Die verlassenen Schlösser, ein Buch von den großen Familien des deutschen Ostens (Berlin–Frankfurt–Wien 1967).
Görlitz, Walter: Die Junker, Adel und Bauer im deut-

schen Osten (Glücksburg 1956, S. 251 ff.).

Propyläenweltgeschichte: Der deutsche Osten (Berlin 1936).

Die Alldeutschen

Kruck, Alfred: Geschichte des Alldeutschen Verbandes 1890–1939 (Veröff. d. Instituts f. europ. Geschichte Mainz, 3, Wiesbaden 1954).

Das Zentrum

Bachem, Karl: Vorgeschichte, Geschichte und Politik der deutschen Zentrumspartei (9 Bde., Aalen 1967, Neudruck).

Buchheim, Karl: Geschichte der christlichen Parteien in Deutschland (München 1953) – Ultramontanismus und Demokratie, der Weg der deutschen Katholiken im 19. Jahrhundert (München 1963).

Franz, Georg: Kulturkampf, Staat und katholische Kirche in Mitteleuropa (München um 1950).

Hüsgen, E.: Windthorst (1907).

Morsey, Rudolf: Die deutsche Zentrumspartei 1917 bis 1923 (Düsseldorf 1966) – Die deutschen Katholiken und der Nationalstaat zwischen Kulturkampf und Erstem Weltkrieg (Histor. Jahrbuch 90. Jg., 1970, S. 31 ff.).

Schmidt-Volkmar, Erich: Der Kulturkampf in Deutschland (Göttingen 1962).

Der Liberalismus

Freund, Michael: Der Liberalismus, Texte (Stuttgart 1965).

Gagel, Walter: Die Wahlrechtsfrage in der Geschichte der deutschen liberalen Parteien 1848–1918 (Düsseldorf 1958).

Gerstenberger, Heide: Der revolutionäre Konservatismus, ein Beitrag zur Analyse des Liberalismus (Sozialwissenschaftl. Abhandlungen 14, Berlin–München 1969).

Geschichte des deutschen Liberalismus (Schriftenreihe der Fr.-Naumann-Stiftung zur Politik und Zeitgeschichte 10).

Klotzbach, Kurt: Das Eliteproblem im politischen Liberalismus (Köln–Opladen 1966).

Sell, Friedrich C.: Die Tragödie des deutschen Liberalismus (Stuttgart 1953).

Soziale Fragen und Sozialdemokratie

Andrae, Friedrich, und Schönfeldt, Sybil Gräfin, Hg.: Deutsche Demokratie von Bebel bis Heuss (Fischerbücherei 936, 1968).

Blumenberg, Werner: Karl Marx (rororo Bildmonographie 76, 1966).

Erdmann, Gerhard: Die Entwicklung der deutschen Sozialgesetzgebung (3. A., Göttingen 1968).

Ernst, Paul: Grundlagen der neuen Gesellschaft (München 1934).

Grebing, Helga: Geschichte der deutschen Arbeiterbewegung (dtv 647, 1970).

Hallgarten, George W. F.: Imperialismus vor 1914 (2 Bde., München 1951).

Hirsch, Helmut: Friedrich Engels (rororo Bildmonographie 142, 1968).

Höhn, Reinhard: Sozialismus und Heer, 2. Bd. Die Auseinandersetzung der Sozialdemokratie mit dem Moltkeschen Heer, 3. Bd. Der Kampf des Heeres gegen die Sozialdemokratie (Harzburg 1961, 1969).

Jansen, Reinhard: Georg v. Vollmar (Düsseldorf 1958).

Kampffmeyer, Paul: Geschichte der Gesellschaftsklassen in Deutschland (Berlin 1910).

Linse, Ulrich: Organisierter Anarchismus im Deutschen Kaiserreich von 1871 (Berlin–München 1969).

Mehring, Franz: Geschichte der deutschen Sozialdemokratie (4. Bde., 11. A., 1921).

Oncken, Hermann: Lassalle (Berlin 1923).

Schulz, U. (Hg.): Die deutsche Arbeiterbewegung 1848 bis 1919 in Augenzeugenberichten (Düsseldorf 1968).

Schraepler, Ernst: Quellen zur Geschichte der sozialen Frage in Deutschland, Bd. 2, 1871 bis zur Gegenwart (Göttingen 1957). – August Bebel (Persönlichkeit und Geschichte 44, Göttingen 1966).

Sombart, Werner: Das Proletariat, Bilder und Studien (Frankfurt 1906).

Wehler, Hans Ulrich, Hg.: Moderne deutsche Sozialgeschichte (Köln–Berlin 1966).

Wittrock, Gerhard: Die Kathedersozialisten bis zur Eisenacher Versammlung 1872 (Berlin 1939).

Das Heer

Bergh, Max van den: Das Deutsche Heer vor dem Weltkrieg (Berlin 1934).

Buchheim, Karl: Leidensgeschichte des zivilen Geistes, Militarismus und ziviler Geist (2. A., München 1965).

Demeter, Karl: Das deutsche Offizierskorps in Gesellschaft und Staat 1650–1945 (4. A., Frankfurt 1965).

Niemann, Alfred: Kaiser und Heer. Das Wesen der Kommandogewalt und ihre Ausübung durch Kaiser Wilhelm II. (Berlin 1929).

Osten-Sacken u. v. Rhein, Ottomar Frh. v. d.: Preußens Heer von seinen Anfängen bis zur Gegenwart (Berlin 1914).

Ritter, Gerhard: Staatskunst und Kriegshandwerk, das Problem des Militarismus in Deutschland (1. Bd. 1740 bis 1890, Bd. 2–4 1890–1918, München 1954–1968).

Schenk, Erwin: Der Fall Zabern (Stuttgart 1927).

Schmidt-Richberg, Wiegand, und Matuschka, Edgar Graf: Handbuch zur deutschen Militärgeschichte (3. Lief. V. Bd., 1890–1918; Die Regierungszeit Wilhelms II., Organisationsgeschichte des Heeres, Organi-

sationsgeschichte der Luftwaffe bis 1918, Frankfurt 1968).
Der Fall Köpenick, Akten und zeitgenössische Dokumente, hg. v. W. Heidelmeyer (Fischerbücherei 863, 1968).

Die Flotte

Hubatsch, Walther: Die Ära Tirpitz, Studien zur deutschen Marinepolitik 1890–1918 (Göttingen 1955).
Persius, L.: Menschen und Schiffe in der Kaiserlichen Flotte (Berlin 1925).

Moral

Bolen, Carl v.: Geschichte der Erotik (Wien 1952).
Frischauer, Paul: Knaurs Sittengeschichte der Welt (3. Bd., Zürich 1970, S. 227 ff.).
Körner, Peter: Der Erste Weltkrieg, Bd. 5, Kultur- und Sittenspiegel (Heyne-Dokumentation, München 1968).
Mantell, U.: Kleine Kulturgeschichte der großen Sehnsucht. Vom Wandel des erotischen Wunschbildes (Wien–Berlin–Stuttgart 1953).

Geselligkeit

Trautwein, Susanna: Gesellschaft und Geselligkeit in Vergangenheit und Gegenwart (Aus Natur und Geisteswelt 706, Berlin–Leipzig 1919).

Jugendbewegung

Nasarski, Peter, Hg.: Deutsche Jugendbewegung in Europa, Versuch einer Bilanz (Köln 1967).
Pross, Harry: Jugend, Eros, Politik, Die Geschichte der deutschen Jugendverbände (Bern–München–Wien 1964).

Frauenbewegung

Basil, Otto: Ein wilder Garten ist dein Leib. Die Frau um die Jahrhundertwende (Wien–Hannover 1968).
Bebel, August: Die Frau und der Sozialismus (Berlin, Ausgabe von 1929).
Zahn-Harnack, Agnes v.: Die Frauenbewegung (Berlin 1928).

Mode

Aretz, Gertrude: Die elegante Frau, eine Sittenschilderung vom Rokoko bis zur Gegenwart (Leipzig–Zürich 1929, S. 351 ff.).
Bruhn, Wolfgang: Kostüm und Mode (Bamberg 1956).
Laver, James: Die Mode (Wien–München–Zürich 1969, S. 177 ff.).
Thiel, Erika: Geschichte des Kostüms (Berlin 1963, S. 548 ff.).

Wohnung

Fred, W.: Die Wohnung und ihre Ausstattung (Illustr. Monographien 11, Bielefeld–Leipzig 1903).

Technik, Erfindungen, Hygiene

Heuss, Theodor: Robert Bosch (Tübingen 1946).
Hygiene. Städte-, Wohnungs- und Kleidungshygiene des 19. Jahrhunderts in Deutschland. Studien zur Medizingeschichte des 19. Jahrhunderts, Bd. 3, Forschungsunternehmen d. Fr.-Thyssen-Stiftung, Arbeitskreis Medizingeschichte, mit Abhandlungen von W. Treue, H. Goerke, G. Rath, B. Deneke und W. Artelt (Stuttgart 1969).
Kech, Edwin: Geschichte der deutschen Eisenbahnpolitik (Sammlung Goeschen 533, Leipzig 1911, S. 101 ff.).
Lettenmair, J. G.: Gehen, Fahren, Fliegen, Vom Sieg über Raum und Zeit (Wien–Stuttgart 1955).
Rosenkranz, Hans: Ferdinand Graf Zeppelin (Berlin 1931).
Steinbuch, Karl: Die informierte Gesellschaft, Geschichte und Zukunft der Nachrichtentechnik (rororo-Sachbuch 6612–6613, 1968).
Weiher, Sigfried v.: Werner v. Siemens (Göttingen 1970).
Weise, Alfred: Vom Wildpfad zur Motorstraße, Streifzüge durch die Geschichte des Verkehrs (Berlin 1929).

Unterrichtswesen, Schulen

Bleuel, Hans Peter: Deutschlands Bekenner, Professoren zwischen Kaiserreich und Diktatur (Bern–München–Wien 1968).
Curtius, Ludwig: Deutsche und antike Welt, Lebenserinnerungen (Stuttgart 1958, S. 211 ff.).
Kreppel, Friedrich: Der Lehrer in der Zeitgeschichte (in »Zeitgeist im Wandel« S. 199 ff., Stuttgart 1967).
Manegold, Karl Heinz: Universität, Technische Hochschule und Industrie (Schriften z. Wirtschafts- und Sozialgeschichte 16, Berlin–München 1970).

Musik

Deppisch, Walter: Richard Strauss (rororo Bildmonographie 146, 1968).
Gal, Hans: Richard Wagner (Fischerbücherei 506, 1963).
Herzfeld, Friedrich: Magie der Oper (Frankfurt–Berlin–Wien 1970, S. 99 ff.).
Honolka, Kurt: Knaurs Weltgeschichte der Musik (München–Zürich 1968, S. 411 ff.). Ders.: Opern, Dichter, Operndichter (Stuttgart 1962, S. 219 ff.).
Lorme, Lola: Rings um die Operette (Altötting 1929).
Mayer, Hans: Richard Wagner (rororo Bildmonographie 29, 1964).
Panofsky, Walter: Richard Wagner (München 1963).
Tenschert, Roland: Richard Strauss (Wien, 2. A. 1945).

Bildende Kunst

Es wird vor allem auf die zahlreichen Künstlermonographien, hg. v. H. Knackfuss (Bielefeld–Leipzig), verwiesen, die das Werk deutscher Künstler darstellen und die heute völlig vergessen sind. Es werden im folgenden auch ältere Werke zitiert, die gerade über die Zeit von 1871 bis 1918 weit mehr Material bringen als die neuere Literatur.

Ahlers-Hestermann, Friedrich: Stilwende, Aufbruch der Jugend um 1900 (Berlin 1956).

Burger, Fritz: Einführung in die moderne Kunst (Handbuch der Kunstwissenschaft, Berlin-Neubabelsberg 1917).

Cremona, Italo: Die Zeit des Jugendstils (München–Wien 1970).

Daffner, Hugo: Salome (München 1912).

Daun, Berthold: Die Kunst des 19. Jahrhunderts und der Gegenwart (Berlin 1909).

Doede, Werner: Berlin, Kunst und Künstler seit 1870 (Recklinghausen 1961).

Hansen, Hans Jürgen, Hg.: Das pompöse Zeitalter, Zwischen Biedermeier und Jugendstil (Oldenburg–Hamburg 1970).

Hamann, Richard, und Hermand, Jost: Stilkunst um 1900 (Deutsche Kunst und Kultur von der Gründerzeit bis zum Expressionismus, 4, Berlin 1967).

Haushofer, Max: Die Landschaft (in der Malerei) (Illustr. Monographien, 12, Bielefeld–Leipzig 1903).

Hermann, Georg: Die deutsche Karikatur im 19. Jahrhundert (Illustr. Monographien, 2, Bielefeld–Leipzig 1901).

Hildebrandt, Hans: Die Kunst des 19. und 20. Jahrhunderts (Handbuch der Kunstwissenschaft, Potsdam–Wildpark 1924).

Hofstätter, Hans H.: Symbolismus und die Kunst der Jahrhundertwende (Köln 1965).

Justi, Ludwig: Deutsche Malkunst im 19. Jahrhundert, Ein Führer durch die Berliner Nationalgalerie (Berlin 1921).

Koreska-Hartmann, Linda: Jugendstil – Stil der »Jugend« (dtv Bd. 583, 1969).

Koeppen, Alfred: Die moderne Malerei in Deutschland (Illustr. Monographien, 7, Bielefeld–Leipzig 1902).

Löhneysen, Wolfgang Frh. v.: Kunst u. Kunstgeschmack von der Reichsgründung bis zur Jahrhundertwende (in »Zeitgeist im Wandel«, Stuttgart 1967, S. 87 ff.).

Nipperdey, Thomas: Nationalidee und Nationaldenkmal in Deutschland im 19. Jahrhundert (Histor. Zeitschr. Bd. 206, 1968, S. 529 ff.).

Roth, Eugen: Simplicissimus (Hannover 1954).

Scheffler, Karl: Verwandlungen des Barocks in der Kunst des 19. Jahrhunderts (Wien 1947).

Sedlmayr, Hans: Verlust der Mitte. Die bildende Kunst des 19. und 20. Jahrhunderts als Symptom und Symbol der Zeit (Ullsteinbuch 39, 1966).

Vogt, Paul: Was sie liebten, Salonmalerei im 19. Jahrhundert (Köln 1969).

Simplicissimus-Künstler

Gulbransson, Olaf: Es war einmal (München 1934).

Hölscher, Eberhard: Th. Th. Heine (Freiburg, um 1955).

Reznicek, Ferdinand v.: Galante Welt (München 1904) – Der Tanz (München 1906).

Thöny, Eduard: Flott gelebt, Auswahl (München 1966).

Literatur

Alker, Ernst: Die deutsche Literatur im 19. Jahrhundert (3. A., Stuttgart 1969).

Bortenschlager, Wilhelm: Deutsche Dichtung im 20. Jahrhundert (Wunsiedel–Wels–Zürich 1966).

David, Claude: Von Richard Wagner zu Bertold Brecht (Fischer Taschenbuch 600, 1964).

Daiber, Hans: Gerhart Hauptmann oder »der letzte Klassiker« (Wien 1971).

Kunz, Josef: Die deutsche Novelle im 19. Jahrhundert (Berlin 1970).

Lukács, Georg: Deutsche Literatur in zwei Jahrhunderten (2 Bde., Berlin 1964).

Martersteig, Max: Das deutsche Theater im 19. Jahrhundert (2. A., Leipzig 1924).

Martini, Fritz: Deutsche Literatur im bürgerlichen Realismus (Stuttgart 1962).

Nötzoldt, Fritz, Hg.: Wie einst im Mai. Schmachtfetzen aus der Plüsch- und Troddelzeit (dtv Bd. 391, 1966).

Nürnberger, Helmuth: Theodor Fontane (rororo Bildmonographie 145, 1969).

Rasch, Wolfdietrich, Hg.: Bildende Kunst und Literatur. Beiträge zum Problem ihrer Wechselbeziehungen im 19. Jahrhundert (Frankfurt 1970).

Soergel, Albert: Dichtung und Dichter der Zeit. Eine Schilderung der deutschen Literatur der letzten Jahrzehnte (10. A., Leipzig 1911).

Schröter, Klaus: Heinrich Mann (rororo Bildmonographie 125, 1967).

Schröter, Klaus: Thomas Mann (rororo Bildmonographie 93, 1967).

Schwerte, Hans: Deutsche Literatur im Wilhelminischen Zeitalter (in »Zeitgeist im Wandel«, Stuttgart 1967, S. 121 ff.).

Tank, Kurt Lothar: Gerhart Hauptmann (rororo Bildmonographie 27, 1963).

Wiese, Benno v., Hg.: Deutsche Dichter des 19. Jahrhunderts (Berlin 1969).

Publizistik

Erwarte Näheres unter vier Buchstaben, Kleinanzeigen und Pressenotizen der Jahrhundertwende (dtv Bd. 569, 1969).

Kuckucksuhr mit Wachtel, Reklame der Jahrhundertwende (dtv Bd. 448, 1967).
Weller, Uwe B.: Maximilian Harden und die »Zukunft« (Bremen 1970).
Zimmermann, Magdalene: Die Gartenlaube als Dokument ihrer Zeit (dtv Bd. 435, 1967).

Über Friedrich Nietzsche

Fink, Eugen: Nietzsches Philosophie (Stuttgart 1960).
Frenzel, Ivo: Nietzsche (rororo Bildmonographie 115, 1967).
Saling, Edgar: Vom deutschen Verhängnis, Gespräch an der Zeitenwende: Burckhardt – Nietzsche (rororo Enzyklopädie 80, 1959).

Wirtschaft

Bechtel, Heinrich: Wirtschaftsgeschichte Deutschlands im 19. und 20. Jahrhundert (3. Bd., München 1956).
Berglar, Peter: Walther Rathenau (Bremen 1970).
Boelcke, Willi A.: Krupp und die Hohenzollern in Dokumenten (Frankfurt 1970).
Böhme, Helmut: Deutschlands Weg zur Großmacht, Studien zum Verhältnis von Wirtschaft und Staat während der Reichsgründungszeit 1848–1881 (Köln–Berlin 1966).
Cecil, Lamar: Albert Ballin. Wirtschaft und Politik im deutschen Kaiserreich 1888–1918 (Hamburg 1969).
Engelmann, Bernt: Krupp, Legenden und Wirklichkeit (München 1969).
Gruber, Christian: Deutsches Wirtschaftsleben (3. A., Aus Natur und Geisteswelt 42, Leipzig 1912).
Hellwig, F.: Carl Ferdinand Frh. v. Stumm-Halberg 1836–1901 (1936).
Manchester, William: Krupp. Zwölf Generationen (München 1968).
Mühlen, Norbert: Die Krupps (rororo 679, 1965).
Rosenberg, Hans: Große Depression und Bismarckzeit. Wirtschaftsablauf, Gesellschaft und Politik in Mitteleuropa (Berlin 1967).
Seidel, Bruno: Die Wirtschaftsgesinnung des Wilhelminischen Zeitalters (in »Zeitgeist im Wandel«, Stuttgart 1967, S. 173 ff.).
Sombart, Werner: Die deutsche Volkswirtschaft im 19. und im Anfang des 20. Jahrhunderts (5. A., Berlin 1921).
Treue, Wilhelm: Wirtschaftsgeschichte der Neuzeit 1700 bis 1965, (2. A., 1966, S. 512 ff.).
Treue, Wilhelm; Pönicke, Herbert; Manegold, Karlheinz: Quellen zur Geschichte der industriellen Revolution (Göttingen um 1968).
Wurm, Franz F.: Wirtschaft und Gesellschaft in Deutschland 1848–1948 (Opladen 1969).

Wissenschaften

Sehr viel Material im großen, schon zitierten Werk »Deutschland unter Kaiser Wilhelm II.« (Berlin 1914, 3 Bde.), und zwar über die Entwicklung des Rechts im 1. Bd., S. 259 ff., über Geistes- und Naturwissenschaften jeder Art sowie über Medizin und Technik im 3. Bd., S. 1147 ff. Ferner das von H. J. Schoeps herausgegebene Sammelwerk »Zeitgeist im Wandel«. Das Wilhelminische Zeitalter. Stuttgart 1967.
Fueter, Eduard: Geschichte der neueren Historiographie (München–Berlin 1911, S. 415 ff.).
Lenz, Max: Die Stellung der historischen Wissenschaften in der Gegenwart (Kleine histor. Schriften, München–Berlin 1910, S. 596 ff.).
Srbik, Heinrich R. v.: Geist und Geschichte vom deutschen Humanismus bis zur Gegenwart (2 Bde., München–Salzburg 1950–51).
Windelband, Wilhelm: Die deutsche Philosophie des 19. Jahrhunderts (in: Allgemeine Geschichte der Philosophie: Die Kultur der Gegenwart I/V, 2. A., Leipzig–Berlin 1923, S. 573 ff.).

Erster Weltkrieg

Fischer, Fritz: Griff nach der Weltmacht. Die Kriegszielpolitik des kaiserlichen Deutschland 1914–1918 (3. A., Düsseldorf 1964) – Krieg der Illusionen. Die deutsche Politik von 1911–1914 (Düsseldorf 1969).
Herzfeld, Hans: Der Erste Weltkrieg (dtv-Weltgeschichte des 20. Jahrhunderts 1, 4001, 1968).
Kielmansegg, Peter Graf v: Deutschland und der Erste Weltkrieg (Frankfurt 1968).
Körner, Peter, Hg.: Der 1. Weltkrieg in Wort und Bild (5 Bde., Heyne-Dokumentation, München 1968).
Lynar, Ernst W. Graf, Hg.: Deutsche Kriegsziele 1914 bis 1918 (Ullsteinbuch 616, 1964).
Schulz, Gerhard: Revolutionen und Friedensschlüsse 1917–1920 (dtv-Weltgeschichte d. 20. Jh. 2, 4002, 1967).
Schwabe, Klaus: Wissenschaft und Kriegsmoral. Die deutschen Hochschullehrer und die politischen Grundfragen des Ersten Weltkrieges (Göttingen 1969).
Tuchmann, Barbara W.: August 1914 (Bern 1964).
Weber, Hellmuth: Ludendorff und die Monopole. Deutsche Kriegspolitik 1916–1918 (Berlin 1966).

Erinnerungen, Briefe usw.

Bebel, August: Aus meinem Leben (Frankfurt 1964).
Bethmann Hollweg, Theobald v.: Betrachtungen zum Weltkrieg (2 Bde., Berlin 1919).
Braun-Artaria, R.: Von berühmten Zeitgenossen. Lebenserinnerungen einer Siebzigerin (München 1922).
Burckhardt, Jacob: Briefe, hg. v. Fr. Kaphahn (Kröner Taschenausgabe 134, Leipzig 1935) – Briefe, hg. v. Max Burckhardt (7 Bde., Basel 1949–1969).

Bülow, Fürst Bernhard v.: Denkwürdigkeiten, 4 Bde., (Berlin 1930–1931).

Curtius, Ludwig: Deutsche und antike Welt. Lebenserinnerungen (Stuttgart 1958).

Einem, Karl v.: Erinnerungen eines Soldaten 1853–1933 (5. A., Leipzig 1933).

Fontane, Theodor: Von Dreißig bis Achtzig, sein Leben in seinen Briefen, hg. v. H. H. Reuter (Sammlung Dieterich 248, Leipzig 1960) – Briefe an Georg Friedländer, hg. v. K. Schreinert (Heidelberg 1954) – Briefwechsel mit Paul Heyse (1929).

Friedrich III.: Briefe, Reden, Erlasse, hg. v. G. Schuster (1906).

Ganghofer, Ludwig: Lebenslauf eines Optimisten (Kindheit, Jugend, Buch der Freiheit, 3 Bde., Stuttgart um 1925).

Hallgarten, George, W. F.: Als die Schatten fielen. Erinnerungen vom Jahrhundertbeginn zur Jahrtausendwende (Berlin–Frankfurt–Wien 1969).

Hauptmann, Gerhart: Das Abenteuer meiner Jugend, hg. v. H. E. Hass (7. Bd., Darmstadt 1962, S. 457 ff.).

Heuss, Theodor: Erinnerungen 1905–1933 (Fischerbuch 700, 1965).

Hohenlohe-Schillingsfürst, Chlodwig Fürst: Denkwürdigkeiten (2 Bde., Stuttgart–Leipzig 1907; 3. Bd. hg. v. K. A. v. Müller, Stuttgart–Leipzig 1931).

Hülsen, Hans v.: Der Kinderschrank, Erinnerungen (München 1946) – Zwillingsseele (Erinnerungen, 1. Bd. München 1947) – Freundschaft mit einem Genius, Erinnerungen an Gerhart Hauptmann (München 1947).

Lamprecht, Karl: Rektoratserinnerungen, hg. v. A. Köhler (Gotha 1917).

Lenbach, Franz v.: Gespräche und Erinnerungen, hg. v. W. Wyl (Stuttgart–Leipzig 1904).

Litzmann, Berthold: Im alten Deutschland. Erinnerungen eines Sechzigjährigen (Berlin 1923).

Lindenberg, Paul: Es lohnte sich, gelebt zu haben, Erinnerungen (Berlin 1941).

Mann, Thomas: Briefe (1. Bd., Frankfurt 1961), hg. v. Erika Mann.

Meinecke, Friedrich: Erlebtes 1862–1901 (Leipzig 1941) – Straßburg, Freiburg, Berlin 1901–1919 (Stuttgart 1949).

Müller, Karl Alexander v.: Aus Gärten der Vergangenheit. Erinnerungen 1882–1914 (Stuttgart 1952).

Nostiz, Helene v.: Aus dem alten Europa (rororo Bd. 666, 1964).

Pünder, Hermann: Von Preußen nach Europa (Stuttgart 1968).

Rheinbaben, Werner Frh. v.: Kaiser, Kanzler, Präsidenten, Erinnerungen (Mainz 1968).

Roth, Eugen: 75 Jahre Münchner, das neue Eugen-Roth-Buch (München 1970, S. 361 ff.).

Scholz, Wilhelm v.: Eine Jahrhundertwende. Lebenserinnerungen (Leipzig 1936).

Schönburg-Waldenburg, Prinz Heinrich v. (Flügeladjutant Wilhelms II.): Erinnerungen aus kaiserlicher Zeit (2. A., Leipzig 1929).

Siemens, Werner v.: Lebens-Erinnerungen (Leipzig 1943).

Spitzemberg, Baronin v.: Am Hof der Hohenzollern, Tagebuch 1865–1914 (dtv-Dokumente 318, 1965).

Strauss, Richard: Betrachtungen und Erinnerungen, hg. v. W. Schuh (Zürich 1949).

Sudermann, Hermann: Das Bilderbuch meiner Jugend (Stuttgart–Leipzig 1930).

Thoma, Ludwig: Erinnerungen (München 1931).

Tirpitz, Alfred v.: Erinnerungen (Leipzig 1919).

Uhde-Bernays, Hermann: Im Lichte der Freiheit. Erinnerungen aus den Jahren 1880–1914 (Frankfurt 1947).

Unruh, Friedrich Franz v.: Ehe die Stunde schlug. Eine Jugend im Kaiserreich (Bodmann–Bodensee 1967).

Valentini, Rudolf v.: Kaiser und Kabinettschef, hg. v. B. Schwertfeger (Oldenburg 1931).

Wagner, Richard: Mein Leben, hg. v. W. Altmann (2 Bde., Leipzig 1933).

Werner, Anton v.: Erlebnisse und Eindrücke, 1870–1890 (Berlin 1913).

Wilamowitz-Möllendorf, Ulrich v.: Erinnerungen 1848 bis 1914 (Leipzig 1928).

Wilhelm II.: Ereignisse und Gestalten 1878–1918 (1927) – Aus meinem Leben 1859–1888 (1927).

Zedlitz-Trützschler, Robert Graf: Zwölf Jahre am deutschen Kaiserhof (Stuttgart–Berlin–Leipzig 1924).

Zweig, Stefan: Die Welt von gestern (Wien 1948).

REGISTER DER PERSONEN- UND ORTSNAMEN
(Kursiv gesetzte Ziffern verweisen auf Abbildungen)

BILDQUELLENNACHWEIS

Archiv Athenaion: 145

Archiv für Kunst und Geschichte: 2, 4, 6, 8, 12, 14, 19, 30, 37, 40, 45, 47, 48, 49, 51, 58, 65, 67, 68, 69, 77, 82, 91–94, 98, 99, 101, 102, 103, 104, 107, 112, 113, 116, 119, 123, 124, 125, 126, 128, 130, 131, 143, 144, 146, 147, 149, 151, 153, 155, 157, 158, 161, 165, 166, 167, 170, 172, 174, 176, 181, 182

Bavaria: 35, 36, 84, 138, 159, 160

Buchheim Verlag (»Heißgeliebte Gartenlaube«): 76

Foto Marburg: 5, 20, 21, 22, 23, 24, 25, 26, 28, 29, 38, 89, 117, 129, 134, 135, 137, 139

Gerstenberg: 7, 34, 54, 72, 80, 87, 109, 118, 148, 183

Staatsbibliothek Berlin: 1, 9, 10, 11, 15, 22, 27, 31, 32, 39, 41, 44, 50, 52, 55, 57, 60, 61, 63, 64, 81, 83, 90, 95, 100, 108, 111, 114, 121, 127, 136, 142, 156, 173, 175, 177, 179, 180, 184, 185, 186, 187

Süddeutscher Verlag: 56, 74, 88, 96, 97, 106, 140

Ullstein Bilderdienst: 3, 13, 16, 17, 18, 33, 42, 43, 46, 53, 59, 62, 66, 70, 71, 73, 75, 78, 79, 85, 86, 105, 110, 115, 120, 122, 132, 133, 141, 150, 152, 154, 162, 163, 164, 168, 169, 171, 178, 188, 189